Marie-Antoinette

Du même auteur aux Éditions Grasset :

Brûlant secret.
Castellion contre Calvin.
Le Chandelier enterré.
Érasme.
Joseph Fouché.
Magellan.
Marie Stuart.
La Peur.
La Pitié dangereuse.
Souvenirs et rencontres.
Trois maîtres (Dostoïevski-Balzac-Dickens).
Un caprice de Bonaparte.
Correspondance, 1897-1919.
Correspondance, 1920-1931.

STEFAN
ZWEIG

Marie-Antoinette

traduit de l'allemand
par

ALZIR HELLA

Bernard Grasset
Paris

L'édition originale de cet ouvrage a été publiée par Insel-Verlag, à Leipzig, en 1932, sous le titre :

MARIE ANTOINETTE

ISBN 978-2-246-16864-5
ISSN 0756-7170

Stefan Zweig / Marie-Antoinette

Stefan Zweig est né à Vienne, le 28 novembre 1881, dans une famille d'industriels appartenant à la grande bourgeoisie israélite. Avec Hugo von Hofmannsthal, avec Robert Musil, avec Arthur Schnitzler, il est une des figures dominantes de cette génération prodigieuse de la littérature autrichienne dont l'épanouissement coïncidera avec la chute du vieil empire des Habsbourg.

Sa situation de fortune le délivrant des préoccupations matérielles, c'est la seule curiosité qui guide ses études. Curieux, Zweig l'est à la fois de philosophie et de belles lettres, d'histoire et de voyages. Jeune homme, il parcourt l'Europe à la découverte des littératures étrangères. Il se lie avec Verhaeren dont il traduit les poèmes en allemand, parvenant avec un rare bonheur à en restituer tout le lyrisme. Plus tard, il donnera aussi de remarquables versions de Verlaine et de Rimbaud. En 1901, à peine âgé de vingt ans, il fait paraître son premier recueil de vers, Cordes d'argent, *suivi, en 1907, par* les Guirlandes précoces. *Son inspiration éminemment éclectique l'amène ensuite à se consacrer au théâtre. Il compose deux drames,* Tersites *(1907) et* la Maison au bord de la mer *(1911).*

A cet humaniste accompli, à ce grand voyageur féru d'échanges intellectuels au-delà des nationalités, la guerre fait l'effet d'un traumatisme. Immédiatement, Zweig comprend qu'elle consomme la fin d'un monde ; c'est la signification qu'il lui donne dans tous les romans où il la met en scène. Ses convictions pacifistes s'expriment dans deux pièces de théâtre, Jérémie *(1916) et* l'Agneau du pauvre

(1930). On peut regretter que ses œuvres intéressantes aient été éclipsées par Volpone (1927), qui demeure le plus grand succès théâtral de Zweig.

En 1919, Zweig s'installe à Salzbourg où il restera quinze ans. C'est là qu'il écrit quelques-unes des nouvelles (parfois fort longues) qui lui apportent une célébrité mondiale : Amok (1922), la Confusion des sentiments (1926), les Heures étoilées de l'humanité (1928), Vingt-Quatre Heures de la vie d'une femme (1934). Avec la nouvelle, Zweig trouve sa veine la plus originale et s'affirme bientôt comme le peintre minutieux et magistral des drames de l'être intime. Le destin joue un grand rôle dans ses récits, mais le destin selon Zweig n'est pas une entité surnaturelle. A la lumière des enseignements de Freud (auquel il consacra un essai, et une partie de la Guérison par l'esprit, 1931) qui marquent profondément sa démarche romanesque, Zweig s'applique à révéler, dans le processus de fatalité dont ses héros et ses héroïnes sont victimes, la part qui revient au déterminisme de l'inconscient.

Parallèlement, il fait œuvre de biographe et d'essayiste avec, en 1919, Trois maîtres (Dostoïevsky, Balzac, Dickens), en 1925 la Lutte avec le démon (Kleist, Hölderlin, Nietzsche). Lorsqu'il interroge la vie de ces écrivains, il mêle librement le portrait clinique à la biographie et, par l'analyse des tourments et des motivations intérieurs, tente d'éclairer les mécanismes de la création. Son goût pour l'histoire lui inspire encore des vies de Fouché (son chef-d'œuvre biographique), de Marie Stuart, de Magellan. Plus que par le rôle historique qu'ont joué ces personnages, on devine Zweig séduit par leurs figures pathétiques ou leurs destins d'exception. C'est en romancier qu'il les décrit et les fait vivre, leur restituant cette dimension de vérité intime dont l'histoire qui se fonde sur les seuls faits ne saurait complètement rendre compte.

En 1934, Zweig vient s'établir à Londres pour y poursuivre les recherches préparatoires à sa vie de Marie Stuart. Son voyage n'a aucun motif politique, mais bientôt l'invasion de l'Autriche par les troupes de Hitler et sa réunion à l'Allemagne nazie dissuadent l'écrivain de rentrer dans son pays. C'est durant cet exil qu'il écrit Brûlant Secret (1938) et son unique roman, la Pitié dangereuse (1939). En 1940, il devient sujet britannique.

Au début de la guerre, en compagnie de sa seconde femme, il quitte l'Angleterre pour les Etats-Unis et réside quelques mois dans la banlieue de New York. Puis, en août 1941, il décide de s'installer au Brésil. C'est à Petrópolis qu'il achève de rédiger son autobiographie, le Monde d'hier, *portrait de l'Europe d'avant 1914, vue avec le regard enchanté de la mémoire.*

Profondément affectés par la guerre et désespérant de l'avenir du monde, Zweig et sa jeune femme décident de se donner la mort. Ils s'empoisonnent ensemble le 23 février 1942.

La passion ou la honte révolutionnaires posthumes ont considérablement obscurci la personnalité et l'histoire de Marie-Antoinette. Publiée pour la première fois en 1933, cette biographie visait autant que possible à rétablir la courbe et la vérité d'un destin. Stefan Zweig, maître biographe, et Viennois comme la reine, a donc fait le ménage dans la documentation, parasitée par les remords et la flagornerie d'époque. Il a puisé à des sources de première main pour restituer les nuances et les tremblements d'une vie : la correspondance de Marie-Antoinette avec sa mère, Marie-Thérèse d'Autriche, et les archives du comte de Fersen, « un ami sincère, droit, viril et courageux » – attention, chez Zweig tous les mots comptent. Alors qui était Marie-Antoinette, faite, l'année de ses quinze ans et par raison d'Etat, reine de France ? Un être futile, point sot mais léger ? Une débauchée ? Une icône pour la Restauration ? Nous la suivons ici, de la chambre de son époux, qu'elle appelait son « nonchalant mari », le falot Louis XVI, jusqu'au lit de la guillotine. Quel voyage ! Quelle histoire ! Le monde enchanté et dispendieux de Trianon, la maternité, le début de l'impopularité, l'affaire du collier, la Révolution populaire qui la prit pour cible, la fuite à Varennes, la Conciergerie, l'échafaud…

Une nouvelle fois, comme pour Marie Stuart, Zweig s'est penché sur l'existence d'une femme avec une loupe de psychologue. Complice distant et froid de la reine, il ne la divinise pas : elle « n'était ni la grande sainte du royalisme ni la grande "grue" de la Révolution, mais un être moyen, une femme en somme ordinaire, pas trop intelligente, pas trop niaise, un être ni de feu ni de glace, sans inclination pour le bien, sans le moindre amour du mal, la femme moyenne d'hier, d'aujourd'hui et de demain ». Il analyse la chimie d'une âme bouleversée par les événements, qui, sous le poids du malheur et de l'Histoire, se révèle à elle-même et se rachète, passant de l'ombre de la jouissance à la lumière de la souffrance. « Car à la dernière heure de sa vie, à la toute dernière heure, Marie-Antoinette, nature moyenne, atteint au tragique et devient égale à son destin. » Davantage qu'un livre d'histoire : un roman vrai.

Ecrire l'histoire de Marie-Antoinette, c'est reprendre un procès plus que séculaire, où accusateurs et défenseurs se contredisent avec violence. Le ton passionné de la discussion vient des accusateurs. Pour atteindre la royauté, la Révolution devait attaquer la reine, et dans la reine la femme. Or, la vérité et la politique habitent rarement sous le même toit, et là où l'on veut dessiner une figure avec l'intention de plaire à la multitude, il y a peu de justice à attendre des serviteurs complaisants de l'opinion publique. On n'épargna à Marie-Antoinette aucune calomnie, on usa de tous les moyens pour la conduire à la guillotine; journaux, brochures, livres attribuèrent sans hésitation à la « louve autrichienne » tous les vices, toutes les dépravations morales, toutes les perversités; dans l'asile même de la justice, au tribunal, le procureur général compara pathétiquement la « veuve Capet » aux débauchées les plus célèbres de l'Histoire, à Messaline, Agrippine et Frédégonde. Le revirement fut d'autant plus profond, lorsque, en 1815, un Bourbon monta de nouveau sur le trône; pour flatter la dynastie, on repeint l'image diabolique sous les couleurs les plus flatteuses; pas de portrait de Marie-Antoinette datant de cette époque où elle ne soit idéalisée et auréolée. Les panégyriques se succèdent; la vertu insoupçonnable de Marie-Antoinette est farouchement défendue, on célèbre en vers et en prose son esprit de sacrifice, sa grandeur d'âme, son pur héroïsme; et des anecdotes, abondamment trempées de larmes, tissées la plupart du temps par le monde aristocratique, encadrent le visage transfiguré de la « reine martyre ».

La vérité psychologique, comme c'est le cas le plus souvent, se rapproche ici du juste milieu. Marie-Antoinette n'était ni la grande sainte du royalisme ni la grande « grue » de la Révolution, mais un être moyen, une femme en somme ordinaire, pas trop intelligente, pas trop niaise, un être ni de feu ni de glace, sans inclination pour le bien, sans le moindre amour du mal, la femme moyenne d'hier, d'aujourd'hui et de demain, sans penchant démoniaque, sans soif d'héroïsme, assez peu semblable à une héroïne de tragédie. Mais l'Histoire, ce démiurge, n'a nullement besoin d'un personnage central héroïque pour échafauder un drame émouvant. Le tragique ne résulte pas seulement des traits démesurés d'un être, mais encore, à tout moment, de la disproportion qui existe entre un homme et son destin. Il se manifeste lorsqu'un surhomme, un héros, un génie, entre en conflit avec le monde environnant, trop hostile, trop étroit, pour la tâche que le destin lui a assignée, tel Napoléon étouffant dans le minuscule carré de Sainte-Hélène, ou Beethoven emprisonné dans sa surdité, et d'une façon générale, chez toute grande figure qui ne trouve pas sa mesure et son exutoire. Mais le tragique existe aussi quand une nature moyenne, sinon faible, est liée à un destin formidable, à des responsabilités personnelles qui l'écrasent et la broient, et cette forme ici me paraît même plus poignante du point de vue humain. Car le grand homme cherche inconsciemment un destin extraordinaire; une vie héroïque ou, selon le mot de Nietzsche, « dangereuse » est organiquement conforme à sa nature démesurée; il défie le monde par l'audace des exigences inhérentes à son caractère. De sorte qu'un génie n'est point, en fait, irresponsable de sa souffrance, car sa mission appelle mystiquement cette épreuve du feu, pour qu'il puisse donner la mesure de sa force suprême; comme la tempête emporte la mouette, la puissance de son destin le pousse toujours plus fort et plus haut. L'homme moyen, en revanche, de par son essence, réclame une existence paisible; il ne veut pas, il n'a pas besoin de tragique, il préfère vivre tranquillement dans l'ombre, à l'abri des vents, dans un climat tempéré; c'est pourquoi il s'effraye, il résiste, il fuit, quand une main invisible le pousse vers les bouleversements. Il ne veut pas de responsabilités mondiales historiques, au contraire il les redoute; il ne recherche pas la souffrance, on la lui impose; il est contraint du dehors, non pas du dedans, de se dépasser. Cette souffrance du non-héros, de l'homme moyen, bien qu'il lui manque un sens évident, ne me paraît pas moins grande que celle, pathétique, du héros véritable, et peut-être est-elle encore plus émouvante, car l'être ordinaire doit la supporter à soi seul et n'a pas, comme l'artiste, l'heureux moyen de transmuer son tourment en œuvres et en formes durables.

Mais le destin, parfois, sait bouleverser ces natures moyennes et de sa poigne impérieuse les sortir de leur médiocrité; la vie de Marie-Antoinette en est peut-être un des plus éclatants exemples de l'Histoire. Pendant ses trente premières années, sur les trente-huit qu'elle a vécues, cette femme suit une voie médiocre, bien que dans un milieu élevé; jamais elle ne dépasse la mesure commune ni en bien ni en mal: une âme tiède, une nature ordinaire, et au début, du point de vue historique, rien qu'une figurante. Sans l'irruption de la Révolution dans son fol univers de plaisirs, cette princesse insignifiante aurait tranquillement continué à vivre comme des millions de femmes de tous les temps; elle aurait dansé, bavardé, aimé, ri, se serait parée, aurait rendu visite et fait l'aumône; elle aurait mis au monde des enfants et finalement se serait étendue doucement sur un lit pour y mourir, sans avoir réellement vécu selon l'esprit du temps. En sa qualité de reine, on l'aurait mise en bière avec solennité et on aurait porté le deuil à la cour, mais ensuite elle aurait disparu de la mémoire des hommes comme tant d'autres princesses, les Marie-Adélaïde et Adélaïde-Marie, les Anna-Catherine et Catherine-Anna, dont les pierres tombales, aux froids caractères qu'on ne déchiffre plus, se trouvent dans le Gotha. Jamais personne n'aurait éprouvé le désir de tirer du néant son image, son âme éteinte; nul n'aurait su qui elle était en réalité; et – point capital – jamais Marie-Antoinette elle-même, reine de France, ne l'aurait su ni appris sans son épreuve. Car le propre de l'être moyen, heureux ou malheureux, est de ne pas sentir en soi-même la nécessité de se mesurer, de ne pas avoir la curiosité de se poser de questions tant que le destin ne lui en pose pas: il laisse dormir en soi ses possibilités inutilisées, dépérir ses facultés, s'amollir ses forces comme des muscles qu'on n'exerce jamais avant que la nécessité ne les tende pour une résistance réelle. Une nature moyenne doit être projetée hors de soi-même pour devenir tout ce qu'elle est capable d'être, et peut-être davantage qu'elle ne le supposait ou pressentait; pour cela le destin n'a pas d'autre fouet que le malheur. De même que l'artiste recherche parfois avec intention un sujet d'apparence mesquine, au lieu d'un sujet émouvant et universel, afin de mieux prouver sa force créatrice, de même le destin, de temps à autre, choisit un héros insignifiant pour montrer que d'une matière fragile il sait tirer le plus intense pathétique, d'une âme faible et indolente la plus haute tragédie. Marie-Antoinette est un des plus beaux exemples de cet héroïsme involontaire.

Avec quel art, quelle ingéniosité dans les épisodes, sur quelle vaste scène l'Histoire construit son drame autour de cette nature ordinaire avec quelle science elle fait naître les contrastes autour de ce personnage central qui, dès le début, s'y prête si peu! Avec une ruse diabolique, elle commence par combler cette femme. Elle donne à l'enfant un palais impérial pour demeure, à l'adolescente une couronne, à la jeune femme elle prodigue généreusement tous les dons de la beauté et de la richesse et lui accorde en outre un cœur insouciant de la valeur de ces présents. Pendant des années elle cajole et dorlote cet être léger jusqu'à ce qu'il en devienne toujours plus inconscient et en perde la raison. Mais si le destin a porté cette femme aux plus hauts sommets du bonheur avec rapidité et aisance, il ne l'en laisse ensuite retomber qu'avec plus de lenteur et une cruauté plus raffinée. Avec un réalisme mélodramatique, cette tragédie met en présence les oppositions les plus violentes; elle pousse Marie-Antoinette d'un palais impérial aux cent salons dans une misérable geôle, du carrosse doré sur la charrette du bourreau, du trône sur l'échafaud; elle la jette du luxe dans l'indigence; d'une femme jouissant de la faveur générale et partout acclamée, elle fait un objet de haine sur qui s'abat la calomnie; bref elle l'entraîne toujours plus bas, sans pitié, jusqu'au suprême abîme. Et cet être petit et médiocre, soudainement assailli dans sa nonchalance, ce cœur étourdi ne comprend pas ce que lui veut cette force étrangère; il sent seulement qu'une dure poigne le pétrit, qu'une griffe brûlante s'enfonce dans sa chair torturée; inaccoutumé à la souffrance, la craignant, il ne se doute de rien, se débat, gémit, cherche à s'échapper. Mais inexorable comme l'artiste qui ne lâche pas sa matière avant de lui avoir arraché ses derniers effets, sa suprême possibilité, le malheur ne cesse pas de marteler l'âme molle et faible de Marie-Antoinette avant d'en avoir obtenu la fermeté et la dignité, et fait surgir toute la grandeur ancestrale ensevelie dans ses profondeurs. Cette femme éprouvée, qui n'a jamais eu la curiosité d'elle-même, s'aperçoit enfin avec effroi, au milieu de ses tourments, de la transformation qui s'opère juste au moment où son pouvoir royal prend fin: elle sent naître en elle quelque chose de grand et de nouveau, qui n'eût pas été concevable sans cette épreuve. « C'est dans le malheur qu'on sent davantage ce qu'on est », ces mots fiers et émus jaillissent soudain de sa bouche et étonnent; un pressentiment lui dit que c'est justement par la souffrance que sa pauvre vie restera en exemple à la postérité. Et grâce à cette conscience d'un devoir supérieur à remplir son caractère grandit au-delà de lui-même. Peu avant que la forme humaine ne se brise, le chef-d'œuvre impérissable est achevé, car à la dernière heure de sa vie, à la toute dernière heure, Marie-Antoinette, nature moyenne, atteint au tragique et devient égale à son destin.

CHAPITRE PREMIER

ON MARIE UNE ENFANT

Pendant des siècles, sur d'innombrables champs de bataille allemands, italiens et flamands, les Habsbourgs et les Bourbons se sont disputé jusqu'à épuisement l'hégémonie de l'Europe. Enfin, les vieux rivaux reconnaissent que leur jalousie insatiable n'a fait que frayer la voie à d'autres maisons régnantes ; déjà, de l'île anglaise, un peuple hérétique tend la main vers l'empire du monde ; déjà la marche protestante de Brandebourg devient un puissant royaume ; déjà la Russie à demi païenne s'apprête à étendre sa sphère à l'infini : ne vaudrait-il pas mieux faire la paix, finissent par se demander – trop tard, comme toujours – les souverains et leurs diplomates, que de renouveler sans cesse le jeu fatal de la guerre, pour le grand profit de mécréants et de parvenus ? Choiseul, ministre de Louis XV, Kaunitz, conseiller de Marie-Thérèse, concluent une alliance ; et afin qu'elle s'avère durable et ne soit pas un simple temps d'arrêt entre deux guerres, ils proposent d'unir, par les liens du sang, la dynastie des Bourbons à celle des Habsbourgs. La maison de Habsbourg n'a jamais manqué de princesses à marier ; et en ce moment, précisément, elles sont nombreuses et de tous les âges. Les ministres envisagent d'abord d'unir Louis XV, bien qu'il soit grand-père, et en dépit de ses mœurs plus que douteuses, à une princesse habsbourgeoise ; mais le roi très chrétien se réfugie vivement du lit de la Pompadour dans celui de la du Barry. D'autre part, l'empereur Joseph, deux fois veuf, ne manifeste guère le désir de se laisser marier à l'une des trois filles de Louis XV qui ne sont plus toutes jeunes. Il reste donc une troisième combinaison, la plus naturelle, l'union du dauphin adolescent, petit-fils de Louis XV et futur héritier de la couronne de France, à une fille de Marie-Thérèse. En 1766, Marie-Antoinette, âgée alors de onze ans, peut déjà faire l'objet d'un projet sérieux ; le 24 mai de cette année-là, l'ambassadeur d'Autriche mande expressément à l'impératrice : « Le roi s'est expliqué de façon que votre majesté peut regarder le projet comme décidé et assuré.» Mais les diplomates ne seraient pas diplomates s'ils ne mettaient pas leur point d'honneur à rendre difficiles les choses simples, et surtout à retarder savamment toute affaire importante. Des intrigues de cour sont menées des deux côtés, une année passe, une deuxième, une troisième, et Marie-Thérèse, méfiante, non sans raison, craint que pour finir son incommode voisin, Frédéric de Prusse, « le monstre » comme elle l'appelle dans sa franche indignation, n'entrave aussi ce plan, si décisif pour la puissance de l'Autriche, par un de ses artifices machiavéliques ; elle met donc en jeu toute son amabilité, sa passion et sa ruse pour que la cour de France ne puisse pas retirer la promesse à demi donnée. Avec l'obstination inlassable d'une entremetteuse professionnelle, la patience tenace et inflexible dont elle a seule le secret, elle ne cesse pas de faire valoir à Paris les qualités de la princesse ; elle inonde les ambassadeurs de civilités et de présents pour qu'ils rapportent enfin de Versailles une demande en mariage définitive ; plus impératrice que mère, songeant davantage à accroître la puissance de sa maison qu'au bonheur de son enfant, son ambassadeur a beau l'informer que « la nature semble avoir refusé tous dons à Monsieur le Dauphin, que par sa contenance et ses propos ce prince n'annonce qu'un sens très borné, beaucoup de disgrâce et nulle sensibilité », rien ne peut la retenir. D'ailleurs une archiduchesse a-t-elle besoin d'être heureuse, ne suffit-il pas qu'elle devienne reine ? Mais plus Marie-Thérèse met d'ardeur à obtenir un engagement formel, plus Louis XV, en bon psychologue, se réserve ; pendant trois ans il se fait envoyer des portraits et des rapports sur la petite archiduchesse et se déclare en principe favorable au projet de mariage ; mais il ne fait pas la demande tant attendue et ne s'engage pas.

Le gage innocent de cette importante affaire d'État, la petite Toinette, âgée de douze ans, est une gamine délicate, gracieuse, svelte et indéniablement jolie, qui, pendant ce temps, joue et folâtre en compagnie de ses sœurs, frères et amies, dans les salons et les jardins de Schoenbrunn, avec toute l'ardeur de son tempérament ; elle ne songe guère aux études, aux livres et à l'instruction. Grâce à sa gentillesse naturelle et à son entrain primesautier, elle s'y prend si adroitement avec les abbés et les gouvernantes chargés de l'éduquer qu'elle réussit à se soustraire à toutes les heures d'études. Un jour, Marie-Thérèse, à qui les multiples affaires d'État n'ont jamais permis de se soucier sérieusement d'un seul de ses nombreux enfants, s'aperçoit avec effroi que la future reine de France, à l'âge de treize ans, ne sait écrire correctement ni le français ni l'allemand, qu'elle ne possède même pas les connaissances les plus superficielles en Histoire et que son instruction générale laisse entièrement à désirer ; pour la musique il n'en va pas beaucoup mieux, bien qu'elle ait comme professeur de piano Gluck lui-même. Au dernier moment, il faut rattraper le temps perdu, faire de l'espiègle et paresseuse Toinette une personne instruite. Ce qui importe le plus pour une future reine de France c'est de savoir danser convenablement et parler le français avec un bon accent ; dans ce but, Marie-Thérèse engage d'urgence le grand maître de danse Noverre et deux acteurs d'une troupe française en tournée à Vienne, l'un pour la prononciation, l'autre pour le chant. Mais à peine l'ambassadeur de France en a-t-il fait part à la cour des Bourbons, qu'un avertissement indigne arrive de Versailles : une future reine de France ne peut pas avoir des cabotins pour éducateurs ! On engage en hâte de nouvelles négociations diplomatiques, car la cour de Versailles considère déjà l'éducation de la future fiancée du dauphin comme une affaire la concernant ; après de longs pourparlers on délègue à Vienne comme précepteur, sur la recommandation de l'évêque d'Orléans, un certain abbé Vermond ; par lui nous possédons les premiers rapports sérieux sur l'archiduchesse alors âgée de treize ans. Il la trouve délicieuse et sympathique :

> Elle a, écrit-il, une figure charmante, elle réunit toutes les grâces du maintien, et si, comme on doit l'espérer, elle grandit un peu, elle aura tous les agréments qu'on peut désirer d'une princesse. Son caractère, son cœur sont excellents.

Le brave abbé s'exprime beaucoup plus prudemment sur les connaissances réelles et sur l'application de son élève. Espiègle, inattentive, pétulante et vive, la petite Marie-Antoinette, en dépit de sa grande facilité de compréhension, n'a jamais manifesté le moindre désir de s'occuper d'une chose sérieuse.

> Elle a, dit-il, plus d'esprit qu'on ne lui en a cru pendant longtemps. Malheureusement, cet esprit n'a été accoutumé à aucune contention jusqu'à douze ans. Un peu de paresse et beaucoup de légèreté m'ont rendu son instruction plus difficile. J'ai commencé pendant six semaines par des principes de belles-lettres. Elle m'entendait bien lorsque je lui présentais des idées toutes éclaircies ; son jugement était presque toujours juste, mais je ne pouvais l'accoutumer à approfondir un objet quoique je sentisse qu'elle en était capable. J'ai cru qu'on ne pouvait appliquer son esprit qu'en l'amusant.

C'est à peu près dans les mêmes termes que tous les hommes d'État, dix et vingt ans plus tard, se plaindront de cette paresse de la pensée malgré une grande intelligence, de cette fuite ennuyée devant tout entretien sérieux ; déjà chez l'adolescente de treize ans se manifeste clairement le défaut d'une nature qui pourrait tout et ne veut vraiment rien. Mais à la cour de France, depuis le règne des maîtresses, la tenue d'une femme est plus appréciée que sa valeur réelle ; Marie-Antoinette est jolie, décorative, elle a bon caractère, cela suffit. Enfin, en 1769, Louis XV adresse à Marie-

Thérèse la missive qu'elle attend fiévreusement depuis si longtemps ; le roi y demande solennellement la main de la jeune princesse pour son petit-fils, le futur Louis XVI, et propose comme date du mariage les fêtes de Pâques de l'année suivante. Marie-Thérèse accepte, comblée ; après de longues années de soucis, cette femme, tragique et résignée, peut vivre encore de belles heures. La paix de l'empire, et en même temps de l'Europe, lui paraît désormais assurée ; aussitôt des courriers et des estafettes annoncent officiellement à toutes les cours que, d'ennemis, Habsbourgs et Bourbons sont à jamais devenus alliés par le sang. *Bella gerant alii, tu, felix Austria, nube* ; une fois de plus, la vieille devise des Habsbourgs se trouve confirmée.

La tâche des diplomates est heureusement achevée. Mais on s'aperçoit à présent que c'était là la partie la plus facile de la besogne. Persuader les Habsbourgs et les Bourbons de la nécessité d'une entente, réconcilier Louis XV et Marie-Thérèse, quel jeu d'enfants à côté des difficultés insoupçonnées que l'on va rencontrer pour mettre d'accord, à l'occasion d'une solennité aussi représentative, le cérémonial des cours et des maisons de France et d'Autriche ! Il est vrai que des deux côtés les maîtres de cérémonies et autres représentants du formalisme disposent d'une année entière pour rédiger toutes les clauses du protocole, terriblement important, des solennités nuptiales ; mais qu'est-ce que douze mois pour ces chinois de l'étiquette ! Un héritier du trône de France épouse une archiduchesse autrichienne : quelles questions bouleversantes de préséance soulève cette affaire ! Avec quelle attention il faut en examiner tous les détails, que d'irrémédiables faux-pas il s'agit d'éviter en se livrant à l'étude de documents séculaires ! Jour et nuit, à Schoenbrunn et à Versailles, les gardiens sacrés des us et coutumes méditent, enfiévrés ; jour et nuit les ambassadeurs discutent de chaque invitation, des courriers spéciaux galopent d'un pays à l'autre avec des propositions et des contre-propositions, car on se rend compte de l'épouvantable catastrophe (pire que sept guerres) qui pourrait s'ensuivre au cas où seraient violées les préséances entre les maisons souveraines ! Au cours d'innombrables conférences des deux côtés du Rhin on pèse et discute d'épineuses et doctorales questions, comme celles-ci par exemple : quel nom sera cité le premier dans le contrat de mariage, celui de l'impératrice d'Autriche ou du roi de France ? qui apposera le premier sa signature ? quels présents seront offerts ? quelle dot sera stipulée ? qui accompagnera la fiancée ? qui la recevra ? combien de gentilshommes, de dames d'honneur, d'officiers, de gardes, de premières et de deuxièmes caméristes, de coiffeurs, de confesseurs, de médecins, de scribes, de secrétaires et de lingères doivent faire partie du cortège nuptial d'une archiduchesse d'Autriche jusqu'à la frontière, et, ensuite, d'une héritière du trône de France de la frontière jusqu'à Versailles ? Tandis que les perruques d'en deçà et d'au-delà du Rhin sont encore loin d'être d'accord sur les grandes lignes des questions essentielles, dames et gentilshommes des deux cours, de leur côté, se disputent déjà entre eux farouchement, comme s'il s'agissait des clefs du paradis, l'honneur d'accompagner ou de recevoir le cortège nuptial, chacun défendant ses prétentions armé de codes et de parchemins ; et bien que les maîtres de cérémonies travaillent comme des galériens, ils ne viennent pas à bout, en l'espace d'une bonne année, de toutes ces questions capitales de préséance et de protocole : au dernier moment, par exemple, on biffe du programme la représentation de la noblesse alsacienne pour « éviter les questions d'étiquette compliquées qu'on n'a plus le temps de régler » Et si un ordre royal n'avait pas fixé à l'avance de date précise, les gardiens français et autrichien du cérémonial ne seraient même pas d'accord aujourd'hui encore sur la forme « exacte » du mariage ; et il n'y aurait pas eu de Marie-Antoinette, ni peut-être de Révolution française !

Des deux côtés, bien qu'en France comme en Autriche les économies soient terriblement nécessaires, on déploie la plus grande pompe et le dernier faste. Les Habsbourgs ne veulent pas être surpassés par les Bourbons, ni les Bourbons par les Habsbourgs. Le palais de l'ambassade de France à Vienne est jugé trop petit pour les quinze cents invités ; des centaines d'ouvriers construisent en hâte des annexes, tandis qu'à Versailles, au même moment, on aménage spécialement pour la noce une salle de spectacle. Ici et là-bas une ère bénie s'ouvre pour les fournisseurs de la cour, tailleurs, joailliers, fabricants de carrosses. Rien que pour aller au-devant de la princesse, Louis XV commande au fournisseur de la cour, Francien, deux carrosses d'une magnificence inouïe, en bois précieux, avec vitres étincelantes, l'intérieur capitonné de velours, l'extérieur somptueusement décoré, surmontés de couronnes, et, en dépit de cet apparat, d'une souplesse admirable et de la plus grande légèreté.

Pour le dauphin et la cour royale on exécute des habits de parade, couverts de pierreries ; le gros Pitt, le plus beau diamant de l'époque, ornera le chapeau de Louis XV, et Marie-Thérèse prépare non moins luxueusement le trousseau de sa fille : dentelles de Malines tissées tout exprès, fine toile, soie et parures ne sont pas épargnées. Enfin l'ambassadeur Durfort, qui vient demander au nom du dauphin la main de Marie-Antoinette, arrive à Vienne. Vision splendide pour les Viennois, amateurs passionnés de spectacles : quarante-huit carrosses à six chevaux, parmi lesquels les deux merveilles vitrées citées plus haut, roulent lentement et solennellement à travers les rues pavoisées conduisant à la Hofburg ; les livrées des cent dix-sept laquais et gardes du corps qui accompagnent l'ambassadeur ont coûté à elles seules cent sept mille ducats, le cortège pas moins de trois cent cinquante mille. A partir de ce moment les fêtes se suivent : demande publique en mariage, renonciation solennelle de Marie-Antoinette devant l'Évangile, le crucifix et les cierges allumés, à ses droits autrichiens, congratulations de la cour, de l'Université, parade de l'armée, « théâtre paré », réception au Belvédère suivie d'un bal auquel participent trois mille personnes, nouvelle réception et souper pour quinze cents invités au palais Liechtenstein, et enfin, le 19 avril, mariage par procuration à l'église Saint-Augustin, où l'archiduc Ferdinand représente le dauphin. Encore un souper de famille intime et, le 21, adieux solennels, dernière étreinte. Alors dans le carrosse du roi de France, entre une double haie respectueuse, Marie-Antoinette, ex-archiduchesse d'Autriche, roule au-devant de son destin.

Marie-Thérèse a vu partir sa fille avec peine. Pendant des années et des années cette femme, lasse et vieillissante, avait souhaité ce mariage qu'elle considérait comme un bonheur suprême pour la maison de Habsbourg, et cependant, au dernier moment, le destin désiré par elle-même pour sa fille lui inspire de l'inquiétude. Si l'on étudie avec soin sa vie, ses lettres, on voit que cette souveraine tragique, le seul grand souverain de la maison d'Autriche, ne porte plus depuis longtemps la couronne que comme un fardeau. Avec une peine infinie, par des guerres continuelles, elle a maintenu l'unité de l'empire, formé par une suite d'alliances et dans un certain sens artificiel, contre la Prusse et la Turquie, l'Orient et l'Occident; mais maintenant précisément qu'il paraît consolidé, elle perd courage. Cette femme vénérable est saisie de l'extraordinaire pressentiment qu'après elle l'empire auquel elle a donné toute sa force et toute son énergie sera partagé et morcelé; politicienne clairvoyante, presque voyante, elle sait combien est peu solide cet amalgame de nations, composé par le hasard, et que son existence ne peut être prolongée qu'à force de prudence, de réserve et d'intelligente passivité. Qui continuera ce qu'elle a entrepris avec tant de soin? Profondément désillusionnée sur le compte de ses enfants, elle a senti s'éveiller en elle l'esprit de Cassandre; il leur manque tout ce qui faisait sa propre force et était le fond de sa nature : la longue patience, la ténacité, l'art des projets lents et sûrs, celui aussi de savoir se limiter sagement et parfois renoncer. Mais le sang lorrain de son mari semble avoir répandu dans leurs veines une vague brûlante d'inquiétude; tous sont prêts à sacrifier des possibilités incalculables au plaisir d'un instant : génération mesquine, légère et sans foi, à la seule recherche du succès éphémère. Son fils et corégent Joseph II, avec l'impatience d'un prince héritier, flatte Frédéric II qui l'a persécutée et raillée toute sa vie; il courtise Voltaire qu'en pieuse catholique elle hait comme l'antéchrist; l'archiduchesse Marie-Amélie, qu'elle a également destinée à un trône, à peine mariée à Parme scandalise l'Europe par la légèreté de ses mœurs. Au bout de deux mois, elle a dilapidé les finances, désorganisé le pays et se divertit avec des amants; son autre enfant, à Naples, elle non plus ne lui fait guère honneur; aucune de ses filles ne fait preuve de sérieux ni d'austérité morale. L'œuvre prodigieuse de dévouement et d'abnégation à laquelle la grande impératrice a inflexiblement sacrifié toute sa vie privée, toute joie, tout plaisir facile, lui paraît accomplie en vain. Elle se réfugierait volontiers dans un cloître, et seule la crainte, née du juste pressentiment que son fils trop empressé détruirait aussitôt par des mesures irréfléchies tout ce qu'elle a mis debout, fait que cette vieille lutteuse garde le sceptre dont sa main est lasse depuis longtemps.

Bonne psychologue, elle ne se fait pas d'illusions sur sa cadette, Marie-Antoinette; elle connaît ses qualités – grande bonté de cœur et obligeance, vivacité et gaieté d'esprit, nature franche et humaine – mais elle n'ignore pas non plus ses défauts : manque de maturité, légèreté, étourderie, inconséquence. Pour l'approcher de plus près, pour faire au dernier moment de cette ardente écervelée une reine, elle installe Marie-Antoinette dans sa propre chambre pendant les deux mois qui précèdent le départ : elle cherche, par de longues conversations, à la préparer à sa haute destinée; et pour gagner le secours du ciel, elle emmène l'enfant en pèlerinage dans les environs de Vienne, à Mariazell. Mais plus l'heure des adieux approche, plus l'impératrice s'inquiète. Une obscure angoisse trouble son cœur, un pressentiment du malheur futur, et elle met en jeu toute sa force pour conjurer les sombres puissances. Avant le départ elle remet à Marie-Antoinette une « règle de conduite » détaillée et fait jurer à l'adolescente évaporée de la relire consciencieusement tous les mois. A part la missive officielle, elle fait parvenir à Louis XV une lettre privée, où elle supplie le vieillard d'avoir de l'indulgence pour la légèreté enfantine de celle qui ne compte que quatorze ans. Mais son inquiétude intérieure ne s'apaise pas. Marie-Antoinette n'est pas encore arrivée à Versailles que déjà elle lui rappelle sa promesse de consulter l'écrit qu'elle lui a remis :

> Je vous recommande, ma chère fille, tous les 21, de relire mon papier. Je vous prie, soyez-moi fidèle sur ce point ; je ne crains chez vous que la négligence dans vos prières et vos lectures et la tiédeur et la paresse suivront. Luttez contre... N'oubliez pas une mère qui, quoique éloignée, ne cessera d'être occupée de vous jusqu'à son dernier soupir.

Au milieu des réjouissances célébrant le triomphe de sa fille, Marie-Thérèse se rend à l'église et prie Dieu de détourner le malheur que seule, parmi tous, elle pressent.

Tandis que la gigantesque cavalcade – trois cent quarante chevaux, qui doivent être relayés à chaque station – traverse lentement l'Autriche et la Bavière et, après d'innombrables fêtes et réceptions, s'approche de la frontière française, charpentiers et tapissiers travaillent activement à un édifice singulier sur une île du Rhin, entre Kehl et Strasbourg. Là les grands maîtres de cérémonies de Versailles et de Schoenbrunn ont joué leur principal atout ; après des pourparlers sans fin pour savoir si la remise solennelle de la mariée devait s'accomplir en pays autrichien ou en pays français, un malin parmi eux a trouvé une solution digne de Salomon : on construira un pavillon spécial en bois sur un des petits îlots inhabités du Rhin, entre la France et l'Allemagne, donc une sorte de « no man's land » ; ce sera là une merveille de neutralité ; deux pièces du côté de la rive droite du Rhin, où Marie-Antoinette entrera en archiduchesse, deux pièces du côté de la rive gauche, d'où elle sortira après la cérémonie en dauphine de France, et au milieu la grande salle de la remise solennelle, où l'archiduchesse deviendra définitivement l'héritière du trône. Des tapisseries précieuses du palais épiscopal couvrent les cloisons élevées à la hâte, l'université de Strasbourg prête un baldaquin, la riche bourgeoisie de la ville son plus beau mobilier. Ce sanctuaire d'une splendeur princière est naturellement fermé aux yeux des profanes, mais ici comme partout quelques pièces d'argent rendent les gardiens complaisants ; c'est ainsi que quelques jours avant l'arrivée de Marie-Antoinette plusieurs jeunes étudiants allemands se glissent dans l'édifice à moitié achevé pour satisfaire leur curiosité. L'un d'eux surtout, à la taille élancée, au regard clair et ardent, le nimbe du génie couronnant son front viril, ne peut pas se rassasier de la beauté des Gobelins tissés d'après les cartons de Raphaël ; ils éveillent chez le jeune homme, à qui la cathédrale de Strasbourg vient justement de révéler l'art gothique, le désir ardent de comprendre avec le même amour l'art classique. Enthousiasmé, il explique à ses camarades moins éloquents ce monde de beauté, soudain découvert, des maîtres italiens ; mais tout à coup il s'arrête, se sent mal à l'aise, ses sourcils foncés et épais se froncent, presque avec colère, au-dessus du regard encore enflammé. Car à l'instant seulement il vient de se rendre compte de ce que représentent ces tapisseries : c'est, en effet, une légende convenant aussi peu que possible à une noce : l'histoire de Jason, Médée et Créüse, l'exemple le plus frappant d'un hymen fatal.

> Quoi ! s'exclame à haute voix le génial adolescent, sans prêter attention à l'étonnement des assistants, est-il permis de mettre aussi imprudemment sous les yeux d'une jeune reine, dès le premier jour, l'exemple du mariage le plus atroce qui fût jamais consommé ? N'y a-t-il donc point parmi les architectes, décorateurs et tapissiers français, un seul homme qui comprenne que les images ont une signification, qu'elles agissent sur les sens et l'esprit, qu'elles laissent des impressions, qu'elles éveillent des pressentiments ? Ne dirait-on pas que l'on a voulu envoyer au-devant de cette belle dame, que l'on dit être attachée à la vie, le plus hideux des spectres ?

Les amis du bouillant jeune homme réussissent avec peine à le calmer, et il leur faut presque employer la force pour entraîner Goethe – car cet étudiant n'est autre que Goethe – hors de la bâtisse en bois. « L'immense flot de magnificence » du cortège nuptial s'approche, bientôt il inondera d'allégresse et de joyeuses paroles la salle décorée, sans que personne ne soupçonne que quelques heures auparavant le regard pénétrant d'un poète a discerné dans ce tissu multicolore le fil noir de la fatalité.

La remise de Marie-Antoinette doit signifier la séparation de tout ce qui la relie à la maison d'Autriche, personnes et choses ; ici encore, les maîtres de cérémonies ont imaginé un symbole particulier ; non seulement pas une personne de la suite autrichienne n'est autorisée à l'accompagner au-delà de la ligne de démarcation invisible, mais encore l'étiquette exige qu'elle ne garde pas sur elle la moindre chose provenant de son pays, ni souliers, ni bas, ni chemise, ni rubans. A partir du moment où Marie-Antoinette devient dauphine de France, elle ne peut se vêtir que de tissus français. C'est ainsi que l'enfant de quatorze ans est obligée de se dévêtir entièrement devant toute sa suite dans l'antichambre autrichienne ; la nudité de ce tendre corps d'adolescente à peine éclos illumine un instant la pièce obscure ; puis on la revêt d'une chemise de soie française, de jupons de Paris, de bas de Lyon, de souliers du cordonnier de la cour, elle ne peut conserver aucun souvenir, pas même une bague, une croix, le monde de l'étiquette ne croulerait-il pas si elle gardait une seule agrafe ou un ruban qu'elle aimât ? A partir de maintenant, elle ne doit plus voir autour d'elle un seul des visages auxquels elle est habituée depuis des années. Est-ce étonnant si l'adolescente effrayée par toute cette pompe et ces chinoiseries, et si brusquement jetée dans une atmosphère étrangère, fond en larmes comme une enfant ? Mais il s'agit de reprendre immédiatement une tenue convenable, car les transports sentimentaux ne sont pas de mise à un mariage politique ; là-bas, dans l'autre pièce, la suite française attend déjà, et ce serait une honte que d'aller au-devant d'elle les yeux humides et craintive. Le comte Starhemberg, gentilhomme d'honneur, lui tend la main pour l'aider à faire le pas décisif, et vêtue à la française, accompagnée pour la dernière fois de sa suite autrichienne, archiduchesse d'Autriche pendant deux minutes encore, elle entre dans la salle où elle doit être remise à la délégation bourbonienne qui l'attend en grande pompe et grand apparat. L'ambassadeur de Louis XV prononce un discours solennel, lecture est donnée du protocole, puis – tout le monde retient son souffle – voici la grande cérémonie où chaque pas est calculé comme dans un menuet et qui a été apprise et répétée plusieurs fois. La table au milieu de la salle représente symboliquement la frontière. D'un côté les Autrichiens, de l'autre les Français. Tout d'abord le gentilhomme d'honneur autrichien lâche la main de Marie-Antoinette ; le gentilhomme d'honneur français s'en empare et d'un pas solennel fait accomplir lentement le tour de la table à la jeune fille tremblante. Pendant ces minutes exactement comptées la suite autrichienne se retire lentement vers l'entrée et de la même cadence la suite française s'avance vers la future reine, de sorte qu'au moment précis où Marie-Antoinette se trouve avec la cour française, la cour autrichienne a déjà quitté la salle. Cette débauche d'étiquette se déroule en silence, impeccable, grandiose et fantomatique ; mais au dernier instant la fillette intimidée ne peut plus se contenir devant cette glaciale solennité. Et au lieu d'accepter, calme et froide, l'humble révérence de sa nouvelle dame d'honneur, la comtesse de Noailles, elle se jette en sanglotant dans ses bras, comme pour y chercher un refuge : geste d'abandon charmant et attendrissant, que tous les grands coptes du cérémonial, des deux côtés du Rhin, avaient oublié de prescrire. Mais le sentiment ne fait pas partie des logogriphes et usages de cour ; déjà, le carrosse vitré attend au-dehors, les cloches sonnent à la cathédrale de Strasbourg, et les salves d'artillerie retentissent ; au milieu d'un déchaînement d'acclamations Marie-Antoinette quitte pour toujours les rivages insouciants de l'enfance : son destin de femme commence.

L'arrivée de Marie-Antoinette marque une heure de joie inoubliable pour le peuple français qui depuis longtemps a perdu l'habitude des fêtes. Il y a de nombreuses années que Strasbourg n'a plus vu de dauphine, et peut-être n'en a-t-elle jamais vu une aussi adorable que cette jeune fille. La svelte enfant aux cheveux blond cendré, aux yeux bleus et espiègles, rit et sourit du fond de son carrosse vitré aux innombrables Alsaciens et Alsaciennes accourus des villes et villages, dans leur joli costume national, pour acclamer le somptueux cortège. Des centaines d'enfants, de blanc vêtus, précèdent la voiture en jonchant le chemin de fleurs ; un arc de triomphe a été dressé, les portes sont pavoisées, sur la grande place le vin coule de la fontaine, des bœufs entiers rôtissent à la broche, on distribue d'énormes corbeilles de pain aux pauvres. Le soir toutes les maisons sont illuminées, des flammes serpentent autour du clocher et la dentelle rougeâtre de la divine cathédrale en devient transparente. D'innombrables barques et bateaux glissent sur le Rhin, éclairés par des torches aux couleurs diverses et portant des lampions pareils à des oranges de feu ; des boules de verre multicolores, resplendissantes de lumière, scintillent dans les arbres ; et le monogramme entrelacé du dauphin et de la dauphine brille sur l'île, couronnant, au milieu de figures mythologiques, un feu d'artifice grandiose. Jusque fort avant dans la nuit, le peuple avide de spectacles déambule dans les rues et le long du fleuve ; la musique vibre et résonne ; dans des centaines d'endroits garçons et filles dansent joyeusement ; la blonde messagère d'Autriche semble avoir apporté un nouvel âge d'or ; une fois encore le peuple de France, oubliant ses maux et son ressentiment, reprend courage et se laisse aller à un joyeux espoir.

Mais ce tableau magnifique dissimule lui aussi une déchirure secrète ; comme dans le Gobelin de la salle de réception, le destin y a glissé symboliquement un signe de malheur. Lorsque le lendemain avant son départ Marie-Antoinette veut se rendre à la messe, ce n'est pas le vénérable évêque qui l'accueille à l'entrée de la cathédrale, mais son neveu et coadjuteur. L'air un peu efféminé dans sa soutane violette et flottante, ce prêtre mondain prononce une allocution galante et pathétique – ce n'est pas sans raison que l'Académie l'a accepté dans ses rangs – où se détachent ces phrases de courtisan :

> Vous allez être parmi nous la vivante image de cette impératrice chérie, depuis longtemps l'admiration de l'Europe

comme elle le sera de la postérité. C'est l'âme de Marie-Thérèse qui va s'unir à l'âme des Bourbons.

Après les salutations, le cortège se range respectueusement sous la voûte sombre de la cathédrale ; le coadjuteur conduit la princesse à l'autel et de sa fine main baguée de jeune premier élève l'ostensoir. C'est Louis, prince de Rohan, futur héros tragi-comique de l'Affaire du Collier, l'adversaire le plus dangereux de Marie-Antoinette, son ennemi le plus funeste, qui, le premier, lui souhaite la bienvenue en France. Et la main qui maintenant lui donne la bénédiction est la même qui plus tard précipitera dans la boue son honneur et sa couronne.

Marie-Antoinette ne peut pas demeurer longtemps à Strasbourg, dans cette Alsace qui lui est une demi-patrie : quand un roi de France attend, tout retard serait inadmissible. Au milieu d'une mer bruissante d'acclamations, sous les arcs de triomphe et les portes enguirlandées, le cortège nuptial fait enfin route vers son premier but, la forêt de Compiègne, où dans un imposant cortège de voitures la famille royale attend. Courtisans, dames de la cour, officiers, gardes du corps, trompettes, tambours et musiciens, tous vêtus d'habits neufs et étincelants, forment des groupes bariolés ; ce jeu de couleurs flamboyantes donne un éclat particulier à la forêt printanière. A peine les fanfares des deux suites annoncent-elles l'approche du cortège nuptial que Louis XV quitte son carrosse pour recevoir la femme de son petit-fils. Mais déjà, de son pas léger tant admiré, Marie-Antoinette se hâte au-devant de lui et s'agenouille dans la plus gracieuse des révérences (n'oublions pas qu'elle fut l'élève du grand maître de danse Noverre) devant le grand-père de son futur époux. Le roi, bon connaisseur, par son Parc aux Cerfs, de franche chair féminine, fort sensible au charme et à la grâce, se penche avec une tendre satisfaction vers la blonde et appétissante enfant, aide la fiancée de son petit-fils à se relever et l'embrasse sur les joues. Ensuite seulement il lui présente son futur mari, qui, avec ses cinq pieds dix pouces, gauche, embarrassé, compassé, lève enfin ses yeux somnolents de myope et, sans montrer un empressement particulier, baise cérémonieusement sa fiancée sur la joue, conformément à l'étiquette. Dans le carrosse Marie-Antoinette est assise entre le grand-père et le petit-fils, entre Louis XV et le futur Louis XVI. Le vieillard paraît bien tenir le rôle du fiancé, il parle avec animation et fait même un peu la cour à la jeune fille, tandis que l'époux de demain s'ennuie et se tient silencieusement dans son coin. Le soir, lorsque les fiancés, déjà mariés d'ailleurs par procuration, gagnent leur chambre respective, le triste amoureux n'a pas encore dit un seul mot de tendresse à la ravissante ingénue ; et dans son journal intime, comme résumé de cette journée décisive, il écrit sèchement cette unique ligne : « Entrevue avec Madame la Dauphine. »

Trente-six ans plus tard, dans cette même forêt de Compiègne, un autre souverain de France, Napoléon, attendra son épouse, une autre archiduchesse autrichienne, Marie-Louise. Elle ne sera pas aussi charmante, aussi jolie à croquer que Marie-Antoinette, cette Marie-Louise grassouillette, ennuyeuse et calme. Mais l'homme énergique, l'amant tendre et fougueux, prendra immédiatement possession de la femme qui lui est destinée. Le soir même il demande à l'évêque si le mariage de Vienne *per procuram* lui confère des droits conjugaux, et sans attendre la réponse il en tire les conclusions : le lendemain déjà Napoléon et Marie-Louise déjeunent ensemble au lit. Mais Marie-Antoinette n'a rencontré dans la forêt de Compiègne ni un homme ni un amant : un fiancé officiel tout simplement.

La deuxième et véritable célébration du mariage a lieu le 16 mai à Versailles dans la chapelle de Louis XIV. Une telle affaire de cour et d'État est trop sublime, trop auguste, et en même temps trop intime, trop familière, pour qu'il puisse être permis au peuple d'y assister ou même de faire la haie devant les portes. Seul un sang de la plus pure noblesse confère le droit d'entrée à l'église où, à travers les vitraux multicolores les rayons du soleil printanier font briller fabuleusement une fois encore, comme le dernier fanal d'un monde qui disparaît, le brocart brodé, le satin miroitant, le faste infini des familles élues. L'archevêque de Reims préside la cérémonie. Il bénit les treize louis d'or et l'anneau nuptial ; le dauphin passe l'alliance à l'annulaire de Marie-Antoinette et lui tend les pièces d'or, puis tous deux s'agenouillent pour recevoir la bénédiction. La messe commence aux sons de l'orgue ; au *Pater Noster* on tend un baldaquin argenté au-dessus du jeune couple ; alors seulement le roi signe le contrat de mariage, et après lui, selon un ordre hiérarchique soigneusement observé, tous les parents les plus proches. C'est un document prodigieusement long, plusieurs fois plié ; aujourd'hui encore, sur le parchemin jauni, on lit, maladroits et trébuchants, ces quatre mots : Marie-Antoinette-Josepha-Jeanne, péniblement tracés par la petite main de la fillette de quinze ans, et à côté – « mauvais signe », murmure-t-on une fois de plus – une énorme tache d'encre jaillie de sa plume rebelle, et de la sienne seule parmi tous les signataires.

A présent, la cérémonie terminée, le peuple est gracieusement autorisé à participer, lui aussi, à la fête des monarques. Une marée humaine – la moitié des Parisiens ont déserté la capitale – se déverse dans les jardins de Versailles, qui révèlent aujourd'hui au *profanum vulgus* leurs cascades et leurs jets d'eau, leurs prairies et leurs allées ombragées ; le clou des réjouissances sera le feu d'artifice nocturne, le plus grandiose qu'on aura jamais vu à une cour royale. Mais le ciel prépare un feu d'artifice à sa manière. Dans l'après-midi des nuages noirs s'amoncellent, annonciateurs de malheurs ; bientôt un orage éclate, une averse formidable tombe sur la ville et le peuple privé de son divertissement reflue en désordre vers Paris. Tandis que des milliers de Parisiens grelottants de froid, trempés jusqu'aux os et fouettés par la pluie, fuient tumultueusement dans les rues et que les arbres secoués par la tempête se courbent dans le parc, derrière les vitres de la nouvelle Salle de Spectacle, illuminée de milliers de bougies, le grand repas de noces commence, selon le cérémonial traditionnel que ne peut ébranler aucun ouragan, aucun tremblement de terre : pour la première et dernière fois Louis XV essaye de surpasser la magnificence de son illustre prédécesseur

Louis XIV. Six mille invités, l'élite de la noblesse, ont obtenu à grand'peine des cartes d'entrée, non pour prendre place à table, mais uniquement pour regarder respectueusement du haut de la galerie les vingt-deux membres de la maison régnante porter à la bouche cuillers et fourchettes. Pas un de ces six mille « invités » n'ose respirer de peur de troubler la grandeur du spectacle. Cependant, en sourdine, sous les arcades de marbre, un orchestre de quatre-vingts musiciens accompagne le festin princier. Puis, saluée par les gardes françaises, toute la famille royale passe entre la double haie de la noblesse humblement courbée : la solennité officielle est terminée et le royal marié n'a plus d'autre devoir à accomplir que celui de n'importe quel époux. La dauphine à sa droite, le dauphin à sa gauche, le roi conduit les deux enfants (à eux deux ils ont à peine trente ans) dans leur chambre à coucher. L'étiquette pénètre jusque dans la chambre nuptiale, car sinon le roi de France en personne, qui pourrait remettre à l'héritier du trône sa chemise de nuit, et qui pourrait tendre la sienne à la dauphine, sinon la dame du rang le plus élevé et la plus récemment mariée, en l'occurrence la duchesse de Chartres. Et seul l'archevêque de Reims a le droit de s'approcher du lit qu'il bénit et asperge.

Enfin, la cour quitte la pièce intime ; pour la première fois, Louis et Marie-Antoinette restent seuls et le baldaquin du grand lit se referme sur eux, rideau de brocart d'une tragédie invisible.

CHAPITRE II

SECRET D'ALCÔVE

« Rien », tel est le mot, au double sens très fâcheux, que le jeune époux écrit le lendemain dans son Journal. Ni les cérémonies de la cour ni la bénédiction épiscopale n'ont eu de pouvoir sur un pénible défaut organique dont est affligé le dauphin : *matrimonium non consummatum est*, le mariage n'a pas été consommé ; il ne le sera pas davantage demain ni au cours des premières années. Marie-Antoinette a trouvé un « nonchalant mari », et l'on croit au début que seules la timidité, l'inexpérience ou une « nature tardive » rendent impuissant le jeune homme de seize ans en face de cette ravissante jeune fille. Surtout ne hâtons rien et n'inquiétons pas l'adolescent arrêté par un obstacle mental, inhibé dirions-nous aujourd'hui, pense la mère expérimentée, qui prie Antoinette de ne pas prendre au tragique la déception conjugale – « point d'humeur là-dessus », écrit-elle en mai 1771 – et recommande à sa fille « caresses, cajolis », mais d'autre part, sans rien exagérer, car « trop d'empressement gâterait le tout ». Mais cette situation se prolonge un an, deux ans, et l'impératrice commence à être inquiète de cette « conduite si étrange » du jeune époux. Impossible de douter de sa bonne volonté, car de mois en mois le dauphin se montre de plus en plus tendre envers sa charmante épouse, et il renouvelle sans cesse ses visites nocturnes, ses tentatives infructueuses, mais quelque « maudit charme », quelque trouble fatal et mystérieux empêche l'ultime et décisive caresse. L'ignorante Antoinette croit que ce n'est que « maladresse et jeunesse » ; la pauvre enfant, dans son inexpérience, conteste même « les mauvais bruits qui courent dans le pays sur l'incapacité de son mari ». La mère, alors, intervient. Elle fait venir le médecin de la cour, van Swieten, et le consulte au sujet de la « froideur extraordinaire du dauphin », il hausse les épaules. Si une jeune fille aussi délicieuse ne réussit pas à exciter le dauphin, tout remède médical restera sans effet. Marie-Thérèse envoie à Paris lettre sur lettre ; finalement Louis XV, qui a une longue expérience et n'est que trop expert en ce domaine, interroge sérieusement son petit-fils ; Lassone, le médecin de la cour, est mis au courant ; le triste héros de cette aventure amoureuse est examiné et il se trouve que l'impuissance du dauphin est déterminée non point par des causes morales, mais par un défaut organique insignifiant.

> Les uns disent que le frein comprime tellement le prépuce qu'il ne se relâche pas au moment de l'introduction et lui cause une douleur vive qui oblige Sa Majesté à modérer l'impulsion nécessaire pour l'accomplissement de l'acte. D'autres supposent que ledit prépuce est si adhérent qu'il ne peut se relâcher assez pour permettre la sortie de l'extrémité pénienne ce qui empêche l'érection complète de se produire. *(Rapport secret de l'ambassadeur d'Espagne.)*

Les consultations se succèdent, il s'agit de savoir si le bistouri du chirurgien doit intervenir « pour lui rendre la voix », comme on chuchote cyniquement dans les antichambres. De son côté, Marie-Antoinette, éclairée entre-temps par ses amies expérimentées, fait tout son possible pour décider son époux au traitement chirurgical. « Je travaille à le déterminer à la petite opération dont on a déjà parlé et que je crois nécessaire », écrit-elle en 1775 à sa mère. Cependant Louis XVI – de dauphin devenu roi, mais au bout de cinq ans pas encore époux – fidèle à son caractère hésitant ne peut se décider à un acte énergique. Il recule et temporise, tente et retente, et cette situation horrible, répugnante, ridicule, ces éternels essais et ces éternels échecs durent encore deux ans, à l'humiliation de Marie-Antoinette, à la risée de toute la cour, à la rage de Marie-Thérèse, à la honte de Louis XVI; sept années épouvantables s'écoulent donc, jusqu'à ce que finalement l'empereur Joseph se rende en personne à Paris pour persuader son peu courageux beau-frère de la nécessité de l'opération. Alors seulement ce triste César de l'amour réussit à franchir heureusement le Rubicon. Mais le domaine psychique qu'il conquiert enfin est déjà dévasté par ces sept années de luttes ridicules, par toutes ces nuits pendant lesquelles Marie-Antoinette a enduré, comme femme et comme épouse, la suprême mortification de son sexe.

N'eût-on pu éviter (se demandera peut-être mainte âme sensible) de toucher à ce mystère délicat et sacré? N'eût-il point suffi de voiler jusqu'à la rendre obscure la défaillance royale? N'eût-on pas mieux fait de glisser discrètement sur cette tragédie, en parlant au besoin, à mots couverts, du « bonheur absent de la maternité »? Tous ces détails intimes sont-ils vraiment indispensables à une étude de caractère? Ils le sont très certainement, car toutes les tensions, dépendances, sujétions et hostilités qui naissent peu à peu entre le roi et la reine d'une part, les candidats au trône et la cour d'autre part, et qui se répercutent bien loin dans l'Histoire universelle, demeurent incompréhensibles si l'on ne s'attaque pas franchement à leur véritable origine. Plus nombreux qu'on ne veut généralement l'admettre sont les faits historiques qui ont leur point de départ dans l'alcôve sous le baldaquin des couches royales : mais il y a peu de cas où la relation logique entre la cause privée et l'effet politique et historique soit aussi nette que dans cette tragi-comédie intime; et toute étude psychologique qui reléguerait dans l'ombre un événement que Marie-Antoinette elle-même a qualifié d'« article essentiel » de ses soucis et de ses espoirs manquerait d'honnêteté.

Autre chose encore : dévoile-t-on véritablement un mystère quand on parle sincèrement de la longue impuissance conjugale de Louis XVI? Certes, non! Seul le XIXe siècle, avec son moralisme et sa pruderie maladive, a fait un *noli me tangere* de tout entretien libre sur les choses physiologiques. Mais au XVIIIe siècle, comme aux siècles précédents, l'impuissance ou l'aptitude conjugale d'un roi, la fécondité ou la stérilité d'une reine, étaient considérées non comme affaire privée, mais comme affaire politique et d'État, parce qu'elles décidaient de la succession au trône et par conséquent du destin de tout le pays ; le lit faisait aussi ouvertement partie de l'existence humaine que les fonts baptismaux ou le cercueil. Dans la correspondance de Marie-Thérèse et de Marie-Antoinette, qui passait en tout cas par les mains de l'archiviste d'État et du copiste, une impératrice d'Autriche et une reine de France parlent en toute liberté de tous les détails et malheurs de cette singulière vie conjugale. Marie-Thérèse décrit à sa fille avec éloquence les avantages du lit commun et lui donne de petits conseils féminins pour profiter habilement de toute occasion en vue de l'acte charnel ; la fille, à son tour, annonce à sa mère la venue ou le retard de ses menstrues, les échecs de l'époux, les « un petit mieux, et enfin, triomphalement, sa grossesse. Il arrive même une fois que le compositeur d'*Iphigénie*, Gluck, partant plus tôt que le courrier, est chargé de la transmission de nouvelles de ce genre. Au XVIIIe siècle on voit encore les choses naturelles d'un point de vue tout naturel.

Mais si encore la mère était seule à connaître cette défaite secrète ! En réalité toutes les femmes de chambre en parlent, toutes les dames d'honneur, les gentilshommes et les officiers, les domestiques et les blanchisseuses de la cour de Versailles le savent, et même à sa propre table le roi doit subir plus d'une rude plaisanterie. En outre, comme la descendance d'un Bourbon constitue, quant à la succession au trône, une affaire de haute politique, toutes les cours étrangères s'en occupent de la façon la plus sérieuse. Dans leurs rapports les ambassadeurs de Saxe, de Sardaigne, de Prusse, donnent des explications détaillées sur cette question délicate ; le plus zélé d'entre eux, le comte Aranda, ambassadeur d'Espagne, fait même examiner les draps du lit royal par des domestiques achetés afin d'être le plus exactement possible au courant. Partout, dans toute l'Europe, rois et princes rient et se gaussent en paroles et par lettres de Louis XVI ; non seulement à Versailles, mais dans tout Paris, dans toute la France, l'impuissance du roi est le secret de polichinelle. On en parle dans la rue, des libelles volent de main en main, et lorsque Maurepas est nommé ministre, ce couplet gaillard circule à l'amusement général :

Maurepas était impuissant,
Le roi l'a rendu plus puissant.
Le ministre reconnaissant
Dit : Pour vous, Sire,
Ce que je désire,
D'en faire autant.

Mais sous un comique apparent se cache une réalité triste et funeste. Car ces sept années de défaillance conjugale ont une influence morale décisive sur le caractère du roi et de la reine et comportent des suites politiques qui resteraient incompréhensibles si l'on ne connaissait pas ces faits : ici le destin d'un couple est lié au destin du monde.

Si l'on ignorait ce vice intime, on ne comprendrait pas, avant tout, l'attitude morale de Louis XVI. Car son *habitus* reflète, avec une netteté vraiment clinique, tous les indices typiques d'un sentiment d'infériorité né d'une faiblesse physiologique. Il manque à ce « refoulé » la force d'agir dans la vie publique, parce qu'elle lui fait défaut dans la vie privée. Il ne peut s'affirmer, il est incapable de manifester une volonté quelconque, moins encore de l'imposer ; gauche, timide, secrètement honteux, il fuit la société de la cour et surtout celle des femmes, car il sait, brave homme au fond très honnête, que son malheur est connu de tous, et les sourires ironiques et entendus le troublent profondément. Parfois il se fait violence, essaye de se donner une certaine autorité, une apparence virile. Mais alors il dépasse le but, devient brusque, grossier et brutal – fuite typique dans un geste de violence factice dont personne n'est dupe. Jamais il ne réussit à se montrer libre, naturel, sûr de lui, ni surtout majestueux. Incapable de virilité dans le privé, il lui est impossible en public de se comporter en roi.

Le fait que ses goûts personnels sont pourtant des plus

mâles, la chasse et le travail physique (il s'est installé une forge et aujourd'hui encore on en peut voir le tour), n'est nullement en opposition avec ce tableau clinique ; au contraire, il ne fait que le confirmer. Qui ne se sent pas un homme en effet aime inconsciemment à le paraître, et qui sait sa faiblesse intime fait volontiers étalage de force ; lorsque pendant des heures sur son cheval écumant il poursuit le sanglier et galope à travers les bois, lorsqu'il épuise ses muscles sur l'enclume, le sentiment d'une vigueur purement physique compense heureusement celui de sa faiblesse cachée : un mauvais serviteur de Vénus est heureux de se donner des airs de Vulcain. Mais dès que Louis revêt l'uniforme de gala et paraît au milieu des courtisans, il se rend compte que cette force-là toute musculaire n'est pas la véritable, et le voilà immédiatement gêné. On le voit rarement rire, rarement satisfait et vraiment heureux.

C'est dans ses rapports moraux avec sa femme que se manifeste le plus gravement, au point de vue psychologique, ce sentiment secret de sa faiblesse. La conduite de Marie-Antoinette, sur beaucoup de points, répugne à son goût personnel. Il n'aime point la société qu'elle fréquente ; le perpétuel tourbillon de ses divertissements bruyants l'irrite ainsi que sa dissipation et sa frivolité qui n'ont rien de royal. Un homme véritable aurait vite remédié à tout cela. Mais lui, comment pourrait-il jouer au seigneur et maître devant une femme qui toutes les nuits assiste à sa confusion, constate son impuissance, ses échecs. Louis XVI, époux impuissant, est sans aucune défense contre sa femme ; et plus cette situation gênante se prolonge, plus il tombe pitoyablement sous sa dépendance, plus il devient son esclave. Elle peut exiger de lui ce qu'elle veut, il est toujours prêt à racheter par une faiblesse sans borne la faute dont il se sent secrètement coupable. Intervenir impérieusement dans la vie de sa femme, empêcher ses folies manifestes ? Il n'en a pas la force, laquelle, au fond, n'est que l'expression morale de la puissance physique. Les ministres, l'impératrice-mère, la cour entière, voient avec désespoir, du fait de cette impuissance tragique, tout le pouvoir passer et s'émietter follement entre les mains d'une jeune évaporée. Mais, une fois fixées, les forces d'un ménage, on le sait par expérience, ne varient plus et chaque époux conserve la sienne. Aussi, lorsque Louis XVI deviendra un époux réel, un père de famille, il restera, lui qui devrait être le maître de la France, le serviteur docile de Marie-Antoinette, uniquement parce qu'il ne sut pas être à temps son mari.

Non moins fatale est l'influence de la défaillance intime de Louis XVI sur le développement moral de Marie-Antoinette. Suivant la loi des sexes, le même trouble provoque chez la femme et chez l'homme des phénomènes totalement opposés. Quand la vigueur sexuelle d'un homme est soumise à des perturbations on voit apparaître chez lui une certaine gêne, un manque de confiance en soi ; quand une femme s'abandonne sans résultat il se produit inévitablement chez elle une agitation, une surexcitation, un déchaînement nerveux. Marie-Antoinette, elle, est une nature tout à fait normale, très féminine, très tendre, destinée à une nombreuse maternité, n'aspirant vraisemblablement qu'à se soumettre à un homme véritable. Mais la fatalité veut que cette femme désireuse et capable d'aimer fasse un mariage anormal, tombe sur un homme qui n'en est pas un. Il est vrai qu'au moment de son union elle n'a que quinze ans, que le déséquilibre sexuel de son mari ne devrait pas encore peser sur elle ; qui oserait soutenir qu'il est contraire à la nature qu'une jeune fille reste vierge jusqu'à sa vingt-deuxième année ! Mais ce qui provoque, dans ce cas particulier, l'ébranlement et la surexcitation dangereuse de ses nerfs, c'est que l'époux, qui lui a été imposé par la raison d'État, ne lui laisse pas passer ces sept années dans une chasteté entière, c'est que chaque nuit, ce lourdaud, cet empoté s'essaye en vain et sans cesse sur son jeune corps. Pendant des années sa sexualité est ainsi infructueusement excitée, d'une façon humiliante et offensante qui ne l'affranchit point de sa virginité. Il n'est donc pas nécessaire d'être neurologue pour affirmer que son funeste énervement, son éternelle agitation, sa constante insatisfaction, sa course effrénée aux plaisirs, sont les conséquences typiques d'une perpétuelle excitation sexuelle inassouvie. Parce qu'elle n'a jamais été émue et apaisée au plus profond d'elle-même, cette femme, inconquise encore après sept ans de mariage, a toujours besoin de mouvement et de bruit autour d'elle. Ce qui au début n'était que joyeux enfantillage est peu à peu devenu une soif de plaisirs, nerveuse et maladive, qui scandalise toute la cour et que Marie-Thérèse et tous les amis cherchent en vain à combattre. Alors que chez le roi une virilité entravée trouve un dérivatif dans le rude travail de forgeron, dans la passion de la chasse et la fatigue musculaire, chez la reine le sentiment, dirigé sur une voie fausse et sans emploi, se réfugie en de tendres amitiés féminines, en coquetteries avec de jeunes gentilshommes, en amour de la toilette et autres satisfactions insuffisantes pour son tempérament. Des nuits entières elle fuit le lit conjugal, lieu douloureux de son humiliation, et tandis que son triste mari se repose des fatigues de la chasse en dormant à poings fermés, elle va traîner jusqu'à quatre ou cinq heures du matin dans des redoutes d'opéra, des salles de jeu, des soupers, en compagnie douteuse, s'excitant au contact de passions étrangères, reine indigne, parce que tombée sur un époux impuissant. Mais certains moments de violente mélancolie révèlent que cette frivolité, au fond, est sans joie, qu'elle n'est que le contre-coup d'une déception intérieure. Qu'on pense surtout à ce qu'elle écrit à sa mère, à ce cri du cœur, quand sa parente, la duchesse de Chartres, accouche d'un enfant mort-né : « Quoique cela soit terrible, je voudrais pourtant en être là. » Mettre au monde un enfant, fût-il mort. Sortir de cet état malheureux et indigne, être enfin comme toutes les autres, et non plus vierge après sept ans de mariage. Qui ne voit pas un désespoir féminin, derrière cette rage de plaisir, ne peut ni expliquer ni concevoir la transformation extraordinaire qui s'opère dès que Marie-Antoinette devient enfin épouse et mère. Aussitôt ses nerfs se calment sensiblement, une autre Marie-Antoinette apparaît : celle de la seconde moitié de sa vie, volontaire, audacieuse, maîtresse d'elle-même, Mais ce changement vient trop tard. Dans le mariage comme dans l'enfance les premiers événements sont décisifs. Et les années ne peuvent pas réparer la moindre déchirure dans le tissu extrêmement fin et hypersensible de l'âme. Les blessures du sentiment, les plus profondes, les moins visibles, ne connaissent pas de guérison complète.

Pourtant tout cela ne serait qu'une tragédie intime, un malheur comme il s'en produit quotidiennement derrière les portes verrouillées et les rideaux d'alcôve, si, dans le cas qui nous occupe, les conséquences funestes d'une impuissance conjugale ne devaient pas franchir de beaucoup le cadre de la vie privée. Ici le mari et la femme sont roi et reine, ils se trouvent inévitablement devant le miroir déformant de l'attention publique ; ce qui pour d'autres reste secret, alimente, dans leur cas, la critique et les bavardages. Une cour aussi méchante que celle de Versailles ne se contente pas, bien entendu, de constater la mauvaise fortune avec regret, mais cherche sans cesse à savoir quelles compensations érotiques peut s'accorder Marie-Antoinette. Elle voit une charmante femme, consciente de ce qu'elle est, coquette, d'un tempérament débordant, chez qui bout un sang jeune, et elle sait sur quel lamentable bonnet de nuit cette amante divine est tombée ; désormais une seule chose intéresse cette bande d'oisifs et de bavards : avec qui trompe-t-elle son mari ? Justement parce qu'il n'y a rien à dire de précis, l'honneur de la reine est l'objet de commérages frivoles. Une promenade à cheval avec un Lauzun ou un Coigny suffit pour qu'on fasse de celui-ci ou de celui-là son amant ; une sortie matinale dans le parc avec des dames d'honneur et des gentilshommes fait parler d'orgies inouïes. La cour entière s'occupe continuellement de la vie amoureuse de la reine déçue ; les cancans deviennent des chansons, des pamphlets, des vers pornographiques. Ce sont d'abord les dames qui, derrière leur éventail, se passent ces couplets érotiques, puis ils s'envolent au-dehors avec insolence, sont imprimés et répandus dans le peuple. Lorsque la propagande révolutionnaire débutera, les journalistes jacobins n'auront pas à chercher longtemps les arguments qui leur permettront de dépeindre Marie-Antoinette comme un modèle de débauche, comme une criminelle éhontée ; le procureur général n'aura qu'à puiser dans cette boîte de Pandore des calomnies galantes pour pousser la petite tête sous la guillotine.

Ici donc, par-delà le destin, la maladresse, le malheur privé, les suites d'une misère conjugale pénètrent dans le domaine de l'Histoire universelle : la destruction de l'autorité royale, en vérité, n'a pas commencé avec la prise de la Bastille, mais à Versailles. Car ce n'est pas par hasard que la nouvelle de l'impuissance sexuelle du roi et les mensonges malveillants sur l'insatisfaction sexuelle de la reine, partis du château de Versailles, parviennent si vite à la connaissance de la nation entière ; il y a là au contraire des raisons secrètes d'ordre politique et familial. En effet, au palais, quatre ou cinq personnes, les plus proches parents du roi, ont un intérêt personnel à ce que la déception de Marie-Antoinette se prolonge. Ce sont avant tout ses deux frères, trop heureux de voir que le ridicule défaut physiologique de Louis XVI et sa crainte du chirurgien ne font pas que détruire sa vie conjugale, mais encore bouleversent la succession normale au trône de France ; il y a là pour eux une chance inattendue de parvenir à la royauté. Le frère puîné de Louis XVI, le comte de Provence, le futur Louis XVIII – il atteignit son but, Dieu sait par quels chemins tortueux ! – n'a jamais pu se résigner à n'être que le second, à se tenir toute sa vie derrière le trône au lieu de porter lui-même la couronne ; l'absence d'un héritier direct ferait de lui le régent, sinon le successeur du roi, et c'est à peine s'il peut maîtriser son impatience ; mais comme il est aussi un mari douteux et n'a pas d'enfants, le deuxième frère de Louis XVI, le comte d'Artois, tire à son tour profit de l'absence de descendants chez ses aînés, car elle fait de ses fils les héritiers légitimes du trône. Les comtes de Provence et d'Artois savourent donc comme un bonheur ce qui fait le malheur de Marie-Antoinette, et plus cette situation affreuse dure, plus ils se sentent sûrs de voir aboutir leurs espoirs, pour lors prématurés. De là cette haine effrénée et sans bornes lorsque, la septième année de leur mariage, Louis XVI enfin devenu viril, les rapports conjugaux du roi et de la reine sont tout à fait normaux. Le comte de

Provence n'a jamais pardonné à Marie-Antoinette ce coup terrible qui anéantit tous ses espoirs ; ce qui n'a pu lui revenir par la voie légitime, il tâche maintenant de l'obtenir par des moyens hypocrites ; depuis que Louis XVI est père, son frère et ses parents sont devenus ses adversaires les plus dangereux. La Révolution a eu de bons auxiliaires à la cour, des mains princières lui ont ouvert les portes et tendu les meilleures armes ; ce simple épisode d'alcôve a désorganisé et ébranlé du dedans l'autorité plus que tous les événements du dehors. C'est presque toujours un destin secret qui règle le sort des choses visibles et publiques ; presque tous les événements mondiaux sont le reflet de conflits intimes. Un des grands secrets de l'Histoire est de donner à des faits infimes des conséquences incalculables ; et ce n'était pas la dernière fois que l'anomalie sexuelle passagère d'un individu devait ébranler le monde entier : l'impuissance d'Alexandre de Serbie, son assujettissement sexuel à la reine Draga Maschin, son initiatrice, leur assassinat, l'avènement des Karageorgevitch, la brouille avec l'Autriche et la guerre mondiale sont également des faits qui s'enchaînent avec une logique inexorable. Car l'Histoire se sert de fils d'araignée pour tisser le solide réseau de la destinée ; dans son mécanisme merveilleusement agencé la plus petite impulsion déclenche les forces les plus formidables ; ainsi, dans la vie de Marie-Antoinette, les frivolités prennent une importance capitale, les événements apparemment ridicules des premières nuits, des premières années conjugales, façonnent non seulement son caractère, mais déterminent l'évolution de l'univers.

Mais que ces nuages qui s'amassent, menaçants, sont loin encore ! Que toutes ces conséquences et ces enchevêtrements demeurent éloignés de l'esprit léger de l'enfant de quinze ans, qui plaisante sans appréhension avec son compagnon maladroit, et qui croit, en son petit cœur allègre, les yeux clairs et curieux, souriants et gais, monter les marches d'un trône – quand au bout il y a l'échafaud ! Mais les dieux ne font point de signes et n'envoient pas d'avertissements à ceux qu'ils ont voués d'avance à un mauvais sort. Ils les laissent suivre leur voie, sans crainte ni pressentiment, et leur destin, du fond d'eux-mêmes, s'avance à leur rencontre.

CHAPITRE III

LES DÉBUTS À VERSAILLES

Aujourd'hui encore Versailles s'affirme comme le symbole le plus grandiose et le plus provocant de l'autocratie; sans la moindre nécessité apparente, un immense château s'élève à cinq lieues de la capitale, en pleine campagne; ses centaines de fenêtres, donnant sur des canaux ingénieusement construits et des jardins tracés et taillés avec art, s'ouvrent sur l'espace. Aucun fleuve favorable au commerce ne coule ici, ni voies ni routes ne s'y croisent; purement accidentel, caprice « pétrifié » d'un grand seigneur, ce palais dresse sa splendeur, folle et inouïe, devant le regard étonné.

Mais c'est précisément cela que Louis XIV souhaitait dans sa volonté césarienne : satisfaire son penchant au culte du moi, lui élever un autel éblouissant. Despote, autocrate résolu, il avait triomphalement imposé son désir de centralisation au pays divisé, prescrit l'ordre à l'État, les mœurs à la société, l'étiquette à la cour, l'unité à la religion, la pureté au langage. Cette volonté d'unification partait de sa personne, et c'est à sa personne que devait en revenir toute la gloire : le lieu où je suis est le centre de la France, le nombril du monde; pour illustrer son absolutisme, le Roi-Soleil transfère délibérément son palais loin de Paris. En établissant sa résidence tout à fait à l'écart, il montre qu'un roi de France n'a pas besoin de la ville, des citoyens, de la masse comme soutien ou cadre de son pouvoir. Il lui suffit d'étendre le bras et d'ordonner pour que, aussitôt, à la place des marais et des sables, surgissent jardins et bois, grottes et cascades, et se dresse le plus beau et le plus imposant des palais ; ici, en ce point de l'univers arbitrairement choisi par le despote, se lève et se couche le soleil de son État. Versailles est construit pour prouver à la France que le roi est tout et le peuple rien.

Mais la force créatrice ne reste attachée qu'à celui qu'elle veut combler ; la couronne seule est héréditaire, il n'en est pas de même de la puissance et de la majesté. Louis XV et Louis XVI, héritiers de l'immense palais et d'un État assis sur de vastes bases, sont des âmes étroites, faibles ou jouisseuses, rien moins que créatrices. Extérieurement, tout sous leur règne demeure intact : les frontières, la langue, les coutumes, la religion, l'armée ; la main énergique de Louis XIV a laissé sur les formes de toutes choses de trop fortes empreintes pour qu'elles aient pu s'effacer en cent ans, mais bientôt il manque à ces formes le contenu, la matière brûlante de l'élan créateur. Sous Louis XV, le tableau de Versailles reste ce qu'il était sous son prédécesseur, mais sa signification n'est plus la même : trois ou quatre mille serviteurs en livrées magnifiques grouillent encore dans les cours et les couloirs, il y a toujours deux mille chevaux dans les écuries, l'appareil artificiel de l'étiquette fonctionne encore, dans ses charnières bien huilées, à tous les bals, réceptions, redoutes et mascarades ; dames et gentilshommes paradent comme jadis en habits somptueux, en toilettes de satin et de brocart garnies de pierres précieuses, dans la galerie des glaces et les appartements scintillants de dorures ; et cette cour reste la plus célèbre, la plus raffinée et la plus cultivée de l'Europe d'alors. Mais ce qui jadis était la vivante expression du pouvoir n'est plus depuis longtemps que frivolité, mouvement dépourvu de sens et d'âme. C'est encore un Louis qui est roi, certes, mais il n'a rien d'un souverain, ce n'est qu'un piteux esclave des femmes, dépourvu d'intérêt ; lui aussi réunit à la cour évêques, ministres, maréchaux, architectes, poètes, musiciens, mais pas plus qu'il n'est un Louis XIV, ce ne sont des Bossuet, des Turenne, des Richelieu, des Mansart, des Colbert, des Racine et des

Corneille ; c'est une bande d'intrigants, de gens souples et avides de places, qui ne veulent que jouir au lieu de créer, que profiter en parasites de ce qui existe au lieu d'insuffler aux choses la vie et l'énergie. Dans cette serre de marbre, projets audacieux, réformes décisives, œuvres poétiques n'éclosent plus ; seules les plantes marécageuses de l'intrigue et de la galanterie s'y épanouissent orgueilleusement. Ce ne sont plus les hauts faits qui l'emportent, mais la cabale, ce n'est plus le mérite qui compte, mais la protection ; c'est celui qui se courbe le plus au lever de la Pompadour ou de la du Barry qui parvient le plus haut ; la parole prime l'action, l'apparence la réalité. Ces hommes, enfermés dans un cadre étroit, ne jouent plus qu'entre eux et pour eux-mêmes, avec beaucoup de grâce et sans aucun but, leurs rôles de roi, de prêtre, de maréchal ; tous ont oublié la France, la réalité, ils ne pensent qu'à eux-mêmes, à leur carrière, à leurs plaisirs. Versailles, conçu par Louis XIV comme le *Forum maximum* de l'Europe, devient sous Louis XV un simple théâtre d'amateurs, le plus artistique et le plus coûteux, il est vrai, que le monde ait jamais connu.

Sur cette scène grandiose voici qu'apparaît pour la première fois, du pas hésitant de la débutante, une jeune fille de quinze ans. Elle commence tout d'abord par un petit rôle d'essai : celui de dauphine. Mais le très noble public sait qu'à cette petite archiduchesse blonde d'Autriche est réservé pour plus tard le rôle de vedette à Versailles, celui de reine, et c'est pourquoi dès son arrivée tous les regards la fixent avec curiosité. La première impression est excellente : depuis longtemps on n'y a point vu figurer une aussi charmante personne, à la silhouette délicieusement svelte, comme moulée dans du biscuit de Sèvres, au teint de porcelaine peinte, aux yeux bleus éveillés, à la bouche espiègle et vive qui sait faire une moue adorable ou rire de la manière la plus enfantine. Un maintien irréprochable : un pas ailé plein de grâce, ravissant quand elle danse, mais en même temps – on n'est pas en vain fille d'impératrice – une façon assurée de passer, droite et fière, dans la Galerie des Glaces et de saluer avec aisance à droite et à gauche. Avec un dépit mal dissimulé, les dames qui ont encore le droit, en l'absence d'une prima donna, de jouer le premier rôle, reconnaissent dans cette fillette aux épaules étroites, et pas encore tout à fait formée, la rivale victorieuse de demain. Il y a quand même une faute de tenue que la cour sévère enregistre unanimement : l'enfant de quinze ans a l'étonnante prétention d'aller et venir librement, sans manière aucune, dans ces salles sacrées, au lieu d'observer la raideur prescrite ; étourdie de nature, la petite Marie-Antoinette tourbillonne, jupes au vent, en jouant avec les frères cadets de son mari ; elle ne peut pas encore s'habituer à la triste retenue, à la réserve glaciale sans cesse exigée de l'épouse d'un prince royal. Aux grandes occasions elle sait se conduire irréprochablement car elle a été élevée suivant l'étiquette espagnole et habsbourgeoise tout aussi pompeuse. Mais à la Hofburg et à Schoenbrunn on ne se tenait aussi solennellement qu'aux événements extraordinaires, on ne sortait le cérémonial qu'aux réceptions, comme un habit de gala, pour s'en débarrasser ensuite, avec un soupir de soulagement, dès que les heiduques avaient refermé la porte derrière les visiteurs. Alors on se relâchait, on devenait simple et familier, les enfants pouvaient s'ébattre joyeusement et follement ; à Schoenbrunn, on se servait de l'étiquette, mais on ne la servait pas en esclaves comme une divinité. En revanche, ici, à cette cour précieuse et surannée, on ne vit pas pour vivre, mais uniquement pour représenter, et plus le rang d'un personnage est élevé, plus celui-ci a de prescriptions à suivre. Donc pour l'amour de Dieu, pas de geste spontané ; il ne faut pas être naturel, à aucun prix, ce serait là un irréparable manquement aux usages. Du matin au soir, du soir au matin, de la tenue, encore de la tenue et toujours de la tenue, sans quoi l'impitoyable public de courtisans, dont la seule raison est de vivre dans et pour ce théâtre, commence à murmurer. Ni comme dauphine ni comme reine Marie-Antoinette n'a jamais voulu comprendre cette odieuse sévérité, ce sacro-saint cérémonial de Versailles ; elle ne conçoit pas l'importance terrible que tout le monde accorde à un signe de tête, à une question de préséance, et jamais elle ne le concevra. D'une nature obstinée, mutine et avant tout profondément sincère, elle hait toute espèce de restriction ; en véritable Autrichienne elle veut se laisser aller, vivre à sa guise et ne pas subir continuellement ces grands airs, cette insupportable suffisance. De même qu'en Autriche elle s'était dérobée à l'étude, elle cherche maintenant toutes les occasions d'échapper à sa sévère dame d'honneur, Mme de Noailles, qu'elle surnomme, railleuse, « Mme Étiquette » ; inconsciemment cette enfant vendue trop tôt, à des fins politiques, souhaite la seule chose dont on la prive dans le luxe de sa situation : quelques vraies années d'enfance.

Mais une dauphine ne peut ni ne doit plus être une enfant : tout se ligue pour lui rappeler l'obligation où elle est de rester inébranlable et digne. La partie principale de son éducation échoit, en même temps qu'à la dame d'honneur, une dévote, à Mesdames, filles de Louis XV, trois vieilles filles méchantes et bigotes, dont la plus mauvaise langue n'oserait suspecter la vertu : Madame Adélaïde, Madame Victoire, Madame Sophie ; ces trois parques s'occupent, avec une apparente bienveillance, de Marie-Antoinette négligée par son époux ; dans leur repaire elle est initiée à toute la stratégie de la petite guerre de cour, elle y doit apprendre l'art de la médisance, de l'intrigue souterraine, la technique des coups d'épingle. Au début ce nouvel enseignement amuse la petite Marie-Antoinette qui manque d'expérience ; elle répète innocemment les « bons mots » salés qu'on lui apprend, mais au fond ces malices répugnent à sa franchise innée, à sa nature droite et spontanée. Malheureusement pour elle, Marie-Antoinette n'a jamais appris à feindre, à dissimuler ses sentiments, haine ou inclination ; aussi grâce à son juste instinct, se libère-t-elle bientôt de la tutelle des tantes. La comtesse de Noailles, elle non plus, n'a guère de chance avec son élève ; le tempérament indomptable de l'adolescente de quinze ou seize ans se révolte sans cesse contre la « mesure », contre l'emploi du temps toujours réglé et lié à un paragraphe. Mais elle ne peut rien y changer. Elle décrit ainsi sa journée :

> ... je me lève à 10 heures ou à 9 heures et demie et m'ayant habillée je dis mes prières du matin, ensuite je déjeune et de là je vais chez mes tantes où je trouve ordinairement le roi. Cela dure jusqu'à 10 heures et demie, ensuite à 11 heures je vais me coiffer. A midi on appelle la chambre et là tout le monde peut entrer, ce qui n'est point des communes gens. Je mets mon rouge et lave mes mains devant tout le monde, ensuite les hommes sortent et les dames restent et je m'habille devant elles. A midi est la messe ; si le roi est à Versailles, je vais avec lui et mon mari et mes tantes à la messe ; s'il n'y est pas, je vais seule avec Monsieur le Dauphin, mais toujours à la même heure. Après la messe, nous dînons à nous deux devant tout le monde, mais cela est fini à une heure et demie, car nous mangeons fort vite tous deux. De là, je vais chez Monsieur le Dauphin et s'il a affaires, je reviens chez moi, je lis, j'écris ou je travaille, car je fais une veste pour le roi, qui n'avance guère, mais j'espère qu'avec la grâce de Dieu elle sera finie dans quelques années. A 3 heures, je vais encore chez mes tantes où le roi vient à cette heure-là ; à 4 heures vient l'abbé chez moi, à 5 heures tous les jours le maître de clavecin ou à chanter jusqu'à 6 heures. A 6 heures et demie je vais presque toujours chez mes tantes, quand je ne vais point promener ; il faut savoir que mon mari va presque toujours avec moi chez mes tantes. A 7 heures on joue jusqu'à 9 heures, mais quand il fait beau, je m'en vais promener et alors il n'y a point de jeu chez moi, mais chez mes tantes. A 9 heures, nous soupons et quand le roi n'y est point, mes tantes viennent souper chez nous, mais quand le roi y est, nous allons après souper chez elles, nous attendons le roi qui vient ordinairement à 10 heures trois quarts, mais moi en attendant je me place sur un grand canapé et dors jusqu'à l'arrivée du roi, mais quand il n'y est pas, nous allons nous coucher à 11 heures. Voilà toute notre journée.

Cet emploi du temps ne laisse guère de marge pour les divertissements, et c'est cela pourtant que réclame son cœur impatient. Son jeune sang bouillonnant veut se dépenser, elle a envie de jouer, de rire, de folâtrer, mais aussitôt « Madame Étiquette » lève un doigt sévère et déclare que ceci et cela, et en somme tout ce que désire Marie-Antoinette est inconciliable avec la tenue d'une dauphine. L'abbé Vermond, ancien professeur, maintenant confesseur et lecteur de la princesse, tombe plus mal encore avec elle. En vérité, Marie-Antoinette aurait terriblement à apprendre, car son instruction est très au-dessous de la moyenne : à quinze ans, elle a presque oublié l'allemand, elle est bien loin de connaître entièrement le français, son écriture est d'une gaucherie pitoyable, son style est plein d'énormités et de fautes d'orthographe ; elle a encore besoin que l'indulgent abbé lui écrive un brouillon de ses lettres. En outre, il doit lui faire la lecture tous les jours pendant une heure et la pousser à lire elle-même, car Marie-Thérèse, presque dans chaque lettre, lui pose des questions à ce sujet. Elle a beaucoup de peine à croire que sa Toinette, ainsi qu'on le lui fait savoir, lit et écrit réellement chaque après-midi.

> Cherche à tapisser ton cerveau de bonne lecture, lui écrit-elle, elle t'est plus nécessaire qu'à d'autres. J'attends depuis deux mois la liste de l'Abbé et je crains que tu ne t'en sois point occupée, et que les chevaux et les ânes aient pris le temps destiné aux livres. Ne néglige pas cette occupation en hiver, puisque tu n'en possèdes encore entièrement aucune autre, ni musique, ni dessin, ni danse, ni peinture, ni autres beaux-arts.

Malheureusement la méfiance de Marie-Thérèse est justifiée, car la petite Toinette, avec naïveté et adresse à la fois, sait si bien embobeliner l'abbé Vermond – on ne peut pourtant pas contraindre ou punir une dauphine ! – que l'heure de lecture devient toujours une heure de causerie ; elle n'apprend pour ainsi dire rien, et sa mère, malgré tous ses conseils pressants, ne peut pas arriver à la faire travailler sérieusement. Un mariage forcé et trop précoce a entravé ici une saine et droite évolution. Femme de par son titre, mais en réalité toujours enfant, d'une part Marie-

Antoinette doit déjà observer une attitude conforme à son rang et à sa dignité, cependant que d'autre part il faut qu'elle apprenne comme une écolière les premiers éléments d'une éducation primaire ; tantôt on la traite en grande dame, tantôt on la gronde comme une petite fille ; sa dame d'honneur exige d'elle de la tenue, ses tantes des intrigues, sa mère de l'instruction ; mais son cœur ne veut rien qu'être jeune et vivre, et ces contrastes entre l'âge et la situation, entre son propre désir et la volonté des autres, font naître chez cette nature tout à fait droite l'inquiétude effrénée et la soif impatiente de liberté qui plus tard auront une influence si néfaste sur son destin.

Marie-Thérèse se rend compte de la grave et périlleuse situation de sa fille à la cour du roi de France ; elle sait aussi que cette créature est beaucoup trop jeune, trop frivole, trop légère pour pouvoir éviter d'instinct tous les pièges des intrigues, toutes les embûches de la politique de palais. Elle a donc placé auprès de Marie-Antoinette, en qualité de fidèle serviteur, le meilleur d'entre ses diplomates, le comte Mercy.

> Je crains, lui écrit-elle avec une merveilleuse franchise, la jeunesse de ma fille, le trop de flatterie, et sa paresse et aucun goût pour s'appliquer. Je vous recommande de veiller là-dessus, ayant toute ma confiance en vous, qu'elle ne tombe en de mauvaises mains.

L'impératrice n'aurait pu faire un choix meilleur. Belge de naissance, mais totalement dévoué à sa souveraine, homme de cœur sans être courtisan, réservé sans raideur, lucide sans prétendre au génie, ce célibataire riche et dénué d'ambition, qui ne désire rien d'autre dans la vie que servir sa souveraine d'une manière parfaite, s'acquitte de cette mission tutélaire avec une fidélité touchante et tout le tact imaginable. Apparemment ambassadeur de l'impératrice à la cour de Versailles, il n'est en réalité que l'œil, l'oreille, la main secourable de la mère ; grâce à ses rapports exacts, Marie-Thérèse peut, de Schoenbrunn, observer sa fille comme dans un télescope. Elle sait chaque mot que prononce Marie-Antoinette, chaque livre qu'elle lit, ou plutôt qu'elle ne lit pas, elle connaît chaque robe qu'elle revêt, elle apprend comment elle passe ou gaspille chaque journée, à qui elle parle, quelles fautes elle commet, car Mercy, avec beaucoup d'habileté, a resserré le réseau autour de sa protégée. C'est ainsi qu'il écrit à Marie-Thérèse :

> Je me suis assuré de trois personnes du service en sous-ordre de Madame l'Archiduchesse ; je suis informé jour par jour des conversations de l'Archiduchesse avec l'abbé de Vermond, auquel elle ne cache rien ; j'apprends par la marquise de Durfort jusqu'au moindre propos de ce qui se dit chez Mesdames, et j'ai plus de monde et de moyens encore à savoir ce qui se passe chez le Roi, quand Madame la Dauphine s'y trouve. A cela je joins encore mes propres observations, de façon qu'il n'est pas d'heure dans la journée de laquelle je ne sois en état de rendre compte sur ce que Madame l'Archiduchesse peut avoir dit ou fait ou entendu... et j'ai donné à mes recherches toute cette étendue, parce que je sens combien le repos de Votre Majesté y est intéressé.

Ce loyal et dévoué serviteur rapporte avec une entière exactitude, sans le moindre ménagement, ce qu'il entend et épie. Des courriers spéciaux – les vols postaux réciproques représentant à cette époque l'art principal de la diplomatie – transmettent ces rapports intimes destinés exclusivement à Marie-Thérèse, et que l'empereur Joseph et le chancelier d'État ne peuvent pas lire, grâce aux enveloppes fermées portant la suscription *tibi soli.* Parfois, il est vrai, l'innocente Marie-Antoinette s'étonne de la promptitude et de l'exactitude avec lesquelles on est renseigné à Schoenbrunn sur les moindres détails de son existence, mais jamais elle ne soupçonne que ce monsieur aux cheveux grisonnants, si amical et si paternel, est l'espion intime de sa mère, et que les lettres exhortantes et mystérieusement omniscientes de l'impératrice sont demandées et inspirées par Mercy lui-même. Car il n'a pas d'autre moyen que l'autorité maternelle pour agir sur l'indomptable enfant. Comme ambassadeur d'une cour étrangère, bien qu'amie, il ne lui est pas permis de donner à la dauphine des règles de conduite morale, il n'a pas à vouloir éduquer ou influencer une future reine de France. En conséquence, chaque fois qu'il veut obtenir quelque chose, il demande une de ces lettres affectueusement sévères que Marie-Antoinette reçoit et ouvre avec un battement de cœur. Cette enfant frivole, qui n'est soumise à aucune autre personne sur terre, éprouve toujours une crainte sacrée quand sa mère lui parle, ne fût-ce que par écrit ; alors elle incline humblement la tête même sous le blâme le plus dur.

Affectueuse, cordiale et ennemie de la réflexion, l'enfant qu'est Marie-Antoinette n'a vraiment aucune antipathie pour tous ces gens qui l'entourent. Elle aime bien son grand-papa par alliance, Louis XV, qui la dorlote, elle s'entend passablement avec Mesdames et « Madame Étiquette », elle a une grande confiance en son bon confesseur Vermond et une affection respectueuse et candide pour le calme et cordial ami de sa mère, l'ambassadeur Mercy. Mais tous sont de vieilles personnes sérieuses, graves, mesurées, cérémonieuses, tandis qu'elle, avec ses quinze ans, il lui faudrait quelqu'un de son âge avec qui elle pourrait s'amuser gaîment, ingénument, en toute tranquillité ; elle voudrait des compagnons de jeux et non pas seulement des maîtres, des surveillants et des gens qui la réprimandent ; sa jeunesse a soif de jeunesse. Mais avec qui être gaie, avec qui jouer, dans cette froide maison de marbre cruelle et solennelle ? Au fond, le compagnon de jeu qui lui conviendrait le mieux quant à l'âge se trouve auprès d'elle : c'est son propre époux, qui n'a qu'un an de plus. Mais ce garçon grognon, timide et souvent même grossier par timidité, ce lourdaud évite toute familiarité avec sa jeune femme ; lui non plus d'ailleurs n'a jamais manifesté le moindre désir d'être marié si tôt et il se passe un certain temps avant qu'il ne se décide à être quelque peu poli envers cette fillette étrangère. Il ne reste donc que les frères cadets de son mari, les comtes de Provence et d'Artois, âgés de treize et quatorze ans ; avec eux Marie-Antoinette s'amuse parfois comme une enfant, ils s'empruntent des costumes et font secrètement du théâtre, mais il faut que tout soit promptement caché dès qu'approche « Madame Étiquette » : une dauphine ne doit pas être prise en train de jouer ! Pourtant cette enfant pétulante a besoin de se divertir, d'aimer quelque chose ; un jour, elle demande à l'ambassadeur qu'on lui envoie de Vienne « un chien Mops », un autre jour, la sévère gouvernante s'aperçoit – horreur ! – que la future reine de France a fait monter dans sa chambre les deux petits enfants d'une domestique et qu'elle se traîne et s'ébat par terre avec eux sans se soucier de ses beaux habits. De la première à la dernière heure, l'être libre et naturel qu'il y a en Marie-Antoinette lutte contre tout l'artificiel de ce milieu devenu le sien par le mariage, contre le pathétique précieux de ces jupes à paniers et de cette tenue corsetée. La Viennoise légère et jouisseuse s'est toujours sentie étrangère dans le solennel palais de Versailles.

CHAPITRE IV

LA LUTTE POUR UN MOT

« Ne te mêle pas de politique, ne t'occupe pas des affaires des autres », répète dès le début Marie-Thérèse à sa fille – avertissement au fond superflu, car rien n'importe à Marie-Antoinette que son amusement. Tout ce qui exige un examen approfondi ou une attention soutenue ennuie indiciblement cette jeune femme éprise d'elle-même, et c'est véritablement malgré elle si, au cours des premières années, elle est entraînée dans cette misérable petite guerre d'intrigues qui remplace à la cour de Louis XV la haute politique de son prédécesseur. Dès son arrivée elle trouve Versailles divisé en deux clans. La reine est morte depuis longtemps ; légitimement, donc, le premier rôle féminin à la cour, avec toutes les prérogatives qu'il comporte, revient aux trois filles du roi. Mais maladroites, stupides et mesquines, ces trois bigotes intrigantes ne savent profiter de leur situation que pour se tenir au premier rang à la messe et avoir le pas aux réceptions. Vieilles filles ennuyeuses et désagréables, elles n'ont aucun ascendant sur le roi, qui ne recherche que son plaisir, et jusque dans la sensualité la plus grossière ; aussi, comme elles sont sans pouvoir, sans influence, comme elles ne distribuent pas de places, aucun courtisan, même petit, ne brigue leurs faveurs, et tout l'éclat, tout l'honneur va à celle qui n'a rien de commun avec l'honneur, à la dernière maîtresse du roi, à Mme du Barry. Issue de la lie du peuple, d'un passé obscur, et même, si l'on veut donner créance aux bruits qui courent, parvenue dans la chambre à coucher royale après avoir passé par une maison publique, elle a obtenu de la faiblesse de son amant, afin d'avoir un semblant de droit d'accès à la cour, un époux nanti d'un titre de noblesse, le comte du Barry, mari extrêmement complaisant qui disparaît immédiatement et à jamais le jour même de la signature du mariage. Toujours est-il que ce nom a fait admettre à Versailles l'ex-fille des rues. Pour la deuxième fois une farce honteuse et ridicule s'est déroulée aux yeux de toute l'Europe : un roi très chrétien s'est fait présenter officiellement à la cour, comme étant une dame noble de lui inconnue, sa propre favorite bien connue de tous comme telle. Légitimée par cette réception, la concubine du roi habite le grand palais ; trois pièces seulement la séparent des filles scandalisées et sa chambre communique avec les appartements royaux par un escalier construit tout exprès. Avec son corps expert et celui, encore novice, de jolies filles obligeantes qu'elle amène au vieux libertin, elle tient Louis XV complètement sous sa dépendance : pour obtenir la faveur du roi il faut passer par son salon. Bien entendu, puisqu'elle a le pouvoir en main, tous les courtisans se pressent autour d'elle, les ambassadeurs de tous les souverains attendent, pleins de respect, dans son antichambre, rois et princes lui envoient des cadeaux ; elle peut destituer les ministres, distribuer des charges, se faire construire des châteaux, disposer du trésor royal ; de lourds colliers de diamants scintillent sur sa gorge voluptueuse, des bagues énormes brillent à ses doigts, baisés avec ferveur par toutes les Eminences, tous les princes et tous les solliciteurs, et un diadème invisible resplendit dans sa brune et luxuriante chevelure.

Le soleil de la grâce royale illumine cette souveraine de l'alcôve, toutes les flatteries, tous les hommages vont à cette favorite effrontée qui se pavane à Versailles plus insolemment que jamais reine ne le fit. Pendant ce temps, à l'arrière-plan, dans les chambres du fond, revêches, les filles du roi geignent et gémissent en voyant cette fille insolente couvrir de honte la cour entière, rendre leur père ridicule, le gouvernement impuissant et toute vie de famille chrétienne impossible. De toute la haine née d'une vertu dont on ne peut pas leur faire un mérite, leur bien unique d'ailleurs, car elles n'ont ni esprit, ni charme, ni dignité, ces trois vieilles filles détestent la catin babylonienne qui remplace leur mère à la cour et y jouit des honneurs dus à une reine. Aussi ne pensent-elles, du matin au soir, qu'à la railler, la mépriser et lui nuire.

C'est alors, heureux hasard, qu'apparaît à Versailles cette petite archiduchesse étrangère, Marie-Antoinette, âgée de quinze ans seulement, mais devenue de droit, en sa qualité de future reine, la première femme de la cour; se servir d'elle contre la du Barry est une tâche qui sourit à Mesdames, et dès le début elles s'appliquent à y dresser cette fillette inconsciente et légère. Il faut la mettre en avant pendant qu'elles resteront dans l'obscurité. Il faut qu'elle les aide à terrasser la bête impure. Elles feignent donc d'attirer tendrement la petite princesse dans leur cercle. Quelques semaines plus tard, Marie-Antoinette, sans le savoir, est au cœur d'une lutte acharnée.

A son arrivée, Marie-Antoinette ne connaissait ni l'existence ni la situation singulière de cette Mme du Barry : à la cour austère de Marie-Thérèse, l'idée d'une maîtresse était chose totalement inconnue. Ce n'est qu'au premier souper qu'elle voit parmi les autres dames de la cour une personne à la gorge opulente, brillamment vêtue, couverte de bijoux magnifiques, qui lui lance des regards curieux, et qu'elle entend appeler « comtesse », Mme la comtesse du Barry. Mais les tantes, qui s'occupent avec sollicitude de l'enfant sans expérience, l'éclairent à fond sur ce sujet et cela, intentionnellement, car peu de temps après son arrivée Marie-Antoinette parle déjà à sa mère de cette « sotte et impertinente créature ». Bruyamment, étourdiment, elle répète toutes les remarques méchantes et perfides que ses chères tantes lui ont soufflées; puis tout à coup la cour qui s'ennuie et qui est toujours avide de plaisirs semblables y trouve un fol amusement; car Marie-Antoinette s'est maintenant mis dans la tête – ses tantes ont tout fait pour cela – de blesser au plus profond d'elle-même cette intruse, cette effrontée, qui fait la roue comme un paon à la cour royale, en lui marquant la plus grande indifférence. D'après la loi d'airain de l'étiquette, une dame de rang inférieur n'a pas le droit d'adresser la parole à une dame de rang supérieur; elle doit toujours attendre avec respect que cette dernière lui parle. Comme on le sait, en l'absence d'une reine, la dauphine occupe le rang le plus élevé, et Marie-Antoinette décide d'user largement du droit que lui confère cette situation. Froide, souriante et provocante, elle fait attendre la comtesse du Barry; pendant des semaines et des mois elle la laisse languir avec impatience dans l'attente d'un seul mot d'elle. Naturellement, les railleurs et les courtisans s'en aperçoivent bientôt; ce duel leur procure une joie ineffable; toute la cour se chauffe agréablement au feu attisé avec soin par Mesdames. Chacun observe avec intérêt la du Barry, qui, assise parmi les dames de la cour, voit avec une fureur mal contenue l'impertinente « petite rousse » parler gaiement (exprès peut-être) à tout le monde; devant elle seulement Marie-Antoinette pince régulièrement sa lèvre habsbourgeoise légèrement saillante, ne dit pas un mot et regarde pour ainsi dire à travers la comtesse, étincelante de diamants, comme si elle était devant une cloison vitrée.

La du Barry, au fond, n'est pas méchante. En vraie femme du peuple, elle a toutes les qualités des classes inférieures, on trouve chez elle une certaine bienveillance de parvenue, elle est enjouée et amicale avec tous ceux qui ont de bonnes intentions à son égard. Par vanité, elle est facilement complaisante envers qui la flatte; généreuse avec nonchalance, elle donne volontiers à qui lui demande; ce n'est en rien une femme mauvaise ou jalouse. Mais précisément parce qu'elle est montée des bas-fonds avec une aussi vertigineuse rapidité, elle ne se contente pas de l'ambiance du pouvoir, elle veut y goûter matériellement et ostensiblement, jouir avec orgueil et vanité d'honneurs qui ne lui reviennent pas, et surtout qu'on lui en reconnaisse le droit. Elle veut être assise au premier rang des dames de la cour, porter les plus beaux diamants, les plus magnifiques toilettes, posséder la plus belle voiture, les meilleurs chevaux. Tout cela elle l'obtient aisément de l'homme faible qui lui est asservi et ne lui refuse rien. Mais – tragi-comédie de tout pouvoir illégitime, et qui a lieu même avec un Napoléon – son ultime, sa suprême ambition est d'être reconnue par le pouvoir légitime. Ainsi, la comtesse du Barry, bien qu'adulée par tous les princes, gâtée par tous les courtisans, ayant vu tous ses désirs réalisés, en a encore un : elle veut que la première femme de la cour lui accorde sa considération, que l'archiduchesse habsbourgeoise se montre accueillante et amicale à son égard. Mais non seulement cette « petite rousse » (c'est ainsi que dans sa fureur impuissante elle appelle Marie-Antoinette), cette petite oie de seize ans qui ne sait même pas encore parler convenablement le français et qui échoue si pitoyablement en ménage, cette vierge malgré soi lui fait toujours la moue et l'humilie devant toute la cour, mais encore elle ose ouvertement et impudemment se moquer d'elle, la femme la plus puissante de Versailles. Non, cela, elle ne l'admettra pas.

Dans cette homérique querelle de préséance, le droit, selon la lettre, est incontestablement du côté de Marie-Antoinette. Elle n'est pas obligée de parler à cette « dame », qui, en sa qualité de comtesse, est infiniment au-dessous de l'héritière du trône, même si elle étale sur sa poitrine pour sept millions de diamants. Mais la du Barry a derrière elle le pouvoir effectif : elle tient le roi dans sa main. Déjà près du dernier degré de la déchéance morale, totalement indifférent à l'égard de l'État, de sa famille, de ses sujets, du monde, cynique avec hauteur – après moi le déluge ! – Louis XV ne veut plus que sa tranquillité et son plaisir. Il laisse les choses aller leur train, ne se soucie pas des mœurs de la cour, sachant fort bien qu'il devrait alors donner l'exemple. Il en a assez de gouverner ; il veut vivre ses dernières années rien que pour lui-même : tout peut s'écrouler autour de lui et derrière lui ! C'est pourquoi cette guerre féminine soudaine trouble fâcheusement sa quiétude. D'accord avec ses principes épicuriens, il préférerait ne pas s'en mêler. Mais la du Barry lui casse journellement les oreilles en lui répétant qu'elle ne se laissera pas humilier par cette petite, qu'elle ne permettra pas qu'on la ridiculise ainsi devant toute la cour, qu'il doit la protéger, défendre son honneur à elle et en même temps le sien. A la longue, Louis XV en a assez de ses scènes et de ses larmes ; il fait mander la dame d'honneur de Marie-Antoinette, Mme de Noailles, pour que l'on sache enfin qui commande. D'abord, il ne dit que des amabilités sur l'épouse de son petit-fils. Mais peu à peu il glisse dans la conversation toutes sortes de remarques, il trouve que la dauphine se permet de parler un peu trop librement de ce qu'elle voit et qu'il serait bon d'attirer son attention sur le fait qu'une telle conduite peut produire de mauvais effets dans le cercle intime de la famille. La dame d'honneur transmet immédiatement comme on le désirait cet avertissement à Marie-Antoinette, celle-ci en fait part à ses tantes et à Vermond, ce dernier, finalement, le communique à l'ambassadeur d'Autriche, Mercy, qui en est, bien entendu, épouvanté – alliance, l'alliance ! – et qui relate toute l'affaire, par courrier spécial, à l'impératrice.

Situation épineuse pour la pieuse, la bigote Marie-Thérèse ! Elle qui, à Vienne, avec sa fameuse commission des mœurs, fait impitoyablement fouetter et mettre en maison de correction les « dames » du genre de la du Barry, devra-t-elle ordonner à sa fille d'être polie envers une pareille créature ? Mais, d'autre part, peut-elle prendre parti contre le roi ? La mère, l'austère catholique et la politicienne qui sont en elle se trouvent jetées dans le plus pénible des conflits. Bref, la vieille et fine diplomate se tire d'embarras en remettant toute l'affaire entre les mains de la chancellerie. Elle n'écrit pas elle-même à sa fille, mais fait rédiger par son ministre Kaunitz un rescrit adressé à Mercy, le chargeant d'exposer à Marie-Antoinette cette « exégèse » politique. De cette façon les dehors sont saufs et la petite sait comment elle doit se conduire, car Kaunitz explique :

> Manquer d'égards à des gens que le roi a mis en place ou dans sa société, c'est manquer à lui-même... On ne doit voir dans ces sortes de personnes que la circonstance d'être gens que le souverain a jugés dignes de sa confiance et de ses bontés et on ne doit point se permettre

d'examiner si c'est à tort ou à raison : le choix seul du prince doit être respecté.

C'est clair, plus que clair même. Mais Marie-Antoinette est chauffée à blanc par ses tantes. Quand on lui lit la lettre, elle lâche à Mercy, avec sa nonchalance habituelle, un « oui, oui » et un « ça va » négligents, tout en pensant à part soi que cette vieille perruque de Kaunitz peut bien dire et redire tout ce qu'il voudra, mais qu'en ce qui concerne ses affaires privées il n'y a pas de chancelier qui tienne. Depuis qu'elle s'aperçoit combien la « sotte créature » enrage et se tourmente, l'orgueilleuse petite fille prend doublement goût à la chose ; comme si rien ne s'était passé, elle persévère avec une joyeuse cruauté dans son silence ostensible. Tous les jours elle rencontre la favorite à des bals, à des fêtes, au jeu, à la table du roi même, et la voit attendre, regarder de son côté, trembler d'émotion à son approche. Mais elle peut attendre jusqu'au jugement dernier ! Chaque fois que son regard l'effleure par hasard, Marie-Antoinette retrousse dédaigneusement sa lèvre et passe, glaciale, devant elle, sans prononcer le mot attendu et souhaité par la du Barry, le roi, Kaunitz, Mercy, et même, en secret, par Marie-Thérèse.

Désormais la guerre est ouvertement déclarée. Comme à un combat de coqs, les courtisans se groupent autour des deux femmes, qui observent l'une à l'égard de l'autre un silence résolu, la du Barry avec des larmes de fureur impuissante, Marie-Antoinette avec un petit sourire hautain et méprisant. Tous veulent voir et savoir – et vont jusqu'à parier – qui l'emportera des deux souveraines de France, la légitime ou l'illégitime. Depuis des années et des années Versailles n'a pas vu de plus amusant spectacle.

Mais, cette fois, Louis XV commence à se fâcher. Habitué dans son palais à une obéissance byzantine, au moindre battement de cils, accoutumé à voir tout le monde courir servilement selon sa volonté, avant même qu'il ne l'ait clairement exprimée, voici que pour la première fois il sent une résistance, lui, le roi de France très chrétien : une gamine ose dédaigner publiquement ses ordres. Le plus simple, bien entendu, serait de mander cette effrontée et de lui laver énergiquement la tête ; mais au fond de cet homme dépravé et cynique subsiste une dernière pudeur ; il est malgré tout pénible d'ordonner à l'épouse du petit-fils d'adresser la parole à la maîtresse du grand-père. Dans son embarras, Louis XV fait donc exactement ce qu'a fait Marie-Thérèse dans sa perplexité : il transforme l'affaire privée en affaire d'État. A sa surprise, Mercy, l'ambassadeur d'Autriche, est convoqué par le ministère français des Affaires extérieures, et ce non pas dans la salle d'audience, mais dans les appartements de la comtesse du Barry. Le choix singulier du lieu de l'entretien fait qu'il pressent immédiatement certaines choses, et effectivement il ne se trompait pas : à peine a-t-il échangé quelques mots avec le ministre que la comtesse fait son entrée, le salue cordialement et lui raconte en détail combien on est injuste à son égard, en lui prêtant des sentiments hostiles envers la dauphine ; elle est tout au contraire la victime de basses calomnies. Le brave ambassadeur est un peu gêné de devenir, soudain, du représentant de l'impératrice le confident de la du Barry ; il essaie de parler en diplomate, mais voici que s'ouvre sans bruit une porte dérobée et que Louis XV en personne intervient dans l'entretien épineux.

> Jusqu'à présent, dit-il à Mercy, vous avez été l'ambassadeur de l'impératrice, mais je vous prie d'être maintenant mon ambassadeur au moins pour quelque temps.

Puis il s'exprime très franchement sur Marie-Antoinette. Il la trouve charmante, mais jeune et impulsive, et avec cela, unie à un époux incapable de la diriger, elle écoute facilement les mauvais conseils de certaines personnes (Louis XV pense à Mesdames, ses propres filles) et se laisse entraîner dans toutes sortes d'intrigues. Il prie donc Mercy d'user de toute son autorité pour que la dauphine change d'attitude. Mercy comprend aussitôt que l'affaire est devenue politique ; il se trouve devant un ordre clair et net qu'il faut exécuter ; le roi exige la capitulation absolue.

L'ambassadeur, naturellement, rend aussitôt compte à Vienne de la situation ; pour atténuer ce qu'a de pénible sa mission, il fait quelques retouches indulgentes au portrait de la du Barry qui n'est pas, dit-il, si mauvaise que cela ; ce qu'elle désire n'est au fond qu'une petite chose ; elle voudrait que la dauphine lui adressât une seule fois la parole en public. En même temps, il rend visite à Marie-Antoinette et la prie avec insistance de s'incliner. Il n'hésite même pas à employer les grands moyens. Il va jusqu'à lui faire peur en lui chuchotant que le poison a déjà supprimé plus d'un haut personnage à la cour de France, et, finalement, il lui dépeint avec une particulière éloquence le conflit qui pourrait éclater entre les Bourbons et les Habsbourgs. C'est là son atout le plus puissant : elle seule sera responsable si, par sa conduite, doit tomber en pièces cette alliance, qui est l'œuvre maîtresse de sa mère.

Et en effet, l'artillerie lourde commence à agir : Marie-Antoinette se laisse intimider. Avec des larmes de colère elle promet à l'ambassadeur d'adresser, un jour déterminé, au jeu, la parole à la du Barry. Mercy pousse un soupir de soulagement : Dieu soit loué ! L'alliance est sauve.

Une représentation de gala des plus magnifiques attend maintenant les intimes de la cour. De bouche en bouche on se passe la nouvelle en grand mystère : ce soir la dauphine adressera enfin la parole à la du Barry ! Les coulisses sont disposées avec soin et la scène est réglée à l'avance. Il a été convenu entre l'ambassadeur et Marie-Antoinette que le soir, au cercle, à la fin de la partie, Mercy s'avancera vers la comtesse du Barry et engagera avec elle une petite conversation. Comme par hasard, la dauphine passera près d'eux, s'approchera de l'ambassadeur, le saluera et par la même occasion dira quelques mots à la favorite. Tout est admirablement combiné. Malheureusement, le spectacle échoue, car Mesdames, n'admettant point que leur rivale détestée jouisse de ce succès public, ont décidé de leur côté de faire tomber le rideau avant le duo de réconciliation. Animée des meilleures intentions, Marie-Antoinette se rend le soir au salon ; tout est bien préparé ; Mercy, conformément au programme, fait le premier geste. Il s'approche de Mme du Barry et engage la conversation. Entre-temps, Marie-Antoinette, suivant ce qu'il a été décidé, a commencé le tour du salon. Elle a parlé avec une dame, puis avec la suivante, puis avec la suivante encore, prolongeant peut-être un peu par crainte, énervement ou dépit ce dernier entretien ; il ne reste plus à présent qu'une seule dame entre elle et la du Barry – encore deux minutes, encore une, et elle se trouvera devant Mercy et la favorite. Mais à cet instant décisif Madame Adélaïde, la plus acharnée des trois vieilles filles, exécute son grand coup. Elle s'approche vivement de Marie-Antoinette et lui dit sur un ton autoritaire : « Il est temps de s'en aller, partons ; nous irons attendre le roi chez ma sœur Victoire. » Marie-Antoinette surprise, effrayée, perd courage ; peureuse comme elle l'est, elle n'ose pas dire non et n'a pas, d'autre part, la présence d'esprit d'adresser en hâte à la du Barry, qui attend, quelques mots indifférents. Elle rougit, se trouble, s'enfuit presque et le mot désiré, commandé, obtenu par la voie diplomatique, concerté à quatre, n'est pas prononcé. Tout le monde est sidéré. La scène a été montée en vain ; au lieu d'une réconciliation on n'a abouti qu'à une nouvelle humiliation. Les malveillants, à la cour, se frottent les mains ; partout, jusqu'à l'office, on se raconte en riant sous cape comment la du Barry a vainement attendu. Mais la comtesse écume, et, ce qui est plus grave, Louis XV entre dans une franche colère. « Hé bien, Monsieur de Mercy, dit-il courroucé à l'ambassadeur, vos avis ne fructifient guère ; il faudra que je vienne à votre secours ! »

Le roi de France est furieux et menace, Mme du Barry rage dans ses appartements, l'alliance franco-autrichienne vacille, la paix de l'Europe est en danger. Immédiatement l'ambassadeur annonce à Vienne la mauvaise tournure de l'affaire. Il est temps que l'impératrice entre en jeu. Il faut qu'elle intervienne personnellement, car elle seule peut quelque chose sur cette enfant têtue et irréfléchie. Marie-Thérèse est extrêmement effrayée par ces événements. En envoyant sa fille en France elle avait honnêtement l'intention de lui éviter le triste métier de la politique, et elle écrivait alors à son ambassadeur :

> Je vous avoue franchement que je ne souhaite pas que ma fille gagne une influence décidée dans les affaires. Je n'ai que trop appris, par ma propre expérience, quel fardeau accablant est le gouvernement d'une vaste monarchie. De plus, je connais la jeunesse et la légèreté de ma fille, jointe à son peu de goût pour l'application (et qu'elle ne sait rien), ce qui me ferait d'autant plus craindre pour la réussite dans le gouvernement d'une monarchie aussi délabrée que l'est à présent celle de France ; et si ma fille ne pouvait la relever, ou que l'état de cette monarchie venait encore à empirer de plus en plus, j'aimerais mieux qu'on en inculpât quelque ministre que ma fille... Je ne saurais donc me résoudre à lui parler politique et affaires d'État...

Mais cette fois – fatalité ! – cette vieille femme tragique doit se montrer infidèle à elle-même, car Marie-Thérèse a depuis quelque temps de graves soucis politiques. Une affaire obscure et qui n'est pas précisément propre se trame à Vienne. Il y a des mois déjà que la triste proposition d'un partage de la Pologne a été faite par Frédéric II, qu'elle hait comme l'incarnation de Lucifer sur terre, et par Catherine de Russie, dont elle se méfie profondément ; depuis, l'approbation enthousiaste que cette idée trouve chez Kaunitz et Joseph II trouble sa conscience.

> Tout partage, au fond, est injuste et nuisible pour nous, déclare-t-elle. Je ne puis assez regretter cette offre, et dois avouer que j'ai honte de paraître en public.

Elle s'est immédiatement rendu compte de ce que vaut cette idée politique, elle sait que c'est un crime moral, le pillage d'un peuple innocent et sans défense.

> De quel droit pouvons-nous piller un innocent que nous nous sommes toujours glorifiés de protéger ? s'écrie-t-elle.

Avec une indignation véritable et profonde elle décline la proposition, indifférente au fait que ses considérations morales peuvent être prises pour de la faiblesse.

> Mieux vaut passer pour faibles que pour déloyaux, dit-elle noblement et intelligemment.

Mais depuis longtemps Marie-Thérèse n'est plus la souveraine absolue. Son fils et corégent Joseph II ne rêve que guerres, expansion de l'empire et réformes, tandis que, pleinement consciente du caractère artificiel et peu solide de l'État autrichien, elle ne pense, elle, qu'à préserver et conserver ; pour contrarier l'influence de sa mère, Joseph II s'engage timidement dans la voie belliqueuse de Frédéric II, qui fut l'ennemi le plus acharné de Marie-Thérèse, cependant que cette femme vieillissante voit avec une profonde consternation Kaunitz, son serviteur le plus fidèle, dont elle a fait la fortune politique, se tourner vers l'étoile naissante de son fils. Lasse, exténuée, déçue dans tous ses espoirs de mère et de souveraine, elle renoncerait volontiers au pouvoir. Mais sa responsabilité l'en empêche, elle pressent avec une lucidité prophétique que l'esprit inquiet et inconstant du brusque réformateur qu'est Joseph II propagera le trouble dans tout cet empire si difficile à gouverner. Aussi cette femme pieuse et profondément loyale lutte-t-elle jusqu'à la dernière heure pour ce qu'elle considère comme le bien suprême : l'honneur.

> Je reconnais, écrit-elle, que durant toute ma vie je ne me suis trouvée aussi inquiète. Lorsqu'on a voulu me dépouiller de tous mes pays je me suis appuyée sur mon droit et sur le soutien de Dieu. Mais dans le cas présent, où non seulement le droit n'est point de mon côté, mais où la justice, le droit et l'équité me combattent, je n'ai plus de paix ; il ne me reste que le trouble et les reproches d'un cœur qui ne fut jamais habitué à duper les autres ou lui-même, ou à faire passer la duplicité pour la sincérité. La foi et la fidélité, qui sont cependant le plus précieux joyau de la force véritable d'un monarque contre les autres, sont perdues à jamais.

Mais Frédéric II a une conscience large et il ironise à Berlin :

> L'impératrice Catherine et moi sommes deux brigands : mais cette dévote d'impératrice-reine, comment a-t-elle arrangé cela avec son confesseur ?

Il se fait pressant, et Joseph II menace et jure sans cesse qu'une guerre est inévitable si l'Autriche ne se soumet pas. Finalement, l'âme déchirée, le cœur ulcéré, Marie-Thérèse cède les larmes aux yeux :

> Je ne suis pas assez forte pour conduire les affaires moi-même, par conséquent je les laisse, bien qu'à mon plus profond chagrin, suivre leur voie, parce que tous les hommes expérimentés et intelligents le conseillent.

Mais au fond de son cœur elle se sait complice et tremble en pensant au jour où le traité secret et ses conséquences seront révélés au monde. Que dira la France ? Verra-t-elle avec indifférence, eu égard à son alliance avec l'Autriche, cette attaque de brigands contre la Pologne, ou combattra-t-elle des prétentions qu'elle-même, Marie-Thérèse, ne considère pas comme légitimes (car l'impératrice biffe, de sa propre main, le mot « légitime » dans le décret d'occupation). Tout dépend de l'attitude plus ou moins cordiale de Louis XV.

C'est alors qu'au milieu de ces soucis, de ce brûlant conflit moral, arrive la lettre d'alarme de Mercy, annonçant que le roi est fort irrité contre Marie-Antoinette, qu'il lui a ouvertement exprimé son mécontentement, et cela juste au moment où, à Vienne, on entortille si bien le naïf ambassadeur de France, le prince de Rohan, qu'entre ses parties de chasse et de plaisir il ne voit rien de la question polonaise. Parce que Marie-Antoinette ne veut pas adresser la parole à la du Barry, le partage de la Pologne peut devenir une dangereuse affaire d'État, une guerre même peut en sortir... Marie-Thérèse prend peur. Non, alors qu'à l'âge de cinquante-cinq ans elle doit faire à la raison d'État un sacrifice moral aussi douloureux, sa fille, cette enfant de seize ans, n'a pas à être plus catholique que le pape, plus rigide que sa mère. Une lettre est donc rédigée, plus énergique que jamais, afin de briser une fois pour toutes l'entêtement de la petite. Pas un mot dans cette lettre sur la Pologne, sur la raison d'État, cela va sans dire, mais au contraire (il dut en coûter à la vieille impératrice) toute l'affaire y est ramenée aux proportions d'une bagatelle :

> Cette crainte et embarras de parler au roi, le meilleur des pères, écrit-elle, celle de parler aux gens à qui on vous conseille de parler ! Avouez cet embarras, cette crainte de dire seulement le bonjour ; un mot sur un habit, sur une bagatelle vous coûte tant de grimaces, pures grimaces, ou c'est pire. Vous vous êtes donc laissé entraîner dans un tel esclavage que la raison, votre devoir même, n'ont plus la force de vous persuader. Je ne puis plus me taire après la conversation de Mercy, et tout ce qu'il vous a dit que le roi souhaitait et que votre devoir exigeait, vous avez osé lui manquer ; quelle bonne raison pouvez-vous alléguer ? Aucune. Vous ne devez connaître ni voir la du Barry d'un autre œil que d'être une dame admise à la cour et à la société du Roi. Vous êtes la première sujette de lui, vous lui devez obéissance et soumission ; vous devez l'exemple à la cour, aux courtisans, que les volontés de votre maître s'exécutent. Si on exigeait de vous des bassesses, des familiarités, ni moi ni personne ne pourrait vous les conseiller, mais une parole indifférente, de certains regards, non pour la dame, mais pour votre grand-père, votre maître, votre bienfaiteur...

Cette cascade d'arguments pas très sincères brise l'énergie de Marie-Antoinette ; bien qu'obstinée, volontaire, elle n'a jamais osé résister à l'autorité de sa mère. La discipline familiale des Habsbourgs triomphe comme toujours. Pour la forme Marie-Antoinette discute encore :

> Je ne dis pas que je ne lui parlerai jamais, mais ne puis convenir de lui parler à jour et heure marquée pour qu'elle le dise d'avance et en fasse triomphe.

Mais en réalité sa résistance intérieure est vaincue et ces mots ne sont qu'une dernière manœuvre couvrant la retraite : la capitulation est déjà signée.

Le 1er janvier 1772 apporte enfin un terme à cette guerre féminine héroï-comique ; c'est le triomphe de Mme du Barry, la soumission de Marie-Antoinette. De nouveau la scène est réglée de façon théâtrale et toute la cour solennellement convoquée en qualité de témoin et de spectatrice. L'heure des congratulations commence. L'une après l'autre, selon leur rang, les dames défilent devant la dauphine ; parmi elles la duchesse d'Aiguillon, épouse du ministre, avec Mme du Barry. La dauphine adresse quelques mots à la duchesse d'Aiguillon, puis elle tourne la tête à peu près dans la direction de Mme du Barry, et dit, non pas à celle-ci, mais de façon que l'on puisse croire, en y mettant de la bonne volonté, que ces paroles lui sont adressées – l'assemblée entière retient son souffle pour ne pas perdre une syllabe – le mot tant désiré, obtenu au prix de tant de luttes, si lourd de conséquences : « Il y a bien du monde aujourd'hui à Versailles ». Marie-Antoinette a proféré neuf mots, neuf exactement, mais c'est là un événement formidable pour la cour, plus important que la conquête d'une province, plus excitant que toutes les réformes dont la nécessité se fait sentir depuis longtemps : enfin la dauphine a parlé à la favorite ! Marie-Antoinette a capitulé ; Mme du Barry a vaincu. A présent tout est rentré dans l'ordre ; le soleil de Versailles brille de tout son éclat. Le roi accueille la dauphine à bras ouverts et l'embrasse tendrement comme une fille retrouvée ; Mercy la remercie avec attendrissement ; la du Barry se pavane dans les salons, Mesdames exaspérées tempêtent ; toute la cour est agitée, du grenier à la cave on raconte et on bavarde ; et tout cela parce que Marie-Antoinette a dit à la du Barry : « Il y a bien du monde aujourd'hui à Versailles. »

Mais ces neuf mots banaux ont un sens plus profond. Ils ont scellé un grave crime politique ; ils ont acheté le consentement tacite de la France au partage de la Pologne.

Grâce à ces neuf mots, non seulement la du Barry, mais encore Frédéric II et Catherine ont affirmé leur volonté. Ce n'est pas Marie-Antoinette seule qui a été humiliée, c'est tout un pays.

Marie-Antoinette est vaincue, elle le sait ; son jeune et naïf orgueil, non encore maîtrisé, a reçu un coup terrible. Pour la première fois elle a courbé la tête, mais elle ne la courbera pas une deuxième, sauf devant l'échafaud. A cette occasion on s'aperçoit soudain que cette « bonne et tendre Antoinette » cache une âme fière et inébranlable dès qu'il s'agit de son honneur. Pleine d'amertume, elle dit à Mercy :

> J'ai parlé une fois, mais je suis bien décidée à en rester là, et cette femme n'entendra plus le son de ma voix.

Elle montre même nettement à sa mère qu'après cette unique concession on n'a plus de sacrifices à attendre d'elle :

> Vous pouvez bien croire que je sacrifie toujours tous mes préjugés et répugnances, tant qu'on ne me proposera rien d'affiché et contre l'honneur.

En vain Marie-Thérèse, indignée de cette première manifestation d'indépendance de son enfant, la sermonne-t-elle vertement :

> Vous m'avez fait rire de vous imaginer que moi ou mon ministre pourraient jamais vous donner des conseils contre l'honneur : pas même contre la moindre décence... Votre agitation après ce peu de paroles, le propos de n'en plus y venir, font trembler pour vous.

En vain l'impératrice lui écrit-elle encore :

> Il faut que vous lui parliez comme à toute autre dame reçue à la cour. Vous devez cela au roi et à moi.

En vain Mercy et les autres cherchent-ils sans cesse à la persuader qu'elle doit adopter une attitude amicale envers la du Barry et que c'est là le moyen de s'assurer la faveur du roi : tout se brise contre ce jeune orgueil. La petite bouche habsbourgeoise de Marie-Antoinette, qui s'est ouverte une seule fois à contre-cœur, reste fermée comme une porte de fer ; aucune menace, aucune séduction ne peuvent plus la desceller. Elle a dit neuf mots à la du Barry, et jamais cette femme abhorrée n'en entendra un dixième.

Cette fois seulement, ce Ier janvier 1772, Mme du Barry a triomphé de l'archiduchesse d'Autriche, de la dauphine de France ; il n'est pas douteux qu'avec des alliés aussi puissants que Louis XV et Marie-Thérèse la favorite pourrait poursuivre la lutte contre la future reine. Mais il est des combats à la suite desquels le vainqueur, reconnaissant la force de son adversaire, est lui-même effrayé de sa victoire et se demande s'il ne serait pas plus sage d'abandonner volontairement la lutte et de conclure la paix. Mme du Barry ne jouit guère de son triomphe. Au fond, cette créature bonasse et insignifiante n'a jamais nourri d'animosité contre Marie-Antoinette ; mais, gravement blessée dans son orgueil, elle a simplement voulu cette petite satisfaction. Maintenant que ses désirs sont exaucés, cette victoire trop publique l'inquiète et la tourmente. Car elle est quand même assez intelligente pour savoir que tout son pouvoir repose sur des bases instables, sur un vieillard goutteux et décrépit. Qu'une attaque d'apoplexie frappe ce sexagénaire et demain déjà la « petite rousse » peut être reine de France : alors, une lettre de cachet expédiant la favorite à la Bastille est vite signée. C'est pourquoi, aussitôt après son triomphe sur Marie-Antoinette, la du Barry se livre honnêtement et sincèrement aux tentatives de rapprochement les plus énergiques. Elle modère sa bile, dompte son orgueil, continue à assister aux soirées de la dauphine et, bien que celle-ci ne daigne point l'honorer d'une nouvelle parole, elle ne s'en montre pas le moins du monde irritée ; au contraire, elle ne cesse de faire savoir à Marie-Antoinette par des confidents et des messagers occasionnels qu'elle éprouve à son égard les meilleurs sentiments, elle s'ingénie de cent façons à attirer sur son ancienne rivale les bonnes grâces du roi. Finalement, comme elle n'arrive pas à gagner Marie-Antoinette par ses amabilités, elle recourt au plus audacieux des moyens : elle tente d'acheter sa faveur. On sait à la cour – on ne le sait que trop bien, comme en témoignera plus tard la fameuse Affaire du collier – que Marie-Antoinette aime follement les bijoux. La du Barry pense donc – et, fait caractéristique, le cardinal de Rohan, dix ans plus tard, est exactement guidé par la même idée – qu'il est peut-être possible de la gagner par des cadeaux. Un grand joaillier, le Boehmer de l'Affaire du collier, possède des boucles d'oreilles en diamants évaluées sept cent mille livres. Plus ou moins ouvertement Marie-Antoinette sans doute a déjà dû exprimer son admiration pour ces joyaux, et la du Barry doit avoir appris son envie de les posséder. Car un jour elle lui fait entendre par une dame de la cour que si vraiment elle désire avoir les fameuses boucles d'oreilles, elle serait volontiers prête à persuader Louis XV de les lui offrir. Mais Marie-Antoinette ne répond pas un seul mot à cette impudente proposition, elle détourne dédaigneusement la tête et continue à ignorer froidement sa rivale; non, même pas pour toutes les pierres précieuses de la terre, cette Mme du Barry qui l'a publiquement humiliée un jour n'entendra plus de sa bouche une parole. Une fierté et une assurance nouvelles s'annoncent chez la jeune femme de dix-sept ans : elle n'a plus besoin de bijoux dus aux grâces et aux faveurs d'autrui, car déjà le diadème royal jette ses feux au-dessus de son front.

CHAPITRE V

LA CONQUÊTE DE PARIS

Bien qu'à l'écart de la capitale, le palais en est si près que par les nuits obscures on voit distinctement se dessiner sur le ciel, du haut des collines de Versailles, le halo brillant des lumières de Paris ; un cabriolet à ressorts fait la route en deux heures, un piéton en cinq. Qu'y a-t-il donc de plus naturel pour l'héritière du trône que d'aller visiter la capitale de son futur royaume deux ou trois jours après son mariage ? Mais le vrai sens du cérémonial ou plutôt son non-sens est justement d'étouffer ou de fausser le naturel sous toutes ses formes. Entre Paris et Versailles se dresse devant Marie-Antoinette une barrière invisible : l'étiquette. Car l'héritier présomptif de la couronne de France ne peut entrer pour la première fois dans la capitale accompagné de son épouse qu'après une annonce solennelle et une autorisation préalable du roi. Mais cette « joyeuse entrée » de Marie-Antoinette, la chère famille cherche à la retarder le plus possible. En dépit de leurs inimitiés mortelles, les vieilles tantes bigotes, ces frères ambitieux que sont les comtes de Provence et d'Artois, la du Barry s'empressent de s'unir pour barrer à la dauphine la route de Paris ; ils ne veulent pas qu'elle jouisse d'un triomphe qui montrerait trop visiblement son rang futur. Chaque semaine, chaque mois, la camarilla invente un nouvel empêchement, trouve une nouvelle objection ; ainsi passent six mois, douze mois, vingt-quatre mois, trente-six mois, et Marie-Antoinette demeure toujours emprisonnée derrière les grilles dorées de

Versailles. Enfin, en mai 1773, elle perd patience et passe franchement à l'attaque. Puisque les maîtres de cérémonie, devant son désir, continuent à secouer leurs perruques poudrées, elle se fait annoncer chez Louis XV. Celui-ci ne trouve rien d'inouï à cette demande, et, faible envers toutes les jolies femmes, il accorde facilement son consentement à la charmante épouse de son petit-fils, au grand dam de toute la clique. Il va jusqu'à la laisser choisir elle-même le jour de son entrée solennelle dans la capitale.

Marie-Antoinette choisit le 8 juin. Mais maintenant que le roi a définitivement donné son autorisation, cette jeune espiègle se plaît à jouer secrètement un tour au règlement maudit qui l'a tenue pendant trois ans éloignée de Paris. De même que des fiancés, sans que leurs familles s'en doutent, se livrent parfois, avant la bénédiction nuptiale, aux tendres effusions d'une nuit d'amour, afin d'ajouter à la volupté le charme du fruit défendu, de même Marie-Antoinette, peu de temps avant la « joyeuse entrée », propose à son mari et à son beau-frère d'aller secrètement à Paris. A une heure tardive de la nuit ils font donc atteler les carrosses, gagnent la ville interdite et se rendent, travestis et masqués, au bal de l'Opéra. Mais comme le lendemain ils assistent, très correctement, à la première messe, cette aventure reste ignorée. Il n'y a pas d'esclandre et Marie-Antoinette s'est heureusement vengée, pour la première fois, de l'odieuse étiquette.

L'entrée officielle lui fait une impression d'autant plus vive qu'elle a déjà goûté en secret aux charmes de Paris. Après le roi de France, le roi du ciel, lui aussi, donne d'une façon éclatante son assentiment à la solennité : le 8 juin est une radieuse journée d'été sans nuages, qui attire une foule immense de spectateurs. Toute la route de Versailles à Paris n'est qu'une haie humaine bruissante d'acclamations, fleurie de drapeaux et de guirlandes multicolores. Aux portes de Paris, le maréchal de Brissac, gouverneur de la capitale, attend le carrosse officiel pour présenter avec respect aux conquérants pacifiques la clef de la ville sur un plateau d'argent. Puis viennent les dames de la halle parées de leurs plus beaux atours (c'est bien différemment que plus tard elles accueilleront Marie-Antoinette !) ; elles offrent les primeurs de la saison, fleurs et fruits, et souhaitent longue vie à la dynastie. Au même instant les canons tonnent aux Invalides, à l'Hôtel de Ville et à la Bastille. Le carrosse du dauphin et de la dauphine traverse lentement la ville, longe le quai des Tuileries, gagne Notre-Dame ; partout, à la cathédrale, à l'Université, dans les couvents, le futur roi et la future reine sont accueillis par des discours ; ils passent sous un arc de triomphe construit tout exprès, traversent une forêt de drapeaux ; mais l'accueil le plus magnifique leur est fait par le peuple. Des dizaines, des centaines de milliers de personnes affluent de toutes les rues de la ville gigantesque pour voir le dauphin et la dauphine, et la vue de cette jeune femme, ravie et ravissante au-delà de tout ce qu'on espérait, éveille un enthousiasme indicible. On applaudit, on acclame, on agite chapeaux et mouchoirs ; les enfants, les femmes se bousculent pour être plus près ; et lorsque Marie-Antoinette, du balcon des Tuileries, voit les flots délirants de cette immense marée humaine elle s'effraye presque et dit : « Mon Dieu, que de monde ! » Le maréchal de Brissac qui se tient à ses côtés s'incline et répond avec une galanterie toute française : « Madame, n'en déplaise à Son Altesse le Dauphin, mais vous voyez ici deux cent mille hommes épris de vous. »

L'impression que fait sur Marie-Antoinette cette première rencontre avec le peuple est très forte. De nature peu réfléchie, mais douée d'une vive réceptivité, elle ne comprend les événements que grâce à un contact personnel et direct, il faut qu'elle voie et sente. C'est seulement à la minute où s'élèvent vers elle les drapeaux, les cris, les acclamations, où montent dans sa direction les ondes bruissantes et brûlantes de la foule anonyme qu'elle pressent pour la première fois la grandeur et l'éclat du rang auquel l'a élevée le destin. Jusqu'à présent on l'a appelée à Versailles « Madame la Dauphine », mais ce n'était là qu'un titre parmi tant d'autres, un des échelons rigides de l'interminable échelle de la noblesse, un mot vide, une notion inanimée. A présent seulement, Marie-Antoinette saisit le sens ardent et la fière promesse de ces mots :

« Héritière du trône de France. » Bouleversée, elle écrit à sa mère :

> J'ai eu mardi dernier une fête que je n'oublierai de ma vie ; nous avons fait notre entrée à Paris. Pour les honneurs nous avons reçu tous ceux qu'on a pu imaginer, mais tout cela, quoique fort bien, n'est pas ce qui m'a touchée le plus, mais c'est la tendresse et l'empressement de ce pauvre peuple, qui, malgré les impôts dont il est accablé, était transporté de joie de nous voir. Lorsque nous avons été nous promener aux Tuileries, il y avait une si grande foule que nous avons été trois quarts d'heure sans pouvoir ni avancer ni reculer... Au retour de la promenade, nous sommes montés sur une terrasse découverte et y sommes restés une demi-heure. Je ne puis vous dire, ma chère maman, les transports de joie, d'affection, qu'on nous a témoignés dans ce moment. Avant de nous retirer, nous avons salué avec la main le peuple, ce qui a fait grand plaisir. Qu'on est heureux dans notre état de gagner l'amitié de tout un peuple à si bon marché ! Il n'y a pourtant rien de si précieux ; je l'ai bien senti et ne l'oublierai jamais.

Ce sont les premières paroles vraiment personnelles que l'on trouve dans les lettres de Marie-Antoinette à sa mère. La belle émotion provoquée par cet amour populaire immérité, et pourtant si ardemment offert, éveille en elle un sentiment généreux et reconnaissant. Mais si Marie-Antoinette s'émeut vite, elle oublie tout aussi vite. Après quelques visites à Paris, elle accepte déjà cette allégresse comme un hommage qui va de soi, dû à son rang et à sa situation, et s'en réjouit avec l'insouciance enfantine qui lui fait accepter nonchalamment tous les cadeaux de la vie. C'est pour elle quelque chose de merveilleux que d'être acclamée par cette foule ardente, aimée par ce peuple inconnu : désormais elle jouit de l'amour de ces vingt millions d'hommes comme s'il lui revenait de droit, sans se douter qu'un droit comporte des devoirs et que l'amour le plus pur finit par se lasser quand il n'est pas réciproque.

Dès son premier voyage, Marie-Antoinette a conquis

Paris. Mais en même temps Paris, de son côté, a conquis Marie-Antoinette. A partir de ce jour, elle est fascinée par la ville. Souvent, et bientôt trop souvent, elle se rend à la capitale, inépuisable en séductions et en divertissements : tantôt le jour, en grande pompe, avec toutes ses dames d'honneur, tantôt la nuit avec une petite suite intime pour aller au bal ou au théâtre, ou se livrer incognito à des plaisirs plus ou moins innocents. Maintenant que la voici soustraite à la vie de la cour, uniforme et réglée comme un calendrier, l'adolescente indisciplinée se rend compte de l'ennui hideux que dégage l'immense bâtisse en pierre et en marbre de Versailles, avec ses révérences et ses cabales, la raideur de ses solennités, et ces tantes insupportables, qui toujours morigènent, grognent, critiquent et en compagnie de qui elle doit le matin aller à la messe, et le soir tricoter. Cette existence de cour sans gaieté ni liberté, ces attitudes horriblement maniérées, cet éternel menuet de figures figées, aux mouvements mesurés, cette épouvante constante du moindre faux-pas, tout cela lui paraît artificiel, fantomatique, à côté de la vie large et libre de Paris. Elle croit s'être échappée d'une serre et vivre au grand air. Ici, dans le chaos de la ville géante, on peut plonger et disparaître, se soustraire à l'impitoyable horaire des gestes quotidiens et jouer avec le hasard, jouir et vivre sa propre vie, tandis que là-bas on n'existe que pour la galerie. Désormais, deux ou trois nuits par semaine, régulièrement, un carrosse emporte à Paris des femmes joyeuses et parées qui ne rentreront qu'à l'aube.

Mais que voit Marie-Antoinette des choses de Paris ? Les premières fois, par curiosité, elle visite toutes sortes de monuments, les musées, les grands magasins, elle se rend à des fêtes populaires et même, une fois, à une exposition de tableaux. Cela lui suffit, son besoin de s'instruire est satisfait pour les vingt années qui vont suivre... Tout son temps, elle le consacre exclusivement aux lieux d'amusement, elle va avec régularité à l'Opéra, à la Comédie Française, à la Comédie Italienne, aux bals, aux redoutes, dans les salles de jeu, c'est-à-dire qu'elle ne fréquente que le « Paris at night », le « Paris city of pleasures » des riches

Américaines d'aujourd'hui. Ce sont les bals de l'Opéra qui l'attirent le plus, car la liberté que confère le masque est la seule qui soit tolérée à cette femme prisonnière de son rang. Le loup sur les yeux elle peut se permettre des plaisanteries qui seraient impossibles à madame la dauphine. On peut engager une conversation enjouée avec des gentilshommes, pendant que l'époux terne et incapable est au lit ; on peut librement aborder un jeune et charmant comte suédois qui s'appelle Fersen et causer avec lui, protégée par le masque, jusqu'à ce que les dames d'honneur s'approchent pour vous reconduire ; on peut danser, détendre jusqu'à la lassitude un corps souple et ardent ; on peut même rire sans souci ; ah ! oui, à Paris on peut s'en donner à cœur joie. Mais jamais, au cours de toutes ces années, elle ne franchit le seuil d'une maison bourgeoise, n'assiste à une séance du Parlement ou de l'Académie, ne visite un marché ou un hôpital, n'essaye d'apprendre quoi que ce soit de la vie quotidienne de son peuple. Toujours, lors de ses escapades parisiennes, Marie-Antoinette reste dans le cercle étroit et scintillant des distractions mondaines et croit avoir amplement suffi aux besoins du « bon peuple » en répondant, avec une souriante nonchalance, à ses bruyants vivats. Cependant la foule continue à former sur son passage une haie enthousiaste, la noblesse et la riche bourgeoisie à l'acclamer quand le soir, au théâtre, elle se montre dans sa loge. Partout et toujours la jeune femme sent qu'on approuve son oisiveté joyeuse, ses éclatantes parties de plaisir : le soir, quand elle fait son entrée dans la ville et que les gens fatigués reviennent de leur travail, le matin, à six heures, quand le « peuple » retourne à sa besogne et qu'elle rentre à Versailles. Est-ce donc mal que de s'abandonner au plaisir et à la joie de vivre ? Dans l'étourderie de sa folle jeunesse, Marie-Antoinette s'imagine que le monde entier est content et sans souci parce qu'elle-même est heureuse et insouciante. Mais tout en croyant, dans sa candeur, narguer la cour et se rendre populaire à Paris par ses folies, elle passe en réalité dans son luxueux carrosse à ressorts, pendant vingt années, devant le vrai peuple et le vrai Paris, sans jamais les voir.

L'impression profonde qu'a faite sur Marie-Antoinette

l'accueil parisien a changé quelque chose en elle. L'admiration renforce toujours l'assurance. Une jeune femme à qui des milliers d'hommes ont confirmé qu'elle est belle embellit encore dans la certitude de sa beauté ; il en va ainsi de cette fillette intimidée qui, jusqu'ici, s'était toujours sentie étrangère et inutile à Versailles. Voici qu'un jeune orgueil étonné efface dans ses manières toute hésitation et toute peur ; l'adolescente de quinze ans, surveillée et chaperonnée par ses tantes, un ambassadeur et un confesseur, qui se glissait craintivement dans les salons et s'inclinait devant chaque dame d'honneur, n'est plus. Subitement Marie-Antoinette se raidit intérieurement et adopte ce maintien majestueux que l'on avait si longtemps réclamé d'elle ; droite et fière elle passe, d'un pas ailé et gracieux, à côté de toutes les dames de la cour comme devant des subordonnées. Tout se transforme en elle. La personnalité de la femme commence à se manifester ; l'écriture même change : jusqu'à présent gauche et maladroite, formée d'énormes lettres enfantines, elle se resserre soudain et devient élégante, nerveuse, féminine. Jamais, il est vrai, ce qu'il y a d'impatient, d'irréfléchi, de décousu, d'inconstant en Marie-Antoinette ne disparaîtra tout à fait de cette écriture ; mais en revanche elle exprime déjà une certaine indépendance. Voici cette jeune fille ardente, prête à vivre une vie personnelle, à aimer. Mais comme la politique l'a liée à cet époux sans virilité, et qu'à dix-huit ans elle n'a pas encore découvert son cœur et n'a personne d'autre à aimer, elle s'éprend d'elle-même. Le doux poison de la flatterie circule, brûlant, dans ses veines. Plus on l'admire, plus elle désire être admirée : avant même d'être souveraine, elle veut que son charme de femme lui assujettisse la cour, la ville et le royaume. Toute force qui devient consciente sent la nécessité de s'éprouver.

La première fois que la jeune femme essaie d'imposer ainsi sa volonté, le motif heureusement – exceptionnellement, serait-on tenté de dire – est bon. Gluck a terminé son *Iphigénie* et voudrait la faire représenter à Paris. Pour la cour de Vienne, très éprise de musique, son succès est une affaire d'honneur, et Marie-Thérèse, Kaunitz, Joseph II attendent de la dauphine qu'elle lui fraie la voie. Or, le don de discernement de Marie-Antoinette dans le domaine de l'art, qu'il s'agisse de musique, de peinture, ou de littérature, n'est guère remarquable. Elle a un certain goût naturel, mais, au lieu de juger par elle-même, elle suit docilement, avec une curiosité négligente, toute mode nouvelle, et si elle s'enthousiasme pour tout ce qu'a accepté le « monde » son ardeur n'est que passagère. Pour que sa compréhension soit plus profonde, il manque à Marie-Antoinette, qui ne lit jamais un livre jusqu'au bout et s'entend à éviter toute conversation sérieuse, les conditions indispensables du vrai discernement : la gravité, la ferveur, la volonté et la réflexion. L'art n'a jamais été pour elle qu'un ornement de la vie, un divertissement parmi tant d'autres ; elle ne connaît que la jouissance artistique facile, donc fausse. La musique, elle l'a négligée comme toute chose, et les leçons de Gluck à Vienne ne l'ont pas menée loin ; elle a fait du clavecin en dilettante, comme elle jouait la comédie ou chantait en société. Saisir et pressentir ce qu'il y a de nouveau et de grandiose dans l'*Iphigénie*, celle qui n'a même pas distingué à Paris son compatriote Mozart en est, bien entendu, complètement incapable. Mais Marie-Thérèse lui a particulièrement recommandé Gluck, et elle éprouve une réelle sympathie pour ce gros homme jovial et soi-disant terrible ; en outre, elle veut profiter de l'occasion pour montrer son pouvoir, précisément parce que les Opéras français et italien de Paris s'opposent au « barbare » en recourant aux intrigues les plus perfides. Elle obtient aussitôt qu'on reçoive l'opéra que messieurs les musiciens de la cour ont déclaré « injouable » et que l'on commence sans retard les répétitions. Gluck, homme intraitable, colérique, possédé de l'intransigeance fanatique du grand artiste, ne lui facilite pas la tâche. Aux répétitions, il tance si vertement des chanteuses adulées qu'elles courent en larmes se plaindre à leurs amants princiers ; il harcèle sans pitié des musiciens, inaccoutumés à tant de précision, et gouverne à l'Opéra en tyran ; derrière les portes closes on entend tonner sa voix puissante et autoritaire, vingt fois il menace de tout abandonner et de retourner à Vienne, et seule la crainte de déplaire à sa royale protectrice empêche un scandale. Enfin la première représentation est fixée au 13 avril 1774; la cour commande ses carrosses, retient ses places. Mais voici qu'un chanteur tombe malade et doit être remplacé à la hâte. Gluck s'y oppose et ordonne de retarder la représentation. On le conjure désespérément de céder, car la cour a déjà pris ses dispositions; pour un chanteur plus ou moins bon, un compositeur – roturier et étranger, par-dessus le marché – n'a pas le droit de bouleverser les dispositions de Leurs Altesses! Mais lui, têtu comme un paysan, hurle qu'il s'en moque, qu'il préfère jeter au feu sa partition que de voir son opéra mal joué et, furieux, se précipite chez Marie-Antoinette que ce sauvage amuse. Immédiatement, elle prend parti pour le « bon Gluck »; les carrosses de la cour, au grand dépit des princes, sont décommandés, et la représentation remise au dix-neuf. En outre, Marie-Antoinette fait prendre des mesures par le lieutenant de police pour empêcher Leurs Altesses de manifester par des coups de sifflet leur colère à l'égard du musicien mal élevé : énergiquement et publiquement, elle fait de la cause de son compatriote sa propre cause.

La première d'*Iphigénie* est réellement un triomphe, mais davantage pour Marie-Antoinette que pour Gluck. Les journaux, le public, se montrent plutôt froids; ils conviennent « qu'il y a de belles choses dans l'opéra d'*Iphigénie*, et des morceaux sublimes, mais trouvent qu'il y en a de très médiocres et d'autres très plats ». Car, comme toujours en art, la grande hardiesse est au début rarement comprise des auditeurs ignorants. Mais Marie-Antoinette a amené toute la cour à la représentation; et son époux lui-même, qui ne sacrifierait pas sa partie de chasse à la musique des sphères, et à qui un cerf abattu importe plus que les neuf muses, est cette fois obligé d'être de la partie. Comme l'atmosphère n'y est pas encore, Marie-Antoinette, de sa loge, applaudit avec ostentation après chaque morceau; ne fût-ce que par politesse, ses beaux-frères, ses belles-sœurs et toute la cour s'évertuent à la suivre avec zèle. Ainsi, en dépit de toutes les cabales, cette soirée s'affirme un événement musical. Gluck a conquis Paris, Marie-Antoinette a publiquement imposé sa volonté à la cour et à la ville : c'est la première victoire de sa personnalité, la première manifestation de cette jeune femme devant toute la France. Encore quelques semaines, et le titre de reine confirmera une puissance qu'elle a déjà orgueilleusement conquise par sa propre force.

CHAPITRE VI

LE ROI EST MORT, VIVE LE ROI !

Le 27 avril 1774, Louis XV se trouvant à la chasse est soudain pris de fatigue ; on le ramène à Trianon, son château préféré, avec un violent mal de tête. Dans la nuit, les médecins constatent que le roi a la fièvre et appellent à son chevet Mme du Barry. Le lendemain matin, inquiets, ils ordonnent de le transporter à Versailles. L'inexorable mort elle-même doit se soumettre aux lois de l'étiquette encore plus inexorables : un roi de France ne peut être gravement malade ni mourir ailleurs que dans son lit de parade. « C'est à Versailles, Sire, qu'il faut être malade. » Là-bas, six médecins, cinq chirurgiens, trois apothicaires, en tout quatorze personnes entourent le lit royal ; chacune d'elles tâte le pouls du souverain six fois par heure. Mais seul le hasard permet d'établir le diagnostic, lorsqu'un serviteur, le soir, levant la chandelle, quelqu'un parmi les assistants découvre sur le visage du malade les fameuses taches rouges ; une minute plus tard toute la cour, tout le château, de la cave au grenier, est fixé : le roi a la petite vérole ! Un vent d'épouvante traverse la gigantesque demeure ; c'est d'abord la peur de la contagion qui s'empare en effet de plusieurs personnes au cours des premières journées, puis celle encore plus forte, peut-être, des courtisans qui redoutent pour leur situation en cas de mort du roi. Les filles de Louis XV montrent un pieux courage, elles veillent toute la journée, et la nuit c'est Mme du Barry qui se sacrifie pour rester au chevet du malade. En revanche, la loi interdit au dauphin et à la dauphine d'entrer dans la chambre, de crainte qu'ils ne contractent la maladie : depuis trois jours, leur vie est devenue bien plus précieuse. Et voici que la cour est nettement divisée; au chevet de Louis XV l'ancienne génération, le pouvoir d'hier, Mesdames et la du Barry veillent et tremblent; elles savent fort bien que leur grandeur finira avec le dernier souffle de ces lèvres fiévreuses. Dans une autre pièce attend la génération qui monte, le futur Louis XVI, la future reine Marie-Antoinette et le comte de Provence, qui, tant que son frère Louis ne se décide pas à avoir d'enfants, se considère secrètement comme l'héritier présomptif du trône. Entre ces deux camps : le destin. Nul n'a le droit d'entrer dans la chambre du malade, où se couche le soleil du vieux pouvoir, ni dans la pièce où se lève celui du nouveau : en attendant, dans l'Œil-de-Bœuf, la foule anxieuse et hésitante des courtisans se demande de quel côté elle doit se tourner, vers le roi mourant ou vers celui qui vient, vers le coucher ou le lever du soleil.

Pendant ce temps, la maladie, avec une violence mortelle, laboure l'organisme affaibli, usé, épuisé du roi. Hideusement boursouflé, couvert de pustules, le corps tombe vivant en décomposition, cependant que la conscience ne faiblit pas un instant. Mesdames et Mme du Barry ont besoin de tout leur courage pour résister, car, bien que les fenêtres soient ouvertes, une odeur pestilentielle emplit la chambre à coucher. Bientôt les médecins désespèrent de la guérison; l'autre lutte commence, le combat pour l'âme pécheresse. Mais, épouvante! les prêtres refusent de s'approcher du chevet du malade, de lui accorder la confession et la communion; il faut que tout d'abord celui qui vécut si longtemps dans l'impiété et la débauche prouve son repentir. Il faut avant tout que soit éloignée la pierre de scandale, cette concubine qui veille désespérément auprès de la couche qu'elle a si longtemps partagée en dépit des principes chrétiens. C'est une chose pénible pour le roi, juste à l'heure terrible de la dernière solitude, que de se décider à renvoyer le seul être humain à qui il soit intimement attaché. Mais la peur de l'enfer le saisit toujours plus furieusement à la gorge. D'une voix étouffée, il prend congé de Mme du Barry, que discrètement on emmène aussitôt en voiture au petit château de Rueil : c'est là qu'elle attendra l'heure du retour au cas où le roi viendrait à se remettre.

A présent seulement, après cet acte de repentir manifeste, confession et communion sont devenues possibles. Maintenant seulement l'homme qui pendant trente-huit ans fut le moins occupé de toute la cour, le confesseur de Sa Majesté, entre dans la chambre à coucher royale. La porte se referme sur lui ; à leur grande déception, les courtisans curieux qui stationnent dans le vestibule ne pourront entendre l'énumération des péchés commis par le roi du Parc aux cerfs (ce serait pourtant si intéressant !) Mais poussés par leur malveillance et leur besoin de scandale, ils comptent attentivement, montre en main, les minutes qui s'écoulent afin de savoir tout au moins combien de temps il faut à un Louis XV pour confesser tous ses péchés et ses débordements. Enfin, au bout de seize minutes exactement, la porte s'ouvre, et le confesseur sort. Mais à maints indices il apparaît que l'absolution définitive n'a pas encore été donnée et que l'Église exige une soumission plus grande que la confession secrète de la part d'un monarque qui, pendant si longtemps, ne jugea pas à propos de soulager son cœur lourd de péchés et vécut sous les yeux de ses enfants dans la honte des plaisirs charnels. Justement parce qu'il fut le plus grand de ce monde et se crut, avec insouciance, au-dessus des lois de la religion, l'Église exige qu'il se courbe plus que tout autre devant le Très-Haut. Il faut que le roi pécheur exprime publiquement, à tous et devant tous, son repentir de la vie indigne qu'il a menée. Alors seulement il recevra la communion.

Le lendemain matin, scène grandiose : l'autocrate le plus puissant de la chrétienté doit faire pénitence devant la foule rassemblée de ses sujets. Les gardes se tiennent tout le long de l'escalier du palais ; les suisses forment la haie de la chapelle à la chambre du mourant ; les tambours résonnent sourdement lorsque le haut clergé fait solennellement son entrée, sous le baldaquin, avec le ciboire. Derrière l'archevêque et sa suite s'avancent, tenant chacun un cierge allumé à la main, le dauphin, ses deux frères, les princes et les princesses ; ils accompagnent jusqu'à la porte du roi le Saint-Sacrement. Sur le seuil, ils s'arrêtent et tombent à genoux. Seuls les filles du roi et les princes non héréditaires entrent avec le haut clergé dans la chambre du mourant.

Dans un silence absolu on entend le cardinal prononcer une allocution à voix basse ; on le voit, par la porte ouverte, donner la communion. Puis – minute frémissante de pieuse surprise – il s'approche du vestibule et dit en élevant la voix à toute la cour réunie :

> Messieurs, le roi me charge de vous dire qu'il demande pardon à Dieu de l'avoir offensé et du scandale qu'il a donné à son peuple ; que si Dieu lui rend la santé, il s'occupera de faire pénitence, du soutien de la religion et du soulagement de ses peuples.

On entend, venant du lit, un léger gémissement. Mais seuls ceux qui sont tout près perçoivent distinctement ce que murmure le moribond : « J'aurais voulu avoir la force de le dire moi-même. »

Ce qui suit n'est plus qu'épouvante. Ce n'est pas un homme qui se meurt, c'est un corps, noir et boursouflé, qui se décompose. Mais comme si toute la volonté de ses aïeux bourboniens s'était concentrée en lui, le corps de Louis XV oppose une énergie extraordinaire à l'inévitable anéantissement. Ces journées sont terribles pour tous. L'horrible puanteur fait s'évanouir les serviteurs ; les filles du roi rassemblent leurs dernières forces pour continuer à veiller leur père, et la cour attend, de plus en plus impatiente, la fin de l'affreuse tragédie. En bas, depuis plusieurs jours, des carrosses sont tenus prêts, car, pour éviter la contagion, le nouveau roi, sans perdre une minute, devra aller s'établir à Choisy avec toute sa suite dès que l'ancien souverain aura rendu le dernier soupir. Les cavaliers ont déjà sellé leurs chevaux, les malles sont faites, pendant de longues heures laquais et cochers attendent des ordres ; tous les regards sont fixés sur le petit cierge allumé à la fenêtre du mourant et qui s'éteindra – signe convenu – au moment suprême.

Mais le corps puissant du vieux Bourbon se défend encore tout un jour. Enfin, le mardi 10 mai, à trois heures et demie de l'après-midi, le cierge s'éteint. Aussitôt, de pièce en pièce, comme un vent qui s'élève, une vague qui déferle, la nouvelle court, le cri se répand : « Le roi est mort, vive le roi ! »

Marie-Antoinette attend avec son époux dans un petit salon. Tout à coup ils perçoivent cette rumeur mystérieuse : un flot de paroles incompréhensibles monte, toujours plus bruyant, toujours plus proche. Soudain la porte s'ouvre toute grande, comme sous la pression d'une bourrasque; Mme de Noailles entre, fait une grande révérence et présente, la première, ses hommages à la reine. Derrière elle, de plus en plus nombreux, les autres courtisans se pressent, car chacun veut au plus tôt exprimer ses respects, se montrer, se faire remarquer parmi les premiers congratulateurs. Les tambours battent, les officiers lèvent l'épée, et sur des centaines de lèvres éclate le cri : « Le roi est mort, vive le roi ! »

Marie-Antoinette sort reine de la pièce où elle est entrée dauphine. Et tandis que dans la demeure abandonnée on procède avec un soupir de soulagement, et très rapidement, à la mise en bière – depuis longtemps prête – du cadavre noirci et méconnaissable, afin de l'ensevelir le plus discrètement possible, un carrosse, emportant le nouveau roi et la nouvelle reine, franchit la grille dorée de Versailles. Dans les rues le peuple les acclame comme si, avec le vieux roi, la vieille misère s'était éteinte, et avec les souverains nouveaux un monde nouveau commençait.

Cette vieille bavarde de Mme Campan raconte dans ses Mémoires, tantôt mielleux, tantôt baignés de larmes, que Louis XVI et Marie-Antoinette, lorsqu'on leur apporta la nouvelle de la mort de Louis XV, tombèrent à genoux et s'écrièrent en sanglotant : « Mon Dieu, guidez-nous, protégez-nous, nous régnons trop jeunes. » C'est là, ma foi, une anecdote très touchante et digne de figurer dans un manuel scolaire; par malheur elle a, comme la plupart des anecdotes sur Marie-Antoinette, le petit désavantage d'être forgée de toutes pièces, avec une complète maladresse et un manque total de psychologie. Car cette pieuse émotion ne convient guère à l'apathique Louis XVI, qui n'avait aucune raison d'être bouleversé par un événement attendu depuis huit jours, exactement, par toute la cour, et moins encore à Marie-Antoinette, qui acceptait ce cadeau du moment, comme tous les autres, d'un cœur insouciant. Non pas qu'elle fût ambitieuse ou impatiente déjà de saisir les rênes du pouvoir ; jamais Marie-Antoinette n'a rêvé de devenir une Élisabeth, une Catherine, une Marie-Thérèse ; pour cela son énergie morale laisse trop à désirer, l'horizon de son esprit est trop étroit, elle est d'un tempérament trop paresseux. Ses désirs, comme ceux de toute nature moyenne, ne dépassent guère sa propre personne ; cette jeune femme n'a pas d'idées politiques à imposer au monde, nul penchant à asservir ou humilier les autres ; il y a seulement en elle, depuis son enfance, un puissant instinct d'indépendance, obstiné et souvent puéril ; elle ne veut pas dominer, mais elle ne veut pas non plus se laisser dominer ou influencer. Etre souveraine pour elle signifie tout simplement être libre, rien de plus. C'est seulement maintenant, après plus de trois ans de tutelle et de surveillance, qu'elle se sent pour la première fois sans entraves ; plus personne pour lui dire : « halte-là ! » Car sa mère est à des centaines de lieues et les protestations craintives de l'humble époux, elle les balaie d'un sourire méprisant. Ayant gravi le dernier échelon du pouvoir, de dauphine devenue reine, la voici enfin placée au-dessus de tous, soumise uniquement à son humeur capricieuse. Finies les tracasseries des tantes, finies les requêtes adressées au roi pour aller au bal de l'Opéra, finie l'arrogance présomptueuse de sa rivale détestée, la du Barry : dès demain la « créature » sera exilée pour toujours, jamais plus ses diamants ne brilleront aux soupers, jamais plus les rois et les princes ne se presseront dans son boudoir pour lui baiser la main. Fièrement et sans avoir honte de sa fierté, Marie-Antoinette s'empare de la couronne qui lui est échue :

> Quoique Dieu m'a fait naître dans le rang que j'occupe aujourd'hui, écrit-elle à sa mère, je ne puis m'empêcher

> d'admirer l'arrangement de la Providence, qui m'a choisie, moi la dernière de vos enfants, pour le plus beau royaume de l'Europe.

Celui qui dans cette déclaration ne sent point percer la joie n'a guère de jugement. Et c'est parce qu'elle ne voit que la grandeur de sa situation et ne se rend pas compte de sa responsabilité que Marie-Antoinette monte sur le trône le front haut, légère et joyeuse.

A peine y a-t-elle accédé que, du fond du peuple, montent vers elle les acclamations. Ils n'ont encore rien fait, rien promis, rien tenu, et déjà l'enthousiasme populaire salue les deux jeunes souverains. Le peuple, qui croit éternellement aux miracles, rêve d'un âge d'or : une ère nouvelle ne va-t-elle pas commencer, maintenant que la maîtresse-vampire est chassée, que Louis XV, le vieux libertin apathique, est en terre, qu'un roi jeune, simple, économe, modeste, pieux, et une reine ravissante, adorablement jeune et bienveillante, règnent sur la France ? Dans toutes les vitrines les portraits des nouveaux souverains s'étalent ; ils sont d'autant plus adorés qu'ils n'ont encore déçu aucun espoir ; chacun de leurs actes est accueilli avec admiration, et même la cour, que la crainte figeait, recommence à se sentir heureuse ; voici de nouveau des bals et des fêtes, la gaieté et la joie de vivre, le règne de la jeunesse et de la liberté. Un soupir de soulagement accueille la mort du vieux roi et les cloches funèbres de toutes les églises de France tintent si clairement et si allègrement qu'elles semblent annoncer une fête.

Un seul être humain, dans toute l'Europe, est vraiment ému et effrayé de la mort de Louis XV, parce que saisi d'un sombre pressentiment : c'est Marie-Thérèse. En tant qu'impératrice elle connaît, par l'expérience de trente années pénibles, le poids d'une couronne, en tant que mère les faiblesses et les défauts de sa fille. Elle se serait sincèrement réjouie si cet avènement au trône avait pu être retardé jusqu'à ce que son enfant écervelée et sans modération fût devenue un peu plus apte à se défendre elle-même contre sa rage de dissipation. Cette vieille femme a le cœur en peine, de tristes prévisions semblent l'accabler.

> J'en suis très affligée, écrit-elle à son dévoué représentant à la réception de la nouvelle, et plus encore occupée du sort de ma fille, qui ne peut être qu'entièrement grand ou bien malheureux. La situation du roi, des ministres, de l'État même n'a rien qui me calme ; elle-même est jeune, n'a jamais eu d'application et n'en aura jamais ou fort difficilement.

A l'annonce orgueilleuse de sa fille, elle répond également avec mélancolie :

> Je ne vous fais point de compliments sur votre dignité, qui est achetée bien chèrement, mais qui le deviendra encore plus si vous ne pouvez mener la même vie tranquille et innocente que vous avez menée pendant ces trois années par les bontés et complaisances de ce bon père, et qui vous a attiré l'approbation et l'amour de vos peuples : grand avantage pour votre situation présente, mais il faut la savoir conserver et l'employer au bien du roi et de l'État. Vous êtes tous deux bien jeunes, le fardeau est grand ; j'en suis en peine et vraiment en peine... Tout ce que je puis dire et souhaiter, c'est que tous deux vous ne précipitiez rien : voyez par vos propres yeux, ne changez rien, laissez tout continuer de même ; le chaos et les intrigues deviendraient insurmontables, et vous seriez, mes chers enfants, si troublés que vous ne pourriez vous en tirer...

De loin, avec sa longue expérience, et de son regard de Cassandre, cette impératrice perspicace voit la situation incertaine de la France bien mieux que ceux qui sont tout près ; elle conjure énergiquement les deux jeunes souverains de maintenir avant tout la paix avec l'Autriche et ainsi la paix du monde.

> Il ne faut à nos deux monarchies, dit-elle à sa fille, que du repos pour ranger nos affaires. Si nous agissons bien étroitement liées ensemble, personne ne troublera nos

> travaux, et l'Europe jouira du bonheur de la tranquillité. Non seulement nos peuples seront heureux, mais même tous les autres.

Mais avec la plus grande insistance elle met son enfant en garde contre sa légèreté, son penchant à la dissipation et aux plaisirs. Elle lui écrit à ce sujet :

> Je crains ce point pour vous plus que tout autre ; il faut absolument vous occuper de choses sérieuses qui peuvent être utiles, si le roi vous demande votre avis... Ne le menez pas dans des dépenses extraordinaires... Tout dépend que cet heureux début, qui passe toute croyance, soit conservé et vous rende tous deux heureux en rendant vos peuples de même.

Émue par les préoccupations de sa mère, Marie-Antoinette promet tout ce qu'on veut. Elle reconnaît ses défauts, son manque d'activité sérieuse et jure de se corriger. Mais les craintes prophétiques de cette vieille femme ne s'apaisent pas. Elle ne croit pas au bonheur de cette couronne ni à celui de sa fille. Et alors que le monde entier acclame et envie Marie-Antoinette, elle lâche ce soupir maternel dans une lettre à son ambassadeur et confident : « Je compte ses beaux jours finis. »

CHAPITRE VII

PORTRAIT D'UN COUPLE ROYAL

Au cours des premières semaines qui suivent un avènement au trône, toujours et en tout pays, graveurs, sculpteurs, peintres et médaillistes ont extrêmement à faire. Il en est ainsi en France où l'on écarte rapidement le portrait de Louis XV, qui depuis longtemps n'est plus « le bien-aimé », pour le remplacer par celui du nouveau couple royal solennellement couronné : le roi est mort, vive le roi !

Un bon médailliste n'a guère besoin de s'exercer dans l'art de la flatterie pour donner à la physionomie de ce brave bourgeois qu'est Louis XVI un cachet césarien. Car la tête du nouveau roi, sauf toutefois le cou épais et court, n'est pas sans noblesse : un front fuyant et bien proportionné, un nez à la courbe prononcée, presque audacieuse, des lèvres sensuelles et savoureuses, un menton charnu, mais bien moulé, forment un ensemble régulier, un profil imposant et tout à fait sympathique. C'est plutôt le regard qui exige des retouches, car sans lorgnon le roi, extraordinairement myope, ne reconnaît personne à trois pas ; le burin du graveur doit s'y prêter sérieusement s'il veut donner quelque caractère à ces yeux vagues qu'ombragent de lourdes paupières. Il en va pis encore en ce qui concerne le maintien pesant de Louis XVI ; les peintres de la cour ont bien de la peine à le faire paraître droit et majestueux dans ses vêtements d'apparat, car quoique bien bâti et mesurant presque six pieds, Louis XVI, prématurément obèse, est si gauche, d'une maladresse si ridicule en raison de sa myopie, qu'à toutes les cérémonies officielles il a « la plus mauvaise tournure qu'on peut voir ». Il marche lourdement sur le parquet poli de Versailles en balançant les épaules « comme un paysan derrière sa charrue », il ne sait ni danser ni jouer à la balle; dès qu'il veut faire un pas plus vite qu'à l'ordinaire, il trébuche sur sa propre épée. Le pauvre homme se rend parfaitement compte de sa maladresse physique, il en est confus, et son embarras augmente encore sa gaucherie : de sorte qu'à première vue le roi de France fait à tout le monde l'impression d'un lamentable balourd.

Mais Louis XVI n'est nullement niais ou borné; seulement, de même qu'il est entravé physiquement par sa myopie, il l'est moralement par sa timidité (dont la cause profonde est très probablement son incapacité sexuelle). Tenir une conversation est pour lui un effort moral car, sachant combien il pense lentement et difficilement, il a une peur indicible des gens d'esprit, à la parole facile; cet homme sincère, en se comparant à eux, mesure avec confusion sa propre gaucherie. Mais si on lui laisse le temps de coordonner ses pensées, si l'on n'exige pas de lui des réponses et des décisions trop rapides, il surprend ses partenaires, même quand ils sont aussi sceptiques que Joseph II ou Pétion, par son jugement qui, sans jamais être exceptionnel, n'en est pas moins droit, sain et honnête; une fois qu'il a réussi à surmonter sa timidité nerveuse, il devient tout à fait normal. Mais en général il lit et écrit plus volontiers qu'il ne parle, car les livres sont discrets et ne le pressent pas; Louis XVI (on ne le croirait pas) lit beaucoup et avec plaisir, il connaît bien l'Histoire et la géographie, et, aidé par une excellente mémoire, il ne cesse d'étendre ses notions de latin et d'anglais. Ses papiers et carnets sont impeccablement tenus; tous les soirs il note de son écriture ronde, nette, propre, presque calligraphique, les pitoyables banalités de sa vie, telle celle-ci : « Chasse du cerf... Pris un... J'ai eu une indigestion... », dans un journal intime qui bouleverse vraiment le lecteur par l'omission candide de tous les faits historiques importants. En somme Louis XVI est le type de l'homme de moyenne intelligence, peu fait pour l'indépendance, et que sa nature destine à un poste d'employé de bureau ou de fonctionnaire des douanes, à un travail purement mécanique et subalterne en marge des événements, à n'importe quoi, sauf au trône.

Le véritable malheur de Louis XVI est d'avoir comme du plomb dans le sang ; quelque chose de figé, de lourd, obstrue ses veines, rien ne lui est facile. Cet homme aux efforts sincères est sans cesse obligé de surmonter en lui une résistance de la matière, une sorte de somnolence, s'il veut faire, penser ou même sentir quoi que ce soit. Ses nerfs manquent de vigueur, ne peuvent ni vibrer, ni se raidir, sont sans ressort, tels des caoutchoucs détendus. Cette apathie innée exclut chez Louis XVI toute émotion forte et véritable : amour (tant au sens physiologique que spirituel) joie, volupté, peur, douleur, terreur, tous ces éléments émotifs ne parviennent pas à percer son indifférence, véritable peau de pachyderme ; et même le plus grand danger, le danger immédiat de mort, n'arrive pas à le tirer de sa léthargie. Alors que les révolutionnaires assaillent les Tuileries, son pouls n'a pas un battement de plus, et la veille même de la marche à la guillotine les deux points d'appui de son bien-être, le sommeil et l'appétit, sont aussi solides qu'à l'ordinaire. Jamais cet homme ne pâlira, même sous la menace du pistolet, jamais un éclat de colère ne brillera dans son regard terne, rien ne peut l'effrayer ni l'enthousiasmer. Seul l'effort le plus rude, tel que la chasse ou le travail de serrurerie, l'anime, du moins extérieurement ; mais tout ce qui est délicat, fin, gracieux : art, musique, danse, est entièrement inaccessible à son univers mental ; aucune muse, aucun dieu, même Éros, ne peut mettre en branle ses sens paresseux. En vingt ans, Louis XVI n'a jamais désiré d'autre femme que celle que son grand-père lui a choisie comme épouse ; elle le contente et le satisfait, comme il est content de tout dans son absence de besoins vraiment énervante. Quelle diabolique perfidie du destin que d'exiger d'une nature aussi obtuse et bouchée, aussi animale, les décisions historiques les plus importantes du siècle, et de placer un homme aussi passif devant le plus terrible des cataclysmes mondiaux ! Car là où commence l'action ou la résistance, cet homme physiquement robuste est d'une faiblesse lamentable : l'obligation de prendre une décision le met chaque fois dans le plus affreux des embarras. Céder, faire ce que veulent les autres, répond à sa nature, parce qu'il ne désire que la paix, rien que la paix. Pressé, surpris, il promet à celui-ci ce qu'il souhaite pour, aussitôt après, promettre le contraire à celui-là. En l'abordant, on a déjà triomphé de lui. Cette faiblesse sans nom le rend coupable et malhonnête en dépit des meilleures intentions. Roi de carton, sans grâce ni tenue, heureux seulement quand on le laisse en paix, désespéré et désespérant aux heures où il devrait réellement gouverner, il est le jouet de sa femme et de ses ministres. Si la Révolution, au lieu de laisser tomber le couperet de la guillotine sur le cou épais et court de cet homme apathique et sans malice, lui avait permis de vivre dans une maisonnette de paysan avec un jardinet, où il se serait adonné à une tâche insignifiante, elle l'aurait rendu plus heureux que ne le fit l'archevêque de Reims en posant sur sa tête la couronne de France qu'il porta, pendant vingt ans, sans orgueil, sans joie et sans dignité.

Même le plus courtisan des poètes de la cour n'osa jamais célébrer comme un grand roi ce brave homme, si peu viril. En revanche, tous les artistes rivalisent de zèle pour glorifier la reine, en paroles et en images, et on les voit recourir au marbre, à la terre cuite, au biscuit, au pastel, à l'ivoire, à la poésie. Car son visage et ses manières reflètent à la perfection l'idéal de l'époque. Svelte, délicate, charmante, aimable, enjouée et coquette, cette jeune femme de dix-neuf ans est, dès la première heure, la déesse du rococo, le prototype de la mode et du goût ; quand une femme veut passer pour belle et attrayante, elle s'efforce de lui ressembler. Pourtant, Marie-Antoinette n'a pas au fond un visage particulièrement remarquable ou frappant ; son ovale fin et lisse avec de petites irrégularités piquantes, comme la lèvre habsbourgeoise et un front un peu trop plat, ne séduit ni par une expression spirituelle ni par quelque trait physiognomonique personnel. Ce visage d'adolescente encore inachevé, encore curieux de lui-même, auquel plus tard seulement les années de maturité donneront une certaine énergie et une certaine majesté, dégage quelque chose de vide et de froid qui fait penser à l'émail peint. Seuls les yeux doux, à l'expression changeante, qui s'embuent vite de larmes pour briller aussitôt de plaisir et de joie, dénotent une vie émotive très vive ; la myopie prête à leur bleu sans profondeur un caractère vague et attendrissant ; mais nulle part une trace de volonté ne s'affirme dans cet ovale pâle : on ne sent qu'une nature molle et accommodante qui se laisse guider par son humeur et qui, très fémininement, ne suit que les courants souterrains de ses sentiments. Mais ce charme délicat est bien ce que tous admirent le plus en Marie-Antoinette. Il n'y a de vraiment beau en elle que ce qui est essentiellement féminin, sa chevelure opulente allant du blond cendré au roux scintillant, la pureté et la blancheur de porcelaine de son teint, la douceur arrondie de ses formes, la ligne parfaite de ses bras d'ivoire, la beauté soignée de ses mains, et enfin la fraîcheur et la grâce de sa féminité mi-éclose, attrait sans doute trop éphémère et trop sublimé pour qu'on le puisse deviner tout entier à travers les portraits.

Parmi ces portraits les rares œuvres de maîtres, elles-mêmes, nous privent de l'essence de sa nature, de l'élément le plus personnel de sa séduction. Elles ne nous donnent presque toujours que la pose affectée et figée d'un être, et la magie véritable de Marie-Antoinette était – tous les témoins sont unanimes là-dessus – dans la grâce inimitable de ses mouvements. Ce n'est que dans ceux-ci que Marie-Antoinette révèle l'harmonie innée de son corps ; quand elle traverse, grande et svelte, sur ses fines attaches, la Galerie des Glaces pleine de courtisans, quand, souple et coquette, elle se renverse dans un fauteuil pour causer, quand elle bondit dans les escaliers de son pas ailé et impétueux, lorsque dans un geste naturel et séducteur elle donne à baiser sa main d'une blancheur éblouissante ou passe tendrement son bras autour de la taille d'une amie, son maintien n'a rien d'étudié et découle d'une pure intuition de son âme.

> Qand elle est debout, écrit, grisé, Horace Walpole, l'Anglais d'ordinaire si froid, c'est la statue de la Beauté ; quand elle se meut, c'est la Grâce en personne.

En effet, elle monte à cheval comme une amazone, joue à la balle avec une souplesse qui fait l'admiration de tous ; partout où son corps flexible et élégant entre en jeu, elle surpasse les plus belles femmes de sa cour, non seulement en adresse, mais encore en attrait sensuel, et Walpole fasciné, quand on lui dit « qu'elle ne danse pas en mesure », riposte énergiquement par ce joli mot : « Alors, c'est la mesure qui a tort ! » Par un instinct divinateur – toute femme connaît la loi de sa beauté – Marie-Antoinette aime donc le mouvement. L'agitation est son véritable élément ; mais rester tranquillement assise, écouter, lire, réfléchir, dormir même, sont pour elle des épreuves de patience insupportables. Aller et venir, commencer une chose, puis une autre, ne rien finir, toujours en train de faire ceci ou cela, ne jamais s'appliquer sérieusement à quoi que ce soit, sentir perpétuellement que le temps ne s'arrête pas, le poursuivre, le devancer, le dépasser ; pas de longs repas, grignoter seulement à la hâte quelques friandises, pas de longs sommeils ni de longues réflexions, se déplacer sans cesse et courir, dans une oisiveté aux formes multiples, telle est Marie-Antoinette. Et c'est ainsi que ses vingt années de vie royale s'écoulent dans un éternel tourbillon, dans une constante agitation dépourvue de tout but extérieur ou intime, politique ou humain.

C'est cet esprit volage, inconstant, ce gaspillage d'une force considérable, qui irrite tant Marie-Thérèse ; cette vieille psychologue sait parfaitement que son enfant, favorisée et douée par la nature, pourrait tirer d'elle-même cent fois plus. Il suffirait à Marie-Antoinette de vouloir être ce qu'elle est au fond, et elle jouirait d'un pouvoir souverain ; mais malheureusement, parce qu'elle aime ses aises, sa vie est toujours au-dessous de son niveau intellectuel. En véritable Autrichienne, elle a sans aucun doute beaucoup de talents, qu'elle pourrait utiliser dans maintes directions, mais elle n'a pas, hélas ! le moindre désir d'exploiter ou de creuser sérieusement ces dons et elle les dissipe à la légère en distractions.

> Son premier mouvement, dit Joseph II, est toujours le vrai, et si elle s'y laissait aller, réfléchissant un peu plus, elle serait parfaite.

Mais son tempérament impétueux répugne précisément à ce minimum de réflexion; toute pensée qui ne jaillit pas spontanément de son cerveau représente pour elle une tension et sa nature capricieuse et nonchalante hait toute espèce de labeur intellectuel. Elle n'aime que le jeu, l'amusement en tout et partout, elle déteste l'effort, le travail réel. Marie-Antoinette parle toujours sans réfléchir. Quand on lui adresse la parole, elle écoute distraitement et par intermittences; dans la conversation, où son amabilité enchanteresse et son étincelante volubilité séduisent, elle abandonne toute idée à peine ébauchée; elle n'achève rien, ni entretien, ni pensée, ni lecture; elle ne s'accroche à rien en vue de mener à bien une expérience réelle. C'est pourquoi elle n'aime ni les livres, ni les affaires d'État, ni tout ce qui est sérieux et exige de la persévérance et de l'attention; c'est aussi à contre-cœur, avec une impatience qui se traduit dans ses griffonnages, qu'elle écrit les lettres les plus indispensables, et même dans celles à sa mère on remarque nettement son désir d'en être vite débarrassée. Elle entend surtout ne pas compliquer sa vie, ni s'occuper de choses qui pourraient l'ennuyer, l'attrister, la rendre mélancolique! Celui qui flatte le plus cette paresse de la pensée passe à ses yeux pour le plus intelligent des hommes, celui qui exige d'elle un effort pour un pédant et un importun; d'un bond, elle quitte les conseillers raisonnables pour rejoindre ceux et celles qui pensent comme elle. Jouir, jouir seulement, ne pas se laisser troubler par toutes sortes de réflexions, de questions de calcul et d'économies, voilà son point de vue et celui de tout son milieu. Ne vivre que par les sens, sans réfléchir : morale de toute une époque, de ce dix-huitième dont le destin, symboliquement, l'a faite reine, visiblement afin qu'elle vive et meure avec lui.

Aucun poète ne saurait imaginer contraste plus saisissant

que celui de ces époux ; jusque dans les nerfs les plus ténus, dans le rythme du sang, dans les vibrations les plus faibles du tempérament, Marie-Antoinette et Louis XVI sont vraiment à tous les points de vue un modèle d'antithèse. Il est lourd, elle est légère, il est maladroit, elle est souple, il est terne, elle est pétillante, il est apathique, elle est enthousiaste. Et dans le domaine moral : il est indécis, elle est spontanée, il pèse lentement ses réponses, elle lance un « oui » ou un « non » rapide, il est d'une piété rigide, elle est éperdument mondaine, il est humble et modeste, elle est coquette et orgueilleuse, il est méthodique, elle est inconstante, il est économe, elle est dissipatrice, il est trop sérieux, elle est infiniment enjouée, il est calme et profond comme un courant sous-marin elle est toute écume et surface miroitante. C'est dans la solitude qu'il se sent le mieux, elle ne vit qu'au milieu d'une société bruyante. Il aime manger abondamment et longtemps, avec une sorte de contentement animal, et boire des vins lourds ; elle ne touche jamais au vin, mange peu et vite. Son élément à lui est le sommeil, son élément à elle la danse, son monde à lui, le jour, son monde à elle, la nuit ; ainsi les aiguilles au cadran de leur vie s'opposent constamment comme la lune et le soleil. A onze heures, quand Louis XVI se couche, c'est le moment où Marie-Antoinette commence vraiment à vivre et où on la voit briller aujourd'hui au jeu, demain au bal, dans des endroits toujours différents ; le matin, il galope à la chasse depuis des heures, quand elle vient à peine de se lever. Nulle part, sur aucun point, leurs habitudes, leurs penchants, leur emploi du temps ne se rejoignent ; en somme, de même qu'ils font habituellement lit à part (au grand mécontentement de Marie-Thérèse), Louis XVI et Marie-Antoinette, la plus grande partie du temps, font vie à part.

Est-ce donc une union malheureuse, où sévissent les désaccords et les querelles, une union qui tient difficilement ? Nullement ! C'est au contraire un mariage où les époux s'entendent très bien et même, n'était l'absence de virilité du début et ses conséquences pénibles, un mariage tout à fait heureux ! Car pour qu'il y ait des frictions, il faut des deux côtés un caractère énergique ; deux volontés doivent se heurter, deux forces s'opposer. Mais Louis XVI et Marie-Antoinette évitent toute animosité, lui par paresse physique, elle par paresse d'esprit.

> Mes goûts ne sont pas les mêmes que ceux du Roi, dit-elle en babillant dans une lettre, il n'a que ceux de la chasse et des ouvrages mécaniques. Vous conviendrez que j'aurais assez mauvaise grâce auprès d'une forge ; je n'y serais pas Vulcain, et le rôle de Vénus pourrait lui déplaire beaucoup plus que mes goûts qu'il ne désapprouve pas.

Louis XVI de son côté ne trouve pas à son goût la vie de plaisirs bruyante et tourbillonnante que mène Marie-Antoinette, mais il est trop mou pour intervenir énergiquement ; il sourit avec bonhomie de ses excès et il est fier, au fond, d'avoir une femme aussi charmante et universellement admirée. Dans la mesure où ses ternes sentiments le lui permettent, ce brave homme est à sa façon – lourde et sincère – tout à fait dévoué à sa jolie femme qui le fascine et lui est supérieure par l'esprit ; conscient de son infériorité, il se tient dans l'ombre pour ne pas lui masquer la lumière. Elle, de son côté, sourit sans méchanceté de cet époux commode ; car elle l'aime aussi, avec une certaine indulgence, comme un grand saint-bernard, que l'on flatte et caresse de temps en temps, parce que jamais il ne grogne, ni n'est mécontent, et parce qu'il obéit toujours avec docilité et gentillesse au moindre signe ; à la longue même elle ne peut pas en vouloir à cette bonne bête, ne fût-ce que par reconnaissance. Car il la laisse agir à sa guise, se retire discrètement quand il sent qu'il est de trop et n'entre jamais chez elle sans être annoncé – époux modèle, qui, malgré son goût de l'épargne, ne cesse de payer ses dettes, lui permet tout, et même à la fin un amant. Plus Marie-Antoinette vit avec Louis XVI, plus elle estime le caractère hautement honorable de son mari – sa grande faiblesse mise à part. Le mariage politique donne peu à peu naissance à une camaraderie véritable, à une entente affectueuse et cordiale, plus affectueuse en tout cas que celle que l'on rencontrait dans la plupart des mariages princiers de l'époque.

Seulement on ferait bien de ne pas mêler l'amour – ce grand mot sacré – à cette affaire. Pour que le véritable amour fût possible il faudrait au peu viril Louis XVI l'énergie du cœur qui lui fait défaut ; quant au penchant de Marie-Antoinette pour lui, il est fait de trop de condescendance, de trop d'indulgence, de trop de pitié, pour que ce fade mélange puisse encore être appelé amour. Par devoir, par raison d'État, cette femme fine et délicate devait se donner à son mari, mais il serait absurde de supposer que cet homme obèse, empoté, paresseux, ait pu éveiller ou satisfaire des désirs érotiques chez la fringante Marie-Antoinette. « Elle ne sent rien pour le roi », déclare nettement Joseph II, pendant son séjour à Paris. Et lorsque, de son côté, elle écrit à sa mère que des trois frères c'est encore celui que Dieu lui a donné comme époux qu'elle préfère, cet « encore » qui se glisse traîtreusement entre les mots en dit plus qu'elle ne le voulait, mais traduit très bien sa pensée. Ce seul mot fait saisir toute la tiédeur de leurs rapports sentimentaux. En fin de compte cependant, Marie-Thérèse – qui en apprend bien plus sur sa fille de Parme – se contenterait de cette conception plutôt lâche du mariage, si seulement Marie-Antoinette pratiquait un peu plus l'art de la dissimulation et montrait plus de tact dans sa conduite, si elle savait mieux cacher aux autres que son royal époux n'est pour elle, du point de vue viril, qu'un zéro, une quantité négligeable. Mais Marie-Antoinette – et c'est ce que Marie-Thérèse ne lui pardonne pas – oublie de sauver les apparences et en même temps l'honneur de son époux. Heureusement, c'est la mère qui saisit à temps un de ces mots que lance étourdiment sa fille ! Un des confidents de Marie-Thérèse, le comte de Rosenberg, s'étant rendu à Versailles, Marie-Antoinette s'est prise d'amitié pour le vieux et galant gentilhomme : elle a une telle confiance en lui qu'elle lui écrit à Vienne une lettre enjouée dans laquelle elle lui raconte en ces termes comment elle s'est moquée de son mari, lorsque le duc de Choiseul lui a demandé une audience.

Vous croirez aisément que je ne l'ai point vu sans en parler au Roi ; mais vous ne devinerez pas l'adresse que j'ai mise pour ne pas avoir l'air de demander permission. Je lui ai dit que j'avais envie de voir M. de Choiseul, et que je n'étais embarrassée que du jour. J'ai si bien fait que le pauvre homme m'a arrangé lui-même l'heure la plus commode où je pouvais le voir. Je crois que j'ai assez usé du droit de femme dans ce moment.

Ce « pauvre homme » est venu tout naturellement sous sa plume ; en cachetant sa lettre avec insouciance elle croit n'avoir raconté qu'une anecdote amusante, car cette épithète, dans le langage de son cœur, signifie tout bonnement et sincèrement : « pauvre brave garçon ». Mais à Vienne, on interprète d'une autre façon ce mélange de sympathie, de pitié et de mépris. Marie-Thérèse se rend aussitôt compte du danger de ce manque de tact pour une reine de France, qui appelle le roi un « pauvre homme », et qui n'estime et ne respecte même pas le monarque en la personne de son époux. Sur quel ton cette écervelée doit-elle donc parler du roi de France, lorsqu'aux fêtes et redoutes il est question de lui entre elle, la Lamballe, la Polignac et les jeunes courtisans ! Immédiatement un conseil est tenu à Vienne et une lettre si énergique est écrite à Marie-Antoinette que pendant plus d'un siècle les archives impériales ne permettront pas sa publication.

Je ne puis dissimuler vis-à-vis de vous, écrit la vieille impératrice en gourmandant sa fille oublieuse de ses devoirs, qu'une lettre écrite à Rosenberg m'a jetée dans la plus grande consternation. Quel style ! Quelle légèreté ! Où est le cœur si bon, si généreux de cette archiduchesse Antoinette ? Je n'y vois qu'une intrigue, basse haine, esprit de persécution, persiflage : intrigue, comme une Pompadour, une Barry aurait pu avoir pour jouer un rôle, mais nullement comme une reine, une grande princesse, et une princesse de la maison de Lorraine et d'Autriche, pleine de bonté et de décence. Vos trop prompts succès et

> les flatteurs m'ont toujours fait trembler pour vous depuis cet hiver, où vous vous êtes jetée dans les plaisirs et ridicules parures. Ces courses de plaisir, sans le Roi, et sachant qu'il n'en prend pas plaisir, et que par pure complaisance il vous accompagne et vous laisse faire, tout cela m'a fait coucher dans mes lettres mes justes inquiétudes. Mais je ne les vois que trop confirmées par cette lettre. Quel langage ! Le pauvre homme ! Où est le respect et la reconnaissance pour toutes les complaisances ? Je vous laisse à vos propres réflexions et ne vous en dis pas plus, quoiqu'il y aurait bien encore à dire... Mais si j'en prévois des inconvénients, je ne pourrai me taire, vous aimant trop, et je les prévois (ces inconvénients) plus que jamais, vous voyant si légère, si violente, sans réflexions. Votre bonheur ne pourrait que trop changer, et vous vous précipitez par votre propre faute dans les plus grands malheurs. C'est l'effet de cette terrible dissipation à ne vous appliquer à rien. Quelle lecture faites-vous ? Et vous osez après trancher partout, sur les plus grandes affaires, sur le choix des ministres ? Que fait l'Abbé ? Que fait Mercy ? Il me paraît qu'ils vous sont devenus désagréables, ne faisant pas les bas flatteurs, vous aimant pour vous rendre heureuse et non pas pour vous divertir et profiter de vos faiblesses. Vous le reconnaîtrez un jour, mais trop tard. Je ne souhaite pas survivre à ce malheur, et je prie Dieu de trancher au plus tôt mes jours, ne pouvant plus vous être utile, et ne pouvant pas soutenir de perdre et de voir malheureux mon cher enfant que j'aimerai jusqu'à mon dernier soupir tendrement.

L'impératrice n'exagère-t-elle pas ce « pauvre homme », cette plaisanterie déplacée ne la fait-elle pas crier trop tôt au malheur ? Ce n'est pas ce mot en soi qui inquiète Marie-Thérèse, mais elle voit là un indice. Cette expression l'éclaire subitement, lui fait saisir le peu de respect dont jouit Louis XVI, non seulement dans son propre ménage mais encore à la cour. Elle a l'âme inquiète. Quand le mépris du roi a déjà ébranlé les bases les plus solides d'un État, quand un souverain n'est plus respecté par sa propre famille, comment, en cas de tempête, les autres appuis, les autres piliers de l'édifice pourront-ils rester debout ? Une monarchie menacée peut-elle se maintenir sans un vrai monarque, un trône résister s'il n'est occupé que par des figurants qui n'ont ni dans le sang, ni dans le cœur, ni dans le cerveau, le principe de la royauté ? Un individu aussi faible que Louis XVI, une femme aussi mondaine que Marie-Antoinette, l'un timide, l'autre étourdie, deux êtres aussi superficiels sont-ils capables de défendre leur dynastie contre les menaces de l'époque ? En vérité la vieille impératrice n'en veut pas à sa fille, mais elle craint pour elle.

Et réellement, comment en vouloir à ces deux créatures, comment les condamner ? Et si, d'ailleurs, il fut bien difficile à leurs accusateurs sous la Convention de représenter ce « pauvre homme » comme un malfaiteur et un tyran, c'est qu'au fond il n'y avait pas une once de méchanceté en eux, et, comme chez la plupart des natures moyennes, ni dureté, ni cruauté, ni même d'ambition ou de grossière vanité. Malheureusement leurs qualités, elles non plus, ne dépassent pas la moyenne : honnête bonhomie, indulgence nonchalante, bienveillance modérée. Si les temps avaient été médiocres comme eux-mêmes, ils eussent fait bonne figure et vécu honorés. Mais ni Louis XVI ni Marie-Antoinette n'ont su, par une transformation intérieure et une élévation de cœur, se mettre au diapason d'une époque particulièrement dramatique ; ils ont mieux su mourir dignement que vivre fortement et héroïquement. On n'est frappé que par le destin que l'on n'a pas su maîtriser ; dans toute défaite, il y a un sens et une faute. En ce qui concerne Louis XVI et Marie-Antoinette, Goethe a exprimé ce jugement d'une haute sagesse :

Pourquoi donc, d'un coup de balai,
Un tel roi se laisse-t-il chasser ?
S'ils avaient été de vrais souverains
Tous seraient encore en vie.

CHAPITRE VIII

LA REINE DU ROCOCO

Au moment où Marie-Antoinette, la fille de son vieil adversaire Marie-Thérèse, monte sur le trône, Frédéric II, ennemi héréditaire de l'Autriche, commence à s'inquiéter. Il envoie lettre sur lettre à l'ambassadeur de Prusse lui enjoignant de dépister attentivement les plans politiques de la jeune reine. En effet, il court un grand danger. Marie-Antoinette n'aurait qu'à vouloir, qu'à faire un tout petit effort, et elle tiendrait entre ses mains tous les fils de la diplomatie française; l'Europe serait gouvernée par trois femmes : Marie-Thérèse, Marie-Antoinette et Catherine de Russie. Mais heureusement pour la Prusse, et malheureusement pour elle-même, Marie-Antoinette ne se sent pas le moins du monde attirée par cette grandiose tâche historique; elle ne songe pas à comprendre son époque, mais uniquement à passer le temps en s'amusant; elle s'empare de la couronne aussi insouciante que s'il s'agissait d'un jouet. Au lieu de tirer parti du pouvoir qui lui est échu, elle ne veut qu'en jouir.

Ce fut là dès le début sa funeste erreur : elle voulait vaincre comme femme et non point comme reine; ses petits triomphes féminins comptaient plus pour elle que les grandes et vastes victoires de l'Histoire universelle; son esprit dissipé n'ayant pas su donner à l'idée monarchique un contenu, mais seulement une forme parfaite, la grande tâche qu'elle avait à accomplir se réduisit entre ses mains à un jeu éphémère, et la dignité de son rang à un rôle théâtral.

Etre reine pour Marie-Antoinette, c'est, pendant les années d'insouciance, être la femme la plus admirée, la plus coquette, la mieux parée, la plus adulée et avant tout la plus gaie de la cour ; c'est être l'arbitre des élégances, celle qui donne le ton à cette société aristocratique extrêmement raffinée qu'elle prend pour l'univers. Sur la scène privée de Versailles, suspendue au-dessus d'un abîme, comme un pont de fleurs japonais, elle joue pendant vingt ans, éprise d'elle-même, avec charme et avec grâce, le rôle de vedette, de reine du rococo. Mais qu'il est pauvre le répertoire de cette comédie mondaine ! Quelques petites coquetteries éphémères, quelques minces intrigues, très peu d'esprit, beaucoup de danses. Au cours de ces jeux et badinages, elle n'a pas de vrais partenaires, pas un véritable roi, pas de héros à ses côtés, rien qu'un auditoire de snobs et de blasés, toujours le même, cependant que de l'autre côté de la grille dorée des millions d'hommes espèrent en leur souveraine. Mais cette femme aveuglée n'abandonne pas son rôle, ne se lasse pas d'éblouir son cœur insensé par de nouvelles futilités ; et même lorsque le tonnerre de Paris retentit, menaçant, au-dessus des jardins de Versailles, elle s'y cramponne encore. C'est seulement lorsque la Révolution l'arrache brutalement à l'étroitesse de cette scène rococo pour la jeter dans l'immense et tragique arène de l'Histoire universelle qu'elle s'aperçoit de l'erreur formidable qu'elle a commise en choisissant, pendant vingt ans, le rôle de second plan, de jeune première, alors que le destin lui avait donné la force d'âme nécessaire pour tenir celui d'héroïne. Il est bien tard quand elle reconnaît cette erreur, pas trop tard cependant. Car à l'instant même où il ne lui est plus donné de vivre en reine, où elle n'a plus qu'à mourir, dans l'épilogue tragique de cette pastorale, elle atteint sa véritable mesure. C'est seulement lorsque le jeu devient grave et que sa couronne lui est enlevée, que Marie-Antoinette acquiert l'âme d'une reine.

La faute de Marie-Antoinette, cette idée, ou plutôt cette étourderie de croire qu'elle pouvait sacrifier pendant si longtemps l'essentiel au superficiel, le devoir au plaisir, le difficile au facile, la France à Versailles, le monde véritable à son monde de plaisirs, cette faute historique est presque inconcevable. Pour saisir cette absurdité il suffit de prendre une carte de France et de voir dans quel cercle minuscule Marie-Antoinette a passé les vingt années de son règne. La toupie dorée de son oisiveté turbulente tourne sans cesse dans le cadre ridiculement étroit des six châteaux de Versailles, Trianon, Marly, Fontainebleau, Saint-Cloud, Rambouillet, situés à quelques heures l'un de l'autre. Pas une seule fois Marie-Antoinette n'a éprouvé le besoin de franchir, en fait ou en esprit, ce polygone où la tenait enfermée le plus stupide des démons, celui du plaisir. Pas une seule fois, au cours de près d'un quart de siècle, la souveraine de France n'a ressenti le désir de connaître son propre royaume, de voir les provinces dont elle est reine, la mer qui baigne leurs rivages, les montagnes, les forteresses, les villes et les cathédrales de ce pays si vaste et si divers. Pas une seule fois elle ne ravit une heure à son oisiveté afin de rendre visite à l'un de ses sujets ou simplement afin de songer à eux ; pas une seule fois elle n'entre dans une maison bourgeoise : tout ce monde réel, en dehors de sa sphère aristocratique, est pour elle, en effet, inexistant. Qu'il y ait autour de l'Opéra une ville gigantesque, pleine de misères et de mécontentements, que derrière les étangs de Trianon avec leurs canards chinois, leurs paons, leurs cygnes bien nourris, derrière le hameau de parade propre et coquet, construit par l'architecte de la cour, les vraies maisons de paysans tombent en ruines et les granges restent vides, que de l'autre côté de la grille dorée de son parc tout un peuple travaille, souffre de la faim, espère quand même, cela, Marie-Antoinette ne l'a jamais su. Peut-être que seules cette inconscience, cette ignorance voulue de tout le malheur et de la tristesse du monde pouvaient donner au rococo sa grâce enchanteresse, son charme léger et insouciant ; il n'appartient qu'à celui qui ne connaît point la gravité du monde de pouvoir se plonger ainsi dans les jeux et les passe-temps. Mais une reine qui oublie son peuple risque gros jeu. Une simple question aurait révélé ce monde à Marie-Antoinette, mais elle ne voulait pas la poser. Un regard sur l'époque, et elle aurait compris, mais elle ne désirait pas comprendre. Elle souhaitait rester dans sa sphère, jeune, joyeuse et loin de tout tracas. Guidée par un feu follet, elle tourne inlassablement en rond, et, au milieu de ses marionnettes de cour, elle laisse s'enfuir, perdues à jamais, les années décisives de sa vie.

Sa faute, sa faute indéniable, est d'avoir abordé avec une frivolité sans pareille la tâche la plus lourde de l'Histoire, avec un cœur léger le conflit le plus dur du siècle. Faute incontestable, disons-nous, et cependant pardonnable, car la tentation était telle que même un être mieux trempé lui aurait à peine résisté. Passée de sa chambre d'enfant dans le lit nuptial, appelée du jour au lendemain et comme en rêve du fond des appartements d'un palais au pouvoir suprême, cette âme candide, pas très forte, pas très lucide, et qui n'est encore ni préparée ni prête, se voit soudain l'objet d'un culte sans bornes. Que cette société du XVIIIe siècle est dangereuse et habile à séduire une jeune femme ! Qu'elle est rouée dans l'art d'empoisonner par de fines flatteries ! Qu'elle est ingénieuse dans la science de plaire par des futilités ! Comme elle est passée maîtresse dans l'art souverain de la galanterie et dans celui des Phéaciens de prendre la vie à la légère ! Experts, plus qu'experts dans la séduction et la dépravation de l'âme, les courtisans attirent aussitôt dans leur cercle magique ce cœur de jeune fille inexpérimenté et encore curieux de lui-même. Dès le premier jour de son règne Marie-Antoinette est portée au pinacle et plane dans un nuage d'encens. Ce qu'elle dit est spirituel, ce qu'elle fait est la loi, ce qu'elle désire est exaucé. A-t-elle un caprice ? le lendemain ce caprice est devenu une mode. Fait-elle une sottise ? toute la cour l'imite avec enthousiasme. Sa présence est le soleil de cette foule vaniteuse et ambitieuse, son regard un cadeau, son sourire une faveur, son arrivée une fête ; lorsqu'elle reçoit, toutes les dames, les plus jeunes comme les plus âgées, les plus anciennes comme celles qui viennent d'être présentées à la cour, font les efforts les plus désespérés, les plus comiques, les plus ridicules, les plus fous, pour attirer sur elles, à tout prix, ne fût-ce qu'un instant, l'attention de la reine, pour obtenir une politesse, un mot, ou tout au moins être remarquées, ne pas passer inaperçues. Dans les rues le peuple confiant l'acclame, au théâtre l'auditoire entier, de la première à la dernière place, se lève dès qu'elle paraît, et quand elle traverse la Galerie des Glaces, elle peut voir, magnifiquement parée et emportée par son propre triomphe, une charmante jeune femme, insouciante et heureuse, plus belle que les plus belles de la cour, et – puisqu'elle confond cette cour avec le monde – la plus belle sur terre. Comment, avec un cœur puéril, une force bien ordinaire, se défendre contre le vin grisant et étourdissant du bonheur, contre le mélange capiteux de toutes les essences piquantes et suaves du sentiment, contre l'adulation des hommes, la jalousie admirative des femmes, l'amour du peuple, son propre orgueil ? Comment ne pas être insouciante quand tout est si facile, quand il suffit d'un bout de papier pour faire affluer l'argent et que le mot « payez », tracé hâtivement sur une feuille, fait surgir comme par enchantement des milliers de ducats, des pierres précieuses, des jardins et des châteaux, quand la brise légère du bonheur permet aux nerfs de se détendre d'une façon si douce et si agréable ? Comment ne pas être étourdie et futile quand des ailes, tombées du ciel, s'attachent à vos jeunes épaules éblouissantes ? Comment ne pas perdre pied quand on est la proie de pareilles tentations ?

Cette conception frivole de la vie, qui, du point de vue historique, est sans nul doute une faute, toute sa génération l'a partagée : c'est par son entière adhésion à l'esprit de son époque que Marie-Antoinette est devenue la femme du XVIIIe. Le rococo, cette fleur délicate et raffinée d'une civilisation très ancienne, du siècle des mains fines et oisives, de l'esprit enjoué et précieux, voulait, avant de mourir, s'incarner. Aucun roi, aucun homme n'eût pu représenter ce siècle de la femme dans le livre d'images de l'Histoire – seule une femme, une reine en était capable et Marie-Antoinette fut cette reine, la reine du rococo. La plus insouciante parmi les insouciantes, la plus dépensière parmi les dissipatrices, la plus gracieuse parmi les élégantes, la plus délibérément coquette parmi les coquettes, elle a exprimé en sa personne, d'une façon inoubliable et avec une précision vraiment documentaire, les mœurs et l'art de vivre du XVIIIe.

> Il est difficile, dit d'elle Mme de Staël, de mettre plus de grâce et de bonté dans la politesse ; elle a même un genre d'affabilité qui ne permet pas d'oublier qu'elle est reine et persuade toujours cependant qu'elle l'oublie.

Marie-Antoinette joue avec sa vie comme avec un instrument très délicat et très fragile. Au lieu d'être grande, humainement, pour tous les temps, elle est l'expression de son époque ; mais tout en négligeant follement sa force intérieure, elle donne malgré tout une signification à sa vie : c'est en elle que se parfait le XVIIIe et avec elle qu'il finit.

Quel est le premier souci de la reine du rococo, quand elle se réveille le matin dans son château de Versailles ? Les nouvelles de l'État et de la ville ? les lettres des ambassadeurs ? veut-elle savoir si les armées ont triomphé ? si l'on a déclaré la guerre à l'Angleterre ? Nullement. Marie-Antoinette, comme à l'ordinaire, n'est rentrée qu'à quatre ou cinq heures du matin, elle n'a dormi que quelques heures ; une personne remuante comme elle n'a pas besoin d'un long repos. La journée commence par une importante cérémonie. La femme qui est préposée à la garde-robe entre pour la toilette matinale avec plusieurs chemises, mouchoirs et serviettes ; la première femme de chambre se tient à ses côtés, s'incline et tend à la reine un in-folio où sont épinglés de petits échantillons des tissus de toutes ses toilettes. Marie-Antoinette doit indiquer les robes qu'elle désire porter dans la journée : c'est un choix difficile et qui n'est pas sans responsabilité, car pour chaque saison douze nouvelles toilettes de gala, douze robes de fantaisie, douze robes de cérémonie sont prescrites, sans compter les cent autres achetées tous les ans (quelle honte ce serait pour une reine de la mode si elle portait plusieurs fois les mêmes robes !). En plus de cela il y a les peignoirs, corsages, châles de dentelles, fichus, bonnets, manteaux, ceintures, gants, bas et dessous provenant de l'arsenal invisible où travaille toute une armée de couturières et d'habilleuses. Le choix ordinairement dure longtemps; finalement, on marque au moyen d'épingles les échantillons des toilettes que Marie-Antoinette a décidé de mettre : la toilette de gala pour la réception, le déshabillé pour l'après-midi, la grande toilette pour le soir. Le premier souci est écarté, on emporte l'in-folio et on apporte les robes choisies.

Rien d'étonnant si, grâce à l'importance que prend ainsi la toilette, la marchande de modes, la divine Mlle Bertin, acquiert sur Marie-Antoinette plus de pouvoir que tous les ministres, ceux-ci toujours remplaçables, celle-là incomparable et unique. Bien que sortie de la classe ouvrière et ancienne petite couturière, rude, rogue, jouant des coudes, plutôt ordinaire que raffinée dans ses manières, cette maîtresse de la haute couture tient la reine absolument sous son charme. Pour elle, dix-huit ans avant la vraie Révolution, on fait à Versailles une révolution de palais : Mlle Bertin triomphe des règlements de l'étiquette qui interdisent à une plébéienne l'entrée des petits cabinets de la reine; cette artiste en son genre obtient ce qui jamais n'arriva à Voltaire, ni à aucun des poètes et des peintres de l'époque : elle est reçue dans l'intimité par la reine. Quand elle arrive deux fois par semaine avec ses nouveaux dessins, Marie-Antoinette abandonne ses nobles dames d'honneur et s'enferme dans un appartement privé où elle a une conférence secrète avec l'artiste adorée en vue de lancer une mode nouvelle, encore plus extravagante que la précédente. Bien entendu, la marchande de modes, en femme d'affaires, exploite largement ce triomphe. Après avoir entraîné Marie-Antoinette dans les dépenses les plus coûteuses, elle met à contribution toute la cour et la noblesse; elle fait peindre en lettres gigantesques sur l'enseigne de son magasin de la rue Saint-Honoré son titre de fournisseuse de la reine et on l'entend dire sur un ton négligent et hautain aux clients qu'elle a fait attendre : « Je viens de travailler avec Sa Majesté. » Elle a bientôt à son service tout un régiment de couturières et de brodeuses, car plus la reine est élégante, plus les dames de la cour s'agitent furieusement afin de ne pas rester en arrière. Plus d'une parmi elles glissent de beaux louis d'or à la fée infidèle pour qu'elle leur taille un modèle que la reine elle-même n'a pas encore porté : l'amour de la toilette se répand comme une maladie. Les troubles dans le pays, les discussions avec le Parlement, la guerre avec l'Angleterre émeuvent bien moins cette cour vaniteuse que le nouveau brun puce mis à la mode par Mlle Bertin, qu'un tour particulièrement hardi donné à la jupe à paniers, ou que la nuance d'une soierie nouvelle créée à Lyon. Toute dame qui se respecte se sent obligée de suivre pas à pas ces singeries et extravagances, et un mari dit en soupirant : « Jamais les femmes de France n'avaient dépensé tant d'argent pour se faire ridicules. »

Mais Marie-Antoinette considère comme son premier devoir d'être dans ce domaine la reine. Au bout de trois mois de règne, la petite princesse est déjà promue au grade de « mannequin » du monde élégant, de « modèle » pour les toilettes et les coiffures ; le bruit de son triomphe résonne dans tous les salons et toutes les cours, y compris celle de Vienne, où il éveille un écho lugubre. Marie-Thérèse, qui rêvait pour sa fille de tâches plus dignes, retourne, irritée, à l'ambassadeur un portrait montrant celle-ci attifée à la mode, avec un luxe exagéré : « Non, ce n'est pas le portrait d'une reine de France, s'écrie-t-elle, il y a erreur, c'est celui d'une actrice... » Et elle mande à sa fille :

> Vous savez que j'étais toujours d'opinion de suivre les modes modérément, mais de ne jamais les outrer. Une jolie reine, pleine d'agréments, n'a pas besoin de toutes ces folies ; au contraire la simplicité de la parure fait mieux paraître et est plus adaptable au rang de reine : celle-ci doit donner le ton, et tout le monde s'empressera de cœur à suivre même vos petits travers ; mais moi, qui aime et suis ma petite reine à chaque pas, je ne puis m'empêcher de l'avertir sur cette petite frivolité.

Deuxième souci du matin : la coiffure. Heureusement, là aussi, on possède un grand artiste, M. Léonard, l'inépuisable et insurpassable Figaro du rococo. En grand seigneur, dans un carrosse à six chevaux, il se rend tous les matins à Versailles, avec ses peignes, ses pommades et ses lotions pour exercer sur la reine son art aussi noble que quotidien. De même que Mansart, le grand architecte, construit sur les maisons des toitures savantes qui portent son nom, M. Léonard, lui, élève sur la tête de toute noble dame qui se respecte de véritables tours de cheveux, en donnant à ces édifices gigantesques une forme symbolique. Grâce à de longues épingles et à l'emploi énergique de cosmétiques, on fait tout d'abord tenir les cheveux au-dessus du front, depuis la racine, droits comme des cierges et deux fois plus haut qu'un bonnet de grenadier prussien ; puis dans cet espace aérien, à cinquante centimètres au-dessus des sourcils, commence la création plastique de l'artiste. Non seulement on modèle avec le peigne sur ces « poufs » ou « ques-à-quo » (comme les appelle Beaumarchais dans un pamphlet) des paysages et des panoramas avec jardins, fruits, maisons, navires et flots agités, bref, tout un univers multicolore, mais encore, pour permettre à la mode de changer plus souvent, ces édifices représentent en même temps l'événement du jour. Tout ce qui occupe ces têtes de linotte, ces cervelles généralement creuses, doit être affiché dans la coiffure. Quand l'opéra de Gluck fait sensation, Léonard invente aussitôt une coiffure à la Iphigénie avec des rubans de crêpe noir et la demi-lune de Diane. Quand on vaccine le roi contre la petite vérole, cet événement bouleversant se traduit sans retard par les « poufs de l'inoculation ». Quand l'insurrection américaine est à la mode, la coiffure de la liberté devient la reine du jour ; et, trouvaille plus stupide encore en même temps que vile, quand, pendant la famine, les boulangeries de Paris sont pillées, la cour frivole ne trouve rien de mieux à faire que d'afficher cet événement dans les « bonnets de la révolte ». Ces constructions artificielles s'élèvent toujours plus follement sur ces têtes vides. Peu à peu, grâce à l'emploi abondant de faux cheveux, ces tours capillaires montent si haut que les dames ne peuvent plus s'asseoir dans leurs carrosses et sont obligées de s'y tenir agenouillées en relevant leurs jupes, sans quoi les précieux édifices viendraient heurter le plafond de la voiture ; dans les châteaux on surélève les portes, afin que les dames en grande toilette n'aient pas toujours à se courber en entrant ; au théâtre on surhausse les plafonds des loges. Et les satires contemporaines ne tarissent pas sur le chapitre amusant des difficultés particulières que ces toupets aériens ménagent aux amants de ces dames. Mais quand il s'agit de mode, les femmes, on le sait, sont prêtes à tous les sacrifices, et la reine, de son côté, s'imaginerait sans doute ne pas être vraiment reine, si elle ne lançait pas ou ne dépassait pas toutes ces folies.

De nouveau, l'écho de Vienne gronde :

> Je ne peux m'empêcher de toucher un point que bien des gazettes me répètent trop souvent : c'est la parure dont vous vous servez ; on la dit depuis la racine des cheveux trente-six pouces de haut, et avec autant de plumes et de rubans qui relèvent tout cela.

Mais la fille trouve une échappatoire et répond à sa « chère maman » qu'ici, à Versailles, les yeux y sont déjà si bien habitués que le monde entier – par monde entier Marie-Antoinette entend toujours les cent dames de la cour – n'y trouve rien d'extraordinaire. Et maître Léonard continue gaiement à bâtir, jusqu'à ce que, seigneur tout-puissant, il juge bon de mettre un terme à cette mode ; l'année suivante les tours sont sapées, pour faire place il est vrai à une mode plus coûteuse encore : celle des plumes d'autruche.

Troisième souci : peut-on toujours changer de toilettes sans porter des bijoux assortis ? Non, une reine a besoin de diamants plus gros, de perles plus épaisses que toutes les autres. Elle a besoin de plus de bagues, d'anneaux, de bracelets, de diadèmes, de ferronnières, de joyaux, de boucles, d'incrustations de pierres précieuses sur des éventails peints par Fragonard, que les femmes des frères cadets du roi et que toutes les autres dames de la cour. Il est vrai qu'elle a déjà reçu en dot de Vienne passablement de diamants et que Louis XV, pour ses noces, lui a fait présent de toute une cassette remplie de bijoux de famille. Mais à quoi bon être reine, sinon pour acheter sans cesse de nouveaux joyaux, toujours plus beaux, toujours plus précieux? Marie-Antoinette, tout le monde le sait à Versailles – et bientôt on s'apercevra qu'il eût mieux valu ne pas trop en parler – adore les bijoux. Jamais elle ne peut résister, quand ces joailliers subtils et adroits, ces Juifs émigrés d'Allemagne, qui ont nom Boehmer et Bassenge, lui présentent dans des écrins de velours leurs dernières œuvres d'art, boucles d'oreilles, bagues et fermoirs ravissants. De plus, ces braves gens lui facilitent toujours ses achats. Ils savent honorer une reine de France en lui faisant crédit, tout en lui comptant les bijoux, il est vrai, le double de leur valeur, ou en lui rachetant à moitié prix ses vieux diamants. C'est ainsi que, sans remarquer ce qu'il y a d'avilissant dans ces affaires d'usurier, Marie-Antoinette s'endette de tous côtés; elle sait d'ailleurs qu'en cas de besoin l'époux économe viendra à son secours.

Mais déjà, de Vienne, l'avertissement se fait plus dur :

> Toutes les nouvelles de Paris, lui écrit sa mère, annoncent que vous avez fait un achat de bracelets de 250 000 livres, que pour cet effet vous avez dérangé vos finances et charge de dettes, et que vous avez pour y remédier donné de vos diamants à très bas prix... Ces sortes d'anecdotes percent mon cœur, surtout pour l'avenir.

Et elle lance ce cri désespéré :

> Quand deviendrez-vous enfin vous-même?... Une souveraine s'avilit en se parant, et encore plus si elle pousse cela à des sommes si considérables et en quel temps? Je ne vois que trop cet esprit de dissipation; je ne puis me taire, vous aimant pour votre bien non pour vous flatter. Ne perdez pas par des frivolités le crédit que vous vous êtes acquis au commencement; on sait le roi très modéré, ainsi la faute resterait seule sur vous. Je ne souhaite survivre à un tel changement.

Les toilettes coûtent de l'argent, les diamants en coûtent encore plus, si bien que la cassette de Marie-Antoinette qui, si elle n'était point trouée quelque part, devrait être largement remplie – l'obligeant Louis XVI n'a-t-il pas doublé les revenus de sa femme au lendemain de son avènement – est toujours terriblement vide.

Comment donc se procurer de l'argent ? Heureusement que le diable est là pour venir au secours des gens frivoles ! N'y a-t-il point le jeu ? Avant Marie-Antoinette celui-ci était encore à la cour royale une distraction innocente comme la danse ou le billard : on jouait le soir au lansquenet, jeu sans danger, avec des enjeux insignifiants. Marie-Antoinette découvre pour elle et pour les autres le fameux pharaon, que nous connaissons par Casanova comme le terrain de chasse idéal des escrocs et des filous. Qu'un ordre récemment renouvelé par le roi ait formellement interdit, sous peine d'amende, tout jeu de hasard, cela laisse indifférents les compagnons de sa femme : ils savent que la police n'a pas accès aux salons de la reine. Que le roi lui-même ne veuille pas supporter ces tables de jeu couvertes d'or, cette bande frivole n'en a cure : on joue à son insu, voilà tout ; et les huissiers ont ordre, quand il arrive, de donner aussitôt l'alarme. Alors les cartes disparaissent sous la table, comme par enchantement, on ne fait plus que bavarder ; tout le monde se gausse du brave homme, la partie reprendra tout à l'heure. Pour animer l'affaire et augmenter l'enjeu, la reine permet au premier venu de s'approcher de sa table verte pourvu qu'il apporte de l'argent. Profiteurs et parasites affluent ; une nouvelle honteuse se répand bientôt en ville : on triche au jeu de la reine ! Une seule personne, Marie-Antoinette, n'en sait rien, parce que, aveuglée par son plaisir, elle ne veut rien savoir. Dès qu'elle est entraînée, rien ne peut plus la retenir : elle joue, jour après jour, jusqu'à trois, quatre, cinq heures du matin ; une fois, la veille de la Toussaint, au grand scandale de la cour, elle joue toute la nuit.

De nouveau on entend l'écho de Vienne. Marie-Thérèse écrit à sa fille :

> Le jeu est sûrement un des plus mauvais plaisirs, cela attire mauvaise compagnie et propos... il attache trop par

l'envie de gagner, et on est toujours la dupe, calcul fait, on ne peut gagner à la longue, si on joue honnêtement; ainsi ma chère fille! je vous en prie : point de capitulation, il faut s'arracher tout d'un coup de cette passion.

Cependant les toilettes, les parures, le jeu n'occupent que la moitié du jour et de la nuit. Un autre souci suit l'aiguille sur le cercle des heures : comment s'amuser? On sort à cheval, on chasse, antique plaisir de prince; certes, on y accompagne rarement l'époux mortellement ennuyeux; on lui préfère d'Artois, le joyeux beau-frère, et d'autres courtisans. Parfois, pour rire, on se promène sur un âne; ce n'est guère distingué, mais, en revanche, quand la brave bête grise se cabre, on peut se laisser tomber à terre avec une grâce adorable et montrer à la cour les dessous de dentelles et les jolies jambes d'une reine. En hiver, chaudement emmaillotée, on fait du traîneau; en été on assiste le soir à des feux d'artifice, à des bals champêtres, ainsi qu'à de petits concerts nocturnes dans le parc. Une fois descendues les quelques marches de la terrasse, on se retrouve avec sa société de choix, où, tout à fait protégée par l'obscurité, on peut jaser et plaisanter joyeusement – en tout bien tout honneur, certes, mais enfin, on peut jouer avec le danger comme avec toutes les autres choses de la vie! Que quelque courtisan perfide écrive ensuite une brochure en vers, *le Lever de l'Aurore*, sur les aventures nocturnes de la reine, qu'importe! Ces coups d'épingle ne fâchent pas le roi, mari indulgent, et on s'est bien amusée. Surtout il ne faut pas rester seule, ne pas passer une soirée chez soi, avec un livre, avec son mari; il n'y a que l'agitation et les plaisirs qui comptent, se dit Marie-Antoinette. Dès qu'une mode nouvelle est lancée, elle est la première à lui rendre hommage; à peine le comte d'Artois a-t-il importé d'Angleterre les courses de chevaux – son seul apport à la France – que dans les tribunes on voit déjà la reine, entourée d'une douzaine de jeunes fats anglomanes, pariant, jouant, furieusement excitée par ce nouveau jeu. Il est vrai que ses emballements ne sont habituellement que feu de paille, ce qui la ravit un jour l'ennuyant dès le lendemain;

seul le changement continuel dans le plaisir peut tromper son agitation nerveuse, dont la cause réside, sans aucun doute, dans ses rapports intimes avec le roi. Son plaisir préféré parmi cent autres divertissements toujours changeants, le seul dont elle reste éprise, est justement le plus dangereux pour sa réputation : les redoutes masquées. Elles deviennent la passion durable de Marie-Antoinette, car elle peut y jouir doublement de la volupté d'être reine et de celle de ne point se laisser reconnaître comme telle, de se risquer, sous le loup de velours noir, jusqu'à la frontière des aventures galantes, mettant ici comme enjeu non point de l'argent, mais elle-même en tant que femme. Travestie en Artémis ou cachée sous un coquet domino, elle peut descendre des hauteurs glaciales de l'étiquette dans la foule chaude et anonyme, sentir passer sur elle le souffle de la tendresse, frissonner à l'approche de la séduction, éprouver jusque dans les entrailles l'ivresse du danger côtoyé ; protégée par son masque elle peut prendre le bras, parfois même durant une demi-heure, d'un jeune et élégant gentleman anglais, ou faire comprendre par quelques mots hardis au ravissant gentilhomme suédois Axel de Fersen combien il plaît à la femme que son état de reine, hélas, mille fois hélas ! contraint à la vertu. Marie-Antoinette ne sait pas ou ne veut pas savoir que ces petites licences, grossièrement exagérées par les commérages de la cour, font le tour de tous les salons, et que, lorsqu'elle a pris un fiacre, la roue de son carrosse s'étant brisée en route, pour parcourir les vingt pas la séparant de l'Opéra, les journaux secrets ont fait de cet incident une aventure galante. Cependant, les exhortations de sa mère se succèdent :

> S'il fut (si c'était) encore en compagnie du roi, lui écrit-elle, je me tairais, mais toujours sans lui et avec tout ce qui est de plus mauvais à Paris et de plus jeune que la reine ; cette charmante reine est presque la plus âgée de toute cette compagnie ! Ces gazettes, ces feuilles, qui faisaient l'agrément de mes jours, qui marquaient des bienfaits et des traits les plus généreux de ma fille, sont changées ; on n'y trouve que courses de chevaux, jeux de

> hasard et veilles, de façon que je n'ai plus voulu les voir, mais je ne peux empêcher qu'on m'en parle, car tout le monde qui connaît ma tendresse pour mes enfants me parle, me conte d'eux. J'évite souvent de me trouver en compagnie pour n'entendre des choses affligeantes.

Mais toutes ces représentations n'ont pas d'effet sur la jeune femme insensée, qui va jusqu'à ne plus comprendre qu'on ne la comprenne pas. La vie n'est-elle point faite pour qu'on en jouisse ! Avec une franchise émouvante, elle répond aux remontrances maternelles par cette phrase à l'ambassadeur Mercy : « Que me veut-elle ? J'ai peur de m'ennuyer. »

« J'ai peur de m'ennuyer » : cette parole de Marie-Antoinette est le mot de son temps et de toute sa société. Le XVIIIe siècle touche à sa fin, il a accompli sa tâche. Le royaume est fondé, Versailles est construit, l'étiquette parfaite, la cour désœuvrée ; sans guerres, les maréchaux ne sont plus que des marionnettes en uniforme, les évêques, en présence d'une génération incroyante, que de galants seigneurs en soutanes violettes ; la reine, n'ayant ni vrai roi à ses côtés, ni dauphin à élever, se contente d'être une joyeuse mondaine. Traqués par l'ennui, tous ces gens restent insensibles aux flots puissants d'une époque qui s'avance impétueuse ; et si parfois ils y plongent leurs mains curieuses, c'est pour en retirer quelques cailloux scintillants ou pour jouer avec l'élément formidable, en riant comme des enfants de l'écume légère qui jaillit sur leurs doigts. Mais pas un ne voit la montée de plus en plus rapide des flots ; et lorsqu'ils s'aperçoivent enfin du danger, la fuite n'est plus possible, le jeu est fini, la vie menacée.

CHAPITRE IX

TRIANON

De sa main frivole et légère Marie-Antoinette s'empare de la couronne comme d'un cadeau inattendu ; elle est encore trop jeune pour savoir que la vie ne donne rien gratuitement et que sur tout ce qu'on reçoit du destin le prix est secrètement marqué. Ce prix, Marie-Antoinette ne songe pas à le payer. Elle prend les droits de la royauté sans s'acquitter des devoirs. Elle veut unir deux choses humainement incompatibles : elle veut gouverner et jouir à la fois. Reine, elle veut que tout serve ses désirs en même temps qu'elle cédera sans hésitation à son moindre caprice ; elle veut les pleins pouvoirs de la souveraine et la liberté de la femme ; elle entend jouir doublement de sa fougueuse jeunesse.

Mais à Versailles la liberté n'est pas possible. Il n'est pas commode de faire un pas, sans qu'on le sache, entre ces glaces éblouissantes. Tout geste est réglé, toute parole transportée par une brise traîtresse. Il n'y a ici ni solitude, ni tête à tête, ni repos, ni détente ; le roi est le centre d'un tableau immense qui indique, avec une impitoyable régularité, tout acte du lever au coucher, de la naissance à la mort ; l'heure même de l'amour devient un acte d'État. Le souverain, à qui tout appartient, ne s'appartient pas. Mais Marie-Antoinette a horreur de tout contrôle ; à peine est-elle reine qu'elle demande à son accommodant mari un refuge où elle puisse ne pas l'être. Et Louis XVI mi-faible, mi-galant, lui donne le petit château d'été de Trianon qui devient un deuxième et minuscule royaume, sa propriété privée au centre du grand royaume de France.

Il est de peu d'importance en soi ce Trianon dont Louis XVI fait présent à Marie-Antoinette, mais c'est un jouet qui la ravira et occupera son désœuvrement pendant plus de dix ans. Celui qui le fit construire n'avait jamais destiné ce petit château au séjour permanent d'une famille royale, mais uniquement au rôle de maison de plaisir, de pied-à-terre, et c'est ainsi que Louis XV avec sa du Barry, et d'autres dames de rencontre, l'avait largement utilisé comme nid d'amour secret. Un mécanicien ingénieux avait même inventé pour les soupers galants du roi bien-aimé une table mobile, de sorte que le repas servi montait discrètement de l'office souterrain dans la salle à manger et qu'aucun serviteur ne pouvait épier les orgies du festin; pour cet accroissement des commodités érotiques, le brave Leporello toucha une récompense particulière de douze mille livres, à ajouter aux sept cent trente-six mille qu'avait coûtées au trésor cette maison de plaisir. Encore tout palpitant de ces tendres scènes, le petit château passe à Marie-Antoinette. Elle a maintenant son joujou, un des plus exquis qu'ait jamais inventés le goût français; des contours gracieux, des proportions achevées, le véritable écrin qui convient à une reine jeune et élégante. D'une architecture simple, rappelant légèrement l'antique, d'un blanc éblouissant au milieu de la tendre verdure des jardins, complètement isolée et cependant tout près de Versailles, cette résidence d'une favorite – maintenant celle d'une reine – n'est guère plus vaste qu'une villa moderne, guère plus confortable ni plus luxueuse : sept ou huit pièces en tout, entrée, salle à manger, petit salon, grand salon, chambre à coucher, salle de bains, bibliothèque en miniature (*lucus a non lucendo*, car selon les témoignages unanimes Marie-Antoinette, durant toute sa vie, n'a jamais ouvert un livre, à part quelques romans feuilletés à la hâte). La reine ne change pas grand-chose au décor; avec un goût sûr, elle n'introduit rien de pompeux, de fastueux, de grossièrement coûteux dans cet intérieur destiné à l'intimité; au contraire, elle y fait régner une clarté, une délicatesse, une réserve caractéristique de ce nouveau style qui porte le nom de Louis XVI aussi injustement que l'Amérique celui d'Améric Vespuce. Il devrait avoir pour marraine cette femme délicate, élégante, remuante, s'appeler style Marie-Antoinette, car rien dans sa grâce fragile, ne rappelle Louis XVI, cet homme lourd, aux goûts communs ; tout y évoque la légère et ravissante silhouette féminine dont le portrait, aujourd'hui encore, orne les murs ; d'une parfaite unité, du lit à la boîte à poudre, du clavecin à l'éventail d'ivoire, de la chaise-longue à la miniature, n'utilisant que des matériaux de choix sous les formes les plus discrètes, apparemment fragile et cependant durable, unissant la ligne antique à la grâce française, ce style, qui nous paraît encore très séduisant, affirme comme nul autre avant lui la domination victorieuse de la femme, le règne du goût et du raffinement féminins en France. Il remplace la pompe dramatique du Louis XIV et du Louis XV par l'intimité et la musicalité. Au lieu des salles de réception aux échos lointains, le salon, où l'on cause et s'épanche avec abandon, est devenu le centre de la maison ; des boiseries dorées et sculptées ont été substituées au marbre froid, des soieries souples et scintillantes au velours étouffant, au lourd brocart. Les nuances tendres et pâles, crème mat, rose pêche, bleu printanier, inaugurent leur règne discret : cet art est celui de la femme et du printemps, des fêtes galantes et des rendez-vous insouciants ; on ne recherche pas la splendeur agressive, le décor théâtral, mais au contraire la discrétion, l'amortissement de tout éclat ; au lieu d'accentuer le pouvoir de la reine, tous les objets qui l'entourent doivent refléter tendrement le charme de la jeune femme. Ce n'est qu'à l'intérieur de ce cadre délicieux et intime que les gracieuses statuettes de Clodion, les toiles de Watteau et de Pater, la musique argentine de Boccherini et toutes les autres créations élégantes du XVIIIe siècle acquièrent leurs justes et véritables proportions ; nulle part, cet enjouement incomparable, cette insouciance heureuse, à la veille de la grande tourmente, ne sont aussi vrais et aussi éthérés. Trianon restera à jamais le vase le plus gracieux, le plus fin, et cependant imbrisable, de cette délicate floraison ; ici le raffinement, le culte de la jouissance est devenu un art, s'est totalement incarné en une seule demeure, en une seule image.

Ce Trianon est un monde en miniature : de ses fenêtres – fait symbolique – on n'a de vue ni sur la ville, ni sur Paris, ni sur la campagne, sur rien qui ait rapport avec la vie véritable. Ses quelques toises de terrain sont traversées en quelques minutes, et cependant ce minuscule espace a une plus grande signification, est plus important pour Marie-Antoinette que la France entière avec ses vingt millions de sujets. Car ici elle ne se sent soumise à rien, ni au cérémonial ni à l'étiquette, à peine aux bonnes mœurs. Pour bien faire savoir que sur ce lambeau de terre elle est seule à gouverner, tous les ordres sont donnés, au scandale de la cour qui observe strictement la loi salique, non au nom de son époux, mais au sien propre : « de par la reine » ; les domestiques ne portent pas la livrée royale, mais la sienne, qui est rouge et argent. Son mari même n'apparaît à Trianon qu'en visiteur commode et discret ; il n'arrive jamais à un moment inopportun, ou sans être invité, et respecte rigoureusement les droits domestiques de son épouse. Mais cet homme simple y vient volontiers, car on y est plus à l'aise qu'au grand château de Versailles ; « Par ordre de la reine » toute rigidité et toute convention en sont bannies, on n'y tient pas de cour, on s'installe sur l'herbe, sans chapeau, en vêtements libres et légers ; les préséances hiérarchiques disparaissent dans l'intimité joyeuse, toute raideur et parfois même toute dignité s'évanouissent. La reine s'y sent tellement à l'aise, s'habitue si bien à ce mode d'existence sans contrainte qu'il lui pèse bientôt de retourner le soir à Versailles. Maintenant qu'elle a goûté à cette liberté champêtre, la cour lui devient plus étrangère, les devoirs royaux plus ennuyeux, et c'est de plus en plus souvent qu'elle se réfugie des journées entières dans son gai pigeonnier. Ce qui même lui plairait, ce serait d'habiter constamment son Trianon. Et comme Marie-Antoinette fait toujours en définitive ce qui lui plaît, elle s'installe en effet à demeure dans sa résidence estivale. On y aménage une chambre à coucher, avec, il est vrai, un lit à une place, où le roi, si gros, ne pourrait guère tenir. Désormais l'intimité conjugale, comme tout le reste, ne dépend plus des désirs du roi, et Marie-Antoinette ne rend visite à son brave mari, comme la reine de Saba à Salomon, que lorsqu'elle en a la fantaisie (ou que sa mère proteste trop fort contre le « lit à part »). Pas une seule fois il ne partage son lit; car Trianon est pour Marie-Antoinette la terre réservée et bienheureuse, consacrée uniquement à la galanterie et aux plaisirs; et à ceux-ci elle n'a jamais joint ses devoirs, les devoirs conjugaux moins encore que tout autre. Ici elle veut vivre sans entraves, pour elle seule, n'être que la jeune femme adulée, adorée, sans mesure, qui entre mille occupations frivoles oublie tout, le royaume, l'époux, la cour, le temps, l'univers, et qui parfois – ce qui peut-être représente ses instants les plus heureux – va jusqu'à l'oubli d'elle-même.

Trianon donne enfin à cette âme désœuvrée une occupation, un amusement qui se renouvelle sans cesse. De même que Marie-Antoinette commande robe sur robe à la marchande de modes, bijou sur bijou au joaillier de la cour, de même elle a toujours quelque chose de nouveau à ordonner pour l'embellissement de son royaume; à côté de la couturière, du bijoutier, du maître de musique et de danse, apparaissent maintenant l'architecte, le dessinateur de jardins, le peintre, le décorateur, tous ces nouveaux ministres de son royaume en miniature qui occupent ses loisirs si longs, si terriblement longs, tout en vidant sans façon le trésor de l'État. Le principal souci de Marie-Antoinette c'est son jardin, car, bien entendu, il ne peut en rien rappeler celui de Versailles et doit être le plus moderne, le plus à la mode, le plus original, le plus coquet de l'époque, bref, le véritable et authentique jardin rococo. Ici encore, consciemment ou inconsciemment, Marie-Antoinette, par ce désir, exprime le goût nouveau de l'époque. On est las des pelouses tracées au cordeau par le maréchal des jardins Le Nôtre, des haies taillées aux ciseaux, las des ornements froidement conçus à la table du dessinateur et orgueilleusement destinés à prouver que le Roi-Soleil a imposé la forme qu'il voulait non seulement au royaume, à la noblesse, aux classes, à la nation, mais aussi au paysage. On est rassasié de cette géométrie verte, fatigué de ce « massacre de la nature » comme pour tout le malaise culturel de l'époque c'est encore « l'en dehors » Jean-Jacques Rousseau qui trouve ici le terme libérateur en réclamant dans sa *Nouvelle Héloïse* un « parc naturel ».

Marie-Antoinette, sans doute, n'a jamais lu la *Nouvelle Héloïse*, elle ne connaît Jean-Jacques – si elle le connaît – que comme compositeur d'une bluette musicale, *le Devin du village*. Mais les conceptions de Rousseau sont dans l'air. Ducs et marquises ont les larmes aux yeux quand on leur parle de ce noble défenseur de l'innocence (*homo perversissimus* dans la vie privée). Ils lui sont reconnaissants, eux qui ont déjà abusé de tant d'excitants, de leur en avoir heureusement découvert un nouveau : pour chatouiller leurs nerfs ils ont maintenant la fausse naïveté, la fausse innocence, le masque du naturel. Bien entendu, Marie-Antoinette, elle aussi, veut un paysage « innocent ». Elle réunit donc les artistes les meilleurs, les plus raffinés de l'époque, afin qu'ils s'ingénient, à force d'artifices, à lui créer un jardin supra-naturel.

Car – mode de l'époque ! – on veut représenter dans ce « jardin anglo-chinois » non seulement la nature, mais toute la nature, montrer dans un microcosme de quelques kilomètres carrés le cosmos complet. Ce terrain minuscule doit tout réunir, essences de France, des Indes, d'Afrique, tulipes de Hollande, magnolias du Midi, lac et rivière, montagne et grotte, ruines romantiques et maisons de campagne, temples grecs et perspectives orientales, moulins à vent hollandais, le nord et le sud, l'est et l'ouest, le naturel et l'étrange, et tout cela, bien qu'artificiel, doit donner le plus possible l'idée du vrai ; l'architecte a même, au début, l'intention de styliser sur ce lambeau de terre une pagode chinoise et un volcan crachant des flammes ; on se rend compte heureusement que son projet coûterait trop cher. Pressés par l'impatience de la reine, des centaines d'ouvriers commencent, d'après les plans des architectes et des dessinateurs, les travaux qui doivent faire sortir comme par enchantement du paysage réel un site que l'on veut le plus naturel et le plus pittoresque qui soit. On fait serpenter dans les prés un ruisseau au doux murmure idyllique, accessoire indispensable de toute véritable pastorale ; il est vrai qu'on doit amener l'eau de Marly dans des tuyaux de deux mille pieds de long, et qu'il coule là-dedans autant d'argent que d'eau, mais qu'importe, puisque les méandres du ruisseau ont un aspect naturel et charmant ! Celui-ci passe avec empressement sous des ponts gracieux, porte élégamment l'éclatante blancheur des cygnes, déverse ses eaux en clapotant doucement dans un lac artificiel où s'élève une île également artificielle. Bientôt, comme sorti d'un poème anacréontique, se dresse un rocher couvert de mousse artificielle avec une grotte d'amour dissimulée et un belvédère romantique. Rien ne laisse soupçonner que ce paysage d'une attendrissante candeur fut tout d'abord tracé sur d'innombrables feuilles coloriées et que furent établis vingt modèles en plâtre, où le lac et le ruisseau étaient figurés par des fragments de miroirs, les arbres et les gazons par de la laine teinte en vert et de la mousse comme dans les crèches de Noël. Mais ce n'est pas tout ; chaque année la reine a de nouveaux désirs, des perspectives toujours plus recherchées et plus « naturelles » doivent embellir son royaume, et pour opérer ces nouvelles transformations elle ne veut même pas attendre que les vieilles additions soient payées ; elle a son joujou et ne veut pas s'arrêter de jouer. Des petits bijoux, qui semblent là comme par hasard, et dont l'emplacement a pourtant été bien calculé à l'avance par ses architectes romantiques, viennent s'adapter à son jardin et en augmenter le charme. Un petit temple de l'amour, le dieu du temps, s'élève sur un tertre ; sa rotonde, ouverte à l'antique, montre une des plus belles sculptures de Bouchardon, un Amour qui taille son arc dans la masse d'Hercule. Une grotte est creusée dans le rocher, de façon si ingénieuse que les amoureux aperçoivent à temps les gens qui s'approchent et ne se laissent pas surprendre au milieu de leurs effusions. Des sentiers en lacets sont tracés dans le bois, les pelouses sont parsemées de fleurs rares ; bientôt, à travers un voile de verdure, on voit luire l'octogone blanc d'un petit pavillon de musique ; et tout cela uni et fondu avec tant de goût que vraiment on ne sent plus l'artifice à travers le charme.

Mais la mode est encore plus exigeante. Pour copier la nature avec plus de subtilité, pour donner aux coulisses une apparence de vérité plus raffinée, pour rendre le pastiche encore plus exact, on introduit dans cette pastorale, la plus achevée et la plus coûteuse de tous les temps, de vrais figurants : paysans et paysannes authentiques, vraies vachères avec de vraies vaches, veaux, cochons, brebis et lapins, vrais faucheurs, moissonneurs, bergers, fromagers, chasseurs et lavandières, afin qu'ils fauchent, traient, lavent, engraissent la terre, et que le jeu ne cesse pas un seul instant. Un nouvel emprunt, plus important cette fois, à la caisse, et, sur l'ordre de Marie-Antoinette, on tire de la boîte à jouets un théâtre de marionnettes de grandeur nature avec étables, granges, basses-cours, pigeonniers et meules de foin, le fameux hameau. Le grand architecte Mique et le peintre Hubert Robert tracent, ébauchent, construisent huit fermes exactement copiées sur les fermes ordinaires, avec toits de chaume, basses-cours et tas de fumier. Comme il faut à tout prix que ces constructions postiches, flambant neuf au sein de cette nature coûteuse, paraissent vraies, on imite extérieurement jusqu'à l'indigence et la misère des vraies huttes de pauvres ; à coups de marteau on simule des lézardes dans les murs, on leur donne un aspect romantique et délabré en grattant la chaux, on enlève çà et là quelques bardeaux ; Hubert Robert fait peindre sur le bois des fentes artificielles, les cheminées sont barbouillées de suie. En revanche, à l'intérieur, ces maisonnettes apparemment délabrées sont pourvues de toutes les commodités, poêles et glaces, billards et canapés confortables. Car si la reine s'ennuie et veut jouer au Jean-Jacques Rousseau, c'est-à-dire fabriquer du beurre de ses propres mains, en compagnie de ses dames d'honneur, il est inadmissible qu'en le faisant elle se salisse les doigts. Quand elle se rend à l'étable auprès de ses vaches Blanchette et Brunette, le sol, naturellement, est au préalable astiqué comme un parquet par une main invisible, le poil des bêtes étrillé jusqu'à en devenir d'un blanc de neige ou d'un brun mordoré, et le lait mousseux apporté, non pas dans de grossières terrines de paysans, mais dans des vases de porcelaine fabriqués spécialement à Sèvres et marqués à son monogramme. Ce hameau, qui charme aujourd'hui par son abandon, était pour Marie-Antoinette un théâtre en plein air, une comédie champêtre frivole, presque provocante par sa frivolité. Car, tandis que dans toute la France les paysans s'émeuvent déjà, que le peuple écrasé d'impôts s'agite et se révolte en réclamant une amélioration à son intenable situation, il règne, dans ce hameau truqué à la Potemkine, un bien-être qui jure maladroitement avec la réalité. N'y mène-t-on point paître les brebis attachées à un ruban bleu, cependant que sous une ombrelle, portée par une dame de la cour, la reine regarde les lavandières tremper le linge dans le ruisseau gazouillant ! Quoi de plus beau que ces mœurs délicieuses et commodes, de plus délicat et charmant que ce monde paradisiaque. La vie y est claire et pure comme le lait qui jaillit du pis de la vache. On porte des robes de fine mousseline, d'une simplicité champêtre (et on se fait peindre dans ces modestes atours pour quelques milliers de livres) ; on s'adonne à d'innocents plaisirs, on cultive le « goût de la nature » avec toute la frivolité des blasés. On pêche, on cueille des fleurs, on se promène – rarement seul – dans les sentiers qui serpentent, on court à travers les prés, on regarde travailler les braves faux paysans, on joue à la balle, on danse le menuet et la gavotte sur des prairies fleuries au lieu de glisser sur des carrelages, on suspend des escarpolettes entre les arbres, on construit un jeu de bague chinois, on se perd et on se retrouve parmi les petites fermes et dans les allées ombragées, on monte à cheval, on s'amuse, on fait jouer la comédie au cœur de ce théâtre naturel, et enfin on finit par la jouer soi-même aux autres.

Cette passion est la dernière de Marie-Antoinette. Elle commence par se faire construire un petit théâtre privé, conservé jusqu'à ce jour, et ravissant dans ses mignonnes proportions – ce caprice ne coûte que 141.000 livres – où doivent jouer des comédiens italiens et français ; puis, tout à coup, avec audace et décision, elle saute elle-même d'un bond sur la scène. Ses joyeux comparses se passionnent à leur tour pour les spectacles ; son beau-frère, le comte d'Artois, la Polignac et ses amis jouent volontiers la comédie avec elle ; le roi lui-même vient de temps en temps admirer sa femme en comédienne ; ainsi, le joyeux carnaval, à Trianon, dure toute l'année. On donne des fêtes en l'honneur de l'époux, du frère, des princes étrangers à qui Marie-Antoinette veut montrer son royaume enchanté : mille flammes cachées, et reflétées par des verres multicolores, scintillent dans les ténèbres comme des améthystes, des rubis et des topazes, tandis que des gerbes de feu déchirent le ciel en crépitant et qu'une musique invisible, toute proche, se répand avec suavité. On dresse des banquets de plusieurs centaines de couverts, on monte des boutiques foraines, on danse et on s'amuse, cependant que le paysage candide sert docilement de décor raffiné à tout ce luxe. Non, on ne s'ennuie pas au sein de la « nature ». Marie-Antoinette ne s'est pas retirée à Trianon pour y méditer, mais pour mieux se divertir et plus librement.

Le compte total des sommes dépensées pour Trianon n'a été produit que le 31 août 1791 ; il accusait 1.649.529 livres, mais en réalité, avec les dépenses dissimulées, il dépassait deux millions, somme sans importance à côté de tous les gaspillages de la cour, mais quand même excessive par rapport au bouleversement des finances et à la misère générale. Devant le tribunal révolutionnaire, la « veuve Capet », elle-même, sera forcée d'en convenir :

> Il est possible, avoue-t-elle, que le Petit Trianon ait coûté des sommes immenses, peut-être plus que je n'aurais désiré ; on avait été entraîné dans les dépenses peu à peu.

Mais le caprice de la reine a coûté plus cher encore du point de vue politique. Car en laissant toute sa cour inoccupée à Versailles, elle lui enlève sa raison d'être. La dame qui a pour tâche de lui tendre ses gants, celle qui lui avance respectueusement sa chaise percée, les dames d'honneur et les gentilshommes, les mille gardes, les serviteurs et les courtisans, que deviennent-ils maintenant que leur besogne est supprimée ? Toute la journée ils sont là inactifs dans l'Œil-de-Bœuf ; mais, malheureusement, de même qu'une machine inutilisée est vite rongée par la rouille, de même le poison de l'amertume envahit peu à peu toute cette cour négligemment abandonnée. Bientôt la haute société en vient à éviter, avec une secrète unanimité, les fêtes de la cour; que l'orgueilleuse « Autrichienne » s'amuse toute seule dans son « petit Schoenbrunn », se dit cette aristocratie, aussi ancienne que la Maison de Habsbourg, et qui se respecte trop pour se contenter d'un froid et rapide signe de tête aux grandes réceptions. L'esprit frondeur de la haute noblesse française s'affirme de plus en plus ouvertement à l'égard de la reine, depuis que celle-ci a quitté Versailles, et le duc de Lévis décrit la situation avec une grande précision :

> Dans l'âge des plaisirs et de la frivolité, dans l'ivresse du pouvoir suprême, la Reine n'aimait pas à se contraindre; l'étiquette et les cérémonies lui causaient de l'impatience et de l'ennui. On lui prouva... que, dans un siècle aussi éclairé, où l'on faisait justice de tous les préjugés, les souverains devaient s'affranchir de ces entraves gênantes que la coutume leur imposait; enfin, qu'il était ridicule de penser que l'obéissance des peuples tînt au plus ou moins d'heures que la famille royale passait dans un cercle de courtisans ennuyeux et ennuyés... Excepté quelques favoris que le caprice ou l'intrigue désigna, tout le monde fut exclu. Le rang, les services, la considération, la haute naissance, ne furent plus des titres pour être admis dans l'intimité de la famille royale. Seulement le dimanche, les personnes présentées pouvaient pendant quelques instants voir les princes. Mais elles se dégoûtèrent pour la plupart de cette inutile corvée, dont on ne leur savait aucun gré; elles reconnurent à leur tour qu'il y avait de la duperie à venir de si loin pour n'être pas mieux accueillies et s'en dispensèrent... Versailles, ce théâtre de la magnificence de Louis XIV, où l'on venait avec tant d'empressement de toute l'Europe prendre des leçons de bon goût et de politesse, n'était plus qu'une petite ville de province, où l'on n'allait qu'avec répugnance et dont on s'en allait le plus vite possible.

Ces dangers, Marie-Thérèse les avait prévus lorsqu'elle écrivait à sa fille au sujet de l'étiquette :

> J'en connais tout l'ennui et le vide ; mais croyez-moi, s'il n'y en a pas, les inconvénients qui en résultent sont bien plus essentiels que les petites incommodités de la représentation, surtout chez vous, avec une nation si vive...

Mais là où Marie-Antoinette ne veut pas comprendre, il ne sert à rien de faire appel à sa raison. Que d'histoires parce qu'elle demeure à quelques pas de Versailles ! Mais en réalité, ces quelques pas l'éloignent à jamais et du peuple et de la cour. Si Marie-Antoinette était restée à Versailles, au milieu de la noblesse française et des coutumes traditionnelles, elle aurait eu à ses côtés, à l'heure du danger, les princes, les gentilshommes, l'armée des aristocrates. Si, d'autre part, comme son frère Joseph, elle avait essayé de se rapprocher du peuple, des centaines de milliers de Parisiens, des millions de Français l'eussent adorée. Mais Marie-Antoinette, individualiste absolue, ne veut plaire ni aux aristocrates ni au peuple, elle ne pense qu'à elle-même, et le Trianon, ce caprice parmi ses caprices, la rend aussi impopulaire auprès du tiers état que du clergé et de la noblesse ; parce qu'elle voulut être trop seule dans son bonheur, elle sera solitaire dans son malheur et devra payer ce jouet frivole de sa couronne et de sa vie.

CHAPITRE X

LA NOUVELLE SOCIÉTÉ

A peine Marie-Antoinette s'est-elle installée dans sa joyeuse maison que l'on commence déjà à manœuvrer énergiquement le balai. Tout d'abord, au diable les vieux ! Ils sont ennuyeux et laids, ne savent ni danser ni vous amuser, et prêchent toujours la prudence et la réflexion ; de ces éternels recommandations et conseils de modération, la jeune femme, pleine de vie, a été saturée au temps où elle était dauphine. Au diable donc la comtesse de Noailles, cette gouvernante rigide ; une reine n'a plus besoin d'être éduquée, elle fait ce qu'elle veut ! Que l'abbé Vermond, le confesseur et conseiller que lui a donné sa mère, se tienne à une distance respectable. Qu'on écarte tous ceux qui exigent d'elle un effort intellectuel ou moral ! Elle ne veut autour d'elle que des jeunes, de gais lurons qui ne gâchent pas, par une gravité intempestive, les jeux et les badinages de la vie ! Peu importe que ces camarades de plaisirs soient ou non de haut rang, d'origine noble, de renom honorable ! On ne leur demande pas non plus d'être particulièrement instruits ou intelligents – les gens cultivés sont pédants et les gens intelligents méchants – il suffit d'être très spirituel, de savoir conter des anecdotes piquantes et de faire bonne figure aux fêtes. De l'amusement, de l'amusement encore et toujours, c'est l'unique chose que Marie-Antoinette réclame de son cercle étroit. C'est ce qui fait qu'elle s'entoure de « tout ce qui est de plus mauvais à Paris et de plus jeune », ainsi que le dit en soupirant Marie-Thérèse, d'une « soi-disant société », remarque avec mécontentement son frère Joseph II, d'un clan apparemment insouciant, mais en réalité foncièrement égoïste, qui se fait payer sa tâche facile de maître de plaisirs par les plus grosses prébendes et qui glisse secrètement dans ses poches d'arlequin, pendant les jeux galants, les pensions les plus lucratives.

Un seul monsieur ennuyeux vient troubler de temps en temps la joyeuse compagnie. Mais on ne pourrait pas l'écarter sans difficultés, puisqu'il est – on l'oublierait presque – l'époux de cette femme enjouée, et, ceci mis à part, le roi de France. Sincèrement épris de sa charmante épouse, Louis le Complaisant se rend parfois à Trianon, après en avoir, bien entendu, demandé l'autorisation ; il regarde, heureux et fier, les jeunes gens s'amuser, essaye quelquefois de faire de timides reproches, quand on dépasse avec trop d'insouciance la limite des convenances, ou lorsque les dépenses montent trop vertigineusement ; mais alors la reine se contente de rire, et ce rire arrange tout. Les joyeux compagnons, eux aussi, ont une sorte de sympathie condescendante pour le roi, qui ne refuse jamais, en bon garçon docile, d'apposer sa signature, bien calligraphiée, sous tous les décrets par lesquels la reine leur procure les plus belles situations. Toujours bon enfant, il ne les gêne d'ailleurs jamais longtemps, et ne reste qu'une ou deux heures, puis il regagne Versailles où il retrouve sa forge ou sa bibliothèque. Un soir qu'il ne se retire pas assez vite et que la reine est impatiente de partir pour Paris avec sa joyeuse société, elle avance en cachette la pendule d'une heure, et le roi, sans s'apercevoir de cette petite supercherie, va, docile comme un agneau, se coucher à dix heures au lieu de onze, cependant que toute l'élégante canaille rit à se tordre.

Ces plaisanteries, certes, ne contribuent pas à renforcer la dignité royale. Mais que faire à Trianon d'un homme aussi maladroit, aussi balourd ? Il ne sait ni rire ni conter des anecdotes piquantes. Peureux et craintif, il est là assis au milieu de l'allègre société avec la mine de quelqu'un qui souffre de l'estomac ; il bâille de sommeil alors que les autres ne commencent à se mettre vraiment en train que vers minuit. Il ne va pas aux bals masqués, ne joue pas aux jeux de hasard, ne fait la cour à aucune femme, non, en vérité, on n'a que faire de lui. A Trianon, dans le royaume du rococo, dans ce pays d'Arcadie où règnent la joie et la frivolité, ce brave homme ennuyeux n'est pas à sa place.

Le roi ne compte donc pas comme membre de cette nouvelle société. De son côté, son frère, le comte de Provence, qui dissimule son ambition sous une apparente indifférence, juge prudent de ménager sa dignité en ne fréquentant pas ces jeunes fats. Mais comme il est nécessaire que quelque parent accompagne la reine dans ses parties de plaisirs, c'est le frère cadet de Louis XVI, le comte d'Artois, qui joue le rôle d'ange gardien. Léger, frivole, impudent, mais souple et adroit, il souffre de la même inquiétude que Marie-Antoinette, comme elle il a l'obsession de l'ennui et des choses sérieuses. Homme à femmes, dissipateur, fanfaron, plus effronté que courageux, plus pétillant qu'ardent, il conduit la troupe folâtre partout où il y a du nouveau : sport, mode ou divertissement, et bientôt, à lui seul, il est plus endetté que le roi, la reine et toute la cour. Mais tel qu'il est, justement, il convient de façon admirable à Marie-Antoinette. Elle n'estime guère cet impertinent étourneau, et l'aime moins encore, quoi qu'en disent les mauvaises langues ; il n'est pour elle qu'une sorte de paravent. Frère et sœur dans leur soif furieuse de plaisirs, ils forment bientôt un couple inséparable.

Le comte d'Artois est le commandant accrédité de la garde du corps avec laquelle Marie-Antoinette fait ses escapades quotidiennes, diurnes et nocturnes, dans tous les milieux joyeux et oisifs ; cette troupe, en somme, est petite, et les sous-chefs y changent constamment. La reine indulgente pardonne à ses trabans toutes les fautes, dettes et prétentions, insolences et familiarités, aventures galantes et esclandres, mais celui qui commence à l'ennuyer perd aussitôt sa faveur. Pendant un certain temps, c'est le baron de Besenval, un gentilhomme suisse de cinquante ans, brusque et bruyant comme un vieux soldat, qui a la haute main sur la petite troupe, puis c'est le duc de Coigny, « un des plus constamment favorisés et le plus consulté. A eux deux, ainsi qu'à l'ambitieux duc de Guines et au comte hongrois Esterhazy, est dévolue la tâche singulière de soigner la reine pendant sa rougeole ; à ce sujet, la cour, malicieuse, se demande quelles sont les quatre dames d'honneur que le roi choisirait dans les mêmes circonstances. Le comte de Vaudreuil, amant de la comtesse de Polignac, favorite de la reine, conserve toujours son rôle ; le prince de Ligne, le plus fin, le plus intelligent de tous, reste un peu à l'arrière-plan ; c'est le seul qui ne tire pas de sa situation à Trianon de riches rentes, le seul aussi, qui, plus tard, dans ses *Souvenirs*, respectera la mémoire de « sa » reine. Deux étoiles filantes de ce ciel d'Arcadie, le « beau » Dillon et surtout ce jeune fou de duc de Lauzun, mettent en danger, à un certain moment, la virginité involontaire de la reine. Ce n'est qu'avec difficulté, et grâce à d'énergiques efforts, que l'ambassadeur Mercy réussit à écarter ce jeune écervelé avant qu'il n'ait conquis davantage que la simple sympathie de Marie-Antoinette. Le comte d'Adhémar chante joliment en s'accompagnant de la harpe et joue bien la comédie : cela suffit pour lui procurer le poste d'ambassadeur à Bruxelles et ensuite à Londres. Les autres préfèrent rester sur place et pêcher en eau trouble les situations les plus lucratives de la cour. Aucun de ces gentilshommes, à l'exception du prince de Ligne, n'a une réelle valeur intellectuelle, aucun d'eux n'a l'ambition de mettre au service de la politique le pouvoir que lui assure l'amitié de la reine ; pas un des héros des bals masqués de Trianon n'est devenu un vrai héros de l'Histoire. Et Marie-Antoinette, intérieurement, n'en a vraiment estimé aucun. A plusieurs de ces gentilshommes la jeune coquette a permis plus de familiarité que n'en autorisait son rang royal, mais à nul d'eux, et c'est un point capital, elle ne s'est donnée, ni moralement ni physiquement. Celui qui sera l'unique, le seul qui doive à jamais gagner son cœur, est encore dans l'ombre. Et les ébats de cette folle coterie ne servent peut-être qu'à mieux dissimuler son approche et sa présence.

Plus dangereuses que ces gentilshommes douteux et changeants sont les amies de la reine ; avec elles des forces émotives mystérieuses entrent en jeu. Marie-Antoinette est très normale, très féminine et très tendre, elle a un grand besoin d'abandon et de tendresse, besoin inapaisé pendant ces premières années près d'un époux apathique et endormi. Très franche, elle aimerait confier à quelqu'un ses combats intérieurs, et puisque, au nom des mœurs, ce ne peut être à un homme, à un ami – ou du moins pas encore – Marie-Antoinette, au début, cherche involontairement une amie.

La tendresse particulière qui vibre dans les affections féminines de Marie-Antoinette est toute naturelle. A seize ou dix-huit ans, bien que mariée – en apparence – Marie-Antoinette se trouve moralement à l'âge typique des amitiés de pension et dans les dispositions typiques également favorables à ces amitiés. Arrachée trop tôt à sa mère, à l'éducatrice sincèrement aimée, placée aux côtés d'un être lourdaud et grossier, elle n'a jamais pu épancher son âme dans une autre âme, donner libre cours à cet abandon confiant qui est le propre de la jeune fille, comme le parfum est celui de la fleur. Toutes ces puérilités, les rires étouffés dans les coins, les promenades la main dans la main, le bras passé autour de la taille, la candide adoration réciproque, tous ces symptômes naïfs de « l'éveil du printemps » n'ont pas encore eu la possibilité de se manifester chez cette adolescente. A seize ans comme à vingt ans, Marie-Antoinette n'a pas encore été sincèrement éprise comme on l'est dans l'enfance et la jeunesse ; ce n'est pas l'élément sexuel qui se déchaîne dans sa furieuse agitation, c'en est le pressentiment timide, l'exaltation. Il était donc inévitable que les premiers rapports de Marie-Antoinette avec ses amies fussent des plus tendres, mais cette attitude d'une reine, contraire aux conventions, la cour l'interprète aussitôt méchamment. Trop raffinée et pervertie, elle ne peut plus comprendre le naturel ; bientôt des murmures et des bruits se répandent sur les penchants saphiques de la reine. « On m'a très libéralement supposé les deux goûts, celui des femmes et des amants », écrit-elle à sa mère, avec la sûreté de l'innocence, en toute franchise et gaieté ; sa sincérité hautaine méprise la cour, l'opinion publique, le monde. Elle ne connaît pas encore la puissance de la calomnie aux mille langues et s'abandonne sans réserve à la joie inattendue de pouvoir enfin chérir et se confier, sacrifiant toute prudence pour prouver à ses amies combien elle sait aimer.

La première favorite de la reine, Mme de Lamballe, fut un choix relativement heureux. Appartenant à l'une des premières familles de France, et par conséquent ne convoitant ni argent ni pouvoir, nature tendre et sentimentale, pas très intelligente, mais en revanche pas intrigante, elle répond à l'inclination de Marie-Antoinette par une amitié véritable. Ses mœurs passent pour irréprochables, son influence ne s'étend pas au-delà de la vie privée de la reine, elle ne brigue pas de protections pour ses amis, pour sa famille, ne se mêle ni de politique ni d'affaires d'État. Elle ne tient pas de salle de jeu, n'entraîne pas Marie-Antoinette plus avant dans le tourbillon des plaisirs et lui reste discrètement et silencieusement fidèle jusqu'à ce qu'une mort héroïque vienne à jamais sceller son amitié.

Mais un soir son pouvoir cesse tout à coup comme la lumière d'une bougie que l'on éteint. A un bal de la cour, en 1775, la reine remarque une jeune femme d'une grâce et d'une modestie touchantes, à la silhouette délicate et virginale, au regard bleu d'une angélique pureté ; comme elle ne la connaît pas, elle questionne son entourage et apprend que c'est la comtesse Jules de Polignac. Cette fois, ce n'est pas, comme pour la princesse de Lamballe, une sympathie humaine qui se transforme peu à peu en amitié, mais un intérêt soudain et passionné, un coup de foudre. Marie-Antoinette s'approche de l'étrangère et lui demande pourquoi on la voit si rarement à la cour. La comtesse déclare sincèrement qu'elle n'a pas les moyens de se montrer plus souvent et cette franchise ravit la reine ; quelle âme pure doit avoir cette femme adorable pour oser avouer, dès les premiers mots, avec une aussi attendrissante ingénuité, la honte la plus terrible de ce temps, le manque d'argent ! Ne serait-ce pas pour elle l'amie idéale, cherchée depuis longtemps ? Marie-Antoinette attache immédiatement la comtesse de Polignac à la cour et la comble de privilèges si exceptionnels qu'ils provoquent la jalousie générale : elle se promène publiquement avec elle bras-dessus bras-dessous, l'installe à Versailles, l'emmène partout et va même une fois jusqu'à transporter toute sa cour à Marly, uniquement afin d'être plus près de l'amie adorée qui est sur le point d'accoucher.

Malheureusement cet être candide et délicat, cet ange ne descend pas du ciel, mais d'une famille lourdement endettée, avide de monnayer la faveur inespérée dont jouit un de ses membres ; les ministres des finances en savent bientôt quelque chose ! On paye tout d'abord 400.000 livres de dettes, puis la fille de la favorite touche 800.000 livres de dot, le beau-fils est gratifié d'un brevet de capitaine et un an plus tard d'une propriété qui rapporte soixante-dix mille ducats de rente ; on accorde une pension au père, et le mari complaisant, que remplace à vrai dire depuis longtemps un amant, obtient le titre de duc et un des privilèges les plus lucratifs de France, les postes. La belle-sœur, Diane de Polignac, devient, malgré sa triste réputation, dame d'honneur à la cour ; la favorite, à son tour, est nommée gouvernante des enfants de France et son père ambassadeur, en sus de sa pension ; la famille entière nage dans l'opulence et les honneurs et, en outre, comble de faveurs tous ses amis ; bref ce caprice de la reine, cette famille de Polignac à elle seule coûte à l'État un demi-million de livres par an.

> Il est peu d'exemple d'une faveur, écrit à Vienne l'ambassadeur Mercy épouvanté, qui, en si peu de temps, soit devenue aussi utile à une famille.

La Maintenon, la Pompadour elles-mêmes n'ont pas coûté à l'État plus que cette favorite aux yeux angéliquement baissés, cette douce et modeste Polignac.

Ceux qui ne sont pas entraînés dans le tourbillon voient avec étonnement, sans comprendre, cette indulgence illimitée de la reine qui permet à des gens indignes et sans valeur, à une bande de profiteurs d'abuser de son nom, de sa situation et de sa réputation. Chacun sait que comme intelligence, force d'âme et honnêteté, la reine est cent fois supérieure à ces créatures mesquines qui forment sa société quotidienne. Mais ce qui décide des rapports entre les êtres, c'est l'habileté et non la force, la supériorité de la volonté et non celle de l'esprit. Marie-Antoinette est nonchalante et les Polignac ambitieux, elle est capricieuse et ils sont tenaces, elle est seule et ils forment un clan qui la sépare systématiquement de tout le reste de la cour; ils l'accaparent en l'amusant. En vain le pauvre vieux confesseur Vermond morigène-t-il son ancienne élève en lui faisant le reproche d'être « devenue fort indulgente sur les mœurs et la réputation de ses amis et amies... », en vain lui déclare-t-il avec une audace remarquable que « l'inconduite en tout genre, les mauvaises mœurs, les réputations tarées et perdues sont un titre pour être admis dans sa société ! » Que peuvent ces paroles contre de tendres et douces causeries bras-dessus bras-dessous, que peut la raison contre les combinaisons et la ruse quotidienne ! La Polignac et sa coterie ont la clef magique du cœur de la reine, parce qu'ils l'amusent, parce qu'ils combattent son ennui ; aussi au bout de quelques années Marie-Antoinette est-elle complètement asservie à cette bande de froids calculateurs. Dans le salon de la favorite, l'un soutient les requêtes de l'autre en vue de places et de situations ; on les voit se procurer mutuellement pensions et privilèges, chacun semblant uniquement préoccupé du bonheur de l'autre. C'est ainsi que, pour aller à quelques-uns, passent par les mains de la reine, qui ne voit rien, les dernières ressources du trésor appauvri de l'État. Les ministres sont impuissants. « Faites parler la reine », répondent-ils, en haussant les épaules, à tous les solliciteurs, car en France la reine seule octroie titres et rangs, places et pensions, et elle est invisiblement dirigée par cette femme aux yeux si bleus, cette belle et douce comtesse de Polignac.

Petit à petit le cercle des privilégiés trace autour de Marie-Antoinette une barrière infranchissable. Le reste de la cour sait bientôt que derrière ce mur artificiel s'épanouit le paradis terrestre. Là fleurissent les postes élevés, se distribuent les pensions ; une plaisanterie, un compliment bien tourné, vous permettent d'y cueillir une faveur que d'autres se sont efforcés d'obtenir par des années d'efforts persévérants. Dans ce bienheureux au-delà la gaieté, la joie et l'insouciance règnent éternellement, et toutes les grâces de la terre attendent celui qui a pu pénétrer dans ces champs élyséens de la faveur royale. Rien d'étonnant si tous ceux qui sont rejetés de l'autre côté du mur, si la vieille noblesse qu'on n'admet pas à Trianon, dont la pluie d'or n'arrose jamais les mains également avides, s'aigrit de plus en plus. Sommes-nous moins dignes que ces Polignac ruinés, murmurent les Orléans, les Rohan, les Noailles, les Marsan ? A quoi bon enfin avoir un jeune roi modeste et honnête, un souverain qui n'est pas le jouet de maîtresses, si nous sommes encore obligés de mendier à une favorite, après la Pompadour et la du Barry, ce qui est notre droit ? Allons-nous vraiment supporter d'être traités aussi négligemment, d'être mis à l'écart aussi effrontément, par cette jeune Autrichienne, qui s'entoure de gaillards étrangers et de femmes douteuses au lieu de faire appel à l'aristocratie séculaire du pays ? Les exclus se groupent de plus en plus étroitement ; leurs rangs grossissent chaque année, chaque jour. Bientôt, par les fenêtres de Versailles abandonné, la haine aux cent yeux fixe ses regards sur le monde insouciant et frivole de la reine.

CHAPITRE XI

LA VISITE DU FRÈRE

En 1776 et durant le carnaval de 1777 l'ivresse de plaisirs de Marie-Antoinette atteint subitement son point culminant. La reine mondaine ne manque pas un bal à l'Opéra, une redoute, une course; jamais elle ne rentre chez elle avant l'aube, elle évite toujours le lit conjugal. Elle reste à sa table de jeu jusqu'à quatre heures du matin, ses dettes et ses pertes provoquent déjà le mécontentement public. Désespéré, l'ambassadeur Mercy adresse à Vienne rapport sur rapport, signalant :

> ... l'oubli absolu auquel la reine s'habitue de tout ce qui tient à sa dignité extérieure... et la quasi-impossibilité de la conseiller, les objets de dissipation se succédant avec une telle rapidité qu'il est très difficile de trouver quelques instants à parler de choses sérieuses.

Depuis longtemps, dit-il, on n'a vu Versailles aussi désert que pendant cet hiver; au cours du mois dernier, les occupations, ou plutôt les distractions de la reine n'ont ni diminué ni changé. On dirait qu'un démon s'est emparé de cette jeune femme : jamais elle ne fut plus agitée, plus follement turbulente qu'en cette année décisive.

A tout cela vient s'ajouter un danger nouveau. En 1777, Marie-Antoinette n'est plus la naïve enfant de quinze ans qu'elle était en arrivant en France, mais une femme de vingt-deux ans, dans l'épanouissement de la beauté, séduisante et déjà sensible à la séduction. Il serait plutôt anormal qu'elle restât froide et indifférente dans l'atmosphère érotique et excitante de la cour de Versailles ; toutes ses parentes du même âge, toutes ses amies sont mères depuis longtemps, chacune a un mari véritable, ou tout au moins un amant ; elle est seule à se trouver, par l'inaptitude de son malheureux époux, dans sa situation ; plus belle, plus désirable et plus désirée que toutes les femmes de son milieu, elle seule n'a encore aimé personne. En vain a-t-elle reporté sur ses amies son intense besoin de tendresse, en vain a-t-elle voulu atténuer par d'incessants plaisirs mondains le vide intérieur qu'elle ressent, rien n'y a fait ; la nature, peu à peu, revendique ses droits chez cette femme comme chez toute femme essentiellement normale. Dans ses rapports avec les jeunes gentilshommes qui l'entourent Marie-Antoinette perd de plus en plus son insouciante assurance primitive. Certes, elle se défend encore contre le danger suprême, mais tout en jouant sans cesse avec lui elle perd le contrôle de son sang, qui la trahit ; elle rougit, pâlit, commence à trembler à l'approche de ces jeunes hommes inconsciemment désirés ; elle se trouble, elle a les larmes aux yeux, mais n'en continue pas moins à provoquer leurs galants compliments. La scène remarquable des *Mémoires* de Lauzun, où la reine, la minute d'avant encore irritée, l'étreint subitement et rapidement, puis s'enfuit aussitôt, honteuse, effrayée d'elle-même, a l'accent de la vérité ; le rapport de l'ambassadeur de Suède sur sa passion manifeste pour le jeune comte de Fersen reflète le même bouleversement. Il est évident que cette femme de vingt-deux ans, tourmentée, sacrifiée et privée de tout amour par un mari si lourd, n'est plus qu'à grand'peine maîtresse d'elle-même. Bien qu'elle se défende encore, et sans doute pour cela, ses nerfs ne peuvent plus supporter cette tension intérieure. Et comme pour compléter ce tableau clinique, l'ambassadeur Mercy annonce l'apparition soudaine « d'affections nerveuses », de prétendues « vapeurs ». Pour le moment, Marie-Antoinette est encore préservée d'un manquement à l'honneur conjugal par la délicatesse craintive de ses admirateurs : Lauzun et Fersen quittent la cour dès qu'ils s'aperçoivent de l'intérêt trop visible que leur porte la reine ; mais il est hors de doute que si l'un des jeunes favoris avec qui elle coquette faisait preuve de hardiesse au moment opportun, il pourrait facilement triompher de cette vertu faiblement gardée. Heureusement, jusqu'ici Marie-Antoinette a toujours réussi à se reprendre au dernier moment. Mais le danger augmente avec le trouble intérieur ; le papillon voltige de plus en plus près, de plus en plus inconsidérément autour de la flamme qui l'attire ; un coup d'aile malhabile, et il tombe irrémédiablement dans le feu destructeur.

Le gardien installé auprès d'elle par sa mère connaît-il ce danger ? On est en droit de le supposer, car ses avertissements relatifs à Lauzun, Dillon, Esterhazy, prouvent que ce vieux célibataire, plein d'expérience, comprend mieux cet état et ses causes que la reine elle-même, qui ne devine pas combien sont révélatrices ses sautes d'humeur, son agitation effrénée. Il saisit toute la portée de la catastrophe que provoquerait la reine de France si elle devenait, avant d'avoir donné à son époux un héritier légitime, la proie de quelque amant étranger : aussi faut-il à tout prix empêcher cela. Il envoie donc lettre sur lettre à Vienne, pour que l'empereur Joseph vienne enfin à Versailles voir ce qui s'y passe. Cet observateur calme et silencieux le sait : il est grand temps de délivrer la reine d'elle-même.

Le voyage de Joseph II à Paris a un triple but. Il doit parler, d'homme à homme, au roi, son beau-frère, de la question épineuse des devoirs conjugaux non encore consommés. Il doit avec l'autorité d'un frère aîné, admonester sa sœur dissipée et lui représenter les dangers humains et politiques de sa rage de plaisirs. Troisièmement, il doit consolider l'alliance des Habsbourgs et des Bourbons.

A ces trois tâches prévues Joseph II en ajoute volontairement une quatrième : il veut saisir l'occasion de cette visite éclatante pour la rendre plus éclatante encore et recueillir le plus de succès personnel possible. Cet homme honnête, sans grand talent, mais non sans intelligence, et surtout suprêmement vaniteux, souffre depuis des années du mal propre aux princes héritiers ; il est irrité de ne pouvoir, bien qu'adulte, gouverner librement et sans limites, de continuer à jouer sur la scène politique un rôle secondaire dans le sillage de sa mère célèbre et vénérée, et d'être, comme il dit avec colère, « la cinquième roue à un carrosse ». Parce qu'il sait qu'il ne pourra surpasser, ni en intelligence ni en autorité morale, la grande impératrice qui lui barre la route, il cherche à parer son rôle ingrat d'un caractère particulier. Puisque sa mère incarne aux yeux de l'Europe la conception de la souveraineté, lui, pour se distinguer, sera un empereur populaire, un père du peuple, moderne, philanthrope, éclairé, affranchi de tout préjugé. On le voit derrière la charrue, il dort sur un lit de camp, se mêle à la foule habillé comme un simple bourgeois, se fait enfermer au Spielberg, mais s'arrange en même temps pour que le monde entier soit au courant de cette modestie affectée. Jusqu'à présent Joseph II n'a pu être un calife bienveillant que devant ses propres sujets ; son voyage à Paris va enfin lui offrir l'occasion de se produire sur la grande scène mondiale. Aussi, plusieurs semaines avant son départ, étudie-t-il dans ses moindres détails son rôle d'empereur débonnaire.

Les vues de Joseph II ne se sont réalisées qu'à demi. Il n'a pu tromper l'Histoire, qui fait figurer à son passif faute sur faute, dues à des réformes maladroites et prématurées, et seule sa mort précoce a peut-être sauvé l'Autriche de l'écroulement qui la menaçait déjà à cette époque ; mais plus crédule que l'Histoire, la légende est pour lui. Longtemps on chanta les louanges du souverain populaire ; d'innombrables romans de pacotille dépeignirent le noble inconnu qui, enveloppé dans un modeste manteau, distribuait des bienfaits d'une main clémente tout en s'éprenant des filles du peuple ; la fin de ces romans, toujours la même, est célèbre : l'inconnu ouvre son manteau, on aperçoit, frappé d'étonnement, un uniforme somptueux, et le noble seigneur adresse à l'assistance ces mots profonds : « Vous n'apprendrez jamais mon nom, je suis l'empereur Joseph. »

Plaisanterie absurde, mais, au fond, plus intelligente qu'elle ne paraît : elle parodie avec une sorte de génie cette particularité de l'empereur Joseph de jouer, d'une part, à l'homme modeste et de tout faire, d'autre part, pour que cette modestie soit appréciée à sa valeur. Son voyage à Paris en donne une preuve caractéristique. Car Joseph II, bien entendu, ne s'y rend pas en tant qu'empereur, il ne veut pas attirer l'attention ; il voyage sous le nom de comte de Falkenstein et il insiste pour que personne n'apprenne cet incognito. Dans de longs écrits il est décidé que nul ne doit l'appeler autrement que « Monsieur », pas même le roi de France, qu'il ne descendra pas dans les palais et n'usera que de voitures de louage. Mais naturellement, toutes les cours d'Europe sont informées du jour et de l'heure de son arrivée ; à Stuttgart, le duc de Wurtemberg lui joue aussitôt un mauvais tour en ordonnant d'enlever toutes les enseignes des auberges, de sorte que l'empereur populaire est obligé d'aller coucher au palais ducal. Mais avec une obstination affectée ce nouvel Haroun al-Raschid garde jusqu'au dernier moment son incognito, connu de tous depuis longtemps. Il entre dans Paris en simple fiacre, descend à l'Hôtel de Tréville, aujourd'hui Hôtel Foyot, sous son nom d'emprunt; à Versailles, il prend une chambre dans un hôtel de second ordre, y couche sur un lit de camp, enveloppé dans son manteau, comme s'il bivouaquait. Et son calcul est juste. Car pour le peuple de Paris qui n'a vu ses rois que dans le luxe, c'est un fait remarquable qu'un souverain qui goûte à la soupe des hôpitaux, qui assiste aux séances des Académies, aux discussions parlementaires, qui visite le Jardin des Plantes, la fabrique de savon, l'institution des sourds-muets, les artisans, les bateliers et les marchands ; Joseph II voit beaucoup de choses à Paris, et il se réjouit en même temps d'être vu ; il ravit tout le monde par sa bienveillance et il est lui-même plus ravi encore des applaudissements enthousiastes qu'il recueille. Dans ce double rôle, partagée entre le vrai et le faux, cette nature mystérieuse a toujours conscience de sa dualité. Avant son départ, Joseph II écrit à son frère :

> Vous valez mieux que moi, mais je suis plus charlatan, et, dans ce pays-ci, il faut l'être. Moi je le suis de raison, de modestie : j'outre un peu là-dessus, en paraissant simple, naturel, réfléchi même à l'excès. Voilà ce qui a excité un enthousiasme qui vraiment m'embarrasse. Je

quitte très content ce royaume, mais sans regret, car j'en avais assez de mon rôle.

Outre ce succès personnel, Joseph II atteint en même temps ses buts politiques ; tout d'abord l'entretien avec son beau-frère sur la question délicate des devoirs conjugaux se déroule avec une facilité surprenante. Louis XVI, honnête et jovial, accueille l'empereur en toute confiance. C'est en vain que Frédéric II a ordonné à son ambassadeur, le baron Goltz, de faire courir dans Paris le bruit que Joseph II aurait dit au roi de Prusse : « J'ai trois beaux-frères qui sont pitoyables : celui de Versailles est un imbécile, celui de Naples un fol et celui de Parme un sot. » En l'occurrence le « mauvais voisin » s'est démené pour rien, car Louis XVI, sous le rapport de la vanité, n'est pas chatouilleux, et la flèche ricoche sur sa bonhomie. Les deux beaux-frères se parlent librement et franchement, et Louis XVI, connu de plus près, impose à Joseph II un certain respect :

> Cet homme est faible, mais point imbécile ; il a des notions, il a du jugement, mais c'est une apathie de corps comme d'esprit. Il fait des conversations raisonnables et n'a aucun goût de s'instruire ni curiosité, enfin le *fiat lux* n'est pas encore venu ; la matière est encore en globe.

Au bout de quelques jours Joseph II a conquis le roi, ils s'entendent sur toutes les questions politiques, et à n'en pas douter l'empereur a obtenu sans peine de son beau-frère qu'il se soumît à la discrète opération.

La rencontre de Joseph II avec Marie-Antoinette est plus délicate, parce que plus lourde de conséquences. La reine a attendu la visite de son frère avec des sentiments contradictoires ; d'une part elle était heureuse de pouvoir enfin se confier franchement à un membre de sa famille, mais d'autre part elle craignait les façons rudes et professorales que l'empereur a toujours aimé adopter à son égard. Tout récemment encore ne l'a-t-il point sermonnée comme une gamine :

> De quoi vous mêlez-vous, de déplacer des ministres, d'en faire envoyer un autre sur ses terres, de créer une nouvelle charge dispendieuse à votre cour ? lui écrivait-il. Vous êtes-vous demandé une fois par quel droit vous vous mêlez des affaires du gouvernement et de la monarchie française ? Quelles études avez-vous faites ? Quelles connaissances avez-vous acquises, pour oser imaginer que votre avis ou votre opinion doit être bonne à quelque chose, surtout dans les affaires qui exigent des connaissances aussi étendues ? Vous, aimable jeune personne qui ne pensez qu'à la frivolité, qu'à votre toilette, qu'à vos amusements toute la journée, et qui ne lisez pas, ni entendez parler raison un quart d'heure par mois, et ne réfléchissez ni ne méditez, j'en suis sûr, jamais, ni combinez les conséquences des choses que vous faites ou que vous dites ?

Gâtée, adulée par ses courtisans, la souveraine de Trianon n'est guère habituée à ce ton hargneux de maître d'école ; aussi comprend-on ses battements de cœur quand on lui annonce soudain que le comte de Falkenstein est arrivé à Paris et qu'il se présentera le lendemain à Versailles.

Mais tout se passe mieux qu'elle ne s'y attendait. Joseph II est assez diplomate pour ne pas tonner contre elle dès son entrée ; au contraire, il la complimente sur sa mine séduisante, lui assure que si jamais il se remarie sa femme devra lui ressembler, et il joue plutôt au galant homme. Une fois de plus, Marie-Thérèse a vu juste en prédisant à son ambassadeur :

> Je ne crains pas qu'il soit censeur trop rigide des actions de la reine ; je crois plutôt que, jolie et agaçante comme elle l'est, mêlant de l'esprit et de la décence dans la conversation, elle remportera son approbation, et il en sera flatté.

En effet, l'amabilité de cette sœur jolie et ravissante, sa joie sincère de le revoir, l'attention avec laquelle elle l'écoute d'une part, la bonhomie du beau-frère et le grand triomphe que remporte à Paris sa comédie de la modestie d'autre part, tout cela fait taire le pédant que l'on avait redouté ; tant de miel calme l'ours grognon. La première impression de l'empereur est plutôt favorable :

> C'est une aimable et honnête femme, écrit-il à Léopold II, un peu jeune, peu réfléchie, mais qui a un fond d'honnêteté et de vertu dans sa situation vraiment respectable ; avec cela, de l'esprit et une justesse de pénétration qui m'a souvent étonné. Son premier mouvement est toujours le vrai, si elle s'y laissait aller, réfléchissait un peu plus et écoutait un peu moins ceux qui la soufflent, dont il y a des armées et de différentes façons, elle serait parfaite. Le désir de s'amuser est bien puissant chez elle, et, comme l'on connaît ce goût, on la sait prendre par son faible, et ceux qui lui procurent le plus de plaisirs sont écoutés et ménagés.

Mais tandis que Joseph II, sous une apparence nonchalante, prend part à toutes les fêtes que lui offre sa sœur, cet esprit singulier ne cesse d'observer avec acuité et exactitude. Il est, avant tout, obligé de constater que Marie-Antoinette « ne sent rien pour le roi », qu'elle le traite avec une indifférence, une négligence et une condescendance inadmissibles. Il se rend compte sans peine de ce que valent les Polignac et toute la « société » de la « tête à vent » qu'est sa sœur. Il ne paraît tranquillisé que sur un seul point. Il pousse un vrai soupir de soulagement en apprenant que, malgré toutes les coquetteries de sa sœur avec les jeunes gentilshommes – il craignait probablement bien pis – la vertu de la reine a pu se maintenir, de sorte que – « jusqu'à présent, tout au moins », ajoute-t-il prudemment – sa conduite, au milieu de cette société pourrie, est meilleure que sa réputation. Cependant, tout ce qu'il a vu et entendu sous ce rapport ne semble pas l'avoir rassuré sur l'avenir ; aussi quelques énergiques avertissements ne lui paraissent-ils pas superflus. Plusieurs fois il tance sa jeune sœur, sans ménagement, comme par exemple quand il lui reproche brutalement, en présence de témoins, de « n'être bonne à rien pour son mari » ou qu'il appelle la salle de jeu de son amie, la duchesse de Guéménée, « un vrai tripot ». Ces reproches publics aigrissent Marie-Antoinette ; frère et sœur, parfois, se parlent durement. L'entêtement puéril de la jeune femme résiste à l'arrogante tutelle du frère ; mais en même temps, avec sa franchise innée, elle sent combien sont fondées les remarques qu'on lui fait et combien sa faiblesse aurait besoin d'un pareil gardien à ses côtés.

Il semble ne pas y avoir eu entre eux d'explication définitive. Il est vrai que plus tard, par lettre, Joseph II rappelle à Marie-Antoinette un certain entretien sur un banc de pierre ; mais il est évident qu'il n'a pas voulu lui parler de choses importantes et essentielles au cours de conversations improvisées. En deux mois Joseph II a vu toute la France, il en sait plus long sur ce pays que le roi et il connaît les dangers que court sa sœur mieux qu'elle-même. Il s'est rendu compte, entre autres, que, dans le cerveau de cette évaporée, rien ne reste, qu'au bout d'une heure elle a oublié tout ce qu'on a pu lui dire et d'abord tout ce qu'elle veut oublier. Il rédige donc, en toute tranquillité, une « Instruction » qui résume toutes ses réflexions et observations et lui remet exprès au dernier moment ce document de trente pages, en lui demandant de ne le lire qu'après son départ. *Scripta manent*, que l'avertissement écrit lui serve de guide en son absence.

Cette « Instruction » est peut-être, parmi les documents que nous possédons, ce qui nous éclaire le mieux sur le caractère de Marie-Antoinette, car Joseph II l'a rédigée avec cœur et en toute indépendance d'esprit. D'un style un peu ampoulé, d'un moralisme peut-être trop pathétique à notre goût, elle fait montre néanmoins d'une grande adresse diplomatique, car l'empereur évite avec tact de donner à une reine de France des règles de conduite directes. Ce n'est qu'une série de demandes, une sorte de catéchisme pour forcer la paresseuse à réfléchir, à se questionner et à se répondre ; mais, sans le vouloir, les questions constituent un réquisitoire, et leur suite, apparemment désordonnée, un registre complet des fautes de Marie-Antoinette. Joseph II rappelle avant tout à sa sœur combien de temps elle a déjà gaspillé.

> L'âge avance, vous n'avez plus l'excuse de l'enfance. Que deviendrez-vous si vous tardez plus longtemps ?

Et il répond lui-même avec une clairvoyance effrayante :

> Une malheureuse femme et encore plus malheureuse princesse.

Il énumère, une à une, sous forme de questions, toutes ses négligences ; il éclaire d'une vive et froide lumière son attitude à l'égard du roi.

> Recherchez-vous des occasions, correspondez-vous aux sentiments qu'il vous fait apercevoir ? N'êtes-vous pas froide, distraite, quand il vous caresse, vous parle ? Ne paraissez-vous pas ennuyée, dégoûtée même ? Comment, si cela était, voudriez-vous qu'un homme froid s'approche et enfin vous aime ? ...

Il lui reproche impitoyablement – paraissant seulement la questionner, mais en réalité l'accusant violemment – de profiter de la faiblesse et de la maladresse du roi, d'attirer toute l'attention et tous les succès sur elle au lieu de s'effacer devant lui.

> Vous rendez-vous nécessaire au roi, le persuadez-vous que personne ne l'aime plus sincèrement et n'a sa gloire et son bonheur plus à cœur que vous ? Modérez-vous votre gloriole de paraître vous occuper d'objets qu'il néglige, de vouloir briller à ses dépens ? Lui faites-vous ces sacrifices ? Etes-vous d'une discrétion impénétrable sur ses défauts et faiblesses, les excusez-vous, faites-vous taire tous ceux qui osent en lâcher quelque chose ?

Page après page, l'empereur Joseph dépouille ensuite tout le registre de ses plaisirs effrénés :

> Avez-vous pensé à l'effet que vos liaisons et amitiés, si elles ne sont pas placées sur des personnes en tout

> point irréprochables et sûres, peuvent et doivent avoir dans le public, puisque vous auriez l'air d'y participer et d'autoriser le vice... Avez-vous pesé les conséquences affreuses des jeux de hasard, la compagnie qu'ils rassemblent, le ton qu'ils y mettent ? Rappelez-vous les faits qui se sont passés sous vos yeux, et puis pensez que le roi ne joue pas et que c'est scandaleux que vous seule, pour ainsi dire, de la famille les souteniez... De même daignez penser un moment aux inconvénients que vous avez déjà rencontrés aux bals de l'Opéra et aux aventures que vous m'en avez racontées vous-même là-dessus. Je ne puis vous cacher que c'est de tous les plaisirs indubitablement le plus inconvenable de toute façon, surtout de la façon que vous y allez, car Monsieur qui vous accompagne n'est rien. Qu'y voulez-vous d'être inconnue et jouer un personnage différent au vôtre ? Croyez-vous que l'on ne vous connaît pas malgré cela, et qu'on vous lâche des propos aucunement faits pour être entendus, mais qu'on dit exprès pour vous amuser et vous faire croire que l'on les a tenus bien innocemment, mais qui peuvent faire effet... Le lieu par lui-même est en très mauvaise réputation ; qu'y cherchez-vous ? Une conversation honnête ? Vous ne pouvez l'avoir avec vos amies, le masque l'empêche. Danser non plus ; pourquoi donc des aventures, des polissonneries, vous mêler parmi le tas de libertins, de filles, d'étrangers, entendre ces propos, en tenir peut-être qui leur ressemblent, quelle indécence !... Je dois vous avouer que c'est le point sur lequel j'ai vu le plus se scandaliser tous ceux qui vous aiment et qui pensent honnêtement. Le roi abandonné toute une nuit à Versailles et vous mêlée en société et confondue avec toute la canaille de Paris ! ...

Et Joseph II lui renouvelle avec insistance les vieilles leçons de sa mère, lui dit de commencer enfin à s'occuper un peu de lectures ; deux heures par jour ne seraient pas de trop et la rendraient plus sensée et plus raisonnable pour le restant de la journée. Puis tout à coup, au milieu de ce long sermon, une parole prophétique éclate qu'on ne peut lire sans frémir. Son frère l'avertit que, si elle ne suit pas ses conseils, il prévoit les pires choses et il déclare textuellement :

> Je tremble actuellement du bonheur de votre vie, car ainsi à la longue cela ne pourra aller et *la révolution sera cruelle si vous ne la préparez.*

« La révolution sera cruelle ». Le mot sinistre est écrit pour la première fois. Bien que pris dans un autre sens, il n'en garde pas moins sa valeur. Mais Marie-Antoinette ne le comprendra que dix ans plus tard.

CHAPITRE XII

MATERNITÉ

Du point de vue historique, la visite de l'empereur Joseph II semble un épisode sans importance dans la vie de Marie-Antoinette ; mais en réalité elle provoque un changement décisif. Quelques semaines plus tard on peut déjà constater les résultats de l'entretien de l'empereur avec Louis XVI sur le sujet délicat de l'alcôve. Le roi, « ravigoté », s'attaque avec un nouveau courage à ses devoirs conjugaux. Le 19 août 1777 Marie-Antoinette n'annonce encore à Vienne qu'« un petit mieux » :

> Pour ce qui regarde mon état, il est malheureusement toujours le même, mais je n'en désespère pourtant pas, car il y a un petit mieux, qui est que le roi a plus d'empressement qu'il n'en avait, et c'est beaucoup pour lui.

La grande attaque n'a pas encore réussi. Mais voici que le 30 retentit enfin le cri de victoire ! Pour la première fois, après d'innombrables défaites dans cette guerre amoureuse de sept ans, le « mari nonchalant » a pris d'assaut la forteresse qui ne s'était jamais défendue.

> Je suis dans le bonheur le plus essentiel de ma vie, se hâte-t-elle d'écrire à sa mère. Il y a déjà plus de huit jours que mon mariage est parfaitement consommé ; l'épreuve a été réitérée et encore hier plus complètement que la

> première fois. J'avais pensé d'abord envoyer un courrier à ma chère maman. J'ai eu peur que cela ne fît événement et propos. J'avoue aussi que je voulais être sûre de mon fait. Je ne crois pas être grosse encore, mais au moins j'ai l'espérance de pouvoir l'être d'un moment à l'autre.

Ce glorieux couronnement ne reste pas longtemps un mystère : l'ambassadeur d'Espagne, le mieux informé de tous, l'annonce à son gouvernement à la date même du grand jour (25 août) et il ajoute :

> Un tel événement étant intéressant et public, j'ai eu l'occasion d'en parler avec MM. Maurepas et Vergennes séparément avec chacun d'eux, et tous deux m'ont confirmé les mêmes circonstances. De plus, il est certain que le Roi l'a raconté à l'une de ses tantes, lui disant avec beaucoup de franchise qu'il aimait beaucoup le plaisir, et qu'il regrettait de l'avoir ignoré pendant tant de temps. Sa Majesté est beaucoup plus gaie qu'auparavant et la Reine a souvent les yeux plus battus que jamais on ne l'avait encore observé...

La première joie de la jeune femme, satisfaite de son vaillant époux, s'avère d'ailleurs comme prématurée, car Louis XVI ne s'adonne pas à ce « nouveau plaisir » avec autant de zèle qu'à la chasse, et dix jours plus tard Marie-Antoinette se plaint déjà à sa mère :

> Le roi n'a pas de goût de coucher deux. Je l'entretiens pour ne pas faire séparation totale sur cet article. Il vient quelquefois passer la nuit chez moi. Je ne crois pas devoir le tourmenter pour venir plus souvent.

L'impératrice apprend cela sans plaisir, car elle considère ce point comme très « essentiel », mais elle approuve sa fille qui a le tact de ne point trop presser son époux ; elle la prie seulement de s'adapter mieux aux heures de sommeil de son mari. La nouvelle de la grossesse, ardemment désirée à Vienne, se fait donc encore attendre ; en avril seulement, l'épouse impatiente croit que son plus fervent désir va se réaliser. Dès les premiers indices, Marie-Antoinette veut vite envoyer un courrier à sa mère, mais le médecin de la cour, bien que prêt à parier mille louis que la reine a raison, le lui déconseille tout d'abord. Le 5 mai le circonspect Mercy annonce le fait comme certain; le 31 juillet à dix heures et demie du soir la reine sent les premiers mouvements de l'enfant, et le 4 août on annonce officiellement sa grossesse à la cour. « Depuis, écrit-elle à Marie-Thérèse, il remue fréquemment, ce qui me cause une grande joie. » Elle prend plaisir, dans sa bonne humeur, à apprendre sa paternité à l'époux sous une forme plaisante et originale; elle s'avance vers lui, avec une mine sombre, et jouant l'offensée : « Je viens, Sire, me plaindre d'un de vos sujets assez audacieux pour me donner des coups de pied dans le ventre. » Le brave roi ne comprend pas tout de suite, puis il éclate de rire et embrasse sa femme avec une fierté débonnaire, tout étonné de son habileté inattendue.

Les cérémonies les plus diverses commencent aussitôt. Dans les églises on chante des *Te Deum*, le Parlement adresse ses vœux, l'archevêque de Paris fait dire des prières pour l'heureux dénouement de la grossesse; on se met en quête avec un soin exceptionnel d'une nourrice pour le futur enfant royal et cent mille livres sont tenues prêtes pour les pauvres. Tout le monde a l'esprit tourné vers le grand événement, sans parler de l'accoucheur, pour qui cette délivrance est une sorte de jeu de hasard : une pension de quarante mille livres l'attend si c'est un dauphin qui naît, alors que si c'est une princesse il devra se contenter de dix mille livres seulement. De son côté, la cour est toute agitée dans l'attente d'un spectacle qui lui a été si longtemps refusé. Car selon la coutume séculaire et consacrée l'accouchement d'une reine de France n'est nullement quelque chose de privé; cette épreuve douloureuse doit se dérouler, d'après des règles immémoriales, en présence des princes et princesses et sous le contrôle de la cour. Tous les membres de la famille royale, ainsi qu'un grand nombre de hauts dignitaires, ont le droit d'assister à la délivrance dans la chambre même de la femme en couches et aucun d'eux, bien entendu, ne songe le moins du monde à renoncer à ce privilège barbare et antihygiénique. Les curieux arrivent de toutes les provinces, des châteaux les plus éloignés ; la plus petite mansarde de la minuscule ville de Versailles est occupée, et l'énorme affluence de peuple fait tripler le prix des vivres. Mais la reine fait attendre longtemps ces hôtes indésirables. Enfin, le 18 décembre, en pleine nuit, la cloche retentit dans le château. Les douleurs sont venues. Mme de Lamballe, la première, se précipite dans la chambre, suivie des autres dames en émoi. A trois heures on réveille le roi, les princes et les princesses ; pages et gardes sautent sur leurs chevaux et galopent furieusement vers Paris et Saint-Cloud, pour appeler à temps tout ce qui est de sang royal ou de rang princier.

Quelques minutes après l'annonce, faite à haute voix par le médecin de la cour, que l'épreuve de la reine a commencé, toute la bande aristocratique envahit la chambre ; pressés les uns contre les autres, les spectateurs s'assoient selon leur titre dans des fauteuils disposés autour du lit. Ceux qui n'ont pas trouvé de place aux premiers rangs montent sur des chaises et des bancs, car ils ne veulent à aucun prix que leur échappent un geste ou un gémissement. La respiration de cinquante personnes dans cette pièce aux fenêtres closes, l'odeur pénétrante du vinaigre et des essences rendent l'air de plus en plus lourd et étouffant. Mais nul ne quitte sa place, n'ouvre une fenêtre, et le supplice public de la reine dure sept heures entières, jusqu'à ce qu'enfin, à onze heures et demie du matin, Marie-Antoinette mette au monde un enfant ; hélas ! c'est une fille. On porte respectueusement le rejeton royal dans le cabinet voisin pour le baigner et le mettre aussitôt sous la garde de la gouvernante ; le roi, plein d'orgueil et impatient d'admirer son œuvre tardive, suit les gens, cependant que la cour, curieuse comme toujours, se presse derrière lui. Un ordre perçant de l'accoucheur retentit soudain : « De l'air ! de l'eau chaude ! Il faut une saignée au pied ». La reine vient d'avoir un coup de sang ; l'air empoisonné de la pièce et peut-être aussi l'effort fait pour réprimer ses souffrances devant les cinquante curieux lui ont fait perdre connaissance et elle est là immobile et râlant sur ses coussins. Mais l'eau chaude n'arrive pas : les courtisans ont bien songé à toutes ces cérémonies moyenâgeuses, mais nullement à prendre la précaution la plus élémentaire en l'occurrence, qui était d'avoir de l'eau chaude sous la main. Le chirurgien tente donc la saignée sans aucune préparation. Un jet de sang jaillit de la veine, et la reine rouvre les yeux : elle est sauvée. Alors seulement la joie éclate sans retenue, on se félicite, on s'embrasse, on pleure, et les cloches, à toute volée, annoncent au pays la joyeuse nouvelle.

Les souffrances de la femme sont passées, le bonheur de la mère commence. Si la joie n'est pas complète, si les canons ne retentissent que vingt et une fois en l'honneur d'une princesse, alors qu'ils tonnent cent une fois pour saluer la naissance d'un dauphin, on se réjouit quand même à Versailles et à Paris. On envoie des estafettes à travers l'Europe ; on distribue des aumônes dans toute la France ; on gracie de nombreux prisonniers ; cent jeunes couples sont pourvus d'un trousseau, dotés et mariés aux frais du roi. Le jour des relevailles ces cent couples heureux – que le ministre de la Police a choisis exprès parmi les plus beaux – attendent la reine à Notre-Dame et acclament avec enthousiasme leur bienfaitrice. Le peuple de Paris est gratifié de feux d'artifice, d'illuminations, de fontaines d'où coule le vin, de distributions de pain et de charcuterie ; l'entrée est gratuite à la Comédie Française ; la loge du roi est réservée aux charbonniers, celle de la reine aux harengères ; pour une fois, les pauvres, eux aussi, ont bien le droit de se réjouir ! Tout est bien, tout est beau. Louis XVI, maintenant qu'il est père, pourrait être un homme gai et fier ; Marie-Antoinette, à présent qu'elle est mère, une femme heureuse, sérieuse, consciencieuse : le grand obstacle est écarté, l'union conjugale assurée et affermie. Les parents, la cour et tout le pays peuvent être joyeux, et effectivement leur joie se manifeste dans toutes sortes de fêtes et de divertissements.

Une seule personne n'est pas tout à fait contente : Marie-Thérèse. La naissance de cette petite-fille lui paraît améliorer la situation de son enfant préférée, mais sans la consolider définitivement... En tant qu'impératrice et politicienne, elle ne cesse pas de penser, par-delà le bonheur familial, au maintien de la dynastie. « Il nous faut absolument un Dauphin ! » Elle répète à sa fille, comme une litanie, de ne pas faire « lit à part », de ne pas céder aux frivolités. Et quand elle voit s'écouler des mois sans qu'arrive une nouvelle grossesse elle se fâche réellement et reproche à Marie-Antoinette de mal employer ses nuits conjugales :

> Le roi se retire de bonne heure et se lève de même. La reine fait le contraire, comment peut-on espérer du mieux ? Jusqu'à cette heure j'étais discrète, mais à la longue je deviendrai importune. Ce serait un meurtre de ne pas donner plus d'enfants de cette race...

Cet événement-là, voir un futur roi de France naître de son sang habsbourgeois, Marie-Thérèse ne veut pas quitter la terre sans l'avoir vécu : « L'impatience me prend, mon âge ne laisse guère à attendre », s'écrie-t-elle.

Mais cette dernière joie ne lui est pas accordée. La deuxième grossesse de Marie-Antoinette n'arrive pas à terme ; un mouvement violent de la reine pour fermer la portière de son carrosse provoque une fausse couche ; et, le 29 novembre 1780, Marie-Thérèse meurt d'une pneumonie, avant la naissance, avant même que ne soit attendu ce petit-fils si impatiemment souhaité, si ardemment désiré. Cette vieille femme, déçue depuis longtemps, ne demandait plus à la vie que deux choses : la première, voir sa fille enfanter un dauphin de France, le destin la lui a refusée ; la seconde, ne pas voir son enfant bien-aimée sombrer dans le malheur par sa folie et sa légèreté – ce désir-là, le Dieu de la pieuse femme l'a exaucé.

C'est seulement un an après la mort de Marie-Thérèse que Marie-Antoinette met au monde ce fils tant espéré ; étant donné les incidents émouvants du premier accouchement on a décidé, cette fois-ci, de supprimer le côté spectacle et seuls les plus proches parents ont accès dans la chambre. Tout se déroule normalement. Pourtant, lorsqu'on emporte le nouveau-né, la reine n'a plus la force de demander si c'est un garçon ou si ce n'est encore qu'une fille. Mais voici que le roi s'approche de son lit – les larmes coulent sur les joues de cet homme cependant si difficile à émouvoir – et, d'une voix retentissante, il annonce : « Monsieur le Dauphin demande à entrer. » L'allégresse générale éclate, les deux battants de la porte sont solennellement ouverts, et le duc de Normandie, lavé et emmailloté, est apporté à l'heureuse mère. Enfin, le grand cérémonial inhérent à la naissance d'un dauphin peut se dérouler selon toutes les règles. L'héritier est baptisé par le cardinal de Rohan, l'adversaire fatal de Marie-Antoinette, qu'elle rencontre toujours sur son chemin aux heures décisives. On trouve une superbe nourrice, la fameuse Mme Poitrine. Les canons tonnent, Paris apprend l'événement. Et la série des fêtes recommence, plus importantes, plus grandioses encore qu'à la naissance de la princesse. Tous les corps de métiers envoient des délégations à Versailles, accompagnées de musiciens ; la procession multicolore dure neuf jours, car chaque corporation tient à saluer à sa manière le futur roi. Les fumistes traînent en triomphe une cheminée au sommet de laquelle sont assis des petits ramoneurs, qui chantent de joyeuses chansons ; les bouchers poussent devant eux un bœuf énorme ; les porteurs défilent avec une chaise dorée où sont installés deux mannequins représentant la nourrice et le petit dauphin ; les cordonniers sont venus avec des souliers de bébé ; les tailleurs avec un uniforme en miniature du futur régiment du dauphin ; les forgerons portent une enclume sur laquelle ils frappent rythmiquement ; les serruriers, qui savent que le roi est un confrère amateur, se sont particulièrement dépensés : ils apportent une serrure ingénieuse, et quand Louis XVI l'ouvre avec la curiosité d'un expert, il en sort un petit dauphin en fer admirablement travaillé. Les dames de la halle, les mêmes qui, quelques années plus tard, abreuveront la reine des pires outrages, ont revêtu de jolies toilettes de satin noir et récitent des compliments de La Harpe. Dans les églises on célèbre des offices, à l'Hôtel de Ville de Paris les marchands organisent un grand banquet ; la misère, la guerre avec l'Angleterre, tous les soucis sont oubliés. Un instant, il n'y a plus de mécontents ; les révolutionnaires et les républicains de demain eux-mêmes nagent dans les délices d'un ultra-royalisme bruyant. Le futur président des jacobins, Collot d'Herbois, en personne, à l'époque encore simple comédien à Lyon, compose une pièce en l'honneur de « l'auguste princesse, dont la bonté et les vertus ont conquis tous les cœurs ». Lui, le futur signataire de la condamnation à mort de Louis Capet, prie le ciel avec ferveur pour Marie-Antoinette :

Pour le bonheur des Français,
Notre bon Louis seize
S'est allié pour jamais
Au sang de Thérèse.
De cette heureuse union
Sort un beau rejeton.
Pour répandre en notre cœur
Félicité parfaite,
Conserve, ô ciel protecteur,
Les jours d'Antoinette.

Le peuple est encore attaché à ses souverains, cet enfant est né pour le bonheur du pays, sa venue au monde est une fête générale. Violons, tambours et fanfares résonnent aux coins des rues. Il n'est pas une ville, pas un village, où l'on ne s'amuse, chante et danse. Tout le monde aime et célèbre le roi et la reine qui ont enfin si vaillamment accompli leur devoir.

A présent le charme funeste est définitivement rompu. Deux fois encore Marie-Antoinette devient mère ; en 1785 elle donne le jour à un deuxième fils, le futur Louis XVII, « un vrai enfant de paysan », en 1786 elle met au monde son quatrième et dernier enfant, Sophie-Béatrice, qui ne vit que onze mois. La maternité détermine chez Marie-Antoinette une première transformation, mais qui n'est pas encore décisive. Ce n'est qu'un commencement. Déjà ses grossesses lui commandent de laisser de côté pendant plusieurs mois ses amusements insensés ; puis les joies délicates qu'elle éprouve avec ses enfants ont bientôt plus d'attraits pour elle que les plaisirs superficiels du jeu. Son intense besoin de tendresse, gaspillé jusqu'ici en vaines coquetteries, a enfin trouvé un emploi normal. Le chemin de la conscience est à présent déblayé. Encore quelques années de calme et de bonheur et cette belle femme aux yeux tendres fuira, enfin apaisée, le tumulte d'une vie frivole, pour voir avec contentement ses enfants s'avancer lentement dans la vie. Mais le destin ne lui accorde pas ce délai ; au moment où Marie-Antoinette se calme, le monde commence à s'agiter.

CHAPITRE XIII

LA REINE DEVIENT IMPOPULAIRE

La naissance du dauphin marqua l'apogée du pouvoir de Marie-Antoinette. En donnant un héritier au trône, elle était devenue reine pour la deuxième fois. De nouveau, les acclamations enthousiastes de la foule lui montraient quel capital inépuisable de confiance et d'amour pour ses souverains le peuple français tenait en réserve, malgré toutes ses désillusions, et combien il était facile à un monarque de s'attacher cette nation ! Il suffirait maintenant à Marie-Antoinette de faire le pas décisif de Trianon à Versailles, de quitter le monde du rococo pour le monde véritable, d'abandonner sa frivole société pour aller vers la noblesse, vers le peuple, vers Paris, et le triomphe serait assuré. Mais ses heures d'épreuve terminées, elle retourne à ses plaisirs et à ses frivolités. Les réjouissances coûteuses et funestes de Trianon recommencent après les fêtes populaires. Mais cette fois la grande patience du peuple est à bout, la limite est dépassée. Impossible à présent d'arrêter le torrent.

Il ne se passe tout d'abord rien de manifeste, rien d'extraordinaire. Versailles, simplement, devient de plus en plus silencieux ; aux grandes réceptions il paraît de moins en moins de dames et de gentilshommes, et ces rares visiteurs affichent une certaine froideur. Ils sauvent encore les apparences, mais c'est pour l'amour de la forme et non pour celui de la reine. Ils fléchissent encore le genou, baisent toujours respectueusement la main de la souveraine, mais ne se pressent plus pour obtenir la faveur d'un entretien ; les regards restent sombres et indifférents. Lorsque Marie-Antoinette fait son entrée au théâtre, le parterre et les loges ne se lèvent plus aussi précipitamment qu'avant, le cri longtemps familier de « Vive la Reine ! » ne retentit plus dans les rues. Il n'y a pas encore d'hostilité ouverte, mais la chaleur qui se mêlait jadis au respect obligatoire a disparu ; on obéit encore à la souveraine, mais on ne rend plus hommage à la femme. On sert respectueusement l'épouse du roi, mais on ne s'empresse plus autour d'elle. On ne contredit pas ouvertement ses désirs, mais on se tait ; c'est le silence têtu, mauvais, sournois, de la conspiration.

Le quartier général de cette conjuration secrète est représenté par les trois ou quatre châteaux de la famille royale : le Luxembourg, le Palais-Royal, Bellevue et même Versailles, qui se sont coalisés contre le Trianon, résidence de la reine.

Le concert de haines est dirigé par Mesdames. Elles n'ont toujours pas pardonné à l'adolescente d'avoir fui leur école de méchanceté, à la reine d'avoir le pas sur elles ; irritées de ne plus jouer aucun rôle, elles se sont retirées au château de Bellevue. Pendant les premières années de triomphe de Marie-Antoinette, elles s'y cantonnent solitaires et dévorées d'ennui ; nul ne se soucie d'elles, car tous les hommages vont avec empressement à la jeune et charmante femme qui tient le pouvoir entre ses fines et blanches mains. Mais maintenant que Marie-Antoinette devient impopulaire, les portes de Bellevue s'ouvrent aux visiteurs. Toutes les dames qui ne sont pas invitées à Trianon, « Madame Étiquette » congédiée, les ministres renvoyés, les femmes laides et par conséquent vertueuses, les gentilshommes relégués à l'arrière-plan, les chasseurs de place écartés, tous ceux qui ont horreur de la « nouvelle orientation » et qui portent mélancoliquement le deuil de la vieille tradition française, de la dévotion et des « bonnes » mœurs, se donnent régulièrement rendez-vous dans ce salon des réprouvés. L'appartement de Mesdames à Bellevue devient un laboratoire secret d'empoisonneur, où tous les cancans fielleux de la cour, les récentes folies de l'« Autrichienne », les « on dit » à propos de ses aventures galantes sont distillés goutte à goutte et soigneusement catalogués ; c'est là que s'installe le grand arsenal de tous les commérages malveillants, le fameux « atelier des calomnies » ; c'est là qu'on rime, lit et lance les petits couplets mordants qui gagnent ensuite allégrement Versailles ; c'est là que se réunissent, perfides et sournois, tous ceux qui voudraient voir la roue du temps tourner en arrière : les déçus, les détrônés, les liquidés, larves et momies d'un monde passé, toute une vieille génération finie qui veut se venger de sa fin et de sa vieillesse. Et le dard de toute cette haine, ainsi emmagasinée, n'est point dirigé contre le « pauvre bon roi », qu'on plaint hypocritement, mais uniquement contre Marie-Antoinette, la jeune, heureuse et rayonnante reine.

Plus dangereuse que la génération d'hier et d'avant-hier, qui, n'ayant plus la force de mordre, ne peut que baver de rage, se dresse la génération nouvelle, qui n'a encore jamais goûté au pouvoir et qui n'entend pas rester dans l'obscurité. Versailles, par son attitude exclusive et insouciante, s'est à tel point détaché de la vraie France, qu'on ne s'y aperçoit même pas des nouveaux courants qui agitent le pays. Une bourgeoisie intelligente s'est éveillée ; les œuvres de Jean-Jacques Rousseau l'ont renseignée sur ses droits ; elle voit tout près d'elle, en Angleterre, une forme de gouvernement démocratique ; ceux qui reviennent de la guerre d'indépendance américaine lui apprennent qu'il existe un pays où l'idée de liberté et d'égalité a supprimé classes et privilèges. En France on ne voit que stagnation et ruine, dues à l'incapacité totale de la cour. A la mort de Louis XV, le peuple avait unanimement espéré que le règne honteux des maîtresses, le scandale des protections malpropres, seraient désormais abolis ; et voici que de nouveau des femmes gouvernent, Marie-Antoinette et derrière elle la Polignac. Avec une amertume croissante, la bourgeoisie éclairée voit s'effriter le pouvoir politique, les dettes s'élever, l'armée et la flotte dépérir, les colonies se détacher du pays, alors que tous les autres États se développent activement ; et le grand public éprouve de plus en plus le désir de mettre fin à cette indolence et à cette désorganisation.

Cette mauvaise humeur grandissante des vrais patriotes se tourne en premier lieu – et non sans raison – contre Marie-Antoinette. Incapable et nullement désireux de prendre une décision effective, le roi – tout le pays le sait – ne compte même pas comme souverain; seule l'influence de la reine est toute-puissante. Marie-Antoinette avait donc le choix : ou s'occuper courageusement, sérieusement et avec énergie des affaires de l'État, comme sa mère, ou s'en détourner tout à fait. En vain le parti autrichien essaie-t-il sans cesse de l'amener à la politique : pour gouverner ou cogouverner, il faudrait lire régulièrement des documents, deux ou trois heures par jour, et la reine n'aime pas la lecture; il faudrait prêter l'oreille aux exposés des ministres et réfléchir, et Marie-Antoinette n'aime pas la réflexion. Écouter seulement représente déjà un gros effort pour son esprit frivole.

> Elle écoute à peine ce qu'on lui dit, écrit à Vienne l'ambassadeur Mercy, il n'y a presque plus moyen de traiter d'aucun objet important ou sérieux. La soif des plaisirs a sur elle un pouvoir mystérieux.

Dans les circonstances les plus favorables, quand, au nom de sa mère ou de son frère, l'ambassadeur la presse par trop vivement, elle répond : « Dites-moi ce que je dois faire, et je vous promets que je le ferai. » Et elle se rend en effet chez le roi. Mais le lendemain son inconstance lui a fait tout oublier, et son intervention ne dépasse pas « certaines impulsions impatientes »; finalement, Kaunitz, à la cour de Vienne, prend le parti de s'y résigner :

> Ne comptons jamais sur elle, et en rien. Contentons-nous de tirer d'elle, comme d'un mauvais payeur ce qu'on en peut tirer. Pensons qu'aux autres cours, mande-t-il à Mercy, en guise de consolation, les femmes ne se mêlent point non plus de la politique.

Hélas! si seulement elle renonçait tout à fait au gouvernail de l'État! Au moins serait-elle alors sans faute et sans reproche. Mais poussée par la coterie des Polignac elle intervient sans cesse, dès qu'il s'agit de nommer un ministre, d'occuper une place ; elle fait ce qu'il y a de plus dangereux en politique, elle parle sans connaître le moins du monde le sujet, agit en dilettante, décide à la légère des questions les plus importantes, gaspille exclusivement en faveur de ses protégés le pouvoir formidable qu'elle a sur le roi.

> Quand il s'agit d'objets sérieux, dit Mercy en se lamentant, elle devient timide, incertaine dans ses démarches, mais quand elle est obsédée par sa société perfide et intrigante, en reconnaissant, avouant même les inconvénients de ce que l'on exige, elle n'est pas moins entreprenante et active à le remplir...
>
> ... Rien ne lui a valu plus de haine, remarque le ministre de Saint-Priest, que ces interventions par à-coups, ces promotions injustifiées.

Aux yeux du peuple, c'est la reine qui dirige les affaires, et comme les généraux, ministres et ambassadeurs nommés par elle se révèlent incapables, que le système de cette autocratie arbitraire a prouvé son impuissance et que la France, avec une rapidité foudroyante, va au-devant de la banqueroute, toute la responsabilité retombe sur Marie-Antoinette, qui n'en a nullement conscience (mon Dieu ! elle a simplement aidé quelques gens charmants à obtenir de bonnes situations). Tous les éléments qui en France réclament le progrès, des réformes, la justice et l'effort créateur, murmurent, critiquent et menacent cette insouciante dissipatrice, la châtelaine éternellement frivole de Trianon, qui sacrifie follement et absurdement l'amour et le bien-être de vingt millions d'hommes à une orgueilleuse coterie de vingt dames et gentilshommes.

Ce grand mécontentement de tous ceux qui demandent un système nouveau, un régime meilleur, un partage plus raisonnable des responsabilités, manque pendant longtemps de centre de ralliement. Il finit par se cristalliser dans un palais, chez un adversaire acharné, de sang royal ; et de même que la réaction se rassemble chez Mesdames, à Bellevue, la révolution, elle, se groupe au Palais-Royal, chez le duc d'Orléans : c'est une offensive sur deux fronts opposés qui est déclenchée contre Marie-Antoinette. D'une nature plus portée à la jouissance qu'à l'ambition, coureur de femmes, joueur, viveur, élégant, inintelligent et, au fond, pas méchant, cet aristocrate souffre de la faiblesse propre aux natures qui ne sont pas créatrices : il est orgueilleux, mais d'une façon purement extérieure. Cet orgueil, Marie-Antoinette l'a blessé en raillant les exploits militaires de son cousin et en empêchant qu'il soit nommé grand amiral de France. Le duc d'Orléans, on ne peut plus offensé, relève le gant ; en sa qualité de descendant d'une branche tout aussi ancienne que la maison régnante, de plus homme indépendant et puissamment riche, il ne craint pas, au Parlement, de faire effrontément opposition au roi et de traiter ouvertement la reine en ennemie. Les mécontents ont donc enfin trouvé en lui le chef rêvé. Ceux qui veulent se dresser contre les Habsbourgs et la branche régnante des Bourbons, ceux qui considèrent le pouvoir absolu comme quelque chose de périmé et de blessant, ceux qui exigent un régime raisonnable et démocratique en France, se placent désormais sous la protection du duc d'Orléans. Au Palais-Royal, qui représente en fait le premier club de la Révolution, bien que sous l'égide d'un prince, se réunissent tous les réformateurs : libéraux, constitutionnels, voltairiens, philanthropes et francs-maçons ; à ceux-ci viennent se joindre les insatisfaits, les endettés, les aristocrates relégués à l'arrière-plan, les bourgeois cultivés qui n'obtiennent pas d'emploi, les avocats sans clients, les démagogues et les journalistes, toutes ces forces effervescentes et débordantes de vie qui plus tard formeront les troupes d'assaut de la Révolution. C'est ainsi que sous la conduite d'un chef faible et vaniteux se forme la plus puissante des armées spirituelles, grâce à laquelle la France conquerra la liberté. Le signal de l'attaque n'est pas encore donné. Mais chacun connaît le but et le mot d'ordre : contre le roi ! et avant tout : contre la reine !

Entre ces deux groupes d'adversaires révolutionnaires et

réactionnaires se dresse, isolé, l'ennemi peut-être le plus dangereux et le plus funeste de la reine, le propre frère de son mari, Monsieur, Stanislas-Xavier, comte de Provence, futur Louis XVIII. Sournois et ténébreux, intrigant et prudent, il n'adhère à aucun de ces groupes pour ne pas se compromettre prématurément et oscille à droite et à gauche jusqu'à ce que le destin lui révèle son heure. Il voit sans déplaisir les difficultés croissantes du régime, mais se garde de toute critique publique ; telle une taupe noire et silencieuse il creuse ses galeries souterraines et attend que la position de son frère soit suffisamment ébranlée. Car c'est seulement quand Louis XVI et Louis XVII auront disparu que Stanislas-Xavier, comte de Provence, pourra devenir roi, prendre le titre de Louis XVIII – ambition qu'il nourrit secrètement depuis l'enfance. Une fois déjà il s'était abandonné à l'espoir justifié de devenir régent et successeur légitime de son frère : les sept années tragiques, pendant lesquelles l'union de Louis XVI était restée stérile, avaient été pour ses désirs ambitieux sept années grasses. Mais ensuite un coup terrible est porté à ses espoirs d'héritier. Lorsque Marie-Antoinette accouche d'une fille, Monsieur, dans une lettre au roi de Suède, laisse échapper cet aveu douloureux :

> J'y ai été sensible, je ne m'en cache pas... Je me suis rendu maître de moi à l'extérieur fort vite, et j'ai toujours tenu la même conduite qu'avant, sans témoigner de joie, ce qui aurait passé pour fausseté... et qui l'aurait été... L'intérieur a été plus difficile à vaincre : il se soulève encore quelquefois... mais... je le tiens du moins en respect, si je ne puis le soumettre entièrement...

La naissance du dauphin brise ses derniers rêves de succession au trône ; désormais la route droite est barrée et il doit suivre les voies détournées et hypocrites, qui, en fin de compte – mais seulement, il est vrai, trente années plus tard – le conduiront au but. L'opposition du comte de Provence n'est pas faite, comme celle du duc d'Orléans, d'une haine franche, mais d'une envie cachée, tel un feu qui couve sous la cendre ; aussi longtemps que Marie-Antoinette et Louis XVI gardent le pouvoir sans subir d'attaques, ce prétendant secret reste réservé et silencieux, s'abstient d'énoncer publiquement la moindre prétention ; ce n'est qu'avec la Révolution que commencent ses allées et venues suspectes, ses conférences singulières au palais du Luxembourg. Et à peine a-t-il réussi à passer la frontière qu'il contribue vaillamment, par ses proclamations provocatrices, à creuser la tombe de son frère, de sa belle-sœur, de son neveu, dans l'espoir – effectivement réalisé – de trouver dans leur cercueil la couronne rêvée.

Le comte de Provence a-t-il fait plus encore ? Son rôle fut-il, comme tant de gens l'affirment, bien plus méphistophélique ? Son ambition de prétendant est-elle allée si loin qu'il ait lui-même fait imprimer et répandre des brochures attentant à l'honneur de sa belle-sœur ? A-t-il vraiment, par un vol de documents, rejeté dans un obscur destin Louis XVII, ce malheureux enfant, secrètement sauvé du Temple ? Son attitude, sous maints rapports, laisse le champ libre aux plus terribles suspicions. Immédiatement après son avènement au trône, Louis XVIII n'a-t-il pas racheté à prix d'or, ne s'est-il pas fait remettre par la force, n'a-t-il point ordonné de détruire de nombreuses lettres écrites jadis par le comte de Provence ? Et le fait qu'il n'a pas osé faire enterrer l'enfant mort au Temple comme étant le dauphin ne prouve-t-il pas que Louis XVIII lui-même ne croyait pas à la mort de Louis XVII, mais à la substitution d'un enfant étranger ? Cet homme opiniâtre et ténébreux a su se taire et se bien cacher ; aujourd'hui les voies souterraines qui l'ont conduit au trône de France sont depuis longtemps comblées. Mais on sait une chose : parmi ses adversaires même les plus acharnés, Marie-Antoinette n'avait pas d'ennemi plus dangereux que cet individu insidieux et impénétrable.

Au bout de dix années de pouvoir absolument gaspillées Marie-Antoinette est déjà cernée de toutes parts ; dès 1785 la haine a atteint son maximum. Tous les groupes hostiles à la reine – presque toute l'aristocratie et la moitié de la bourgeoisie – occupent leurs positions et n'attendent que le signal de l'attaque. Mais l'autorité du pouvoir héréditaire reste considérable et aucun plan précis n'est encore arrêté. Ce n'est qu'un murmure, un bourdonnement qui traverse Versailles, le frémissement, le sifflement de flèches acérées ; la pointe de chacune d'elles, d'ailleurs, porte une goutte d'un poison digne de l'Arétin, et toutes, ménageant le roi, visent la reine. De petites feuilles imprimées ou manuscrites, vivement dissimulées à l'approche des étrangers, y passent de main en main. Dans les librairies du Palais-Royal, de très grands seigneurs portant la croix de Saint-Louis et des souliers à boucles de diamants se font conduire dans l'arrière-boutique par le vendeur ; là, ce dernier, après avoir sérieusement verrouillé la porte, tire de quelque cachette poussiéreuse, entre de vieux bouquins, le nouveau pamphlet contre la reine, soi-disant importé secrètement de Londres ou d'Amsterdam ; en réalité, l'impression en est singulièrement fraîche, presque humide, et peut-être même l'a-t-on imprimé au Palais-Royal, dans la maison du duc d'Orléans ou au Luxembourg. Sans hésiter les clients distingués payent souvent plus d'écus pour ces brochures qu'elles ne comptent de pages ; il n'y en a parfois que dix ou vingt, mais en revanche elles sont abondamment ornées de gravures lascives et assaisonnées de plaisanteries malignes. Une succulente pasquinade de ce genre est le présent le plus apprécié que l'on puisse offrir à une amante aristocrate, à une de celles à qui Marie-Antoinette ne fit pas l'honneur d'une invitation à Trianon ; un cadeau aussi perfide les réjouit plus qu'une bague précieuse ou un éventail. Rimés par des versificateurs obscurs, imprimés par des inconnus, propagés par des mains insaisissables, ces écrits calomnieux voltigent comme des chauves-souris à travers la grille de Versailles, dans les boudoirs des dames et dans les châteaux de province ; mais quand le lieutenant de police veut leur faire la chasse, il se sent soudain arrêté par des forces invisibles. Ces feuillets se glissent partout : la reine en trouve à table sous sa serviette ; le roi sur son bureau parmi les documents ; dans la loge de Marie-Antoinette, devant son fauteuil, une épigramme haineuse est épinglée sur le velours, et la nuit, quand elle s'accoude à sa fenêtre, elle entend la chanson gouailleuse, depuis longtemps dans toutes les bouches, qui commence par ces mots :

Chacun se demande tout bas :
Le Roi peut-il ? Ne peut-il pas ?
La triste Reine en désespère...

et qui, après toutes sortes de détails érotiques, finit par une menace :

Petite Reine de vingt ans
Qui traitez aussi mal les gens,
Vous repasserez en Bavière.

Ces pamphlets et « polissonneries » de la première époque sont encore, à vrai dire, bien réservés, malveillants plus que malfaisants, en comparaison de ceux qui suivent. Les flèches ne sont pas encore trempées dans du véritable poison, mais simplement frottées de potasse ; elles sont destinées à piquer plutôt qu'à tuer. Mais à partir du moment où la reine est enceinte et où cet événement inattendu mécontente profondément à la cour les différents prétendants, le ton des pamphlets se fait plus violent. Maintenant que ce n'est plus vrai, on raille avec intention et sans retenue l'impuissance du roi, et on accuse la reine d'adultère, afin de représenter leurs descendants éventuels comme des bâtards. C'est surtout au lendemain de la naissance du dauphin que, du fond d'abris protégés et dissimulés, on tire à « boulets rouges » sur Marie-Antoinette. Ses amies, Mmes de Lamballe et de Polignac, sont clouées au pilori comme maîtresses dans l'art des pratiques lesbiennes, Marie-Antoinette comme érotomane perverse et inassouvissable, le roi comme pauvre cornard, le dauphin comme bâtard ; témoin le quatrain qui vole alors joyeusement de bouche en bouche :

Louis, si tu veux voir
Bâtard, cocu, putain,
Regarde ton miroir,
La Reine et le Dauphin.

En 1785 le concert des calomnies bat son plein, le thème est fourni, la cadence est donnée. La Révolution n'a qu'à crier dans les rues ce qu'on a inventé et rimé dans les salons pour traîner Marie-Antoinette devant le tribunal. Les mots d'ordre de l'accusation, c'est la cour qui les lui a soufflés. Et le couperet qui s'abat sur la nuque de la reine a été glissé dans la rude poigne du bourreau par de fines mains baguées d'aristocrates haineux.

Qui rédige ces écrits meurtriers pour la réputation de la reine ? C'est, en somme, une question secondaire, car la plupart du temps les poétereaux qui versifient ces couplets le font sans intention et sans se rendre compte de leur portée. Ils travaillent à des fins qui leur sont étrangères, pour de l'argent dont ils ne connaissent pas la provenance. Au temps de la Renaissance, quand de grands seigneurs voulaient se débarrasser d'un gêneur, ils commandaient un poison ou achetaient un poignard pour un sac d'or. Le XVIIIe siècle, devenu philanthrope, se sert de méthodes plus raffinées. On ne loue plus de poignards, mais une plume, contre ses adversaires politiques ; on n'assassine plus ses ennemis mais on les tue moralement, par le ridicule. Heureusement, d'ailleurs, on peut en 1780 acheter comptant même les meilleures plumes. Beaumarchais auteur de comédies immortelles, Brissot, le futur tribun, Mirabeau, le génie de la liberté, Choderlos de Laclos, tous ces grands hommes relégués à l'arrière-plan peuvent être achetés à vil prix. Et derrière ces pamphlétaires de génie des centaines d'autres se pressent, grossiers et ordinaires, aux ongles sales et au ventre vide, toujours prêts à écrire ce qu'on exige d'eux, miel ou poison, épithalame ou invective, hymne ou pamphlet, long ou court, mordant ou aimable, politique ou neutre. Si, en outre, on a de l'audace et de l'adresse, ces petites affaires peuvent vous rapporter deux ou trois fois plus. En premier lieu on se fait payer par le client inconnu le libelle contre la Pompadour, la du Barry ou, maintenant, contre Marie-Antoinette ; on dénonce ensuite secrètement à la cour l'écrit honteux qui se trouve à Londres ou à Amsterdam prêt à être imprimé, et pour aider à étouffer la publication on reçoit de l'argent du banquier de la cour ou du lieutenant de police. Et enfin, trois fois malin celui qui – tel Beaumarchais – y gagne encore en gardant par-devers lui, malgré serment et parole d'honneur, un ou deux exemplaires de l'édition soi-disant complètement supprimée, qu'il menace d'imprimer de nouveau, avec ou sans modifications – joyeuse plaisanterie qui, à Vienne, auprès de Marie-Thérèse, rapporte à son génial inventeur quatorze jours de prison, mais en revanche, à la cour timorée de Versailles, lui vaut tout d'abord mille louis d'or de dédommagement et plus tard soixante-dix mille livres encore. La nouvelle ne tarde pas à se répandre parmi les barbouilleurs que les pamphlets contre Marie-Antoinette représentent pour le moment une affaire lucrative et par surcroît peu dangereuse ; la mode néfaste s'en répand très vite. La haine et la cupidité se mettent courageusement et consciencieusement à commander et à propager ces écrits. Leurs efforts réunis atteindront bientôt le but désiré : faire détester Marie-Antoinette, la femme et la reine, dans toute la France.

Marie-Antoinette sent nettement derrière elle toutes ces cabales, elle connaît les libelles et en devine les instigateurs. Mais sa désinvolture, son orgueil habsbourgeois, inné et rebelle à toute leçon, tient pour plus courageux de mépriser le danger que d'y parer avec prudence ou intelligence. Elle dédaigne ces éclaboussures.

> Nous sommes dans une épidémie de chansons satiriques, écrit-elle d'une main insouciante à sa mère, on en a fait sur toutes les personnes de la cour, hommes et femmes, et la légèreté française s'est même étendue sur le roi. Pour moi, je n'ai pas été épargnée.

Là se borne apparemment sa colère, son irritation. Que lui importe si de sales mouches viennent se poser sur sa robe ! Cuirassée dans sa dignité royale, elle croit, d'ailleurs, que ces flèches de papier ne peuvent pas lui faire de mal. Elle ne songe pas qu'une seule goutte de ce diabolique poison qu'est la calomnie, une fois entrée dans le sang de l'opinion publique, est capable de provoquer une fièvre devant laquelle plus tard les médecins les plus savants resteront impuissants. Légère et souriante, Marie-Antoinette passe à côté du danger. Les mots ne sont pour elle que paille au vent. Pour l'alerter, il faut une tempête.

CHAPITRE XIV

COUP DE TONNERRE DANS LE THÉÂTRE ROCOCO

La première quinzaine d'août de l'année 1785 trouve la reine extrêmement occupée. Ce n'est pas que Marie-Antoinette soit absorbée par la situation politique, devenue particulièrement difficile, ou la révolte des Pays-Bas, qui met à une rude épreuve l'alliance franco-autrichienne. Non ; son petit théâtre rococo à Trianon est toujours à ses yeux plus important que la scène dramatique du monde, et c'est à une nouvelle première qu'elle voue pour le moment toute son impétueuse activité. On est impatient de jouer au théâtre du château le *Barbier de Séville*, la comédie de M. de Beaumarchais, et quelle distribution de choix vient purifier ces rôles profanes ! Le comte d'Artois en personne représentera Figaro, Vaudreuil le comte et la reine la joyeuse Rosine.

M. de Beaumarchais ? Ne serait-ce pas ce Caron, bien connu de la police, qui, il y a dix ans, avait soi-disant découvert, mais en réalité écrit lui-même cet infâme pamphlet : « Avis important à la branche espagnole sur ses droits à la couronne de France », pamphlet clamant au monde l'impuissance de Louis XVI, et qu'il était allé remettre à Marie-Thérèse exaspérée ? Celui-là que l'impératrice avait traité de fripon, et Louis XVI de fou et de « mauvais sujet » ? Ce monsieur Caron qui avait été arrêté à Vienne, par ordre impérial, pour escroquerie, qui avait reçu à Paris, à la prison de Saint-Lazare, la bastonnade alors en usage ? Parfaitement, c'est lui-même ! Dès qu'il s'agit de son plaisir Marie-Antoinette a la mémoire excessivement courte, et Kaunitz, à Vienne, n'exagère pas en disant que ses folies ne faisaient que « croître et embellir ». Car non seulement l'actif et génial aventurier qu'est Caron s'est moqué d'elle et a révolté sa mère, mais en outre son nom est lié au plus terrible discrédit qui ait été jeté sur l'autorité royale. L'histoire de la littérature et l'histoire générale aussi se souviennent encore, cent cinquante ans après, de cette lamentable défaite d'un roi par un homme de lettres ; seule l'épouse au bout de quatre ans l'a déjà complètement oubliée. En 1781, la censure, judicieuse, avait flairé que la nouvelle pièce de cet auteur, le *Mariage de Figaro*, sentait dangereusement la poudre et que, l'ardeur capricieuse d'un public de théâtre disposé au scandale venant à l'enflammer, elle pourrait faire sauter tout l'ancien régime ; unanimement, le conseil des ministres en défendit donc la représentation. Mais Beaumarchais, d'une activité incroyable quand il s'agit de gloire et surtout d'argent, trouve mille moyens de revenir sans cesse avec sa pièce ; finalement il obtient qu'elle soit lue au roi dont la décision sera définitive. Si lourd que soit ce brave homme, il n'est cependant pas assez borné pour méconnaître ce que le *Mariage de Figaro* a de séditieux. « Cet homme se joue de toutes les choses qu'il faut respecter dans un gouvernement », grogne Louis XVI maussade. « La pièce ne sera donc pas jouée ? » demande la reine, déçue, car une première éclatante lui importe plus que le bien de l'État. « Non, certainement », répond Louis XVI.

Voilà donc la pièce jugée ; le roi très chrétien, souverain absolu de France, ne désire pas voir représenter le *Mariage de Figaro* dans son théâtre : il n'y a pas à transiger là-dessus. L'affaire, pour le roi, est réglée. Elle ne l'est pas du tout pour Beaumarchais. Celui-ci ne pense nullement à s'incliner, il sait trop que le roi n'a de pouvoir que sur les monnaies et les papiers officiels et qu'en réalité c'est la reine qui règne sur le roi, et qu'à son tour elle obéit aux Polignac. Adressons-nous à cette suprême instance, se dit-il. Beaumarchais s'empresse de lire sa pièce – que l'interdiction a mise à la mode – dans tous les salons ; et, avec ce goût du suicide qui caractérise si bien la société dégénérée de l'époque, toute la noblesse approuve avec enthousiasme cette comédie, d'abord parce qu'on l'y raille, ensuite parce que Louis XVI l'a trouvée inconvenante ; Vaudreuil, l'amant de Mme de Polignac, pousse l'audace jusqu'à la faire jouer dans le théâtre de sa maison de campagne ; mais ce n'est pas assez : il faut que le roi ait officiellement tort, et Beaumarchais officiellement raison, il faut que la pièce soit donnée dans la maison même du roi qui l'a défendu et justement parce qu'il l'a défendu. Secrètement, mais vraisemblablement à la connaissance de la reine, qui préfère un sourire de sa Polignac à l'estime de son époux, les acteurs reçoivent l'ordre d'étudier leur rôle ; déjà les billets sont distribués, déjà les voitures se pressent devant la porte du théâtre, lorsque le roi, au dernier moment, pense à sa dignité menacée. Il a défendu de jouer la pièce, il y va maintenant de son autorité. Une heure avant le lever du rideau Louis XVI interdit la représentation par une lettre de cachet. On éteint les lumières, les équipages rentrent chez eux.

L'affaire derechef paraît liquidée. Mais l'impudente coterie de la reine prend plaisir à prouver que sa force est plus grande que celle d'une tête couronnée sans énergie. Le comte d'Artois et Marie-Antoinette sont délégués pour aller insister auprès du roi ; comme toujours cet homme sans volonté cède aux désirs de sa femme ; pour couvrir sa faiblesse il demande qu'on change les passages les plus osés, ceux qu'en réalité tout le monde connaît depuis longtemps par cœur. La représentation du *Mariage de Figaro* au Théâtre Français est fixée au 27 avril 1784, Beaumarchais a triomphé de Louis XVI. Le fait que le roi a voulu interdire la pièce et prédit son échec donne à la soirée, aux yeux des gentilshommes frondeurs, un caractère sensationnel. L'affluence est si grande que les barres de fer de l'entrée sont brisées et les portes enfoncées ; la vieille société accueille avec des applaudissements frénétiques cette pièce, qui, moralement, lui porte le coup de grâce, et ces applaudissements sont, elle ne s'en doute pas, le premier geste public de la révolte, le premier éclair de la Révolution.

Vu la situation, un minimum de mesure, de tact, de raison, devrait commander à Marie-Antoinette de se tenir à l'écart d'une comédie de ce M. de Beaumarchais. Quant à lui, il ne devrait pas pouvoir se vanter, après avoir attaqué l'honneur de la reine et ridiculisé le roi devant tout Paris, de voir le rôle d'un de ses personnages tenu par la fille de Marie-Thérèse, l'épouse de Louis XVI, qui tous deux l'ont fait emprisonner pour friponnerie. Mais – c'est là un critérium pour cette reine mondaine – depuis sa victoire sur le roi M. de Beaumarchais est à la mode à Paris, et la reine obéit à la mode. Qu'importent l'honneur et les convenances, on ne fait que jouer la comédie, après tout. Et puis quel rôle charmant que celui de cette malicieuse jeune fille ! Qu'en dit-on, au juste, dans le texte ?

Figurez-vous la plus jolie petite mignonne, douce, tendre, accorte et fraîche, agaçant l'appétit ; pied furtif, taille droite, élancée, bras dodus, bouche rosée, et des mains ! des joues ! des dents ! des yeux !...

Peut-il être permis à une autre que la reine de France et de Navarre – quelles mains seraient plus blanches, quels bras plus dodus que les siens ? – de jouer ce rôle charmant ? Donc, au diable les considérations et les égards ! Qu'on fasse venir l'excellent Dazincourt de la Comédie Française pour qu'il apprenne le maintien et la grâce à ces nobles amateurs, et qu'on commande chez Mlle Bertin les plus jolies robes. Il faut absolument s'amuser et ne pas penser éternellement aux animosités de la cour, aux méchancetés des chers parents, aux stupides ennuis de la politique. Cette comédie retient à présent Marie-Antoinette, tous les jours, dans son ravissant petit théâtre blanc et or, sans qu'elle se doute que déjà le rideau se lève sur une autre comédie dans laquelle, sans le savoir et sans le vouloir, elle est appelée à jouer le rôle principal.

Les répétitions du *Barbier de Séville* touchent à leur fin. Marie-Antoinette est toujours très occupée et très inquiète.

Paraîtra-t-elle vraiment assez jeune, sera-t-elle assez jolie dans le rôle de Rosine ? le parterre, composé d'amis exigeants et gâtés, ne lui reprochera-t-il pas de manquer de vivacité et de naturel, d'être plus dilettante qu'actrice ? Vraiment, elle se fait des soucis, étranges soucis pour une reine ! Et pourquoi Mme Campan, avec qui elle doit répéter, tarde-t-elle tant aujourd'hui ? Enfin, enfin, la voici. Mais que se passe-t-il ? Elle paraît si étrange et si agitée. Le bijoutier de la cour, Boehmer, est arrivé chez elle hier tout bouleversé, finit-elle par balbutier, pour solliciter une audience immédiate de la reine. Ce juif saxon lui a raconté une histoire des plus bizarres et des plus embrouillées ; la reine aurait fait acheter secrètement chez lui il y a quelques mois un précieux collier de diamants, et à ce moment-là on aurait décidé le paiement par échéances. Mais la date du premier versement serait passée depuis longtemps et pas un écu n'aurait été payé. Ses créanciers le pressaient, il avait besoin de son argent tout de suite.

Comment ? quoi ? quels diamants ? quel collier ? quelle est cette histoire d'argent et d'échéances ? La reine ne comprend pas tout d'abord. S'agit-il du merveilleux collier, composé avec tant de goût, par les deux joailliers Boehmer et Bassenge ? Si c'est de celui-là, elle le connaît bien entendu. Ils le lui ont offert à plusieurs reprises déjà pour un million six cent mille livres ; elle aurait bien voulu avoir cette merveille, évidemment, mais les ministres parlent toujours de déficit et ne veulent pas donner d'argent. Comment ces charlatans peuvent-ils prétendre qu'elle l'a acheté, payable par échéances encore ! et secrètement, et qu'elle leur doit de l'argent pour cela ? Sûrement il y a là une étrange méprise. Mais au fait n'est-il pas arrivé, il y a environ une semaine, une lettre singulière de ces bijoutiers – elle s'en souvient maintenant – par laquelle ils la remerciaient de quelque chose et où ils parlaient d'un joyau précieux ? Où est cette lettre ? C'est vrai, elle l'a brûlée. Elle n'a pas l'habitude de lire les lettres à fond, et elle a détruit tout de suite ce respectueux et incompréhensible bavardage. Mais que lui veut-on au juste ? Marie-Antoinette fait écrire incontinent un mot à Boehmer par son secrétaire et le mande, non pour le lendemain, mais pour le 9 août; mon Dieu ! l'affaire de cet imbécile n'est vraiment pas pressée et l'on a besoin de toute sa tête pour les répétitions du *Barbier de Séville.*

Le joaillier Boehmer arrive le 9 août, pâle et agité; l'histoire qu'il raconte est tout à fait obscure. La reine tout d'abord croit avoir affaire à un fou. Une comtesse de Valois, amie intime de la reine – « Comment ? mon amie ? Mais je n'ai jamais reçu une dame de ce nom ! » – aurait examiné le bijou chez lui et déclaré que la reine désirait l'acheter en secret. Et son Éminence Monseigneur le cardinal de Rohan – « Quoi, cet horrible homme avec lequel je n'ai jamais échangé une parole ? » – en aurait pris livraison au nom de sa Majesté.

Si absurde que paraisse ce récit, il doit y avoir quelque chose de vrai dans l'affaire, car ce pauvre homme en a le front mouillé et il tremble de la tête aux pieds. La reine aussi frémit de colère à l'idée que des filous ont abusé honteusement de son nom. Elle ordonne au joaillier de lui fournir, par écrit et sans retard, un exposé de l'affaire dans tous ses détails. Le 12 août, elle reçoit ce document fantastique, que les archives conservent encore aujourd'hui. Marie-Antoinette croit rêver, elle lit, et à mesure qu'elle lit son indignation et sa colère grandissent, pareille escroquerie est sans précédent. Il faut sévir d'une façon exemplaire. Elle n'avertit pour l'instant aucun ministre, ne prend conseil d'aucun de ses amis; elle confie au roi seul, le 14 août, toute l'affaire et lui demande de défendre son honneur.

Marie-Antoinette saura plus tard qu'elle aurait mieux fait d'examiner soigneusement une affaire aussi compliquée et aussi embrouillée. Mais cette nature impatiente et impérieuse n'a jamais été capable de réfléchir sérieusement, ni de peser avec prudence le pour et le contre de ses actes, surtout lorsque son orgueil impulsif, trait dominant de son caractère, est en jeu.

Dans son emportement, la reine ne lit et ne voit dans ce mémoire qu'un seul et même nom, celui du cardinal Louis de Rohan, que depuis des années elle déteste passionnément, de toute la violence de ses sentiments excessifs et qu'inconsidérément elle croit capable de n'importe quel manque de scrupules, de toutes les infamies. En vérité ce prêtre gentilhomme et mondain ne lui a jamais fait aucun mal, c'est même lui qui, lors de son entrée en France, lui a souhaité une bienvenue des plus dithyrambiques à la porte de la cathédrale de Strasbourg. Il a baptisé ses enfants et recherché toutes les occasions de se rapprocher d'elle amicalement. Au fond même, il n'existe entre leurs deux natures aucun antagonisme ; au contraire, ce cardinal de Rohan est le véritable pendant masculin de Marie-Antoinette ; comme elle il est frivole, superficiel, dépensier, et il se montre aussi négligent quant à ses devoirs religieux qu'elle l'est à l'égard de ses devoirs royaux ; c'est un prêtre mondain comme elle est une reine mondaine, un évêque du rococo comme elle est une reine du rococo. Il eût été parfait à Trianon avec ses manières soignées, sa nonchalance, sa prodigalité infinie, et sans doute se seraient-ils merveilleusement compris, le beau, le léger, l'agréable, le frivole cardinal et la jolie reine, joueuse, coquette et heureuse de vivre. Seul un hasard a fait de ces deux êtres des adversaires. Mais que de fois ceux qui au fond se ressemblent le plus sont les ennemis les plus acharnés !

C'est Marie-Thérèse en vérité qui a divisé Rohan et Marie-Antoinette ; sa haine, la reine l'a héritée de sa mère, elle lui a été inspirée, transmise. Avant d'être évêque de Strasbourg, Louis de Rohan avait été ambassadeur à Vienne : là il avait tout fait pour s'attirer la grande colère de la vieille impératrice. Elle attendait un diplomate et se trouva en face d'un bavard prétentieux. Cependant Marie-Thérèse aurait volontiers pris son parti de l'infériorité intellectuelle de Louis de Rohan, car l'inintelligence d'un ambassadeur étranger ne pouvait qu'augmenter les chances de succès de la politique qu'elle poursuivait. Elle lui aurait encore pardonné son faste, quoiqu'elle eût été très fâchée de voir ce faux serviteur du Christ arriver à Vienne avec deux somptueux carrosses, dont chacun avait coûté quarante mille écus, et toute une suite vêtue de soie verte, dans un étalage de luxe qui éclipsait insolemment la cour impériale. Mais il y a deux points sur lesquels l'impératrice se refuse à transiger ou plaisanter : la religion et les mœurs. La vue d'un serviteur de Dieu, entouré d'une cour d'admiratrices, quittant le vêtement sacerdotal pour un costume de chasseur, abattant en un seul jour cent trente pièces de gibier, soulève chez cette femme dévote une indignation qui atteint jusqu'à la fureur, dès qu'elle s'aperçoit que cette conduite frivole, loin de révolter les gens, rencontre une approbation générale à Vienne, « Sa » Vienne, la ville des Jésuites et des commissions des mœurs. Toute la noblesse, à qui l'économie et l'austérité de la cour de Schoenbrunn imposaient des réserves, respire dans la société de ce viveur prodigue et élégant ; les femmes surtout, à qui les mœurs sévères de la veuve dévote rendent la vie dure, se pressent aux joyeux soupers de l'ambassadeur.

> Nos femmes, avouera Marie-Thérèse mécontente, jeunes et vieilles, belles et laides, ne sont pas moins ensorcelées de ce mauvais original d'extravagances et étourderies. Il paraît se plaire beaucoup ici, car il assure de vouloir y rester, même après la mort de son oncle.

Mais il y a pis encore : l'impératrice, blessée, verra même Kaunitz, son fidèle homme de confiance, appeler Rohan son cher ami, et son propre fils Joseph, qui prend toujours plaisir à dire « oui » quand sa mère dit « non », se lier d'amitié avec l'évêque gentilhomme ; elle verra cet élégant seigneur séduire sa famille, la cour et la ville, et les convertir à une vie plus légère. Mais Marie-Thérèse ne veut pas que sa Vienne, catholique et austère, devienne un frivole Versailles, elle ne veut pas que dans sa noblesse se répandent l'adultère et le concubinage : cette peste ne se fixera pas dans sa capitale, et c'est pourquoi il faut que Rohan s'en aille. Elle écrit à Marie-Antoinette lettre sur lettre, afin qu'elle fasse tout pour éloigner ce « méprisable individu », cet « esprit incorrigible », ce « volume farci de bien mauvais propos », ce « mauvais sujet », ce « vrai panier percé » (on voit à quels écarts de langage la colère entraîne cette femme si réfléchie). Elle soupire, elle crie même désespérément qu'on veuille enfin la « délivrer » de ce messager de l'antéchrist. Et à peine Marie-Antoinette est-elle reine, qu'elle obtient en effet, docile aux ordres de sa mère, le rappel de Louis de Rohan.

Mais quand un Rohan tombe, c'est pour s'élever. En compensation de l'ambassade perdue, il est nommé évêque et peu après grand aumônier. C'est le plus haut dignitaire ecclésiastique de la cour, c'est par son intermédiaire que sont distribués tous les dons charitables du roi. Ses revenus sont immenses ; car il est non seulement évêque de Strasbourg, mais encore landgrave d'Alsace, prieur de la très lucrative abbaye de Saint-Vaast, surintendant de l'hôpital royal, proviseur à la Sorbonne et au surplus – on ne sait pourquoi – membre de l'Académie Française. Pourtant si élevés que soient ses revenus, ses dépenses leur sont toujours supérieures, car, débonnaire, insouciant et prodigue, Rohan sème l'argent à pleines mains. Il consacre des millions à la reconstruction du palais des évêques à Strasbourg, il donne les fêtes les plus somptueuses, il ne lésine pas avec les femmes ; mais de toutes ses fantaisies il en est une, M. de Cagliostro, qui lui coûte plus que sept maîtresses. Ce n'est bientôt plus un secret pour personne que les finances de l'évêque sont dans un triste état, et l'on rencontre plus souvent ce serviteur du Christ chez des usuriers juifs qu'à l'église, de même qu'on le trouve plus fréquemment dans la société des femmes que dans celle de savants théologiens. Le Parlement vient justement de s'occuper des dettes de l'hôpital administré par Rohan : y a-t-il de quoi s'étonner si la reine à première vue croit que ce léger personnage a inventé toute l'histoire pour se procurer du crédit sur son nom ?

> Le cardinal, écrit-elle à son frère dans le premier mouvement de la colère, a pris mon nom comme un vulgaire et maladroit faux monnoyeur. Il est probable que, pressé par un besoin d'argent, il a cru pouvoir payer les bijoutiers à l'époque qu'il avait marquée, sans que rien ne fût découvert.

On comprend son erreur, on comprend l'exaspération qui l'empêche de pardonner à cet homme. Pendant quinze ans, depuis sa première rencontre avec Louis de Rohan devant la cathédrale de Strasbourg, Marie-Antoinette, fidèle aux ordres de sa mère, ne lui a pas adressé une seule fois la parole, elle l'a même brusqué ouvertement devant toute la cour. Elle ne peut donc s'empêcher de considérer comme un acte de vengeance infâme le fait que cet homme a mêlé son nom à une affaire d'escroquerie ; ce défi à son honneur lui semble plus impudent et plus perfide que tous ceux qu'elle a subis de la part de la haute noblesse française. Et avec un accent passionné, les larmes aux yeux, elle exige du roi que cet escroc – c'est ainsi qu'elle appelle Rohan, celui qu'on a trompé – soit puni publiquement, d'une façon exemplaire, sans pitié.

Le roi, désarmé devant les exigences d'une femme qui ne pèse jamais pourtant les conséquences de ses actes et de ses désirs, ne réfléchit pas plus loin. Sans vérifier l'accusation, sans demander de documents et sans interroger le joaillier ou le cardinal, il se met, docile comme un esclave, au service d'une colère féminine inconsidérée. Le 15 août, il cause la stupeur du conseil des ministres lorsqu'il manifeste l'intention de faire arrêter immédiatement le cardinal. Le cardinal ? Le cardinal de Rohan ? Les ministres s'étonnent, s'effraient, se regardent ahuris. L'un d'eux, au bout d'un moment, se risque prudemment à demander si cela ne ferait pas une trop mauvaise impression d'arrêter, comme un vulgaire malfaiteur, un si haut dignitaire, et un ecclésiastique par surcroît. Mais c'est justement cela, la sanction publique, qu'exige Marie-Antoinette. Il faut enfin faire un exemple, évident pour tous, afin qu'on sache que le nom de la reine ne peut pas être ainsi mêlé impunément à toutes les infamies. Tout à fait à contrecœur, inquiets et pleins de funestes pressentiments, les ministres finissent par céder. Quelques heures plus tard un spectacle inattendu se déroule. Comme l'Assomption est en même temps la fête de la reine, toute la cour se présente à Versailles pour présenter ses vœux ; l'Œil-de-Bœuf et la Galerie des Glaces sont bondés de courtisans et de hauts dignitaires. Rohan, personnage principal sans s'en douter, à qui incombe ce jour-là l'obligation de célébrer l'office pontifical, attend, lui aussi, en soutane écarlate et revêtu déjà du surplis, dans l'antichambre réservée aux « grandes entrées » devant le cabinet du roi.

Mais Louis XVI n'apparaît pas solennellement avec son épouse pour se rendre à la messe, et c'est un laquais qui s'approche de Rohan. Le roi le mande dans son cabinet particulier. Là il trouve la reine, qui, debout, les lèvres pincées, détourne le regard et ne répond pas à son salut ; à côté d'elle le ministre Breteuil, un ennemi personnel du cardinal, également solennel, froid et impoli. Avant que Rohan n'ait eu le temps de se demander ce qu'on pouvait bien lui vouloir, le roi s'adresse à lui, sans détour ni façon : « Mon cousin, qu'est-ce que cette acquisition d'un collier, que vous auriez faite au nom de la reine ? » Rohan pâlit. Il ne s'attendait pas à cela. « Sire, je le vois, j'ai été trompé, mais je n'ai pas trompé », balbutie-t-il.

— S'il en est ainsi, mon cousin, vous ne devez avoir aucune inquiétude. Mais expliquez-vous.

Rohan est incapable de répondre. Il voit en face de lui Marie-Antoinette, muette et menaçante. La parole lui fait défaut. Sa confusion éveille la pitié du roi, qui cherche une issue.

— Eh bien ! écrivez ce dont vous avez à me rendre compte, dit Louis XVI ; et il quitte la pièce, accompagné de Marie-Antoinette et de Breteuil.

Resté seul le cardinal parvient à écrire une quinzaine de lignes, et il remet son explication au roi qui rentre. Une femme du nom de Valois l'aurait décidé à acquérir ce collier pour la reine. Il reconnaît à présent que cette personne l'a trompé.

— Où est cette femme ? demande le roi.

— Sire, je ne sais.

— Avez-vous le collier ?

— Sire, il est entre les mains de cette femme.

Le roi fait appeler la reine, Breteuil et le garde des sceaux, et fait lire le mémoire des deux joailliers. Il demande les deux billets soi-disant signés de la reine.

Le cardinal, anéanti, est contraint d'avouer : « Sire, je les ai. Ils sont faux. »

— Je crois bien qu'ils sont faux ! répond le roi. Et quoique le cardinal propose de payer le collier, il conclut avec sévérité : Monsieur, je ne puis me dispenser dans une pareille circonstance de faire mettre les scellés chez vous et de m'assurer de votre personne. Le nom de la reine m'est précieux. Il est compromis, je ne dois rien négliger.

Rohan supplie instamment qu'on lui évite cette honte, surtout à un moment où il doit paraître devant Dieu et dire la messe en présence de toute la cour. Le roi, tendre et débonnaire, hésite devant le désespoir évident de cet homme qu'on a trompé. Mais la reine maintenant ne peut plus se contenir et, pleurant de colère, elle apostrophe Rohan et lui demande comment il a pu croire que, ne l'ayant pas honoré d'une parole depuis huit ans, elle le choisissait comme intermédiaire pour traiter secrètement des affaires, à l'insu du roi. Le cardinal est sans réponse devant ce reproche : il ne comprend plus lui-même à présent comment il a pu être assez insensé pour s'engager dans cette folle aventure. Le roi regrette, mais il termine en disant : « Je souhaite que vous puissiez vous justifier ! Quant à moi, il me faut faire mon devoir de roi et d'époux. »

L'entretien est fini. Déjà, dans le salon bondé, toute la noblesse attend, impatiente et curieuse. La messe aurait dû commencer il y a longtemps, pourquoi ce retard, que se passe-t-il ? Le va-et-vient agité de quelques-uns fait légèrement vibrer les fenêtres ; d'autres sont assis et chuchotent ; on sent qu'il y a de l'orage dans l'air.

Soudain la porte du cabinet du roi s'ouvre à deux battants. Le cardinal de Rohan paraît le premier, pâle et les lèvres serrées, derrière lui Breteuil, le vieux soldat, à la trogne enluminée de vigneron, les yeux brillants d'excitation. Au milieu de la pièce il lance tout à coup au capitaine des gardes du corps, d'une voix intentionnellement bruyante : « Arrêtez monsieur le Cardinal ! »

Tout le monde frémit. Tout le monde est atterré. Un cardinal arrêté ! Un Rohan ! Et dans l'antichambre du roi ! Ce vieux sabreur de Breteuil serait-il ivre ? Mais non,

Rohan ne se défend pas, il ne se révolte pas, les yeux baissés il va à la rencontre de la garde. Les courtisans stupéfaits s'écartent, et devant cette haie de regards inquisiteurs, humiliants, irrités, le prince de Rohan, grand aumônier du roi, cardinal de l'Église en dehors de laquelle il n'y a pas de salut, landgrave d'Alsace, membre de l'Académie et porteur d'une foule de dignités, traverse salle après salle et gagne l'escalier, surveillé comme un galérien par le rude soldat qui le suit. Tandis que, dans une pièce écartée, on confie Rohan à la garde de la cour, celui-ci, réveillé de sa torpeur, profite de l'ahurissement général pour griffonner en hâte quelques lignes adressées à son abbé et lui recommander de brûler rapidement les écrits contenus dans une certaine pochette rouge, les faux billets de la reine, ainsi qu'on le saura plus tard par le procès. En bas, un des heiduques de Rohan enfourche rapidement un cheval, part au galop à l'hôtel de Strasbourg, avec le mot du cardinal, et y parvient avant que les policiers, plus lents, n'arrivent poser les scellés et que – honte sans pareille – le grand aumônier de France, sur le point de dire la messe devant le roi et toute la cour, ne soit conduit à la Bastille. En même temps l'ordre est donné d'arrêter tous ceux qui ont joué un rôle dans cette ténébreuse affaire. Ce jour-là on ne dit pas la messe à Versailles, à quoi bon d'ailleurs ? Personne ? ne serait assez recueilli pour l'écouter ; toute la cour, toute la ville, tout le pays sont consternés par la nouvelle, qui retentit comme un coup de tonnerre.

La reine, très émue, est rentrée dans ses appartements, ses nerfs vibrent encore de colère ; enfin, voilà tout au moins un de ces fourbes qui s'attaquent à son honneur, un de ces calomniateurs mis à la raison. Les gens bien-pensants ne vont-ils pas accourir, la féliciter de l'arrestation de ce fripon ? Toute la cour ne va-t-elle pas vanter la fermeté du roi que pendant longtemps l'on avait cru si faible ? Mais c'est étrange, personne ne vient. Les regards embarrassés de ses amies l'évitent même ; tout est calme, aujourd'hui, à Trianon et à Versailles. Cependant la noblesse ne cherche pas à dissimuler son indignation qu'on ait ainsi déshonoré l'un de ses membres ; et le cardinal de Rohan, à qui le roi a promis son indulgence au cas où il se soumettrait à son jugement personnel, remis à présent de sa frayeur, refuse froidement cette faveur et choisit le Parlement pour juge. Marie-Antoinette se sent mal à l'aise, elle s'est trop pressée. Elle ne parvient pas à se réjouir de son succès : le soir, ses femmes de chambre la trouvent en larmes.

Mais bientôt le vieux fonds de frivolité reprend le dessus. « En ce qui me concerne, écrit-elle pleine d'une folle illusion à son frère Joseph, je suis ravie à l'idée de ne plus entendre parler de cette vilaine affaire. » On est au mois d'août et le procès ne viendra pas devant le Parlement avant décembre, peut-être même avant l'année prochaine. A quoi bon alors se préoccuper plus longtemps d'une pareille vétille ? Que les gens jasent et murmurent, qu'importe ! Vite, qu'on apporte les fards et les nouveaux costumes, on ne va pas renoncer à une si charmante comédie pour une affaire aussi insignifiante ! Les répétitions continuent, la reine étudie (au lieu des dossiers de police de ce grand procès, qu'il serait peut-être encore temps d'arrêter) le rôle de la joyeuse petite Rosine dans *le Barbier de Séville*. Mais il semble que ce rôle aussi elle l'ait étudié trop superficiellement. Sans quoi, elle aurait dressé les oreilles et réfléchi en entendant les paroles de son partenaire Basile, qui décrit la puissance de la calomnie d'une manière si prophétique, et elle aurait compris qu'en la circonstance un jeu en apparence léger exprimait sa propre destinée. La comédie rococo prend fin pour toujours sur cette dernière représentation du 19 août 1785 : *incipit tragœdia.*

CHAPITRE XV

L'AFFAIRE DU COLLIER

Que s'est-il passé au juste ? Il est difficile de donner de l'affaire du collier un récit croyable, car telle qu'elle s'est déroulée en fait c'est la plus invraisemblable des affaires ; intrigue d'un roman, on n'y croirait même pas. Mais quand la réalité se mêle d'avoir une idée sublime, et en même temps poétique, elle dépasse en imagination et dans l'art de l'affabulation le plus habile des romanciers. Et tous les auteurs alors feraient bien de n'y rien changer, de ne pas tenter d'ajouter à ses géniales combinaisons : Goethe lui-même, qui, dans le *Grand Copte*, a essayé de tirer une comédie de l'affaire du collier, traduit en une plate plaisanterie ce qui en vérité a été une des farces les plus éhontées, les plus mouvementées, les plus passionnantes de l'Histoire. Molière n'a pas écrit une pièce où il soit possible de trouver assemblage plus pittoresque de filous, d'escrocs, de dupes, de bouffons et de gens délicieusement bernés, que dans cet hilarant pot-pourri, où une pie voleuse, un rusé renard rompu à toutes les charlataneries, un ours pataud et crédule composent la plus extravagante des bouffonneries.

Toute comédie, digne de ce nom, tourne autour d'une femme. Celle de l'affaire du collier, fille d'un gentilhomme ruiné et d'une servante débauchée, est tout d'abord une enfant abandonnée et sale, qui va pieds nus, se nourrit de pommes de terre volées dans les champs, et garde les vaches pour un morceau de pain. Après la mort du père, la mère se livre à la prostitution et la petite à la mendicité. A l'âge de sept ans, l'enfant, par un heureux hasard, rencontre sur sa route la marquise de Boulainvilliers à qui elle adresse cette plainte étrange : « Pitié pour une pauvre orpheline du sang des Valois ! » Quoi ? Cette enfant pouilleuse et famélique descendrait des Valois ? Elle serait du sang de Saint Louis ? Ce n'est pas possible, se dit la marquise. Elle fait cependant arrêter son carrosse et interroge la petite mendiante.

Dans l'affaire du collier, nous l'avons dit, tout paraît invraisemblable ; les choses les plus ahurissantes y reposent sur des réalités. Cette enfant, cette petite Jeanne est effectivement une fille légitime de Jacques de Saint-Rémy, braconnier de son métier, ivrogne, la terreur des paysans, mais néanmoins descendant direct et authentique des Valois. La marquise de Boulainvilliers, émue par cette chute fantastique dans la misère d'une descendante royale, emmène immédiatement la fillette et sa sœur cadette et les fait élever à ses frais dans un pensionnat. A quatorze ans, Jeanne entre en apprentissage chez une couturière, devient blanchisseuse, repasseuse, porteuse d'eau, lingère et elle est finalement casée dans un couvent pour jeunes filles nobles.

Mais la petite Jeanne n'a pas la vocation d'une nonne, elle le prouvera par la suite. Le sang vagabond du père s'agite dans ses veines ; à vingt-deux ans elle escalade carrément avec sa sœur le mur du couvent. Sans argent, la tête farcie d'aventures, elles surgissent à Bar-sur-Aube. Jolie comme elle est, Jeanne y trouve un officier de gendarmerie de petite noblesse, Nicolas de la Motte, qui bientôt l'épousera – et cela au dernier moment, car la bénédiction nuptiale ne précède que d'un mois l'arrivée de deux jumeaux. Mme de la Motte pourrait, si elle le voulait, mener une petite vie bourgeoise, tranquille et modeste, en compagnie d'un mari accommodant – il n'a jamais été jaloux. Mais le « sang des Valois » réclame ses droits ; cette petite Jeanne, depuis toujours, n'a qu'une idée : monter ! N'importe comment, par n'importe quels moyens ! Elle commence par aller trouver sa bienfaitrice, la marquise de Boulainvilliers, et la chance veut qu'elle soit reçue par elle au château du cardinal de Rohan à Saverne. Très adroite, elle exploite immédiatement l'aimable faiblesse du galant et bienveillant cardinal. Par son intermédiaire elle obtient pour son mari – à quel prix, on s'en doute – un brevet de capitaine dans un régiment de dragons et le paiement de ses dettes.

Jeanne aurait lieu, cette fois encore, d'être satisfaite. Mais elle ne considère cette belle ascension que comme un échelon. Son époux a été nommé capitaine par le roi ; de son propre chef il s'attribue le titre de comte. Quand on peut se parer d'un nom aussi sonore que celui de comtesse de Valois de la Motte, doit-on se résigner à moisir en province, avec une misérable pension et un modeste traitement d'officier ? Ce serait absurde ! Un nom pareil vaut cent mille livres par an pour une jolie femme sans scrupules, qui est décidée à plumer à fond tous les vaniteux et tous les imbéciles. Les deux complices viennent donc à Paris et y louent un hôtel rue Neuve-Saint-Gilles ; là ils persuadent les usuriers que la comtesse, descendante des Valois, a des droits à faire valoir sur d'immenses propriétés, et ils mènent grand train avec l'argent qu'ils se font prêter ; l'argenterie, il est vrai, n'est jamais empruntée pour plus de trois heures au magasin le plus proche. Finalement quand les créanciers la harcèlent trop, la comtesse de Valois de la Motte déclare qu'elle va se rendre à Versailles, pour présenter ses revendications à la cour.

Elle ne connaît évidemment personne à la cour, et elle y fatiguerait ses jolies jambes, sans même pouvoir parvenir jusqu'à l'antichambre de la reine. Mais la rusée aventurière a déjà combiné son coup. Elle se poste avec d'autres quémandeurs dans l'antichambre de Madame Élisabeth et s'évanouit subitement. Tout le monde accourt, son mari fait sonner leur nom ronflant et raconte, les larmes aux yeux, que la faim, dont elle a souffert pendant des années, et l'épuisement consécutif sont cause de cette syncope. On ramène chez elle sur une civière la soi-disant malade qui a réussi à éveiller la compassion ; on lui envoie deux cents livres et sa pension est portée de huit cents livres à quinze cents. Mais pour une Valois ce n'est là qu'une aumône. Délibérément elle récidive : elle s'évanouit une deuxième fois dans l'antichambre de la comtesse d'Artois, puis une troisième dans la Galerie des Glaces que doit traverser la reine. Mais Marie-Antoinette, sur la générosité de qui comptait tout spécialement l'obstinée quémandeuse, ne saura malheureusement rien de cet incident. Un quatrième évanouissement serait suspect. Les deux époux rentrent donc à Paris avec un maigre butin. Il s'en faut de beaucoup qu'ils aient atteint ce qu'ils voulaient. Mais ils se gardent bien, naturellement, de l'avouer ; ils racontent au contraire, en se rengorgeant, que la reine, leur parente, les a reçus de la façon la plus gracieuse et la plus cordiale. Et comme il y a beaucoup de gens pour qui une comtesse de Valois, bien vue dans la société de la reine, est une relation précieuse, quelques moutons dodus ne tardent pas à venir se faire tondre, et voici le crédit rétabli pour un certain temps. Les deux mendiants endettés –*mundus vult decipi* – créent une véritable cour, dirigée par un soi-disant premier secrétaire, qui s'appelle Rétaux de Villette et qui partage sans scrupules non seulement les escroqueries mais aussi le lit de la noble comtesse ; un second secrétaire, Loth, appartient même au clergé. On engage des cochers, des laquais, des soubrettes et l'on mène joyeuse vie dans la rue Neuve-Saint-Gilles. On y organise d'amusantes parties de jeux, peu profitables aux sots qui se laissent prendre, mais très divertissantes tout de même par la présence d'un monde de femmes équivoques. Malheureusement des importuns, huissiers et créanciers de profession, s'en mêlent et ont l'inconvenante prétention, après avoir attendu des semaines et des mois, de se faire enfin payer. De nouveau l'honorable couple se trouve au bout de son latin, les petits artifices ne prennent plus. Il sera bientôt temps d'oser un grand coup.

Pour une escroquerie d'envergure deux choses sont nécessaires : un escroc de qualité et une belle dupe. Cette dupe, heureusement, on l'a déjà sous la main : elle n'est autre que le cardinal de Rohan, membre illustre de l'Académie Française et grand aumônier de France. Tout à fait homme de son temps, ni plus intelligent ni plus bête que beaucoup d'autres, ce prince de l'Église, d'un extérieur charmant, est atteint de la maladie du siècle, il est d'une crédulité excessive. L'humanité ne peut pas, à la longue, vivre sans croyance ; et l'idole du siècle, Voltaire, ayant fait passer de mode la foi, la superstition se glisse à sa place dans les salons du dix-huitième. Un âge d'or commence pour les alchimistes, les cabalistes, les rose-croix, les charlatans, les nécromanciens et les marchands d'orviétan. Pas un homme de la noblesse, pas une femme du monde ne manquera de se rendre dans la loge de Cagliostro, de dîner à la table du comte de Saint-Germain, d'assister aux expériences de Mesmer avec son baquet magnétique. Et c'est bien parce qu'ils sont légers, si spirituellement frivoles, parce que ni la reine, ni les généraux, ni les prêtres ne prennent au sérieux leur dignité, leur service, ou leur Dieu, que tous ces viveurs « éclairés » éprouvent le besoin, pour meubler le vide épouvantable de leur existence, de jouer avec la métaphysique, la mystique, le surnaturel, l'incompréhensible, et qu'ils se laissent prendre le plus bêtement du monde, en dépit de toute leur clairvoyance et de tout leur esprit, aux pièges les plus grossiers des charlatans. Le plus naïvement crédule de ces pauvres d'esprit, son Éminence le cardinal de Rohan, tombe justement sur le plus roué de ces prestidigitateurs, le pape de tous les charlatans, le « divin » Cagliostro. Celui-ci est installé au château de Saverne et fait passer par enchantement dans sa poche l'argent et aussi la raison de son hôte. Il est avéré que les augures et les escrocs se reconnaissent au premier coup d'œil et c'est ce qui se passe pour Cagliostro et Mme de la Motte ; au courant des aspirations intimes du cardinal, Cagliostro apprend à Mme de la Motte le plus secret désir de son hôte, celui de devenir premier ministre de France ; elle arrive aussi à savoir le seul obstacle que redoute le cardinal : l'antipathie connue, mais inexplicable pour lui, que professe à son égard Marie-Antoinette. Connaître la faiblesse d'un homme, pour une femme habile et rusée c'est déjà le tenir ; la coquine tresse en hâte la corde dont elle se servira pour faire danser l'ours épiscopal jusqu'à ce qu'il sue de l'or. Dès avril 1784 Mme de la Motte commence à laisser tomber par-ci par-là une petite remarque comme quoi « sa chère amie » la reine se confie tendrement à elle ; avec une imagination de plus en plus fertile elle invente des épisodes qui éveillent chez le candide cardinal l'idée que cette jolie petite femme pourrait être pour lui l'intermédiaire idéale auprès de la reine. Il avoue être très affecté de ce que depuis des années sa Majesté ne l'a pas honoré d'un regard, alors qu'il ne connaît pas de plus grand bonheur que de la servir respectueusement. Ah ! si seulement quelqu'un voulait éclairer la reine sur ses véritables sentiments ! Émue et pleine de compassion, « l'amie intime » lui promet de parler en sa faveur à Marie-Antoinette. Rohan est étonné du poids de cette intervention, car en mai Mme de la Motte lui annonce déjà que l'opinion de la reine à son égard a changé et qu'elle ne tarderait pas à lui donner une marque discrète de ses nouvelles dispositions, rien d'officiel encore, bien entendu ; à la prochaine réception de la cour elle lui ferait secrètement un petit signe de la tête. Quand on veut croire ou voir une chose, on la croit ou voit volontiers. A la réception suivante le bon cardinal pense en effet avoir remarqué une « nuance » dans le salut de la reine, et pour récompenser sa touchante médiatrice il lui verse de beaux écus sonnants et trébuchants.

Mais aux yeux de Mme de la Motte il s'en faut de beaucoup que le filon rende suffisamment. Pour mieux entortiller le cardinal il est nécessaire de lui donner des preuves palpables de la faveur royale. Ne pourrait-on pas lui montrer des lettres ? Pourquoi aurait-on chez soi, et dans son lit, un secrétaire dénué de scrupules ? Rétaux n'hésite pas, effectivement, à fabriquer de prétendues lettres de la reine à son amie la comtesse de Valois. Et puisque ce fou s'y laisse prendre, pourquoi ne pas continuer dans cette voie profitable ? Pourquoi ne pas simuler une correspondance secrète entre lui et la reine, pour mieux vider sa caisse ? Sur le conseil de Mme de la Motte, le cardinal aveuglé écrit une justification détaillée de sa conduite jusqu'à ce jour, la revoit et la corrige pendant des journées entières et en remet enfin une copie nette à cette femme impayable. Et la preuve que Mme de la Motte est une vraie magicienne et l'amie intime de la reine, c'est que quelques jours plus tard elle apporte déjà une lettre de petit format sur papier vergé à tranche dorée, portant dans un coin le lys de France. L'orgueilleuse reine de la maison de Habsbourg, si réservée et si inaccessible habituellement, écrit à celui qu'elle avait méprisé jusqu'à ce jour :

> Je suis charmée, de ne plus vous trouver coupable. Je ne puis encore vous accorder l'audience que vous désirez. Quand les circonstances le permettront, je vous en ferai prévenir. Soyez discret !

Le dindon de la farce ne se connaît plus de joie ; sur le conseil de Mme de la Motte, il remercie la reine, reçoit et écrit d'autres lettres, et plus son cœur s'emplit de fierté et d'impatience à l'idée d'être en grande faveur auprès de Marie-Antoinette, plus Mme de la Motte se charge de vider ses poches. L'audacieuse entreprise bat son plein.

Il est dommage toutefois que dans cette comédie un personnage important, principal même, la reine, ne se soit pas encore réellement décidée à jouer son rôle. Ce jeu dangereux ne saurait pourtant se poursuivre sans son intervention, car il est impossible de laisser croire éternellement, même à quelqu'un d'aussi crédule que le cardinal, que la reine l'a salué, quand en réalité elle détourne obstinément son regard de cet homme exécré. Il est de plus en plus à craindre que ce pauvre fou ne finisse par se douter de quelque chose. Comme il est évident que Marie-Antoinette n'adressera jamais la parole au cardinal, ne suffirait-il pas de persuader à ce balourd qu'il a parlé avec la reine ? Pourquoi ne profiterait-on pas de la nuit, toujours favorable aux tricheries, pour présenter à Rohan dans une des allées ombragées du parc de Versailles, endroit tout à fait propice, une personne à qui l'on apprendrait quelques phrases par cœur et que l'on ferait passer pour la reine ? La nuit tous les chats sont gris, et dans son agitation et sa folie le bon cardinal ne se laisserait pas moins berner que par les blagues de Cagliostro et les lettres à tranches dorées d'un secrétaire ignare.

Mais où trouver rapidement une figurante, « un double »,

comme on dit aujourd'hui au cinéma ? Eh bien ! là où, à toute heure, des petites femmes très complaisantes, de tous genres et de toutes tailles, sveltes ou rondes, minces ou plantureuses, blondes ou brunes, se promènent dans un but commercial, au jardin du Palais-Royal, le paradis de la prostitution parisienne. Le « comte » de la Motte se charge de cette commission délicate ; il n'est pas long à découvrir un sosie de la reine. C'est une jeune femme du nom de Nicole – qui plus tard s'appellera baronne d'Oliva – soi-disant modiste, mais en réalité plus au service des hommes qu'à celui d'une clientèle féminine. Il n'a pas à déployer beaucoup d'artifice pour la décider à jouer ce rôle facile, « car, dira Mme de la Motte à ses juges, elle est fort bête ». Le 11 août, on amène à Versailles, dans un appartement loué tout exprès, l'obligeante hétaïre ; la comtesse de Valois se charge elle-même de l'habiller d'une robe de mousseline à pois, copie exacte de celle que porte la reine dans le tableau de Mme Vigée-Lebrun. On campe sur ses cheveux soigneusement poudrés un chapeau à large bord qui cache sa figure, et en route ! vivement et hardiment, pour le sombre parc nocturne, avec la craintive petite, qui pendant dix minutes passera pour la reine de France devant le grand aumônier de la royauté. La plus grande escroquerie de tous les temps est en marche.

Tout doucement le couple et la pseudo-reine déguisée traversent la terrasse de Versailles. Le ciel leur est bienveillant et répand sur la terre une obscurité complète. Ils descendent vers le bosquet de Vénus, où l'ombre des sapins, des cèdres et des pins permet à peine de distinguer autre chose que des contours ; l'endroit se prête merveilleusement aux jeux de l'amour et davantage encore à ce fantastique jeu de dupes. La pauvre petite prostituée commence à trembler. Elle s'enfuirait volontiers. Angoissée, elle tient à la main la rose et le billet qu'elle doit remettre, ainsi qu'il est prévu, à un noble seigneur qui va l'accoster ici. Soudain, le gravier crisse. La silhouette d'un homme surgit, c'est Rétaux, le secrétaire, qui, jouant le rôle d'un serviteur royal, amène Rohan. Nicole tout à coup se sent énergiquement poussée en avant, et comme happés par l'obscurité les entremetteurs la Motte disparaissent. Est-elle seule ? Non, pourtant, car elle voit aussitôt s'avancer vers elle un inconnu, grand et élancé, le chapeau enfoncé sur les yeux : c'est le cardinal. Mais que la conduite de cet homme est étrange ! Il s'incline devant elle jusqu'à terre, baise le bas de sa robe. A présent, Nicole devrait lui tendre la rose et la lettre qu'elle tient à la main. Mais dans son désarroi elle laisse tomber la rose et oublie la lettre. Elle balbutie seulement d'une voix étouffée les quelques mots qu'on lui a péniblement appris : « Vous pouvez espérer que le passé sera oublié. » Et ces quelques mots paraissent toucher infiniment le gentilhomme inconnu, car de nouveau il s'incline à plusieurs reprises et bégaie, l'air heureux, des paroles de reconnaissance, profondément respectueuses, sans que la pauvre petite sache pourquoi. Elle a seulement peur, une peur mortelle de parler et de se trahir. Mais, Dieu soit loué ! on entend un pas pressé sur le gravier, et quelqu'un appelle d'une voix basse et émue : « Vite, vite ! venez ! voici Madame et la comtesse d'Artois ! » Le mot fait son effet, le cardinal prend peur et s'éloigne précipitamment en compagnie de Mme de la Motte, tandis que le noble époux reconduit la petite Nicole ; le cœur battant, la pseudo-reine se glisse le long du château, où, derrière les fenêtres enténébrées, la vraie reine dort sans se douter de rien.

La farce aristophanesque a merveilleusement réussi. Ce pauvre imbécile de cardinal a reçu sur la tête un coup qui le prive complètement de ses esprits. Jusqu'ici il avait fallu sans cesse endormir sa méfiance, le prétendu signe de tête n'était qu'une demi-preuve, de même que les lettres d'ailleurs ; mais maintenant qu'il croit avoir parlé réellement à la reine, et appris de sa bouche qu'elle lui pardonne, tout ce que dit la comtesse est pour lui plus vrai que parole d'évangile. Elle peut le tenir en laisse et faire de lui tout ce qu'elle veut. Et il n'y a pas, ce soir-là, d'homme plus heureux dans toute la France que le cardinal ; Rohan se voit déjà premier ministre, de par les bonnes grâces de la reine.

Quelques jours plus tard, Mme de la Motte annonce au cardinal que la reine lui donne une nouvelle preuve de sa faveur. Sa Majesté – dont Rohan connaît le cœur généreux

– voudrait faire parvenir à une famille noble tombée dans le besoin cinquante mille livres, mais elle ne dispose pas de cette somme pour le moment. Le cardinal ne se chargerait-il pas pour elle de cette charité ? Eminemment heureux, Rohan ne s'étonne pas un instant que la reine, malgré ses revenus énormes, soit à court d'argent. Tout Paris sait d'ailleurs qu'elle est continuellement endettée. Il fait venir immédiatement un juif alsacien du nom de Cerf-Beer, lui emprunte cinquante mille livres, et deux jours après les écus s'alignent sur la table de Mme de la Motte. Le couple sait enfin comment s'y prendre pour faire danser le pantin. Trois mois plus tard ils tirent encore plus fort sur la ficelle ; la reine a de nouveau besoin d'argent, et Rohan s'empresse d'engager ses meubles et son argenterie dans le seul but de plaire rapidement à sa protectrice.

Ce sont, pour le comte et la comtesse de la Motte, des temps très heureux qui commencent. Le cardinal est loin, en Alsace, mais son argent sonne gaîment dans leurs poches. Inutile de se faire des soucis à présent, ils ont trouvé un sot qui paie. Il suffira de lui écrire de temps en temps une lettre au nom de la reine, et il fournira de nouveaux fonds. En attendant il n'y a qu'à vivre la grande vie, sans penser au lendemain ! Car si les souverains, les princes et les cardinaux sont insouciants en cette époque frivole, les escrocs le sont aussi. On se dépêche d'acheter une maison de campagne à Bar-sur-Aube avec un superbe jardin et une vaste ferme ; on mange dans de la vaisselle en or, on boit dans du cristal étincelant ; on joue, on fait de la musique dans cette belle demeure. La meilleure société se dispute l'honneur de fréquenter chez la comtesse de Valois de la Motte. Qu'il est beau le monde qui produit de pareils imbéciles !

Celui qui, au jeu, a tiré à trois reprises la carte la plus forte, n'hésitera pas à risquer, à la quatrième fois, une mise audacieuse. Un hasard imprévu glisse l'as d'atout dans la main de Mme de la Motte. A l'une de ses réceptions, quelqu'un raconte que ces pauvres joailliers de la cour, Boehmer et Bassenge, ont de gros ennuis. Ils ont mis tout leur capital ainsi qu'une importante somme empruntée dans le plus magnifique collier de diamants qu'on ait jamais vu.

Il était en somme destiné à la du Barry, qui l'eût certainement acheté si, malheureusement, la petite vérole n'avait enlevé Louis XV ; ensuite les joailliers l'avaient offert à la cour d'Espagne et par trois fois à la reine Marie-Antoinette, qui, folle de bijoux, achetait facilement, sans s'inquiéter beaucoup du prix. Mais l'économe et ennuyeux Louis XVI n'avait pas voulu débourser seize cent mille livres. Boehmer et Bassenge étaient donc acculés et les intérêts qu'ils devaient grevaient leurs beaux diamants ; sans doute seraient-ils obligés de céder le merveilleux collier au-dessous de sa valeur. Mais pourquoi la comtesse de Valois, qui se trouve être sur un si grand pied d'intimité avec la reine, n'engagerait-elle pas sa royale amie à faire l'achat de ce joyau dans de bonnes conditions, payable en plusieurs échéances naturellement ? Il y aurait là gros à gagner. Mme de la Motte, très soucieuse de maintenir la légende de son influence, a la bonté de promettre son intervention, et le 29 décembre les deux joailliers viennent soumettre le précieux écrin rue Neuve-Saint-Gilles.

Quelle merveille ! Mme de la Motte en a la respiration coupée. Miroitants comme ces diamants, d'audacieux projets traversent son esprit rusé : pourquoi ne déciderait-on pas cet âne bâté de cardinal à acheter secrètement le collier pour la reine ? A peine est-il revenu d'Alsace que Mme de la Motte l'entreprend sérieusement. Une nouvelle faveur lui sourit. La reine désire acheter un joyau précieux, à l'insu de son mari bien entendu, et il lui faudrait pour cela un intermédiaire discret ; en pensant à lui pour cette mission secrète et honorable elle lui donnait une preuve de sa confiance. Quelques jours plus tard Mme de la Motte, triomphante, peut annoncer à l'heureux Boehmer qu'elle a trouvé un acquéreur : le cardinal de Rohan. Le 29 janvier 1785 le marché est conclu à l'hôtel de Strasbourg : seize cent mille livres payables en deux ans, par échéances de six mois. Le joyau doit être livré le 1er février, la première échéance sera due le 1er août. Le cardinal appose son paraphe sur le contrat et le remet à Mme de la Motte pour qu'elle le soumette à « son amie » ; le lendemain 30 janvier, la voleuse apporte la réponse, sa Majesté est entièrement d'accord. Mais à un pas de la porte de l'écurie, l'âne jusque-là si docile se cabre. Il s'agit de seize cent mille livres, après tout; ce qui n'est pas une bagatelle, même pour le prince le plus prodigue ! Pour une affaire de cette importance, il faudrait au moins avoir une espèce de reconnaissance, un document signé de la reine. Un écrit ? Mais avec le plus grand plaisir ! Le secrétaire n'est-il pas là ? ... Le jour suivant Mme de la Motte rapporte le contrat; chaque clause porte en marge – *manu propria* – la mention « approuvé » et au bas du contrat figure la signature « autographe » de la reine : « Marie-Antoinette de France ». S'il était tant soit peu intelligent, le grand aumônier de France, membre de l'Académie, ancien ambassadeur et, en imagination, futur ministre, devrait savoir qu'en France une reine ne signe jamais un document autrement que par son prénom, qu'une signature « Marie-Antoinette de France » indique à première vue déjà l'œuvre d'un faussaire, non seulement maladroit, mais tout à fait ignorant. Mais comment douter, puisque la reine en personne l'a reçu au bosquet de Vénus ? Le cardinal ébloui jure solennellement de ne pas lâcher ce papier ni de le montrer à quiconque. Le 1er février le joaillier vient livrer le bijou au cardinal, qui, le soir, va le porter lui-même à Mme de la Motte, pour s'assurer que des mains dévouées à la reine en prendront livraison. Il n'attend pas longtemps rue Neuve-Saint-Gilles ; déjà les pas d'un homme se font entendre dans l'escalier. Mme de la Motte prie le cardinal d'entrer dans une pièce voisine, d'où, par une porte vitrée, il pourra voir et constater que le bijou a été remis régulièrement. En effet un jeune homme, tout habillé de noir, paraît – toujours Rétaux, bien entendu, le brave secrétaire – et s'annonce : « Par ordre de la reine. » Quelle femme admirable que cette comtesse de la Motte, se dit le cardinal, avec quelle discrétion, avec quelle adresse et quel dévouement elle fait tout parvenir à son amie ! Rassuré il lui donne la cassette, elle la remet au mystérieux messager, qui, chargé du précieux butin, disparaît aussi vite qu'il est venu, et le collier avec lui, pour ne plus revenir. Le cardinal ému prend congé : maintenant, après le service d'amitié qu'il a rendu, cela ne peut plus tarder, il sera bientôt, lui l'auxiliaire de la reine, le premier serviteur du roi, le premier ministre de France !

Quelques jours plus tard, un bijoutier juif se présente à la police parisienne pour se plaindre, au nom de ses confrères, du tort que leur fait un certain Rétaux de Villette en offrant des diamants très précieux à des prix si bas qu'ils doivent avoir été volés. Le préfet de police fait venir Rétaux. Celui-ci déclare qu'il tient les diamants d'une parente du roi, la comtesse de la Motte-Valois, qui l'a chargé de les vendre. Comtesse de Valois ! Ce beau nom fait sur le fonctionnaire l'effet d'un purgatif et il relâche immédiatement Rétaux, qui était déjà en proie à une frayeur mortelle. Mais néanmoins la comtesse se rend compte combien il serait dangereux de continuer à vendre à Paris les pierres démontées et séparées du collier – le précieux gibier longtemps pourchassé avait tout de suite été dépecé et morcelé ; elle bourre donc de diamants les poches de son brave époux et l'envoie à Londres. Bientôt les joailliers de New Bond Street et de Piccadilly ne peuvent plus se plaindre de manquer d'offres abondantes et avantageuses.

Hourra ! Voici tout à coup de l'argent, mille fois plus que l'audacieuse drôlesse n'en avait jamais espéré, même en rêve. Avec un aplomb insolent, grisée par son incroyable succès, elle n'hésite pas à étaler cette richesse récente. On fait l'acquisition de voitures, attelées de quatre juments anglaises, on engage des laquais en livrées superbes et un nègre galonné d'argent de la tête aux pieds, on achète des tapis, des gobelins, des bronzes, des chapeaux à plumes et un lit de velours écarlate. Et lorsque l'honorable couple va s'installer dans sa célèbre résidence de Bar-sur-Aube, il ne faut pas moins de vingt-quatre voitures pour transporter tous les meubles et objets précieux achetés en hâte à Paris. Bar-sur-Aube assiste à une inoubliable fête des mille et une nuits. De somptueux courriers précèdent à cheval le cortège du nouveau grand-mogol, puis vient la berline laquée gris perle, capitonnée de drap blanc. Les couvertures de satin, qui recouvrent douillettement les jambes du ménage, portent les armes des Valois : *Rege ab avo sanguinem, nomen et lilia*, « Du roi, mon ancêtre, je tiens mon sang, mon nom et les lys ». L'ancien officier de gendarmerie est magnifiquement vêtu : il porte des bagues à tous les doigts, des boucles de diamants aux souliers, trois ou quatre chaînes de montre brillent sur son héroïque poitrine, et l'inventaire de sa garde-robe – on put le vérifier plus tard dans les pièces du procès – ne mentionne pas moins de dix-huit costumes, tout flambant neuf, de soie ou de brocart, garnis de dentelles de Malines, de boutons en or ciselé et de précieuses passementeries. Son épouse ne le lui cède en rien : couverte de bijoux elle étincelle et brille, telle une idole hindoue. Jamais on n'a vu dans la petite ville de Bar-sur-Aube pareille richesse, laquelle ne tarde pas à exercer son pouvoir magnétique. Toute la noblesse des environs afflue dans cette maison et prend part aux festins dignes de Lucullus qu'on y donne ; des troupes de laquais y servent les mets les plus choisis dans de la précieuse vaisselle d'argent, les repas sont accompagnés de musique, et, nouveau Crésus, le comte évolue dans ses appartements princiers et répand l'argent à pleines mains.

L'affaire du collier a de nouveau atteint un point où elle est si absurde et si fantastique qu'elle paraît impossible. Le scandale ne devrait-il pas éclater au bout de quelques semaines ? Comment ces deux escrocs peuvent-ils – c'est la question que se pose involontairement tout esprit normal – étaler si insolemment leur faste et leur richesse sans se soucier de la police ? Mais Mme de la Motte pense très justement : si jamais les choses doivent tourner mal, nous avons un solide répondant. Supposons que l'on découvre le pot-aux-roses, eh bien ! il se débrouillera, monsieur le cardinal de Rohan ! Il se gardera bien, le grand aumônier de France, de laisser ébruiter une affaire qui le couvrirait de ridicule pour l'éternité. Il préférera payer le collier de sa poche très discrètement et sans broncher. Pourquoi se tourmenter alors ? Avec un associé pareil on peut dormir tranquille dans son lit de damas. Et vraiment ils ne s'inquiètent pas, cette brave de la Motte, son honorable époux, son habile secrétaire ; ils jouissent au contraire pleinement des avantages qu'ils ont su tirer avec tant d'adresse de l'inépuisable capital de la bêtise humaine.

Il y a cependant un détail qui semble étrange au digne cardinal. Il s'attendait, lors de la dernière réception officielle, à voir la reine déjà parée du précieux joyau ; sans doute espérait-il aussi un mot ou un signe de tête familier, un geste de reconnaissance, invisible pour tous, sauf pour lui. Mais rien ! Marie-Antoinette est passée à côté de lui froide comme toujours et le collier ne brillait pas sur sa blanche gorge. « Pourquoi la reine ne porte-t-elle pas ma parure ? » finit-il par demander, étonné, à Mme de la Motte. Cette femme rusée n'est jamais embarrassée pour répondre : il répugnait à la reine, dit-elle, de mettre le collier avant qu'il ne fût complètement payé. C'est seulement alors qu'elle voulait faire une surprise à son époux. L'âne docile replonge la tête dans le foin, il est satisfait. Mais le mois de mai a peu à peu succédé au mois d'avril, le mois de juin au mois de mai, et le 1er août, terme fatal des premières quatre cent mille livres, approche toujours plus. Pour obtenir une prolongation de délai, l'aventurière invente une nouvelle histoire. Elle annonce aux joailliers que la reine a réfléchi, qu'elle trouve le prix trop élevé, et que s'ils ne lui accordent pas une réduction de deux cent mille livres, elle est prête à renvoyer le collier. L'astucieuse Mme de la Motte compte qu'ils parlementeront et qu'ainsi on gagnera du temps. Mais elle se trompe. Les joailliers, qui avaient fixé un prix beaucoup trop élevé, et qui sont déjà dans leurs petits souliers, déclarent être d'accord, sans plus. Bassenge écrit une lettre à la reine dans laquelle ils acceptent la réduction, et Boehmer la remet le 12 juillet, jour où d'ailleurs il doit livrer un autre bijou à la reine.

La lettre dit :

> Madame, nous sommes au comble du bonheur d'oser penser que les derniers arrangements qui nous ont été proposés, et auxquels nous nous sommes soumis avec zèle et respect, sont une nouvelle preuve de notre soumission et dévouement aux ordres de Votre Majesté, et nous avons une vraie satisfaction de penser que la plus belle parure de diamants qui existe servira la plus grande et la meilleure des reines.

Cette lettre, par sa forme embrouillée, est incompréhensible, au premier abord, pour une personne non prévenue. Si cependant la reine se donnait la peine de la lire attentivement et de réfléchir un peu, elle se demanderait étonnée : quels arrangements ? quelle parure de diamants ? Mais, on a pu le constater cent fois, il est rare que Marie-Antoinette lise avec attention et jusqu'au bout un écrit ou un imprimé, elle trouve cela trop ennuyeux ; la réflexion n'a jamais été son fort. C'est ainsi d'ailleurs qu'elle n'ouvre la lettre que lorsque Boehmer est déjà parti. Ignorant tout à fait ce qui s'est passé, elle ne comprend pas le sens de ces phrases obséquieuses et compliquées, mais elle ordonne toutefois à sa femme de chambre de rappeler Boehmer pour le questionner. Malheureusement celui-ci a déjà quitté le château. Bah ! je saurai bien la prochaine fois ce que veut ce fou de Boehmer, se dit la reine, et elle s'empresse de jeter le billet au feu. Cette indifférence de sa part et surtout la destruction de la lettre – comme tout dans l'affaire du collier – paraissent invraisemblables à première vue ; si bien que des historiens sincères, tel Louis Blanc, ont voulu voir dans cette destruction un point suspect, comme si la reine avait tout de même su quelque chose de cette trouble affaire. En réalité ce geste hâtif n'a rien d'extraordinaire chez une femme qui, toute sa vie, a brûlé aussitôt toute correspondance qui lui était adressée, par crainte de sa propre négligence et de l'espionnage de la cour : même après l'assaut des Tuileries on ne trouva dans son bureau aucun écrit qui lui fût adressé. En somme, ce qui d'ordinaire était une mesure de prudence fut ici une imprudence.

Il a fallu le concours d'une série de hasards pour que l'escroquerie n'éclatât pas plus tôt. Mais à présent tous les tours de passe-passe sont vains, le 1er août approche, et Boehmer veut son argent. Mme de la Motte recourt à une dernière ruse : elle met subitement cartes sur table devant les joailliers et déclare effrontément : « Vous êtes trompés, l'écrit de garantie que possède le cardinal porte une fausse signature ; mais le prince est assez riche, il payera. » Elle espère avec cela détourner le coup, elle espère – son raisonnement est en somme tout à fait logique – que les joailliers furieux vont se précipiter chez le cardinal, qu'ils lui raconteront tout, et que, honteux, celui-ci se taira et aimera mieux payer seize cent mille livres que de se rendre à jamais ridicule devant toute la cour et le monde. Mais Boehmer et Bassenge ne raisonnent ni en logiciens ni en psychologues, ils tremblent seulement pour leur argent. Ils ne veulent pas avoir affaire avec le cardinal endetté. La reine – tous deux sont encore persuadés que Marie-Antoinette est mêlée à l'histoire, puisqu'elle n'a rien dit au sujet de leur lettre – est pour eux un débiteur plus solvable que cet évaporé de cardinal. Et en mettant les choses au pis – ils se trompent encore – elle possède toujours le précieux collier, ce qui est un gage sûr.

Nous voici parvenus à un point où la duperie n'est plus possible. Il suffit d'une poussée pour que s'effondre avec fracas cette tour de Babel de mensonges et de tromperies mutuelles. Une minute après que Boehmer, accouru à Versailles, a été reçu en audience par la reine, le joaillier et Marie-Antoinette savent que toute l'affaire repose sur d'odieux mensonges. Mais quel est le véritable imposteur ? Le procès le dira.

D'après les pièces et les dépositions qui existent sur ce procès terriblement embrouillé, une chose est aujourd'hui certaine : Marie-Antoinette n'a pas eu la moindre idée du honteux abus qu'on a fait de son nom, de sa personne, de son honneur. Elle a été, au sens juridique du mot, aussi innocente qu'on peut l'être, victime uniquement – pas du tout confidente et encore moins complice – dans cette escroquerie, la plus audacieuse de l'Histoire. Jamais elle n'a reçu le cardinal, jamais elle n'a connu la voleuse de la Motte, jamais elle n'a eu en mains une pierre du collier. Seules la haine, l'hostilité préconçue, la calomnie délibérée ont pu accuser Marie-Antoinette d'être de connivence avec l'aventurière et le cardinal imbécile ; il faut le répéter, la reine a été mêlée, à son insu, à cette affaire déshonorante, par une bande de faussaires, d'escrocs, de voleurs et de fous.

Mais cependant, moralement, on ne peut pas tout à fait

acquitter Marie-Antoinette. Car toute cette supercherie n'a pu être machinée que parce que sa mauvaise réputation encourageait les escrocs et que n'importe quelle étourderie de sa part paraissait d'emblée croyable aux victimes. Sans les folles et frivoles années de Trianon cette comédie mensongère eût été inimaginable. Le bon sens n'aurait jamais osé attribuer à Marie-Antoinette, à une véritable souveraine, une correspondance secrète ignorée de son mari ou un rendez-vous dans un bosquet obscur. Jamais un Rohan, jamais les deux joailliers ne se seraient laissé prendre par des mensonges aussi grossiers et n'auraient cru que la reine, manquant d'argent, désirait, à l'insu de Louis XVI, faire acheter à terme par des intermédiaires une précieuse parure de diamants, si précédemment tout Versailles n'avait pas déjà parlé à voix basse de promenades nocturnes dans le parc, de joyaux rendus et échangés, de dettes non réglées. Jamais Mme de la Motte n'aurait pu mettre debout un tel monument de mensonges, si la légèreté de la reine ne lui en avait pas fourni les éléments et si sa mauvaise réputation ne l'y avait pas aidée. On ne saurait trop le dire, Marie-Antoinette, dans toutes les tractations fantastiques de l'affaire du collier, a été tout à fait innocente ; mais qu'une pareille escroquerie ait pu être osée sous son nom, et qu'on y ait cru, c'est là du point de vue de l'Histoire sa grande faute.

CHAPITRE XVI

LE PROCÈS ET LE JUGEMENT

Napoléon, de son regard d'aigle, a reconnu la faute capitale de Marie-Antoinette dans l'affaire du collier : la reine était innocente, et pour rendre publique son innocence, elle en appela au Parlement; le résultat fut qu'on la crut coupable. En effet, Marie-Antoinette perdit là, pour la première fois, son assurance. Tandis que d'ordinaire elle passait, sans détourner le regard, à côté de la vase nauséabonde des cancans et des calomnies, elle chercha cette fois un refuge auprès d'un tribunal que jusque-là elle avait dédaigné : l'opinion publique. Pendant des années, elle a fait mine de ne pas entendre, de ne pas remarquer le sifflement des flèches empoisonnées dirigées contre elle. En exigeant maintenant dans un accès de colère subite, presque hystérique, un jugement, elle trahit l'irritation violente et déjà ancienne de son orgueil : elle veut que ce cardinal de Rohan, qui s'est le plus avancé, et se trouve être le plus en vue, expie pour les autres. Mais malheureusement elle est la seule à croire encore aux mauvaises intentions du malheureux pantin. Même à Vienne Joseph II secoue la tête d'un air de doute, quand sa sœur lui dépeint le cardinal comme un criminel :

> J'ai toujours connu le grand aumônier pour l'homme le plus léger et le plus mauvais économe possible, mais j'avoue que je ne l'aurais jamais cru capable d'une friponnerie et d'un trait aussi noir que celui dont on l'accuse.

Versailles croit encore moins à la culpabilité du cardinal de Rohan, et bientôt un bruit étrange circule : la reine, par cette brutale arrestation, ne chercherait qu'à se débarrasser d'un témoin gênant. L'aversion que lui a communiquée sa mère l'a poussée à un éclat trop précipité. Et son geste, d'une violence maladroite, fait glisser de son épaule le manteau de souveraine qui la protégeait ; elle s'offre elle-même à la haine générale.

Car à présent tous ses adversaires secrets peuvent enfin faire cause commune. Marie-Antoinette a mis imprudemment la main dans un nid de vipères, elle a heurté un tas de vanités blessées. Louis, cardinal de Rohan – comment a-t-elle pu l'oublier ! – porte un des noms les plus anciens et les plus illustres de France, il est allié par le sang à d'autres lignées féodales, avant tout aux Soubise, aux Marsan, aux Condé ; toutes ces familles évidemment sont profondément offensées qu'un des leurs ait été arrêté dans le palais du roi comme un vulgaire voleur. Le haut clergé lui aussi est indigné. Oser faire arrêter par un grossier sabreur un cardinal, une Eminence revêtue de tous ses ornements et quelques instants avant qu'elle dise la messe. On porte plainte à Rome ; la noblesse ainsi que le clergé se sentent insultés. Décidé à la lutte, le groupe puissant de la franc-maçonnerie entre, lui aussi, dans l'arène, car non seulement son protecteur, le cardinal, mais aussi le pape des impies, leur grand chef, le maître de l'ordre, Cagliostro, a été incarcéré à la Bastille ; l'occasion se présente enfin de jeter quelques bonnes pierres dans les fenêtres de la Monarchie et de l'Église. Quant au peuple, exclu habituellement de toutes les fêtes et de tous les scandales faisandés du monde de la cour, il est ravi de cette affaire. Un grand spectacle lui est enfin offert : un authentique cardinal accusé publiquement, et, à l'ombre de sa pourpre épiscopale, toute une collection d'escrocs, de charlatans, d'intermédiaires, de faussaires, avec en outre, à l'arrière-fond – attraction capitale – la fière, l'orgueilleuse Autrichienne ! Un sujet plus amusant que le scandale de la « belle Eminence » ne pouvait être offert aux aventuriers de la plume et du crayon, aux pamphlétaires et aux caricaturistes, aux crieurs de journaux. L'ascension de Montgolfier, elle-même, qui cependant apporte à l'humanité la plus belle des conquêtes, n'a pas fait une sensation aussi profonde à Paris, voire dans le monde entier, que ce procès voulu par une reine et qui, lentement, devient son propre procès. Les plaidoyers imprimés étant légalement autorisés à paraître, en dehors de toute censure, avant les débats, les librairies sont prises d'assaut et la police est forcée d'intervenir. Ni les œuvres immortelles de Voltaire, ni celles de Jean-Jacques Rousseau, ni celles de Beaumarchais n'ont atteint, en dix ou vingt ans, à un chiffre d'éditions aussi considérable que ces plaidoyers en une seule semaine. Sept mille, dix mille, vingt mille exemplaires sont arrachés, encore humides, des mains des colporteurs ; dans les ambassades étrangères les diplomates passent leurs journées à en ficeler des paquets, qu'ils envoient au plus vite à leurs princes, curieux des derniers pamphlets sur le scandale de la cour de Versailles. Chacun veut tout lire et avoir tout lu ; pendant des semaines il n'y a pas d'autre sujet de conversation, et les plus folles hypothèses sont aveuglément admises. De vraies caravanes arrivent de province pour assister au procès : gentilshommes, bourgeois, avocats ; à Paris les artisans abandonnent leurs échoppes pendant des heures entières. L'instinct infaillible du peuple sent inconsciemment qu'on ne s'apprête pas à faire ici le procès d'une faute isolée, mais que de cette sale petite pelote se dérouleront, d'eux-mêmes, des fils qui conduiront à Versailles, qu'il y sera question du scandale des lettres de cachet, du gaspillage de la cour, du mauvais état des finances ; une petite brèche, due au hasard, va permettre à toute la nation de plonger ses regards dans un monde secret dont elle était écartée. Il ne s'agit pas que d'un collier dans ce procès, il s'agit de tout le système gouvernemental en vigueur, car cette accusation peut, si elle est dirigée adroitement, rebondir contre toute la classe dirigeante, contre la reine, et par là contre la royauté.

> Grande et heureuse affaire ! s'écrie un des frondeurs familiers du Parlement. Un cardinal escroc, la reine

impliquée dans une affaire de faux ! ... Que de fange sur la crosse et le sceptre. Quel triomphe pour les idées de liberté !

La reine ne se doute pas encore du désastre qu'elle déchaîne par ce geste inconsidéré. Mais quand un édifice est miné depuis longtemps et qu'il menace ruine, il suffit parfois d'arracher un seul clou pour que tout s'effondre.

Au tribunal, on ouvre avec précaution la mystérieuse boîte de Pandore. Son contenu n'est pas précisément propre. Seul le fait que son noble époux, le comte de la Motte, a pu fuir à temps à Londres avec les restes du collier, est favorable à la voleuse ; la preuve authentique manque, et chacun peut accuser l'autre du vol et du recel de l'invisible objet, tout en laissant croire sournoisement que ce collier pourrait encore se trouver entre les mains de la reine. Mme de la Motte, qui se doute bien que l'affaire ne peut se dénouer qu'à ses dépens, a accusé du vol, pour ridiculiser Rohan et détourner d'elle les soupçons, l'innocent Cagliostro et l'a entraîné de force dans le procès. Elle ne recule devant aucun moyen. Elle explique effrontément et impudemment sa soudaine richesse par le fait qu'elle a été la maîtresse de son Éminence ; on connaît, dit-elle, la générosité de ce prêtre délicat ! L'affaire commence à devenir gênante pour le cardinal, lorsqu'on réussit enfin à mettre la main sur les complices Rétaux et la « baronne d'Oliva », la petite modiste, et par leurs dépositions tout s'éclaire.

Mais il y a un nom que l'accusation et la défense évitent soigneusement de prononcer : celui de la reine. Chacun des accusés se garde bien de charger Marie-Antoinette. Mme de la Motte elle-même – plus tard elle tiendra un tout autre langage – repousse comme une calomnie criminelle l'idée que la reine pourrait avoir reçu le collier. Mais le fait justement que tous, comme d'un commun accord, parlent de Marie-Antoinette avec de profondes révérences et le plus profond respect, tient en éveil la méfiance du public ; la rumeur se répand de plus en plus qu'on a donné le mot d'ordre de « ménager » la reine. On chuchote déjà que le cardinal aurait généreusement pris toute la faute sur lui ; et l'on se demande si les lettres qu'il a fait brûler, si vite et si discrètement, étaient vraiment toutes fausses ? N'y aurait-il pas tout de même quelque chose – on ne sait quoi, à vrai dire – de compromettant pour Marie-Antoinette ? Il ne sert à rien que les faits s'éclaircissent complètement, *semper aliquid haeret* ; c'est justement parce que son nom est passé sous silence devant le tribunal que la reine y comparaît elle aussi sans qu'on la voie.

Le 31 mai, le jugement va enfin être rendu. Depuis cinq heures du matin une foule immense se presse devant le palais de justice ; la rive gauche de la Seine ne peut contenir tout ce monde, le Pont Neuf et la rive droite regorgent aussi d'un peuple impatient ; la police à cheval maintient l'ordre avec peine. En se rendant au palais les soixante-quatre juges sentent déjà, aux regards excités, aux acclamations passionnées de la foule, l'importance de leur verdict pour toute la France ; mais l'avertissement décisif les attend à l'entrée de la « grande chambre ». Là dix-neuf représentants des familles Rohan, Soubise et de la maison de Lorraine font la haie en vêtements de deuil et s'inclinent à leur passage. Aucun d'eux ne s'avance. Aucun d'eux ne dit mot. Leurs habits, leur attitude parlent pour eux. Et cette supplication, cette demande muette au tribunal de prononcer un verdict rendant à la famille de Rohan son honneur menacé, pèse fortement sur les juges, qui appartiennent eux-mêmes, pour la plupart, à la haute noblesse de France ; avant que ne commencent les délibérations, ils savent déjà que le peuple et la noblesse, que tout le pays compte sur l'acquittement du cardinal.

Les délibérations durent cependant seize heures, les Rohan et des milliers de curieux dans la rue attendent dix-sept heures, de cinq heures du matin à dix heures du soir. Car les juges savent que la portée de leur décision sera grande. La voleuse Jeanne de Valois est jugée d'avance, de même que ses complices ; quant à la petite modiste elle est mise, sans difficulté, hors de cause parce qu'elle est jolie et parce qu'elle s'est rendue dans le bosquet de Vénus avec une telle naïveté ! Les délibérations tournent exclusivement autour du cardinal. La preuve étant faite qu'il a été trompé, et qu'il n'est pas un imposteur, tous sont d'accord pour l'acquitter, mais il y a divergence sur la forme de l'acquittement, car il s'agit là d'une question politique de la plus haute importance. Le parti de la cour exige, et non sans raison, que cet acquittement comporte une admonestation pour « l'excessive témérité » dont a fait preuve le cardinal, car il n'y avait pas autre chose de sa part, lorsqu'il croyait que la reine pouvait lui donner un rendez-vous secret, dans un bosquet, la nuit. Pour ce manque de respect à la personne sacrée de la souveraine, l'accusation demande que le cardinal fasse d'humbles excuses devant la grand chambre et abandonne ses charges. Le parti adverse, qui est contre la reine, veut au contraire l'acquittement pur et simple. Le cardinal, ayant été trompé, était donc blanc comme neige. Un jugement de ce genre n'était pas sans danger. Car si l'on admet que le cardinal était en droit de croire, d'après la conduite connue de Marie-Antoinette, à la possibilité de telles manigances et de telles libertés, on critique par là publiquement la légèreté de la reine. La question était délicate : qu'on reconnaisse que le cardinal a, pour le moins, manqué de respect à la souveraine, et Marie-Antoinette sera dédommagée de l'abus qu'on a fait de son nom, mais si on l'acquitte purement et simplement ce jugement entraînera la condamnation morale de la reine.

C'est ce que savent les juges du Parlement, les deux partis et le peuple frémissent d'impatience : ce verdict est appelé à trancher bien autre chose qu'une affaire isolée et sans importance. Ce n'est pas une question privée qu'on vide ici, c'est une question politique ; il s'agit de savoir si le Parlement français considère encore la reine comme « sacrée » et intangible, ou si elle est soumise aux lois, comme n'importe quel citoyen français.

Les juges délibèrent pendant seize heures, les opinions se heurtent violemment, les intérêts aussi. Car les deux partis ont tout mobilisé, l'or même ; depuis des semaines tous les membres du Parlement sont influencés, menacés, travaillés, voire achetés, et déjà l'on chante dans les rues :

Si cet arrêt du cardinal
Vous paraissait trop illégal
Sachez que la finance
Eh bien !
Dirige tout en France
Vous m'entendez bien !

La longue indifférence du roi et de la reine à l'égard du Parlement reçoit enfin sa sanction ; il y en a trop parmi les juges qui pensent qu'il est temps de donner une bonne leçon à l'autocratie. Par vingt-six voix contre vingt-deux le cardinal est acquitté « sans aucun blâme », de même que son ami Cagliostro et la petite grue Oliva. On est indulgent aussi pour les complices, qui s'en tirent avec l'exil. Mme de la Motte paie les pots cassés ; à la majorité, elle est condamnée à être fustigée par le bourreau, à être marquée au fer rouge, et à la détention perpétuelle à la Salpêtrière.

Mais il y a une autre personne, qui n'était pas sur le banc des accusés, et qui se trouve aussi condamnée à perpétuité par l'acquittement du cardinal, c'est Marie-Antoinette. A partir de ce moment, elle est livrée sans défense à la calomnie publique et à une haine sans frein.

Quelqu'un s'élance hors de la salle d'audience, aussitôt le verdict prononcé, et le communique à la foule ; à leur tour des centaines de personnes, dans la rue, proclament avec frénésie l'acquittement. La joie prend de telles proportions que les clameurs atteignent l'autre rive. « Vive le Parlement ! », ce cri nouveau remplace l'ancien « Vive le roi ! » et retentit par la ville. Les juges ont de la peine à se défendre contre l'enthousiasme reconnaissant. On se jette à leur cou, les dames de la halle les embrassent, on sème leur chemin de fleurs ; le cortège triomphant des acquittés s'ébranle superbe. Dix mille personnes suivent, tel un vainqueur, le cardinal revêtu de sa pourpre jusqu'à la Bastille, où il passera une dernière nuit ; là des groupes qui se renouvellent sans cesse l'attendent et l'acclament jusqu'à l'aube. Cagliostro n'est pas moins adulé, et seul un ordre de la police empêche la ville d'illuminer en son honneur. C'est ainsi que tout un peuple – signe alarmant – fête deux hommes qui n'ont pas fait autre chose pour la France que de nuire d'une façon terrible au prestige de la reine et de la royauté.

La reine s'efforce en vain de cacher son désespoir ; ce coup de fouet en plein visage a été trop violent, trop public. Sa femme de chambre la trouve en larmes ; Mercy mande à Vienne que sa douleur est « plus grande que l'objet semblait raisonnablement le comporter ». Marie-Antoinette, dont l'intuition est toujours plus forte que la réflexion, a vu immédiatement ce que cette défaite avait d'irréparable ; pour la première fois, depuis qu'elle porte la couronne, elle s'est heurtée à une puissance plus forte que sa volonté.

Mais le roi dispose encore du droit de dire le dernier mot. Il pourrait, par une mesure énergique, sauver l'honneur offensé de sa femme et intimider à temps cette sourde résistance. Un roi fort, une reine décidée, devraient renvoyer un Parlement aussi séditieux ; Louis XIV aurait agi ainsi et peut-être aussi Louis XV. Mais le courage de Louis XVI ne va pas jusque-là. Il n'ose pas s'en prendre au Parlement ; il se contente, pour donner un semblant de satisfaction à son épouse, de bannir le cardinal et d'exiler Cagliostro, demi-mesure qui vexe le Parlement sans l'atteindre réellement, et blesse la justice, sans réparer l'honneur de la reine. Indécis comme toujours, il choisit le moyen terme, qui, en politique, est toujours le pire. Le roi a perdu sans retour l'occasion de prendre une décision qui pouvait être considérable. Une nouvelle époque a commencé avec le jugement du Parlement contre la reine.

A l'égard de Mme de la Motte, également, la cour emploie ce funeste procédé des demi-mesures. Là aussi deux possibilités se présentaient : ou bien, dans un geste de clémence, on épargnait la cruelle punition à la criminelle – ce qui eût fait très bonne impression – ou alors, au contraire, on donnait à l'exécution du châtiment toute la publicité désirable. Mais, timoré comme toujours, on recourt aux mesures intermédiaires. On élève l'échafaud solennellement, il est vrai, et on promet, par là, à tout le peuple le spectacle barbare de la stigmatisation publique. Déjà les fenêtres des maisons voisines sont louées à des prix fantastiques ; mais au dernier moment, la cour s'effraie de son propre courage. A cinq heures du matin, à une heure donc où l'on n'a guère à redouter les témoins, quatorze bourreaux traînent la victime, qui hurle et se débat, sur l'escalier du palais de justice, où lecture lui est donnée de la sentence qui la condamne à être fustigée et marquée au fer rouge. Mais c'est une lionne en furie qu'on a amenée et qui pousse des cris aigus d'hystérique ; ses imprécations contre le roi, le cardinal, le Parlement, réveillent tous les dormeurs des alentours ; elle happe, mord, donne des coups de pied ; on est forcé, finalement, de lui arracher ses habits afin de lui appliquer le fer rouge. Mais au moment où le sceau ardent touche son épaule, elle se retourne convulsivement, découvrant toute sa nudité, à la grande joie des spectateurs, et le « V » (« voleuse ») brûlant s'imprime sur la poitrine au lieu de l'épaule. Dans un hurlement de bête en furie la victime mord le bourreau à travers sa tunique, puis, à bout de souffle, elle s'évanouit. Comme un cadavre, on la traîne à la Salpêtrière, où, selon le jugement, elle travaillera toute sa vie, vêtue de toile grise et en sabots, nourrie uniquement de pain noir et de lentilles.

A peine les sinistres détails du châtiment sont-ils connus, que subitement la sympathie de tous va à l'aventurière. Tandis que cinquante ans plus tôt – qu'on relise le fait dans Casanova – la noblesse entière, hommes et femmes, assiste pendant quatre heures au supplice de Damiens, ce faible d'esprit, qui, armé d'un minuscule canif, a égratigné Louis XV, et qu'elle se délecte à la vue de ce malheureux, tourmenté avec des tenailles rougies, échaudé à l'huile bouillante et attaché sur la roue après une interminable agonie qui fait se dresser ses cheveux brusquement devenus blancs – cette même société, à présent philanthrope parce que c'est la mode, s'apitoie tout à coup sur « l'innocente » de la Motte. Car on a trouvé là une nouvelle forme de protestation contre la reine et qui a l'avantage de n'être en rien dangereuse : on affiche au grand jour sa sympathie pour la « victime », pour la « pauvre malheureuse ». Le duc d'Orléans organise une quête publique, toute la noblesse envoie des cadeaux à la prisonnière, chaque jour d'élégants carrosses stationnent devant la Salpêtrière. Les visites à la condamnée passent pour être de bon ton dans la société parisienne, c'est le « dernier cri ». Et l'abbesse de la prison reconnaît un jour avec stupeur parmi les visiteuses attendries une des meilleures amies de la reine, la princesse de Lamballe. Est-elle venue d'elle-même ou, ainsi que s'empressent de chuchoter les gens, sur l'ordre secret de Marie-Antoinette ? Toujours est-il que cette pitié déplacée jette sur la cause de la reine une ombre pénible : tout le monde en est à se demander ce que signifie cette bizarre compassion. La reine n'aurait-elle pas la conscience tranquille ? Cherche-t-elle secrètement une entente avec sa « victime » ? Les murmures s'accréditent. Et lorsque quelques semaines plus tard la de la Motte, à qui des inconnus ont ouvert pendant la nuit les portes de la Salpêtrière, s'évade mystérieusement de son cachot et gagne l'Angleterre, tout Paris est unanime à dire que c'est la reine seule qui a sauvé « son amie », et cela pour la remercier d'avoir tu, généreusement, devant le tribunal, sa faute ou sa complicité dans l'affaire du collier.

En réalité, en favorisant l'évasion de la criminelle, c'était le tour le plus perfide, le plus sournois, que le clan des conjurés pouvait jouer à Marie-Antoinette. Car non seulement cette fuite donne libre cours aux insinuations sur une entente entre la reine et la voleuse, mais d'autre part la condamnée peut, de Londres, s'ériger en accusatrice, faire imprimer impunément les mensonges et les calomnies les plus effrontés, et en outre – car nombreux sont ceux qui, en France et en Europe, attendent des révélations de cette sorte – gagner de nouveau beaucoup d'argent. Le jour même de son arrivée en Angleterre un imprimeur londonien lui offre des sommes énormes ; la cour, qui se rend compte de la portée des calomnies de l'aventurière, cherche en vain à les arrêter ; elle envoie à Londres la favorite de la reine, Mme de Polignac, avec mission de verser deux cent mille livres à la voleuse pour qu'elle se taise ; mais la rusée drôlesse trompe une seconde fois la cour, elle empoche l'argent et, sans hésiter, fait paraître ses *Mémoires* une première, une deuxième, une troisième fois, chaque édition sous une forme différente et avec des variantes toujours plus sensationnelles. Dans ces *Mémoires* il y a tout ce qui peut satisfaire un public avide de scandale, et plus encore : le procès devant le Parlement n'avait été qu'un vain simulacre, on avait livré Mme de la Motte aux juges de la façon la plus vile, et bien entendu personne d'autre que la reine n'avait commandé et reçu de Rohan le collier, tandis qu'elle, la pauvre innocente, n'avait pris le crime sur elle que par amitié, pour protéger l'honneur décrié de la reine. La raison de cette grande amitié qui l'unissait à la reine ? L'effrontée menteuse l'explique, au goût d'un public dévergondé : *more lesbico* – leurs pratiques lesbiennes. Il ne sert à rien qu'aux yeux de tout esprit impartial ces mensonges se trahissent par leur grossière affabulation, par exemple quand la de la Motte prétend que Marie-Antoinette encore archiduchesse a eu une liaison avec le cardinal de Rohan, alors ambassadeur à Vienne ; tous ceux qui sont de bonne volonté n'ont qu'à réfléchir pour savoir qu'à l'époque où Rohan représentait la France à Vienne Marie-Antoinette était, depuis longtemps, dauphine à Versailles. Mais les gens de bonne volonté sont devenus rares. Le grand public, en revanche, lit avec délices les nombreuses lettres d'amour, parfumées de musc, adressées par Marie-Antoinette à Rohan et que l'aventurière intercale dans ses *Mémoires* ; et plus elle attribue de perversités à la reine, plus on en veut connaître. Les libelles se succèdent, plus lascifs et plus orduriers les uns que les autres ; bientôt paraît une « liste de toutes les personnes avec lesquelles la reine a eu des relations de débauches » ; elle ne contient pas moins de trente-quatre noms des deux sexes, des ducs, des acteurs, des laquais, le frère du roi ainsi que son valet de chambre, Mme de Polignac, Mme de Lamballe, et enfin, pour abréger, « toutes les tribades de Paris », les filles publiques passées au fouet comprises. Mais ces trente-quatre noms n'épuisent pas, il s'en faut de beaucoup, tous les partenaires que l'opinion des salons et de la rue, artificiellement excitée, attribue à Marie-Antoinette ; une fois que l'imagination érotique et extravagante de toute une ville, de tout un peuple, s'est emparée d'une femme, impératrice ou étoile de cinéma, reine ou chanteuse d'opéra, elle lui impute, aujourd'hui comme hier, à profusion, tous les excès et toutes les perversions imaginables, ce qui lui permet de jouir, en même temps, dans une surexcitation anonyme, et sous le couvert de l'indignation, de toutes les voluptés rêvées. Un libelle intitulé : *La Vie scandaleuse de Marie-Antoinette* parle d'un vigoureux pandour, qui, déjà à la cour impériale d'Autriche, se serait chargé de calmer les inassouvissables « fureurs utérines » (c'est là le titre d'un autre pamphlet) de l'adolescente de treize ans ; un autre pamphlet encore, le *Bordel royal*, qui entretient le lecteur ravi des « mignons et mignonnes », est illustré de nombreuses gravures pornographiques représentant la reine avec ses différents partenaires dans des poses amoureuses dignes de l'Arétin. L'ordure jaillit toujours plus fort, les mensonges deviennent de plus en plus haineux, et on les croit tous, parce qu'on est prêt à tout croire sur cette « criminelle ». Deux ou trois ans après l'affaire du collier, Marie-Antoinette est considérée définitivement comme la femme la plus lascive, la plus dépravée, la plus fourbe, la plus tyrannique de toute la France, tandis que la rusée de la Motte, marquée au fer, passe pour une innocente victime ; et à peine la Révolution a-t-elle éclaté, que les clubs essaient de faire revenir la fugitive à Paris, sous leur protection, pour reprendre adroitement le procès du collier, mais cette fois, devant un tribunal révolutionnaire, avec la de la Motte comme accusatrice et Marie-Antoinette au banc des accusés : seule la mort subite de la de la Motte – en 1791, dans un accès de folie, elle se jette d'une fenêtre – empêche que cette fameuse coquine ne soit portée en triomphe dans Paris et qu'il ne soit décrété « qu'elle a bien mérité de la République ». Sans cette intervention du sort, le monde aurait assisté à une comédie beaucoup plus grotesque encore que le procès du collier : on eût vu la calomniatrice acclamée à l'exécution de sa victime.

CHAPITRE XVII

LE RÉVEIL DU PEUPLE
LE RÉVEIL DE LA REINE

Le procès du collier projette sur la personne de la reine et sur les coulisses de Versailles la lumière éblouissante et crue de la publicité ; de là sa portée historique. Mais une trop grande clarté est toujours dangereuse dans les périodes troublées. Car le mécontentement – à l'état latent encore – a besoin, pour devenir agressif et passer à l'action, d'une personnalité humaine, que ce soit comme porte-drapeau d'une idée, ou comme cible à la haine accumulée : tel le bouc émissaire de la Bible. Cet être mystérieux qu'est le « peuple » ne peut penser qu'en partant de l'individu ; les notions abstraites ne lui sont pas naturelles, il ne conçoit que des personnages ; c'est pourquoi, chaque fois qu'il flaire une faute, il lui faut voir un coupable. Depuis longtemps il sent sourdement qu'il est victime d'une injustice, venant il ne sait d'où. Il s'est, dans le passé, incliné avec obéissance, espérant en des temps meilleurs, il a toujours brandi ses drapeaux à l'avènement de chaque nouveau Louis, il s'est religieusement acquitté de ses dîmes et de ses corvées envers son seigneur et son Église ; mais plus il se courbait, plus dure se faisait l'oppression, et plus les impôts lui suçaient le sang. Dans la riche France les greniers sont vides, les paysans vivent dans l'indigence sur la terre la plus fertile, le pain manque sous le plus beau ciel d'Europe. Il faut que quelqu'un en soit la cause ; si les uns manquent de pain, c'est que d'autres mangent trop ; si les uns sont écrasés de devoirs, c'est que d'autres se sont arrogé trop de droits. Peu à peu cette sourde inquiétude, qui précède toujours toute recherche et toute pensée claires, se fait jour dans le pays. La bourgeoisie, à laquelle un Voltaire, un Jean-Jacques Rousseau ont ouvert les yeux, commence à juger par elle-même, à critiquer, à lire, à écrire, à s'organiser; parfois un éclair à l'horizon annonce déjà le grand orage, des fermes sont pillées et les seigneurs féodaux menacés. Un vaste mécontentement pèse depuis longtemps, comme un nuage noir, sur tout le pays.

Et voilà que, l'un après l'autre, deux formidables éclairs passent dans le ciel et montrent au peuple la situation sous son vrai jour : d'une part le procès du collier, d'autre part les révélations de Calonne sur le déficit. Entravé dans ses réformes, peut-être aussi par une secrète animosité contre la cour, le ministre des Finances a cité des chiffres précis; on sait maintenant ce qui, si longtemps, a été passé sous silence : en douze ans de règne on a emprunté un milliard deux cent cinquante millions. Le peuple a pâli à cet énoncé. Un milliard deux cent cinquante millions dépensés à quoi et pour qui? Le procès du collier fournit la réponse; les pauvres diables qui, pendant douze et quatorze heures, triment pour quelques sous y apprennent que dans certains milieux des diamants d'un million et demi sont parfois offerts en cadeau d'amour, qu'on y achète des châteaux pour dix et vingt millions, tandis que le peuple manque du nécessaire. Et parce que tout le monde sait que le roi, ce pauvre type à l'esprit petit-bourgeois, n'est pour rien dans un gaspillage aussi fantastique, le flot d'indignation se déverse sur la reine prodigue, frivole et éblouissante. On a trouvé le responsable de la dette publique. On sait maintenant pourquoi les billets perdent de leur valeur de jour en jour et pourquoi le pain et les impôts augmentent : c'est parce que cette « putain » gaspilleuse fait, dans son Trianon, tapisser toute une chambre de diamants, parce qu'elle envoie secrètement en Autriche à son frère Joseph cent millions d'or pour sa guerre, parce qu'elle comble ses amants et ses petites amies de pensions, de charges et de prébendes. Le malheur a soudain une cause, la faillite un responsable, et la reine est baptisée d'un nouveau nom. D'un bout à l'autre de la France on l'appelle « Mme Déficit » : ce nom lui reste comme un stigmate.

Le nuage noir a crevé : une grêle de brochures, de pamphlets, de propositions, de pétitions s'abat de partout, jamais on n'a tant parlé, écrit et prêché en France ; le peuple s'éveille. Les volontaires et les soldats de la guerre américaine parlent, jusque dans les villages les plus arriérés, d'un pays démocratique où il n'y a ni cour, ni roi, ni noblesse, mais rien que des citoyens et où règnent la liberté et une complète égalité. Et ne lit-on pas dans le *Contrat social* de Jean-Jacques Rousseau et, plus finement et plus discrètement, dans les écrits de Voltaire et de Diderot, que le régime monarchique n'est ni le meilleur ni le seul voulu par Dieu ? L'ancien respect, jusqu'ici courbé et silencieux, dresse la tête avec curiosité, et une confiance nouvelle s'empare de la noblesse, de la bourgeoisie et du peuple ; la sourde rumeur des loges maçonniques et des réunions publiques s'enfle peu à peu jusqu'à devenir un puissant grondement de tonnerre, l'air est chargé d'électricité, le feu couve dans l'atmosphère :

> Ce qui accroît le mal dans d'énormes proportions, écrit l'ambassadeur Mercy à Vienne, c'est que les esprits sont de plus en plus excités. On peut dire que petit à petit l'agitation a gagné toutes les classes de la société et c'est cette fermentation qui donne au Parlement la force de persévérer dans son opposition. On ne saurait croire avec quelle audace on s'exprime même dans les endroits publics sur le Roi, les Princes et les ministres ; on critique leurs opérations ; on peint en couleurs les plus noires les gaspillages de la cour et on soutient la nécessité de la réunion des États généraux, comme si le pays était sans gouvernement. Il n'est point possible de contenir par une répression pénale cette licence de langage. La fièvre est devenue si générale, que quand bien même on mettrait les gens en prison par milliers, on n'aurait point raison du mal ; mais la colère du peuple serait portée au plus haut degré et l'émeute éclaterait.

Le mécontentement général n'a plus besoin à présent d'un masque ou de prudence, il s'affirme ouvertement et dit ce qu'il veut dire ; on ne garde même plus les formes extérieures du respect. Lorsque la reine, peu de temps après l'affaire du collier, reparaît pour la première fois dans sa loge, elle est reçue par des sifflements d'une telle violence que dorénavant elle évite le théâtre. Quand Mme Vigée-Le-brun veut exposer au Salon son portrait de Marie-Antoinette, on appréhende à ce point les outrages à l'effigie de « Mme Déficit » qu'on préfère retirer le tableau au plus vite. Dans les boudoirs, dans la Galerie des Glaces à Versailles, partout, Marie-Antoinette sent une froide hostilité, non plus seulement secrète, mais ouverte, à visage découvert. Et finalement elle subit la pire des humiliations : le lieutenant de police fait savoir de façon détournée qu'il serait prudent que la reine ne visitât pas Paris pour le moment, que des incidents regrettables contre lesquels on était impuissant pouvaient se produire. La colère contenue de tout un peuple est maintenant déchaînée contre un seul être ; et quittant brusquement son insouciance, secouée et fustigée par la haine environnante, la reine, désespérée, dit en soupirant à ses derniers fidèles : « Que me veulent-ils ? Que leur ai-je fait ? »

Il fallait un coup de tonnerre pour sortir Marie-Antoinette de son orgueilleux, de son indifférent laisser-aller. A présent, réveillée, elle commence à comprendre, après avoir été mal conseillée et n'avoir voulu écouter aucun avis en temps utile, ce qu'elle a négligé, et avec la nervosité qui lui est propre elle se dépêche de corriger d'une façon visible ses fautes les plus irritantes. D'un trait de plume elle s'empresse de diminuer son coûteux train de maison. Mlle Bertin est renvoyée, on réduit les dépenses de la garde-robe, des écuries, ce qui fait une économie de plus d'un million par an ; les jeux de hasard et leurs banquiers disparaissent des salons, on interrompt les nouvelles constructions au château de Saint-Cloud, on se hâte de vendre quelques châteaux, on supprime un certain nombre de charges inutiles, à commencer par celles des favoris de la reine à Trianon. Pour la première fois Marie-Antoinette vit l'oreille attentive et n'obéit plus à l'ancienne puissance, la mode de son monde, mais à la nouvelle, l'opinion publique. Ces premières tentatives ne tardent pas, dans bien des cas, à l'éclairer sur les vrais sentiments de ceux qui ont été ses amis jusqu'à ce jour, et qu'aux dépens de sa propre réputation elle a comblés de bienfaits pendant des années et des années ; car ces profiteurs voient d'un mauvais œil les réformes de l'État qui diminuent leurs privilèges. Il est insupportable, grogne ouvertement et sans pudeur l'un de ces courtisans, de vivre dans un pays où l'on n'est pas sûr d'avoir le lendemain ce qu'on possédait la veille. Mais Marie-Antoinette demeure énergique. Depuis que ses yeux se sont dessillés, elle se rend compte de bien des choses. Elle se retire visiblement de la société funeste de la Polignac et se rapproche de ses anciens conseillers, Mercy et Vermond – celui-ci depuis longtemps congédié – comme si, après coup, elle reconnaissait le bien-fondé des vains avertissements de Marie-Thérèse.

Mais « trop tard ». Mot fatal qui sera dorénavant la réponse à tous ses efforts. Tous ces petits renoncements passeront inaperçus dans le tumulte général ; ces économies hâtives ne sont que des gouttes d'eau dans le tonneau des Danaïdes qu'est le déficit. La cour effrayée commence à s'apercevoir qu'on ne peut plus rien sauver par des mesures isolées et occasionnelles ; il faut un Hercule pour vaincre les énormes difficultés budgétaires. On cherche un sauveur pour assainir les finances, on essaie un ministre après l'autre, mais tous n'emploient que des moyens d'une efficacité passagère, ceux d'hier et d'aujourd'hui, que nous connaissons bien (l'Histoire se répète toujours) : ils recourent à d'énormes emprunts qui, en apparence, absorbent les anciens, à des surtaxes et des impôts excessifs, à l'impression d'assignats et à une refonte de la monnaie d'or qui la dévalorise – en un mot, à l'inflation masquée. Mais comme les causes de la maladie sont plus profondes qu'on ne veut le reconnaître, qu'elles résident dans une circulation défectueuse, dans une distribution économique malsaine de la richesse, causée par la réunion de tous les biens dans les mains de quelques familles féodales, et parce que les médecins de la finance n'osent pas entreprendre l'intervention chirurgicale nécessaire, l'affaiblissement du trésor public devient chronique.

> Lorsque le gaspillage et la profusion absorbent le trésor royal, écrit Mercy, il s'élève un cri de misère et de terreur ; alors le ministre de la finance emploie des moyens meurtriers, comme en dernier lieu la refonte des monnaies d'or sous des proportions vicieuses, ou quelques créations de charges. Ces ressources momentanées suspendent les embarras et on passe avec une légèreté inconcevable de la détresse à la plus grande sécurité. Mais ce qui paraît de la dernière évidence, c'est que le gouvernement présent surpasse en désordre et en rapines celui du règne passé et qu'il est moralement impossible que cet état de choses subsiste longtemps sans qu'il s'ensuive quelque catastrophe.

Et plus on sent approcher la débâcle, plus on s'inquiète à la cour. Enfin, on commence à comprendre : il ne suffit pas de changer de ministres, il faut changer de système. A deux doigts de la banqueroute, on n'exige plus du sauveur attendu qu'il soit d'extraction noble, on lui demande – nouvelle façon de voir à la cour – d'être populaire et d'inspirer confiance au peuple, cet être inconnu et dangereux.

Cet homme-là existe, la cour le connaît ; naguère lorsqu'on était déjà dans l'embarras on a même eu recours à ses conseils, quoiqu'il fût d'origine roturière, de nationalité suisse, et, bien pis que tout cela, un véritable hérétique, un calviniste. Mais les ministres, peu enchantés de cet intrus, qui dans son « Compte-rendu » révélait trop leurs tripotages à la nation, lui avaient rapidement mis des bâtons dans les jambes. Sur un petit carré de papier à lettres, ce dont le roi fut très froissé, Necker, furieux, avait alors envoyé sa démission ; Louis XVI ne lui avait pas pardonné ce manque de respect, et longtemps il déclara formellement – ou il le jura même – que jamais il ne le rappellerait.

Mais à présent Necker est l'homme de la situation ; la reine comprend enfin combien serait nécessaire, pour elle surtout, un ministre qui saurait calmer cette bête sauvage et rugissante : l'opinion publique. Elle aussi devra surmonter une résistance intérieure avant de réclamer le retour de Necker ; car le ministre précédent, Loménie de Brienne, devenu si vite impopulaire, n'était-ce pas elle déjà qui l'avait fait appeler ? Va-t-elle assumer encore cette responsabilité, au cas d'un nouvel échec ? Mais devant l'éternelle indécision de son mari elle se décide à recourir à cet homme dangereux comme à un antidote. En août 1788 elle fait venir Necker dans son cabinet particulier et déploie toute sa force de persuasion auprès de cet homme que l'on a blessé.

Necker jouit, en cet instant, d'un double triomphe : celui d'être supplié par une reine et, en même temps, réclamé par tout un peuple. « Vive Necker ! Vive le roi ! » Ces cris retentissent ce soir-là dans les galeries de Versailles et dans les rues de Paris, aussitôt que sa nomination est connue.

Seule la reine n'a pas le courage de s'associer à cette joie ; la responsabilité qu'elle a prise, en intervenant avec son inexpérience dans la marche du destin, l'effraie. Et puis un inexplicable pressentiment l'assombrit et la bouleverse rien qu'au nom de Necker. Encore une fois son instinct s'avère plus fort que sa raison.

> Je tremble, écrit-elle ce même jour à Mercy, passez-moi cette faiblesse, de ce que c'est moi qui le fais revenir. Mon sort est de porter malheur. Et si des machinations infernales le font encore manquer ou qu'il fasse reculer l'autorité du Roi, on m'en détestera davantage...

« Je tremble » – « passez-moi cette faiblesse » – « Mon sort est de porter malheur » – « J'ai bien besoin qu'un aussi fidèle ami que vous me soutienne en ce moment » : voilà des mots que l'ancienne Marie-Antoinette n'avait jamais écrits ni prononcés. Il y a là un accent nouveau, c'est la voix d'un être ébranlé, remué au plus profond de soi, non plus la voix légère, rieuse et ailée, d'une jeune femme adulée. Marie-Antoinette a mordu dans la pomme amère de la connaissance et elle a perdu son assurance de somnambule, car seul est sans crainte celui qui ignore le danger. Elle commence à se rendre compte de l'énorme responsabilité qui pèse sur les détenteurs de toute situation privilégiée ; pour la première fois elle sent le poids de la couronne qui jusqu'ici lui avait paru aussi légère qu'un chapeau de Mlle Bertin. Son pas devient hésitant, maintenant qu'elle perçoit de sourds craquements volcaniques au sein de la terre fragile : si elle pouvait s'arrêter, reculer même ! Comme elle aimerait se tenir à l'écart de toutes les décisions, s'éloigner pour toujours de la politique et de ses troubles, ne plus se mêler de ces problèmes qu'elle croyait si faciles à résoudre et dont elle reconnaît aujourd'hui tout le danger. Une complète transformation se fait jour dans l'attitude de la reine. Celle qui jusqu'ici avait trouvé son plaisir dans le bruit et l'agitation recherche maintenant le silence et la solitude. Elle évite le théâtre, les redoutes, les mascarades, elle ne veut plus assister au Conseil du roi ; elle ne respire plus qu'en compagnie de ses enfants. Dans cette chambre remplie de rires, l'envie et la haine pestilentielles ne pénètrent pas. Elle se sent plus assurée comme mère que comme reine. Et il y a un autre secret que cette femme déçue a découvert très tard : un homme à présent l'émeut, la rassure, lui montre une affection qui la rend heureuse, un ami véritable parle à son cœur. Tout serait encore réparable si elle pouvait vivre tranquille, dans une intimité naturelle, si elle n'était plus obligée de provoquer le destin, ce mystérieux adversaire, dont elle a saisi maintenant toute la maligne puissance !

Mais à présent que tout son être aspire au calme, le baromètre de l'époque marque la tempête. A l'heure où Marie-Antoinette s'aperçoit de ses fautes et veut reculer, s'effacer, une volonté impitoyable la pousse au cœur des événements les plus tragiques de l'Histoire.

CHAPITRE XVIII

L'ÉTÉ DÉCISIF

Necker, à qui, à l'heure de la pire détresse, la reine confie le gouvernail de l'État, se montre tout de suite décidé à faire face à la tempête. Il tend hardiment ses voiles, ne louvoie pas longtemps, car les demi-mesures ne servent plus à rien; une seule convient, radicale et énergique : il faut que la confiance soit complètement déplacée ! En ces dernières années le centre de la confiance nationale s'est éloigné de Versailles. La nation ne croit plus aux promesses du roi, ni à ses assignats, elle n'espère plus rien du Parlement des nobles ni de l'Assemblée des notables; il faut, du moins pour le moment, créer une autorité nouvelle afin d'affermir le crédit et endiguer l'anarchie; car un hiver rude a durci les poings du peuple; à tout instant le désespoir des groupes d'affamés, qui ont fui la campagne pour se réfugier dans les villes, menace d'éclater. Le roi décide donc, au dernier moment, après les hésitations habituelles, de convoquer les États généraux, qui, depuis deux cents ans, représentent vraiment la nation. Pour enlever tout d'abord la majorité à ceux qui détiennent encore les droits et la richesse, c'est-à-dire la noblesse et le clergé, le roi, sur le conseil de Necker, a doublé le tiers état. Les deux forces s'équilibreront donc, et le monarque garde le droit de décider en dernière instance. La convocation de l'Assemblée nationale allégera la responsabilité royale et renforcera son autorité, pense-t-on à la cour.

Mais le peuple est d'un autre avis; jamais on n'a fait

appel à lui et il sait que lorsque les rois demandent conseil à leurs peuples c'est en désespoir de cause, et non par bonté d'âme. Une tâche immense échoit ainsi à la nation, mais c'est aussi une occasion qui ne se représentera plus ; le peuple est décidé à en profiter. Une vague d'enthousiasme déferle à travers les villes et les villages, les élections sont une fête, les réunions des lieux d'exaltation nationale – comme toujours avant les grandes tempêtes la nature connaît les aurores les plus lumineuses et les plus trompeuses. L'œuvre enfin peut commencer : le 5 mai 1789, jour d'ouverture des États généraux, Versailles, pour la première fois, n'est plus seulement la résidence d'un roi, mais la capitale, le cerveau, le cœur et l'âme de toute la France.

Jamais cette petite ville n'a vu tant de gens réunis qu'en ces brillantes journées de printemps de l'année 1789. La cour, comme d'habitude, comprend quatre mille personnes ; la France a envoyé près de deux mille députés, à cela s'ajoutent les innombrables curieux de Paris et de partout qui désirent assister à cet événement historique. Il faut une bourse remplie d'or si l'on veut, non sans difficulté, louer une chambre ; avec une poignée de ducats on n'a qu'un sac de paille, et des centaines de gens, qui n'ont pas trouvé à se loger, couchent sous les porches, cependant que d'autres, ne voulant à aucun prix manquer ce grand spectacle, commencent à faire la haie, en pleine nuit, malgré une pluie battante.

Le prix des vivres triple et quadruple ; l'affluence de monde devient peu à peu inquiétante. Il apparaît déjà symboliquement que cette étroite ville de province ne peut abriter qu'un souverain et non deux. L'un sera à la longue forcé de s'en aller : royauté ou Assemblée nationale ?

Tout d'abord, cependant, il ne s'agira pas de querelle, mais de réconciliation entre le roi et le peuple. Le 4 mai les cloches sonnent depuis l'aube : avant que les hommes ne délibèrent, on invoque sur la grande œuvre la bénédiction de Dieu. Tout Paris se rend à Versailles afin de transmettre aux enfants et petits-enfants le souvenir de ce jour qui marque le commencement d'une ère nouvelle. Des milliers de têtes se pressent aux fenêtres où pendent de précieuses tapisseries; d'épaisses grappes humaines sont collées aux cheminées, en dépit du danger; personne ne veut laisser échapper un détail de l'immense procession. Et en effet il est grandiose, ce défilé des états; pour la dernière fois la cour de Versailles déploie toute sa splendeur, voulant ainsi affirmer de façon frappante aux yeux du peuple qu'elle est la vraie majesté, le maître unique. A dix heures du matin le cortège royal quitte le palais; les pages à cheval, en livrées flamboyantes, et les fauconniers, l'oiseau au poing, viennent en tête; puis le somptueux carrosse royal, vitré et doré, s'avance majestueusement, traîné par des chevaux richement harnachés, sur la tête desquels se balancent des plumets bariolés. A la droite du roi a pris place son frère aîné, le cadet occupe le siège, les jeunes ducs d'Angoulême, de Berry et de Bourbon sont installés sur le devant. Des acclamations vibrantes de « Vive le roi ! » saluent ce premier carrosse, ce qui fait un pénible contraste avec le silence dur et irrité au milieu duquel passe le second avec la reine et les princesses. Déjà, à cette heure matinale, l'opinion publique établit très nettement une ligne de démarcation entre le roi et la reine. Le même silence accueille les voitures suivantes dans lesquelles les autres membres de la famille royale roulent d'un pas lent et solennel vers l'église Notre-Dame, où les trois états, deux mille hommes tenant chacun un cierge allumé, attendent la cour pour défiler, tous ensemble, à travers la ville.

Les carrosses s'arrêtent devant l'église. Le roi, la reine et la cour descendent de voiture; un spectacle inaccoutumé les attend. Les représentants de la noblesse avec leurs éclatants costumes de soie galonnés d'or, le chapeau hardiment relevé et orné de plumes blanches, ils les connaissent évidemment pour les avoir vus à des fêtes et à des bals, ainsi que le clergé avec ses couleurs magnifiques, cardinaux en rouge pourpre, évêques en soutanes violettes – ces deux états entourent fidèlement le trône depuis cent ans, ils ont toujours été la parure de ses fêtes. Mais quelle est cette foule sombre en vêtements noirs que seules éclairent des cravates blanches ? Quels sont ces étrangers en simples tricornes, ces inconnus, aujourd'hui encore tous anonymes, qui forment devant l'église un bloc compact ? Quelles pensées cachent ces hommes au regard audacieux, clair et même sévère ? Le roi et la reine examinent leurs adversaires, qui, forts de leur union, ne s'inclinent pas comme des esclaves et n'éclatent pas en acclamations enthousiastes, mais attendent, dans un mutisme très digne, l'heure où, d'égal à égal, avec tous ces orgueilleux en costumes de parade, ces privilégiés et ces gens aux noms illustres, ils commenceront l'œuvre de restauration pour laquelle on les a convoqués. Leurs vêtements d'un noir terne, leur attitude sévère, impénétrable, ne les font-ils pas ressembler à des juges plutôt qu'à des conseillers dociles ? Peut-être le roi et la reine ont-ils eu, dès ce moment, quant à leur sort, une lugubre appréhension...

Mais cette première rencontre n'est pas une passe d'armes : une heure de concorde va préluder à l'inévitable lutte. En une gigantesque procession ces deux mille hommes, chacun un cierge allumé à la main, parcourent, calmes et graves, le bref trajet de Notre-Dame de Versailles à la cathédrale Saint-Louis, entre la double haie étincelante des gardes françaises et de la garde suisse. Au-dessus d'eux les cloches sonnent, à côté d'eux les tambours battent, les uniformes brillent, et seul le chant spirituel des prêtres atténue le caractère martial de cette cérémonie en même temps qu'il en accroît la solennité.

A la tête de ce long défilé – « les derniers seront les premiers » – les représentants du tiers état s'avancent sur deux files parallèles, derrière eux la noblesse, puis le clergé. Lorsque passent les derniers délégués du tiers, il y a un remous dans la foule ; les spectateurs éclatent en vivats frénétiques. Ces acclamations s'adressent au duc d'Orléans, l'apostat de la cour, qui, par calcul démagogique, a préféré se joindre au tiers état, plutôt que de paraître au milieu de la famille royale. Et le roi lui-même, qui marche derrière le baldaquin recouvrant le Saint-Sacrement – porté par l'archevêque de Paris en surplis incrusté de diamants – n'est pas l'objet d'autant d'ovations que celui qui, publiquement, devant le peuple, se déclare pour la nation et contre l'autorité royale. Voulant encore accentuer cette opposition secrète à l'égard de la cour, quelques-uns choisissent le moment où Marie-Antoinette passe pour acclamer son ennemi et crier – « Vive le duc d'Orléans ! » au lieu de « Vive la reine ! » Marie-Antoinette sent l'offense, se trouble et pâlit ; ce n'est qu'avec peine qu'elle réussit à se maîtriser et à continuer son chemin jusqu'au bout, droite et fière, sans attirer l'attention. Mais dès le lendemain, une autre humiliation l'attend à l'ouverture de l'Assemblée nationale. Tandis qu'on acclame vivement le roi, à son entrée dans la salle, pas une lèvre, pas une main ne bouge quand elle arrive : un silence glacial, évident, l'accueille tel un vif courant d'air. « Voilà la victime », murmure Mirabeau à un de ses voisins ; et un neutre, Gouverneur Morris, exhorte ses amis français à une manifestation qui rendrait ce silence moins blessant, mais sans succès.

> La reine pleure ou semble pleurer, écrit dans son journal ce fils d'une nation libre, mais pas une voix ne s'élève pour elle. J'élèverais certainement la mienne, si j'étais Français ; mais je n'ai pas le droit d'exprimer mes sentiments, et c'est en vain que je prie mes voisins de le faire.

Pendant trois heures la reine devra rester assise devant les représentants du peuple comme une accusée sur son banc, sans qu'on la salue, sans qu'on fasse attention à elle, ce n'est qu'après l'interminable discours de Necker, au moment où elle se lève pour quitter la salle avec le roi, que quelques délégués mus par la pitié se dressent et crient un faible « Vive la reine ! » Touchée, Marie-Antoinette remercie d'un signe de tête ces isolés, et ce geste allume enfin les acclamations de toute l'assistance. Mais en rentrant au château Marie-Antoinette ne se fait aucune illusion ; elle sent trop bien la différence qu'il y a entre ce salut timide et compatissant et la grande et chaude clameur populaire, dictée spontanément par l'amour qui, jadis, lors de sa première visite à Paris, avait tant ému son cœur d'enfant. Elle sait déjà qu'elle est exclue de la grande réconciliation et qu'une lutte à outrance commence.

Tout le monde, au cours de ces journées, constate l'expression inquiète et troublée de la reine. Même à l'ouverture de l'Assemblée nationale, où elle apparaît vêtue d'une magnifique robe mauve, blanc et argent, la tête ornée d'une superbe plume d'autruche, Mme de Staël remarque dans son attitude un air de tristesse et de dépression qui lui est étranger et qui la surprend chez cette femme ordinairement coquette, gaie et insouciante. Et en effet, ce n'est qu'avec peine et au prix d'un violent effort de volonté que Marie-Antoinette s'est décidée à monter sur cette estrade, mais son esprit et ses inquiétudes sont ailleurs. Car elle sait que pendant qu'elle est obligée de parader devant le peuple des heures durant, de se tenir majestueuse et digne, là-bas, à Meudon, son fils aîné, âgé de six ans, souffre et se meurt dans son petit lit. Déjà l'année précédente elle a eu la douleur de perdre un de ses quatre enfants, la princesse Sophie-Béatrice, qui n'avait que onze mois ; une deuxième fois la mort s'approche de ses enfants et y cherche une victime. Les premiers symptômes d'une prédisposition au rachitisme s'étaient déjà révélés chez son fils en 1788 :

> Mon fils aîné, écrit-elle à ce moment-là à Joseph II, me donne bien de l'inquiétude. Sa taille s'est dérangée, et pour une hanche, qui est plus haute que l'autre, et pour le dos, dont les vertèbres sont un peu déplacées et en saillie. Depuis quelque temps il a toujours la fièvre, il est maigre et affaibli.

Il y a de temps à autre un mieux illusoire, mais bientôt la mère éprouvée ne conserve plus d'espoir. Le spectacle bariolé et curieux de la procession solennelle, à l'ouverture des États généraux, est le dernier plaisir du pauvre petit malade : enveloppé de manteaux, étendu sur des coussins, car depuis longtemps il est trop faible pour marcher, il peut encore, du balcon des écuries royales, voir passer, de ses yeux battus par la fièvre, son père, sa mère et l'étincelant cortège ; un mois plus tard on l'enterrera. Cette mort imminente et inévitable assaille en ces jours-là les pensées de Marie-Antoinette, tous ses soucis vont vers son enfant ; rien de plus absurde donc que cette légende, soigneusement entretenue, qui veut qu'en ces terribles semaines de tourments maternels Marie-Antoinette ait, du matin au soir, ourdi contre l'Assemblée les plus sournoises intrigues. A ce moment-là sa combativité était complètement brisée par la douleur et la haine encourue ; plus tard seulement, tout à fait seule, luttant comme une désespérée pour la vie et le trône de son mari et de son deuxième fils, elle se dressera en vue d'une ultime résistance. Mais maintenant ses forces l'abandonnent et il faudrait d'ailleurs la puissance d'un dieu, non celle d'un malheureux être humain, bouleversé par la souffrance, pour arrêter la marche du destin.

Car les événements se suivent avec la rapidité d'un torrent. Quelques jours après, les deux ordres privilégiés, la noblesse et le clergé, sont déjà en pleine rivalité avec le tiers état ; rebuté celui-ci se prononce pour l'Assemblée nationale et fait serment, dans la salle du Jeu de Paume, de ne pas se séparer avant que la volonté du peuple ne soit accomplie et la constitution votée. La cour s'effraie devant le démon populaire qu'elle a, elle-même, été chercher ; tiraillé à droite et à gauche par ses conseillers, ceux qu'il a appelés et ceux qui se sont imposés, donnant raison aujourd'hui au tiers, demain aux ordres privilégiés, hésitant à l'heure même où une extrême lucidité et la plus grande énergie sont indispensables, le roi penche tantôt vers les rodomonts militaires, qui, fidèles à leur arrogance de toujours, veulent qu'on chasse le peuple sabre au clair, tantôt vers Necker qui, sans cesse, pousse aux concessions. Aujourd'hui il interdit au tiers la salle des délibérations, puis il prend peur quand Mirabeau déclare : « Nous sommes ici par la volonté du peuple et nous n'en sortirons que par la force des baïonnettes. » La fermeté de la nation grandit dans la mesure même où la cour est indécise. Du jour au lendemain la liberté de la presse a démuselé cet être muet qu'était le peuple, et c'est dans des articles enflammés, dans des centaines de brochures qu'il clame son droit et sa fureur révolutionnaire. Au Palais-Royal, sous l'égide du duc d'Orléans, des milliers de gens se réunissent chaque jour, qui parlent, crient, s'agitent et s'excitent mutuellement. Des inconnus, qui jusque-là ont vécu sans parler, découvrent soudain le plaisir de la parole et de l'écriture ; des centaines d'ambitieux et de désœuvrés sentent l'heure favorable, tout le monde fait de la politique, se remue, lit, discute et plaide.

> Chaque heure produit sa brochure, écrit l'Anglais Arthur Young, il en a paru treize aujourd'hui, seize hier et vingt-deux la semaine dernière. Dix-neuf sur vingt sont en faveur de la liberté.

C'est-à-dire pour l'abolition des privilèges y compris ceux de la monarchie. Chaque jour, presque chaque heure emporte un lambeau de l'autorité royale ; les mots « peuple » et « nation » deviennent, en deux ou trois semaines, de lettres mortes qu'ils étaient, des notions sacro-saintes, synonymes de toute-puissance et de suprême justice. Déjà les officiers, les soldats se joignent à l'irrésistible mouvement, déjà les fonctionnaires de la ville et de l'État s'aperçoivent que devant la force populaire qui se cabre les rênes leur glissent des mains ; l'Assemblée nationale elle-même entre dans ce nouveau courant, perd le sillage dynastique et commence à chavirer. Les conseillers de la cour se montrent de plus en plus inquiets, et comme presque toujours, l'incertitude morale et la crainte qu'elle engendre, croyant trouver un atout dans la violence, tentent d'y recourir : le roi mobilise les derniers régiments sur lesquels il peut compter et finalement, pour se donner à lui-même l'illusion de l'énergie qui lui manque, il provoque la nation en congédiant et en exilant comme un criminel, le 11 juillet, le seul ministre populaire : Necker.

Les jours suivants sont gravés dans l'Histoire d'un trait indélébile ; il existe pourtant un livre dans lequel on essaierait en vain de se renseigner, c'est le journal qu'a écrit de sa propre main le malheureux roi, qui n'a aucune idée de ce qui se passe. Il y note le 11 juillet : « Rien. Départ de M. Necker » et le 14 juillet, jour de la prise de la Bastille, qui brise définitivement sa puissance, encore ce même mot tragique : « Rien », ce qui veut dire qu'il n'y a eu ce jour-là ni chasse, ni cerf tué, donc aucun événement important. A

Paris on est d'un autre avis sur cette journée. La nouvelle du renvoi de Necker y parvient dans la matinée du 12 juillet, c'est l'étincelle qui met le feu aux poudres. Au Palais-Royal Camille Desmoulins, un des membres du club du duc d'Orléans, monte sur une chaise, brandit un pistolet, crie que le roi prépare une Saint-Barthélemy et fait appel aux armes. L'insurrection en un instant a trouvé son emblème : la cocarde aux trois couleurs qui deviendra la bannière de la république ; quelques heures plus tard le peuple attaque partout l'armée, pille les arsenaux, dresse des barricades. Le 14 juillet, vingt mille hommes partis du Palais-Royal marchent sur la Bastille, la forteresse abhorrée, qui est bientôt prise d'assaut, cependant que la tête blême du gouverneur chargé de la défendre tournoie au bout d'une pique : c'est la première fois que luit la lanterne sanglante de la Révolution. Personne n'ose plus résister à cette explosion élémentaire de la fureur populaire, les troupes qui n'ont reçu de Versailles aucun ordre précis se retirent, et le soir tout Paris illumine pour fêter sa victoire.

Pourtant, à six lieues de cet événement mondial, au château de Versailles, personne ne se doute de rien. Maintenant qu'on a renvoyé le ministre gênant, on va enfin avoir la paix, on pourra bientôt retourner à la chasse, peut-être même dès demain. Mais voici qu'arrivent de l'Assemblée nationale messager sur messager : il y a des troubles à Paris, on pille les arsenaux, on marche sur la Bastille. Le roi écoute les rapports, mais ne prend aucune décision réelle. A quoi sert, en somme, cette ennuyeuse Assemblée nationale ? Qu'elle se débrouille ! Comme toujours le sacro-saint programme de la journée est respecté, comme toujours cet homme mou et indolent, dont rien n'éveille la curiosité (il sera temps demain de tout savoir), se couche à dix heures et dort de son profond sommeil qu'aucun bouleversement mondial ne saurait ébranler. Mais quelle époque audacieuse, insolente, anarchique, devenue irrespectueuse au point de troubler le sommeil d'un souverain ! Le duc de Liancourt arrive au galop à Versailles, sur un cheval écumant, afin d'apporter des nouvelles de ce qui se passe à Paris. On lui déclare que sa majesté dort déjà. Il insiste pour qu'on réveille le roi ; on finit par laisser pénétrer le messager dans la chambre sacrée. Il annonce : « La Bastille est prise ! Le gouverneur est assassiné. On porte sa tête sur une pique par toute la ville ! »

— C'est donc une révolte – bégaie, effrayé, le malheureux monarque.

Mais avec une impitoyable cruauté, ce messager de malheur corrige :

— Sire, c'est une révolution.

CHAPITRE XIX

LA FUITE DES AMIS

On a beaucoup raillé Louis XVI de ne pas avoir saisi immédiatement toute la portée du mot « révolution – qui venait de faire son apparition – lorsque, le 14 juillet, il fut tiré de son sommeil par la nouvelle de la prise de la Bastille. Mais « il n'est que trop facile », comme le rappelle Maurice Maeterlinck, dans un célèbre chapitre de *Sagesse et Destinée*, à ceux qui font les malins après coup, « de reconnaître ce qu'on aurait dû faire une fois qu'on a connaissance de tous les événements ». Il n'y a aucun doute, ni le roi ni la reine, aux premiers signes de la tempête, ne se sont rendu compte, même d'une façon approximative, de toute l'étendue du bouleversement qui allait se produire ; et d'ailleurs quel est celui des contemporains qui, dès la première heure, ait eu conscience de l'ampleur du mouvement qui se déclenchait ; en est-il un seul, même parmi ceux qui allumèrent et attisèrent la Révolution ? Les chefs du nouveau mouvement populaire, Mirabeau, Bailly, La Fayette, ne se doutent pas le moins du monde à quel point cette puissance déchaînée leur fera dépasser le but et les entraînera contre leur propre volonté ; car, en 1789, ceux qui seront plus tard les plus enragés révolutionnaires, Robespierre, Marat, Danton, sont encore des royalistes convaincus. Ce n'est que par la Révolution française elle-même que le mot de « révolution » a pris ce sens large, farouche, historique, (que notre langue lui prête aujourd'hui) : c'est le temps seul qui l'a imprimé dans le sang et l'esprit, et non les premiers événements. Étrange paradoxe : ce n'est pas l'incapacité de comprendre la Révolution qui fut fatale à Louis XVI, mais au contraire l'effort touchant que fit cet homme médiocre pour la concevoir. Louis XVI aimait à lire l'Histoire, et jamais, timide adolescent, il ne s'était senti plus ému que le jour où on lui avait présenté personnellement le célèbre David Hume, l'auteur de cette *Histoire d'Angleterre* qui était son livre favori. Dauphin, il y avait lu avec le plus vif intérêt le chapitre qui expliquait comment une révolution fut faite contre un roi, Charles d'Angleterre, et comment il finit par être décapité ; cet exemple agit comme un puissant avertissement sur le craintif héritier du trône. Et lorsqu'un mouvement de mécontentement analogue se produisit dans son propre pays, Louis XVI crut bien faire, pour se protéger, de relire et d'étudier ce livre, pour y apprendre à temps ce qu'en pareil cas un roi ne devait pas faire : là, où l'autre avait été violent, il voulut faire des concessions, et par là il espérait échapper à l'issue fatale. Or, c'est cette volonté de comprendre la Révolution française par analogie avec une révolution toute différente qui fut néfaste au roi. Car ce n'est pas d'après des formules vieillies, des modèles périmés, qu'un roi doit prendre des décisions aux minutes historiques : seul le regard perçant du génie sait discerner dans le présent les vraies mesures de salut, seule l'action héroïque et rapide peut arrêter la poussée envahissante des forces élémentaires tumultueusement déchaînées. Or, on n'apaise pas une tempête en amenant les voiles ; elle n'en continue pas moins à faire rage de toutes ses forces, jusqu'à ce qu'elle s'épuise et se calme d'elle-même.

C'est là la tragédie de Louis XVI : il voulait saisir ce qui lui était inintelligible en feuilletant l'Histoire comme un manuel scolaire, et se garantir contre la Révolution en abandonnant craintivement tout ce que son attitude pouvait avoir de royal. Il n'en est pas de même de Marie-Antoinette : elle n'a pas consulté les livres, et à peine les hommes. Se souvenir et prévoir n'étaient pas dans sa manière, même pas dans les moments les plus dangereux ; tout calcul et toute combinaison étaient étrangers à sa nature spontanée. Sa force reposait uniquement sur son instinct. Et cet instinct, dès la première minute, oppose un « non » catégorique à la Révolution. Née dans un château royal, élevée dans le principe de la légitimité, considérant ses droits monarchiques comme d'origine divine, elle juge d'emblée toute revendication de la nation comme une révolte injustifiée : celui qui exige pour lui-même toutes les libertés et tous les droits est toujours le moins disposé à reconnaître les droits et les libertés d'autrui. Marie-Antoinette ne s'engage dans aucune discussion, ni avec elle-même ni avec les autres ; elle dit comme son frère Joseph : « Mon métier est d'être royaliste. » Sa place est en haut, celle du peuple en bas : elle ne veut pas descendre, il ne doit pas monter. Dès la prise de la Bastille, et jusqu'à l'échafaud, elle ne cesse pas de se sentir complètement dans son droit. Pas un instant son âme ne pactise avec le mouvement nouveau : la Révolution n'est pour elle qu'un mot qui sert à embellir l'idée de rébellion.

Mais cette attitude orgueilleuse, rigide et inébranlable de Marie-Antoinette en face de la Révolution ne comporte pas – du moins au début – la moindre animosité contre le peuple. Élevée dans l'aimable et paisible Vienne, elle considère le « bon peuple » comme un être bonasse et pas très raisonnable ; elle croit dur comme fer qu'un jour, de lui-même, ce brave troupeau déçu se détournera de ces agitateurs et de ces discoureurs, et reviendra à la bonne crèche, à la dynastie régnante et héréditaire. Toute sa haine va donc aux « factieux » : conspirateurs, agitateurs, clubistes, démagogues, orateurs, arrivistes et athées, qui, au nom de confuses idéologies ou par ambition, poussent l'honnête peuple à se révolter contre le trône et l'autel. Les représentants de vingt millions de Français ne sont pour elle qu' « un amas de fous, de scélérats » ; celui qui a appartenu, ne fût-ce qu'une heure, à cette race de Corah est à ses yeux définitivement jugé ; et celui qui a simplement adressé la parole à un de ces furieux novateurs lui est déjà suspect. Ainsi n'a-t-elle aucun mot de gratitude pour La Fayette qui, en risquant sa propre vie, a sauvé à trois reprises celle de son époux et de ses enfants : plutôt périr que de devoir son salut à ce vaniteux qui brigue la faveur populaire ! Jamais, même en prison, elle ne fera à ceux qu'elle ne reconnaît pas comme ses juges, et qu'elle appelle des bourreaux – ou à un député –, l'honneur de demander quoi que ce soit. De toute son obstination elle persiste dans un inflexible refus de compromis. Du premier jour jusqu'au dernier Marie-Antoinette n'a vu dans la Révolution qu'une vague de boue immonde, soulevée par les instincts les plus bas et les plus vulgaires de l'humanité ; elle n'a rien compris au droit historique, à la volonté constructive de ce mouvement parce qu'elle était décidée à ne comprendre et à ne défendre que son propre droit royal.

On ne peut pas le nier, cet entêtement à ne pas vouloir comprendre c'est là la faute historique de Marie-Antoinette. Cette femme tout à fait moyenne et bornée quant à la politique, sans vue d'ensemble sur les filiations d'idées, sans perspicacité psychologique, n'a jamais cherché à saisir, par éducation ou volonté, autre chose que ce qui était humain, proche, sensible. Or, de près, du point de vue humain, tout mouvement politique paraît trouble, l'image d'une idée se déforme toujours quand elle se réalise. Marie-Antoinette juge la Révolution – comment pourrait-il en être autrement – d'après les hommes qui la dirigent ; et comme toujours, en temps de bouleversement, les plus bruyants ne sont ni les plus honnêtes ni les meilleurs. La reine n'a-t-elle pas lieu de se méfier, quand elle voit que ce sont justement les plus endettés et les plus discrédités parmi les aristocrates, les plus corrompus, tels Mirabeau et Talleyrand, qui les premiers sentent leur cœur battre pour la liberté ? Comment Marie-Antoinette pourrait-elle imaginer que la Révolution soit une chose honnête et morale, quand elle voit l'avare et cupide duc d'Orléans, prêt à toutes les affaires malpropres, s'enthousiasmer pour cette nouvelle fraternité ? Quand le favori de l'Assemblée nationale est Mirabeau, ce disciple de l'Arétin tant par la corruption que par la littérature obscène, cette lie de la noblesse, qui, après avoir fait toutes les prisons de France pour enlèvement et autres histoires louches, a ensuite vécu d'espionnage ? Un mouvement qui élève des autels à des hommes pareils peut-il être divin ?

Peut-elle vraiment considérer comme l'avant-garde d'une humanité nouvelle le flot impur des poissonnières et des filles qui brandissent, comme des trophées, au bout de piques, les têtes sanglantes de leurs victimes ? Parce qu'elle ne voit d'abord que la violence, Marie-Antoinette ne croit pas à la liberté, parce qu'elle ne regarde que l'homme, elle ne soupçonne pas l'idée cachée derrière cet élan impétueux qui bouleverse le monde ; elle n'a rien vu, ni rien compris, des conquêtes d'un mouvement qui nous a transmis les plus nobles principes des rapports humains : la liberté religieuse, la liberté d'opinion, la liberté de la presse, la liberté du commerce et la liberté de réunion, qui a gravé sur les tables de la loi des temps modernes l'égalité des classes, des races et des religions, et qui a mis fin aux vestiges honteux du moyen âge : tortures, corvées et esclavage. Elle n'a jamais rien compris, ni essayé de rien comprendre, aux intentions morales qui se cachaient derrière l'émeute brutale de la rue. Elle ne voit que chaos dans cette vaste bagarre, et ne perçoit pas l'ébauche d'un ordre nouveau au sein des luttes horribles et des convulsions ; c'est pourquoi, elle a détesté, du commencement à la fin, de toute l'énergie de son cœur altier, les chefs et les troupes de ce mouvement. Et c'est ainsi qu'arriva ce qui devait arriver. Marie-Antoinette ayant été injuste envers la Révolution, celle-ci fut dure et injuste envers elle.

La Révolution est l'ennemie – c'est là le point de vue de la reine. La reine est l'obstacle – c'est la conviction profonde de la Révolution. Avec son instinct infaillible la masse du peuple sent dans la reine le seul et véritable adversaire. Aussi dès le début toute la fureur du combat est-elle dirigée contre sa personne. Louis XVI ne compte pas, ni en bien ni en mal ; le dernier paysan le sait et l'enfant de la rue ne l'ignore pas. Quelques coups de fusil suffiraient à intimider cet homme pusillanime au point de lui faire dire oui à tout ; qu'on lui mette le bonnet rouge, il le portera, et qu'on lui ordonne énergiquement de crier « A bas le roi ! A bas le tyran ! » il obéira comme un pantin. Une seule volonté en France défend le trône et ses prérogatives, et ce « seul homme qu'a le roi », selon le mot de Mirabeau,

« c'est sa femme ». Celui qui est pour la Révolution sera donc contre la reine ; dès le début elle est la cible, mais pour qu'elle le devienne avec évidence, pour qu'il y ait une démarcation nette entre elle et le roi, tous les écrits révolutionnaires commencent par représenter Louis XVI comme le vrai père du peuple, comme un homme bon, vertueux, noble, mais malheureusement trop faible et « séduit ». S'il ne dépendait que de cet ami des hommes, une paix parfaite régnerait entre le roi et la nation. Mais cette étrangère, cette Autrichienne, sous la dépendance de son frère, prisonnière du cercle de ses favoris et de ses favorites, autoritaire et tyrannique, ne veut pas de cette entente et ne cesse d'ourdir des complots afin de pouvoir appeler à son aide des troupes étrangères qui détruiraient Paris, la ville de la liberté. Elle recourt à des ruses infernales pour tromper les officiers et les amener à braquer leurs canons sur le peuple sans défense ; avide de sang, elle pousse les soldats à une nouvelle Saint-Barthélemy en leur distribuant du vin et des cadeaux ; il serait temps, vraiment, d'ouvrir les yeux à ce malheureux roi ! Les deux adversaires pensent, au fond, de manière identique : pour Marie-Antoinette le peuple est bon, mais séduit par les « factieux » ; pour le peuple le roi est bon, mais excité et aveuglé par sa femme. Le combat, en somme, se circonscrit entre les révolutionnaires et la reine. Mais plus la haine grandit contre elle et plus les injures et les calomnies augmentent, plus se cabre l'orgueil de Marie-Antoinette. Celui qui dirige avec énergie un grand mouvement, ou se dresse contre lui, dépasse dans la lutte sa propre mesure : depuis que tout un monde lui est hostile, l'orgueil puéril de Marie-Antoinette se mue en fierté et ses forces éparpillées s'unissent pour enfanter un vrai caractère.

Mais cette force tardive de Marie-Antoinette ne peut faire ses preuves que dans la défense ; on ne saurait affronter l'adversaire avec un boulet au pied, et le pauvre roi hésitant est un boulet. La prise de la Bastille est pour lui un soufflet sur la joue droite, le lendemain matin il tend avec humilité la joue gauche : au lieu de se fâcher, de blâmer et de punir, il promet à l'Assemblée nationale de retirer ses troupes de Paris, alors qu'elles se seraient peut-être encore battues pour lui, reniant ainsi ceux qui sont tombés pour sa défense. Du fait qu'il n'ose même pas réprouver les assassins du gouverneur de la Bastille, il reconnaît par là la terreur comme un droit et légalise la révolte. Pour le remercier d'une telle humiliation Paris est prêt à couronner de fleurs ce monarque complaisant et lui confère – mais pour peu de temps seulement – le titre de « restaurateur de la liberté française ». Aux portes de la ville le maire le reçoit, en lui disant, en termes ambigus, que la nation a reconquis son roi ; docilement Louis XVI prend la cocarde que le peuple a choisie comme emblème de la lutte contre son autorité, sans s'apercevoir qu'en réalité ce n'est pas lui que la foule acclame, mais la force qui lui a permis de vaincre le souverain. Le 14 juillet Louis XVI a perdu la Bastille, le 17 il perd toute dignité et s'incline si bas devant ses adversaires que sa couronne roule à terre.

Le roi ayant apporté son sacrifice, Marie-Antoinette ne saurait refuser le sien. Elle aussi devra faire preuve de bonne volonté, en se séparant officiellement de ceux que le nouveau maître, la nation, déteste avec le plus de raisons, ses compagnons de plaisir, les Polignac et le comte d'Artois : ils seront exilés de France pour toujours. La séparation en soi ne serait guère pénible pour la reine, si elle n'était pas contrainte de l'accepter, car tout au fond d'elle-même il y a longtemps qu'elle ne tient plus à cette troupe frivole. Ce n'est qu'à l'heure du départ que se ranime son amitié, depuis longtemps refroidie, pour les compagnons de ses plus belles, de ses plus insouciantes années. Ils ont fait mille folies ensemble ; Mme de Polignac a partagé tous ses secrets ; elle a élevé ses enfants et les a vus grandir. A présent il faut qu'elle s'en aille : comment ne pas reconnaître que cette séparation est en même temps un adieu à sa frivole jeunesse ? Car les heures sans souci sont à jamais passées ; le dur poing de la Révolution a brisé le monde du XVIIIe, diaphane comme la porcelaine, poli comme l'albâtre ; finis les joies délicates et les tendres plaisirs. Une nouvelle époque est en marche, grande peut-être, mais brutale, puissante mais meurtrière. Le carillon rococo a achevé sa mélodie, et ils sont révolus les beaux jours de Trianon. Refoulant ses larmes, Marie-Antoinette ne peut se décider à escorter ses amis à l'heure de l'ultime séparation : elle reste dans son appartement, tant elle redoute une trop vive émotion. Mais le soir, lorsque les voitures sont déjà dans la cour, prêtes à emmener le comte d'Artois et ses enfants, le prince de Condé, le prince de Bourbon, Mme de Polignac, les ministres et l'abbé Vermond, tous ces êtres qui ont entouré sa jeunesse, elle saisit en hâte une feuille de papier sur son bureau et écrit à Mme de Polignac ces mots émus :

> Adieu la plus tendre des amies. Ce mot est affreux, mais il le faut. Voilà l'ordre pour les chevaux ; je n'ai que la force de vous embrasser.

A partir de ce moment-là une mélancolie, lourde d'appréhension, voile toutes ses paroles et met comme une sourdine à tout ce qu'elle écrit.

> Je ne vous exprime pas tous mes regrets d'être séparée de vous, mande-t-elle quelques jours plus tard à Mme de Polignac, j'espère que vous les sentez comme moi. Ma santé est assez bonne, quoique nécessairement un peu affaiblie par tous les chocs continuels qu'elle éprouve. Nous ne sommes entourés que de peines, de malheurs et de malheureux, sans compter les absences. Tout le monde fuit, et je suis encore trop heureuse de penser que tous ceux qui m'intéressent sont éloignés de moi.

Mais, comme si elle ne voulait pas que l'amie éprouvée surprît chez elle une faiblesse, comme si elle savait qu'il ne lui est resté qu'une chose de son ancienne puissance : sa dignité de reine, elle se hâte d'ajouter :

> Mais comptez toujours que les adversités n'ont pas diminué ma force et mon courage. Je n'y perdrai rien. Mais seulement elles me donneront plus de prudence. C'est bien dans les moments comme ceci que l'on apprend à connaître les hommes et à voir ceux qui vous sont véritablement attachés ou non.

Le silence, maintenant, se fait autour de cette reine qui n'avait que trop aimé l'agitation. La grande fuite a commencé. Où sont les amis d'autrefois ? Tous disparus, comme les neiges d'antan. Ceux qui s'agitaient naguère autour d'elle comme des enfants avides de cadeaux, Lauzun, Esterhazy, Vaudreuil, où sont-ils, où sont ses partenaires de la table de jeu, ses danseurs, ses cavaliers ? En voiture ou à cheval – sauve qui peut ! – tous ont quitté Versailles déguisés, et cette fois non pour aller au bal ; s'ils se sont rendus méconnaissables c'est pour ne pas être écharpés par le peuple. Chaque soir une nouvelle voiture traverse les grilles dorées, pour ne plus revenir ; les salles du château devenues trop grandes sont de plus en plus silencieuses ; plus de théâtre, plus de bals, plus de cortèges ni de réceptions, plus rien que la messe le matin et, dans le petit cabinet, les longs et vains entretiens avec les ministres qui n'apportent aucun conseil. Versailles est devenu un Escurial : les gens sages s'en éloignent.

Au même moment où tous ceux que le monde considérait comme ses amis les plus proches quittent Marie-Antoinette, surgit de l'ombre le véritable ami : Hans Axel de Fersen. Aussi longtemps que passer pour le favori de la reine donnait de l'éclat, cet amoureux parfait, désireux de ménager l'honneur de l'aimée, s'est timidement tenu à l'écart, défendant ainsi contre la curiosité et le bavardage indiscret le plus profond secret de la vie de cette femme. Mais maintenant qu'elle est maudite, et qu'être son ami ne rapporte plus ni avantages, ni estime, ni honneur, ne suscite plus l'envie, mais exige au contraire du courage et une volonté absolue de sacrifice, maintenant cet ami unique, le seul aussi qui fût réellement aimé, se place délibérément aux côtés de la souveraine, et entre ainsi dans l'Histoire.

CHAPITRE XX

L'AMI APPARAÎT

Le nom et la personne de Hans Axel de Fersen sont demeurés longtemps voilés de mystère. Il ne figure ni sur la fameuse liste officielle des amants de Marie-Antoinette, ni dans les lettres des ambassadeurs, ni dans les rapports des contemporains ; Fersen ne fait pas partie des hôtes connus du salon de Mme de Polignac ; sa haute et grave silhouette n'est nulle part où règnent l'éclat et la lumière. Grâce à cette sage et intelligente réserve, il échappe à la malveillance indiscrète des courtisans ; mais l'Histoire aussi l'a longtemps ignoré, et peut-être le secret le plus profond de la vie de Marie-Antoinette allait-il rester dans l'ombre, quand au cours de la seconde moitié du siècle dernier un bruit étrange se répandit : dans un château suédois se trouve conservée toute une liasse de lettres intimes de Marie-Antoinette cachetées et tenues secrètes. Personne tout d'abord n'accorde créance à l'invraisemblable nouvelle, jusqu'au moment où, soudain, paraît une édition de cette mystérieuse correspondance, qui – malgré l'impitoyable suppression de tous les détails intimes – pousse subitement ce noble suédois inconnu au premier plan, à la place d'honneur, parmi tous les amis de Marie-Antoinette. Cette publication change complètement l'image de la femme, qui, jusque-là, avait passé pour superficielle ; un drame intime se révèle, grandiose et bouleversant, une idylle se déroule moitié à l'ombre de la cour, moitié, déjà, à l'ombre de la guillotine, un de ces romans émouvants et extraordinaires que seule l'Histoire ose imaginer : deux êtres épris d'un ardent amour réciproque, forcés par devoir et par prudence de cacher craintivement leur secret, sans cesse arrachés l'un à l'autre et sans cesse attirés l'un vers l'autre de leurs deux mondes infiniment éloignés : elle, reine de France, lui, jeune gentilhomme des pays du Nord. Et la toile de fond sur laquelle se déroule leur destin est un monde croulant, une époque apocalyptique, une page enflammée de l'Histoire, d'autant plus palpitante que les données et les indices, abrégés et à demi effacés, ne permettent de déchiffrer que peu à peu toute la vérité des événements.

Le début de ce grand drame d'amour historique n'a rien de pathétique, mais est, au contraire, dans la ligne du plus pur style rococo, on le dirait copié de Faublas. Un jeune Suédois, fils de sénateur, héritier d'un grand nom, entreprend, quand il a quinze ans, accompagné d'un précepteur, un voyage de trois ans, ce qui, de nos jours encore, n'est pas le plus mauvais système pour former un homme du monde. Hans Axel fait en Allemagne de la haute école et y étudie le métier des armes, en Italie il apprend la médecine et la musique. Il va voir à Ferney – visite inévitable à l'époque – la pythie de toute sagesse, M. de Voltaire, qui, le corps sec et léger comme une plume, enveloppé dans une robe de chambre brodée, le reçoit avec bienveillance. Et voilà Fersen en possession de son baccalauréat intellectuel. Il ne manque plus à ce jeune homme de dix-huit ans que le dernier polissage : Paris, l'art exquis de la conversation, les bonnes manières, et l'éducation type d'un jeune noble du XVIIIe est terminée. Parfait gentilhomme il peut, alors, devenir ambassadeur, ministre ou général, le monde lui est ouvert.

Outre la noblesse, le tact, une intelligence mesurée et positive, une grande fortune, le prestige de l'étranger, le jeune Hans Axel de Fersen dispose encore d'un autre atout : c'est un très bel homme. Droit, large d'épaules, bien musclé, il donne, comme beaucoup de Scandinaves, une impression virile, sans être lourd ou massif ; c'est avec une franche sympathie qu'on regarde sur les portraits ce visage ouvert et régulier avec ses beaux yeux au regard ferme, surmontés de sourcils très noirs arqués comme des cimeterres. Un front dégagé, une bouche chaude et sensuelle qui, on en a la preuve éclatante, sait parfaitement se taire : on comprend, à en juger par les portraits, qu'une femme puisse aimer pareil homme et, plus encore, qu'elle mette en lui toute sa confiance. Il est vrai que Fersen n'a pas la réputation d'un brillant causeur, d'un homme d'esprit, d'un compagnon particulièrement amusant; mais à son intelligence un peu sèche et rude s'allient une franchise très humaine et un tact naturel; déjà en 1774 l'ambassadeur de Suède pouvait écrire de lui avec fierté au roi Gustave :

> De tous les Suédois qui ont été ici de mon temps, c'est celui qui a été le mieux accueilli dans le grand monde.

Avec cela ce jeune gentilhomme n'est ni morose ni dédaigneux des plaisirs – les femmes prétendent qu'il a « un cœur de feu » sous une enveloppe de glace – il n'oublie pas de s'amuser et fréquente assidûment à Paris les bals de la cour et du grand monde. C'est ainsi qu'il lui arrive une étrange aventure. Un soir, le 30 janvier 1774, au bal de l'Opéra, lieu de rendez-vous du monde distingué et aussi de gens douteux, une jeune femme fort élégante et svelte, à la taille fine et à la démarche légère, s'avance vers lui, et, protégée par son masque de velours, engage une conversation galante. Fersen, flatté, se prête avec plaisir à cette alerte conversation, et, séduit par la gaîté et le piquant de son entreprenante partenaire, il s'abandonne déjà, peut-être, à toutes sortes d'espoirs pour la nuit. Mais il s'aperçoit alors avec surprise que quelques hommes et quelques femmes, qui chuchotent mystérieusement, forment peu à peu un cercle autour d'eux, et que cette dame masquée et lui sont le point de mire d'une attention toujours plus vive. La situation commence à devenir délicate, lorsque enfin la gracieuse intrigante enlève son masque : c'est Marie-Antoinette – cas inouï dans les annales de la cour – l'héritière du trône de France, qui s'est encore évadée du triste lit conjugal où dort son époux, pour aller au bal de l'Opéra, et qui s'y divertit en compagnie d'un gentilhomme étranger. Les dames de la cour veulent éviter le scandale. Elles entourent aussitôt l'extravagante jeune femme et la reconduisent dans sa loge. Mais qu'est-ce qui peut rester secret dans ce Versailles cancanier ? On bavarde et on s'étonne d'une faveur si contraire à l'étiquette, accordée par la dauphine à ce jeune étranger ; dès demain sans doute l'ambassadeur Mercy, mécontent, se plaindra à Marie-Thérèse, et de Schoenbrunn arrivera, par retour du courrier, une de ces lettres amères adressées à cette « tête à vent » de fille, la priant d'abandonner enfin ces inconvenantes « dissipations » et de ne plus faire parler d'elle, à propos de Pierre et de Paul, à ces maudits bals masqués. Mais Marie-Antoinette n'en fait qu'à sa tête, le jeune homme lui a plu, elle le lui a laissé voir. A partir de cette soirée ce gentilhomme, dont le rang et la situation n'ont rien d'extraordinaire, est reçu aux bals de Versailles avec une particulière amabilité. Après un début si éclatant, une idylle commence-t-elle aussitôt entre les deux jeunes gens ? On n'en sait rien. Toujours est-il qu'un événement important ne tarda pas à interrompre ce flirt – certainement innocent –, la mort de Louis XV qui, du jour au lendemain, faisait de la petite princesse une reine de France. Deux jours plus tard – lui en a-t-on fait comprendre l'opportunité ? – Hans Axel de Fersen retourne en Suède.

Le premier acte du drame est terminé. Il n'est qu'une introduction galante, un prélude à la pièce proprement dite. Deux jeunes gens de dix-huit ans se sont rencontrés et se sont plu, voilà tout ; ce qui, transposé dans le présent, équivaut à une amitié de leçon de danse, à une amourette de collégiens. Rien d'essentiel ne s'est passé, les sentiments sont encore superficiels.

Deuxième acte : quatre ans après, en 1778, Fersen revient en France ; son père l'a envoyé à la recherche d'une riche héritière, peut-être une demoiselle de Reyel, de Londres, ou Mlle Necker, la fille du banquier genevois, universellement connue plus tard sous le nom de Mme de Staël. Mais Axel de Fersen montre peu de goût pour le mariage, et on comprendra bientôt pourquoi. A peine arrivé, le gentilhomme, en costume de gala, se présente à la cour. Le connaît-on encore ? Quelqu'un se souvient-il de lui ? Le roi incline la tête d'un air grognon, les autres regardent avec indifférence cet étranger insignifiant, personne ne lui adresse une parole aimable. Seule la reine s'écrie brusquement dès qu'elle l'aperçoit : « Ah ! c'est une vieille connaissance ! » Non, elle ne l'a pas oublié, son beau gentilhomme nordique, l'intérêt qu'elle ressentait pour lui – ce n'était donc pas un feu de paille – se rallume aussitôt. Elle invite Fersen à ses réceptions, le comble de gentillesses ; tout comme lors de leur rencontre de naguère, au bal de l'Opéra, c'est Marie-Antoinette qui fait le premier pas. Bientôt Fersen pourra écrire à son père :

> La reine, qui est la plus jolie et la plus aimable princesse que je connaisse, a eu la bonté de s'informer souvent de moi ; elle a demandé à Creutz pourquoi je ne venais pas à son jeu les dimanches, et ayant appris que j'y étais venu un jour qu'il n'y en avait pas, elle m'en a fait une espèce d'excuse.

Quelle « terrible faveur accordée à ce jeune homme ! » est-on tenté de dire, pour parler comme Goethe, quand on voit cette femme orgueilleuse, qui ne répond même pas au salut des duchesses, qui pendant sept ans ne daigne pas incliner la tête devant un cardinal de Rohan et durant quatre années refuse de saluer une du Barry, s'excuser auprès d'un gentilhomme étranger parce qu'il est venu une fois à Versailles pour rien. « Je vais souvent lui faire ma cour au jeu, elle me parle toujours », écrit encore quelques jours plus tard le jeune homme à son père. A l'encontre de toute étiquette, « la plus aimable des princesses » prie le jeune Suédois de venir un jour à Versailles dans son uniforme suédois, car elle tient absolument à voir – caprice d'amoureuse – comment lui va ce costume. Le « bel Axel », naturellement, accède à ce désir. C'est le jeu d'autrefois qui recommence.

Mais cette fois le jeu est bien plus dangereux pour Marie-Antoinette, que la cour surveille de ses yeux d'Argus. Il conviendrait qu'elle fût plus prudente maintenant, car elle n'est plus la petite princesse de dix-huit ans qu'excusent les enfantillages de la jeunesse, elle est reine de France. Mais ses sens se sont éveillés. Au bout de sept années effroyables, Louis XVI, l'époux maladroit, est enfin arrivé à accomplir l'acte conjugal et a réellement fait de la reine son épouse. Cependant, que doit éprouver cette femme aux nerfs délicats, d'une beauté épanouie et presque sensuelle, quand elle compare ce gros bonhomme à son jeune et brillant ami ! Sans s'en rendre compte, passionnément amoureuse pour la première fois, elle commence, par des prévenances répétées et plus encore par un certain trouble qui la fait rougir, à trahir aux yeux des indiscrets son sentiment pour Fersen. Ici encore la qualité la plus humaine et la plus sympathique de Marie-Antoinette, son incapacité à cacher ses penchants ou ses aversions, devient pour elle un danger. Une dame de la cour prétend avoir nettement remarqué qu'un jour, Fersen entrant inopinément, la reine s'était mise à trembler d'une douce frayeur ; qu'une autre fois, chantant au piano l'air de Didon, il lui arriva, au passage « Ah ! que je fus bien inspirée quand je vous reçus dans ma cour ! », de diriger tendrement et amoureusement ses yeux bleus, presque toujours froids, vers l'élu secret de son cœur, en présence de toute la cour. Déjà l'on jase ; bientôt toute la société de Versailles, pour laquelle les événements intimes de la famille royale sont toujours ce qu'il y a de plus important au monde, observe les faits avec une curiosité passionnée : sera-t-il son amant, quand et comment ? Car le sentiment de Marie-Antoinette s'est déjà manifesté trop publiquement pour que chacun ne puisse voir – ce dont elle seule n'a pas encore conscience – que Fersen pourrait obtenir de la jeune reine n'importe quelle faveur, même la dernière, s'il avait le courage ou la légèreté de saisir sa proie.

Mais Fersen est suédois ; c'est un homme et un caractère : chez les gens du Nord de forts penchants romantiques peuvent très bien s'allier à une calme et froide raison. Il voit tout de suite que cette situation ne peut pas durer. La reine a un faible pour lui, personne ne le sait mieux que lui ;

mais autant, de son côté, il aime et vénère cette charmante jeune femme, autant il est contraire à son honnêteté d'abuser avec frivolité de cette faiblesse des sens et de compromettre inutilement la reine. Une franche liaison provoquerait un scandale sans exemple : déjà par ses faveurs platoniques Marie-Antoinette s'est suffisamment compromise. D'autre part Fersen se sent trop jeune et trop ardent pour jouer le rôle d'un Joseph et refuser froidement et chastement les faveurs d'une jeune et jolie femme qu'il aime. Cet homme admirable se résout donc au parti le plus généreux dans une situation aussi délicate : il met mille lieues entre lui et la femme menacée, il s'enrôle immédiatement dans l'armée de volontaires qui part pour l'Amérique et dans laquelle il sert comme adjudant de La Fayette. Il coupe le fil avant qu'il ne s'emmêle de façon tragique et inextricable.

Nous possédons sur cette séparation des amants un document authentique, c'est le rapport officiel de l'ambassadeur suédois au roi Gustave, qui prouve historiquement la passion de la reine pour Fersen. L'ambassadeur écrit :

> Je dois confier à Votre Majesté que le jeune comte de Fersen a été si bien vu de la Reine que cela a donné des ombrages à plusieurs personnes. J'avoue que je ne puis m'empêcher de croire qu'elle avait du penchant pour lui : j'en ai vu des indices trop sûrs pour en douter. Le jeune comte de Fersen a eu dans cette occasion une conduite admirable par sa modestie et par sa réserve et surtout par le parti qu'il a pris d'aller en Amérique. En s'éloignant, il écartait tous les dangers : mais il fallait évidemment une fermeté au-dessus de son âge pour surmonter cette séduction. La Reine ne pouvait le quitter des yeux les derniers jours ; en le regardant ils étaient remplis de larmes. Je supplie Votre Majesté d'en garder le secret pour elle et le sénateur Fersen. Lorsqu'on sut le départ tous les favoris furent enchantés. La duchesse de Fitz-James lui dit : « Quoi, monsieur, vous abandonnez ainsi votre conquête ? – Si j'en avais fait une je ne l'abandonnerais pas, répondit-il. Je pars libre et malheureusement sans

> laisser de regrets. » Votre Majesté avouera que cette réponse était d'une sagesse et d'une prudence au-dessus de son âge. Du reste, la Reine se conduit avec beaucoup plus de retenue et de sagesse qu'autrefois.

Ce document, les défenseurs de la « vertu » de Marie-Antoinette l'agitent sans cesse depuis lors, comme l'étendard de sa parfaite innocence. Fersen a su, au dernier moment, éviter l'adultère ; dans un renoncement admirable les deux amoureux se sont quittés, la grande passion est restée « pure », voilà leur raisonnement. Mais il n'y a là aucune preuve définitive, seul est prouvé qu'en 1779, donc provisoirement, Marie-Antoinette et Fersen n'en étaient pas arrivés à la dernière intimité. Les années suivantes seulement seront dangereuses et décisives pour cette passion. Nous n'en sommes qu'à la fin du second acte et encore loin de ses profondes complications.

Troisième acte : nouveau retour de Fersen. Tout droit de Brest, où il débarquait en juin 1783 avec l'armée de La Fayette, après un exil volontaire de quatre ans, il accourt à Versailles. Il était bien resté en correspondance avec la reine pendant son séjour en Amérique, mais l'amour exige la présence réelle. Ah ! que le sort maintenant ne les oblige plus à se quitter, qu'il puisse enfin se fixer tout près d'elle, que plus rien ne sépare leurs regards ! Fersen, évidemment sur le désir de la reine, demande tout de suite le commandement d'un régiment français. Pourquoi ? Le père sénateur économe n'arrive pas à résoudre cette énigme. Pourquoi Axel veut-il absolument rester en France ? Soldat ayant fait ses preuves, héritier d'un nom très ancien, favori du romantique roi Gustave, il aurait pourtant chez lui le choix entre toutes les situations. Oui, pourquoi tient-il absolument à la France ? Telle est la question que ne cesse de lui poser le sénateur déçu et contrarié. Et le fils de répondre au père sceptique : pour épouser une riche héritière, Mlle Necker. Mais il pense à tout, en vérité, excepté à un mariage ; la lettre intime qu'il écrit en même temps à sa sœur, et dans laquelle il ouvre son cœur, en fait foi :

> J'ai pris mon parti, je ne veux pas former le lien conjugal, il est contre nature... Je ne puis pas être à la seule personne à qui je voudrais être, la seule qui m'aime véritablement, ainsi je ne veux être à personne.

Est-ce assez net ? Est-il besoin, encore, de demander qui était cette « seule personne » qui l'aime et à qui il ne pourra jamais appartenir par le lien conjugal, cette « elle », comme il désigne la reine dans son *Journal ?* Il a dû se passer des choses décisives pour qu'il ose s'avouer à lui-même et avouer à sa sœur si sûrement et si franchement le penchant de Marie-Antoinette. Et quand il parle à son père des « mille autres raisons qu'il n'ose confier au papier » qui le retiennent en France, ces mille raisons n'en masquent qu'une seule, qu'il ne veut pas dire : le désir ou la volonté de Marie-Antoinette d'avoir toujours près d'elle l'ami d'élection. Car à peine Fersen a-t-il demandé son régiment, qui « a bien voulu s'en mêler » encore ? Marie-Antoinette, qui jamais ne s'est occupée de nominations militaires. Et qui annonce –contrairement à tout usage – la prompte obtention de la charge au roi de Suède ? Ce n'est pas le chef suprême des armées, seul qualifié pour cela, mais sa femme, la reine, dans une lettre autographe.

C'est dans ces années ou dans les suivantes qu'il faut très probablement situer le début des relations intimes, très intimes, qui ont existé entre Marie-Antoinette et Fersen. Pendant deux ans, il est vrai, Fersen – bien à contrecœur – accompagne encore comme adjudant le roi Gustave dans ses voyages, mais ensuite, en 1785, il reste définitivement en France. Et ces années ont absolument transformé Marie-Antoinette. L'affaire du collier a isolé cette âme, qui croyait trop au monde, et lui a ouvert le sens des réalités intérieures. Elle s'est retirée du tourbillon des beaux esprits inconsistants, des amuseurs perfides, des galants superficiels ; son cœur, jusque-là déçu, rencontre, au lieu de tous ces gens sans grande valeur, un ami véritable. Devant la haine générale, son besoin de tendresse, de confiance, d'amour, a infiniment grandi ; la voilà mûre, non pour s'abandonner plus longtemps, follement et vainement, à l'admiration générale, mais pour se donner à un seul être, à l'âme ferme et généreuse. Et Fersen, nature chevaleresque, n'aime vraiment cette femme de tout son cœur que depuis qu'il la sait calomniée, noircie, poursuivie et menacée ; lui qui recula devant ses faveurs aussi longtemps que le monde l'adorait, qu'elle était entourée de mille flatteurs, il n'ose l'aimer que depuis qu'elle est seule et sans soutien.

> Elle est aussi bien malheureuse, écrit-il à sa sœur, son courage est au-dessus de tout et la rend encore plus intéressante... Mon seul chagrin est de ne pouvoir la consoler entièrement de tous ses malheurs et de ne pas la rendre aussi heureuse qu'elle mérite de l'être.

Plus elle est malheureuse, plus elle est délaissée et en proie aux soucis, et plus croît en lui la mâle volonté de la dédommager par son amour de toutes ses souffrances : « Elle pleure souvent avec moi, jugez si je dois l'aimer. » Et plus la catastrophe approche, plus ces deux êtres sont impétueusement, tragiquement poussés l'un vers l'autre ; elle, pour trouver auprès de lui, après d'immenses déceptions, un dernier bonheur, lui, pour suppléer par son amour chevaleresque, par son dévouement sans borne, au royaume perdu.

Maintenant que ce sentiment, autrefois superficiel, part de l'âme, que l'amourette s'est transformée en amour, ils font tous deux d'inimaginables efforts pour cacher aux yeux du monde le lien qui les unit. Afin d'écarter tout soupçon, Marie-Antoinette ne fait pas nommer le jeune officier à Paris, mais tout près de la frontière, à Valenciennes. Et si « on » (c'est ainsi qu'il s'exprime prudemment dans son *Journal*) le mande au château, il emploie toutes sortes d'artifices pour cacher à ses amis le véritable but de son voyage, afin d'empêcher qu'on ne se livre à des suppositions, si l'on venait à connaître sa présence à Trianon.

> Ne dites pas, écrit-il à sa sœur, que je vous écris d'ici, car je date mes autres lettres de Paris. Adieu, il faut que j'aille au jeu de la reine.

Jamais Fersen ne fréquente la société des Polignac, jamais il ne se fait voir en cercle intime à Trianon, jamais il ne prend part aux promenades en traîneau, aux bals, aux parties de plaisirs ; que les faux favoris de la reine continuent donc à y parader et à s'y faire remarquer, car sans qu'ils s'en doutent, ils ne peuvent qu'aider, par leurs galanteries, à tenir caché aux yeux de la cour ce qui est le véritable secret pour tout le monde. Ils règnent le jour, le royaume de Fersen est la nuit. Ils rendent hommage et parlent, Fersen est aimé et se tait. Saint-Priest, l'initié, qui savait tout, sauf que sa propre femme était folle de Fersen et lui écrivait des lettres d'amour enflammées, rapporte avec cette sûreté qui rend ses affirmations plus valables que celles de tous les autres :

> Fersen se rendait à cheval dans le parc, du côté de Trianon, trois ou quatre fois la semaine ; la reine en faisait autant de son côté, et ces rendez-vous causaient un scandale public, malgré la modestie et la retenue du favori, qui ne marqua jamais rien à l'extérieur et a été, de tous les amis de la reine, le plus discret.

Ce n'est, il est vrai, au cours de cinq années, que de brèves et fugitives heures, dérobées au hasard, qui sont accordées aux amoureux pour leurs tête-à-tête, car malgré son courage et la confiance qu'elle peut avoir dans ses femmes de chambre, il ne faut pas que Marie-Antoinette soit trop audacieuse ; en 1790 seulement, peu avant la séparation, Fersen pourra dire, rayonnant d'amour, qu'il lui a enfin été donné de passer toute une journée « avec elle ». La reine ne peut attendre son chérubin qu'entre le soir et le matin, dans les ténèbres du parc ou peut-être dans un des chalets du Hameau ; c'est la scène du dernier acte de *Figaro*, avec sa musique tendre et romantique, qui s'achève mystérieusement dans les bosquets de Versailles et les détours du parc de Trianon. Mais déjà les durs accents de la musique de *Don Juan* y préludent d'une façon grandiose le pas pesant du commandeur ; le troisième acte passe de la tendresse rococo au grand style de la tragédie révolutionnaire. Le dernier acte seulement, sous la Terreur et dans le sang, mènera le crescendo, le désespoir de la séparation, l'extase de la mort.

Ce n'est qu'à présent, au plus fort du danger, quand tous les autres ont fui, qu'apparaît celui qui, aux temps heureux, s'est tenu discrètement à l'écart, le vrai, le seul ami de la reine prêt à mourir avec elle et pour elle ; sa silhouette, jusque-là effacée dans l'ombre, se profile maintenant, virile et magnifique, sur le ciel d'orage blafard de l'époque. Plus l'aimée est menacée, plus son énergie à lui augmente ; sans hésiter ils se placent tous deux au-dessus des barrières conventionnelles établies entre une princesse de Habsbourg, reine de France, et un jeune noble étranger. Tous les jours Fersen paraît au château, toutes les lettres passent par ses mains, la reine pèse avec lui toutes les décisions, elle lui confie les tâches les plus difficiles et les plus dangereux secrets ; il est seul à connaître ses intentions, ses soucis et ses espoirs ; seul aussi à savoir ses larmes, ses découragements et sa peine atroce. Au moment même où tout le monde l'abandonne, où elle perd tout, la reine trouve ce qu'elle a cherché en vain toute sa vie : un ami sincère, droit, viril et courageux.

CHAPITRE XXI

L'ÉTAIT-IL, NE L'ÉTAIT-IL PAS ?

(QUESTION INCIDENTE)

On sait à présent, et on le sait d'une manière irréfutable, que Hans Axel de Fersen ne fut pas, comme on l'a cru longtemps, un personnage secondaire dans le roman psychologique de Marie-Antoinette, mais bien le personnage principal ; on sait que ses rapports avec la reine ne furent pas que badinage galant, flirt romantique ou aventure de troubadour, mais, au contraire, un amour solide, cent fois éprouvé au cours de vingt années et portant en lui toutes les marques de sa puissance : la pourpre de la passion, le sceptre altier du courage, l'ampleur prodigue du sentiment. Une dernière incertitude continue cependant à planer sur la forme de cet amour. Était-ce – comme avait coutume de le dire la littérature du siècle dernier – « un amour pur », par quoi elle désignait lâchement un amour où une femme passionnément éprise et aimée refusait avec pruderie de se donner d'une façon totale à l'homme aimant et aimé ? Ou était-ce un amour « coupable », c'est-à-dire, dans le sens où nous l'entendons, un amour complet, libre, se donnant courageusement et sans compter ? Hans Axel de Fersen n'était-il que le chevalier servant, l'adorateur romantique de Marie-Antoinette ou bien était-il vraiment son amant, l'était-il ou ne l'était-il pas ?

« Non ! Certainement pas ! », s'écrient aussitôt – avec une singulière irritation et une hâte suspecte – certains biographes royalistes et réactionnaires qui, à tout prix, veulent savoir « leur reine pure et à l'abri de tout déshonneur ».

> Il aimait passionnément la reine, prétend avec une enviable assurance Werner von Heidenstam, sans que jamais une pensée charnelle eût souillé cet amour digne des troubadours et des chevaliers de la Table Ronde. Marie-Antoinette l'a aimé, sans oublier un instant ses devoirs d'épouse et sa dignité de reine.

Il est inconcevable, pour ces fanatiques du respect – en vérité ils protestent déjà à l'idée que quelqu'un pourrait le penser –, « que la dernière des reines de France aurait trahi le dépôt d'honneur légué par toutes ou presque toutes les mères de nos rois ». Donc, pas de recherches, pour l'amour de Dieu, et pas de discussions non plus sur cette « affreuse calomnie », selon l'expression des Goncourt, pas « d'acharnement sournois ou cynique » à découvrir le véritable état des faits ! Les défenseurs absolus de la « pureté » de Marie-Antoinette agitent nerveusement la sonnette aussitôt que l'on approche seulement de la question.

Faut-il vraiment s'incliner devant cet ordre sans se demander si Fersen n'a vu toute sa vie Marie-Antoinette qu'avec « l'auréole sur le front » ou s'il l'a vue aussi d'un regard d'homme ? Celui qui évite par pudeur cette question ne passe-t-il pas ainsi à côté du vrai problème ? Car on ne connaît pas un être aussi longtemps qu'on ignore son ultime secret, on ne connaît surtout pas le caractère d'une femme tant qu'on n'a pas compris la nature de son amour. Dans des relations historiques comme celles-ci, où une passion contenue pendant des années ne fait pas qu'effleurer par hasard une vie, mais au contraire envahit l'âme de tout le poids de sa fatalité, la question des limites de cet amour n'est ni oiseuse ni cynique, elle est essentielle si l'on veut avoir le portrait moral exact de Marie-Antoinette. Pour juger sainement, il faut bien ouvrir les yeux. Approchons-nous donc, analysons de plus près la situation et les documents. Examinons, peut-être trouverons-nous malgré tout la solution du problème.

Première question : en admettant, d'accord avec la morale bourgeoise, l'idée de faute si Marie-Antoinette s'est donnée complètement à Fersen, qui l'accuse de ce don complet ? Parmi ses contemporains il n'y en a que trois, des hommes d'importance, il est vrai, et non de vulgaires bavards ; ce sont même des initiés, à qui on peut reconnaître une connaissance parfaite de la situation : Napoléon, Talleyrand et Saint-Priest, le ministre de Louis XVI, ce témoin quotidien de tous les événements de la cour. Tous trois soutiennent sans réserves que Marie-Antoinette a été la maîtresse de Fersen, et ils le font de façon à ne laisser aucun doute. Saint-Priest, le plus au courant de la situation, est le plus précis dans les détails. Sans animosité contre la reine, parfaitement objectif, il parle des visites nocturnes secrètes de Fersen à Trianon, à Saint-Cloud et aux Tuileries, dont l'accès secret avait été permis par La Fayette à Fersen seul. Il parle de la complicité de la Polignac, qui paraissait fort approuver que la faveur de la reine fût tombée justement sur un étranger, qui ne chercherait à tirer aucun avantage de sa situation de favori. Écarter trois témoignages de cette importance, comme le font les défenseurs enragés de la vertu, accuser de calomnie Napoléon et Talleyrand, il faut pour cela plus d'audace que pour un examen impartial. Mais, deuxième question : quels sont les contemporains ou témoins d'après qui accuser Marie-Antoinette d'avoir été la maîtresse de Fersen serait une calomnie ? Il n'y en a pas un. Et il est à remarquer que les intimes évitent justement, avec une singulière unanimité, de citer le nom même de Fersen : Mercy, qui pourtant retourne trois fois chaque épingle à cheveux de la reine, ne mentionne pas une seule fois son nom dans les dépêches officielles ; les fidèles de la cour ne parlent jamais, dans leur correspondance, que « d'une certaine personne », à qui on aurait confié des lettres. Mais personne ne prononce son nom ; une conspiration du silence suspecte règne à son sujet pendant tout un siècle, et les premières biographies officielles oublient de propos délibéré de le citer. On ne peut donc pas se défendre de penser qu'un mot d'ordre a été donné après coup, afin que soit oublié aussi radicalement que possible ce destructeur de la romantique légende de la vertu absolue.

La recherche historique s'est ainsi trouvée longtemps devant un problème difficile. Partout, elle se heurtait à d'impérieux soupçons et partout le document probant avait été escamoté par des mains zélées. Il ne lui était pas possible, en se basant sur les documents existants – ceux qui n'existaient plus contenaient seuls les preuves effectives – d'établir le fait de façon évidente. *Forse che si, forse che no*, disait la science historique, et aussi longtemps que manquaient les témoignages décisifs, elle refermait le dossier Fersen en soupirant : nous ne possédons ni écrit, ni imprimé, donc aucune certitude.

Mais là où finit la recherche strictement liée aux faits palpables, commence l'art libre et ailé de la divination psychologique ; là où la paléographie échoue, la psychologie doit intervenir, et ses hypothèses logiquement échafaudées sont souvent plus vraies que la sèche vérité des dossiers et des faits. Si nous n'avions pour expliquer l'Histoire que les documents, qu'elle serait étriquée, pauvre et incomplète ! L'évident, le manifeste, voilà le domaine de la science ; le complexe, qui demande à être interprété et élucidé, voilà la zone par excellence de la psychologie ; là où manquent les preuves tangibles, le psychologue a encore devant lui d'immenses possibilités. Par l'intuition on peut toujours en savoir plus long sur un être que par la connaissance de n'importe quel document.

Mais d'abord examinons encore une fois les documents. Hans Axel de Fersen, malgré un cœur romantique, était un homme d'ordre. Il écrit son *Journal* avec une exactitude méthodique, il y note soigneusement tous les matins le temps, la pression atmosphérique, les événements politiques ainsi que ceux qui le concernent personnellement. De plus – homme précis – il inscrit dans un carnet les lettres reçues et les lettres expédiées avec les dates. En outre, il prend des notes en vue de son *Journal* et conserve méthodiquement sa correspondance. C'est donc un personnage idéal pour les historiens, car, à sa mort, en 1810, il laisse un registre complet de toute sa vie, un trésor documentaire sans pareil. Qu'advient-il de ce trésor ? Rien. Cela, déjà, paraît étrange. Sa présence est tue soigneusement – disons plutôt craintivement – par les héritiers, personne n'a accès aux archives, personne n'est informé de leur existence. Un demi-siècle après la mort de Fersen, enfin, un descendant, un baron Klinkowstroem, publie la correspondance et une partie du *Journal*. Mais, chose bizarre, cette correspondance n'est plus complète. Une série de lettres de Marie-Antoinette que le carnet désigne sous le nom de lettres de « Joséphine » a disparu, ainsi que le *Journal* de Fersen pendant les années décisives. En outre, chose plus étonnante encore, dans les lettres publiées des lignes entières sont remplacées par des points. Une main inconnue a passé par là. Et chaque fois qu'une correspondance a été détruite ou mutilée par des descendants, nous ne pouvons nous empêcher de penser que ce fut pour obscurcir certains faits dans un but bien mesquin d'idéalisation. Mais gardons-nous d'opinions préconçues. Restons calmes et équitables.

Donc, il manque dans ces lettres des passages qui ont été remplacés par des points. Pourquoi ? Ils avaient été rendus illisibles dans l'original, prétend Klinkowstroem. Par qui ? Probablement par Fersen lui-même Probablement ! Mais pourquoi ? Klinkowstroem répond à cela (dans une lettre), assez embarrassé, que ces lignes contenaient sans doute des secrets politiques ou des remarques désobligeantes de Marie-Antoinette sur Gustave de Suède. Et comme Fersen montrait toutes ses lettres – toutes ? – au roi, il en avait vraisemblablement (!) effacé ces passages. Que c'est étrange ! Les lettres de Fersen étaient en grande partie chiffrées, il ne pouvait donc en présenter que des copies au roi. Dans quel but, alors, aurait-il mutilé et rendu illisibles les originaux ? Rien que cela paraît suspect. Mais pas de préventions, disions-nous.

Examinons ! Regardons de plus près ces passages illisibles et remplacés par des points. Qu'est-ce qui nous frappe ? D'abord ceci : les points suspects n'apparaissent, presque toujours, qu'au commencement ou à la fin des lettres, au début ou après le mot « adieu ». « Je vais finir », écrit par exemple Marie-Antoinette, c'est-à-dire : je termine avec les nouvelles politiques, maintenant c'est le tour de... non, ce n'est le tour de rien dans les lettres mutilées, il n'y a que des points, des points, des points. Mais les passages supprimés se trouvent-ils au milieu d'une lettre, c'est toujours, chose étrange, dans un paragraphe qui ne traite pas de politique. Autre exemple : « Comment va votre santé ? écrit-elle. Je parie que vous ne vous soignez pas et vous avez tort... pour moi je me soutiens mieux que je ne devrais. » Y a-t-il un homme de bon sens pour imaginer dans cet intervalle des considérations politiques ? Ou bien encore, quand la reine parle de ses enfants : « Cette occupation fait mon seul bonheur... et quand je suis bien triste, je prends mon petit garçon. » Sur mille personnes neuf cent quatre-vingt-dix-neuf trouveraient naturel d'intercaler : « depuis que vous m'avez quittée », et non une remarque ironique sur le roi de Suède. Les assertions embarrassées de Klinkowstroem ne sont donc pas à prendre au sérieux ; ce ne sont pas du tout des secrets politiques qui sont supprimés ici, c'est un secret humain. Pour le dévoiler, il existe heureusement un moyen : la microphotographie, qui peut facilement faire reparaître des passages ainsi raturés. Qu'on apporte donc les originaux !

Mais – surprise ! – les originaux n'existent plus. Jusque vers 1900 environ, donc pendant plus d'un siècle, les lettres avaient été soigneusement conservées et rangées au château des Fersen. Subitement, il se trouve qu'elles ont disparu. Le vieux baron Klinkowstroem savait en effet garder un secret. Gentilhomme de vieille souche, il considérait que c'était pour lui un devoir de défendre, même contre sa propre conviction, l'honneur de celle qui avait aimé son ancêtre. Il affichait ostensiblement sa vénération pour la femme inaccessible et se montrait le défenseur de la romantique légende de « l'amitié amoureuse » contre un monde de plus en plus sceptique ; pourtant quel tourment lui causaient les fameuses lettres qu'il savait pertinemment n'avoir pas été « épurées » par Fersen lui-même, mais par son frère Fabien ! Certes, il était sûr que le secret serait bien gardé aussi longtemps qu'il vivrait, car la clef de la cassette aux lettres ne le quittait pas. Mais si après sa mort quelqu'un, plus épris que lui de vérité historique et se souciant moins des sentiments s'emparait de ces lettres traîtresses ? Cette pensée ne lui laissait pas de repos. C'est ainsi qu'à ses derniers moments il appela une vieille amie – on croirait lire un roman – et qu'il lui fit jeter une à une, dans le poêle qui se trouvait en face de son lit, toutes les lettres contenant des passages raturés (les autres sont encore aujourd'hui aux mains de la famille). « Maintenant, que le monde sache ce qu'il veut, il n'en saura pas plus, dit-il ensuite avec un soupir de soulagement. » (Ainsi raconte un serviteur qui fut le témoin de cette scène mélodramatique.) Le vieux gentilhomme croyait alors pouvoir mourir tranquille, car la « vertu » de la reine n'était-elle pas à jamais sauvée, grâce à l'anéantissement de ces papiers !

Mais cet autodafé était plus qu'un crime, c'était une stupidité. D'abord la destruction des preuves est déjà en elle-même un aveu de culpabilité, ensuite une loi troublante de la criminologie veut que, de chaque destruction hâtive de documents probants, il subsiste toujours quelque chose. Et c'est ainsi qu'Alma Söderjhelm, la remarquable archiviste, a trouvé, en passant en revue les papiers qui restaient, la copie, écrite de la propre main de Fersen, d'une de ces lettres de Marie-Antoinette que les éditeurs en leur temps n'avaient pas remarquée, parce qu'elle n'existait que sous forme de copie (et que la « main inconnue » avait sans doute brûlé l'original). Grâce à cette découverte nous avons en mains un billet *in extenso* de la reine et avec lui la clé ou plutôt le diapason amoureux de toutes les lettres. Nous pouvons imaginer maintenant ce que le prude éditeur y a remplacé par des points, car cette lettre aussi se termine par un « adieu », qui n'est pas suivi de ratures ou de points, et on lit : « Adieu, le plus aimant et le plus aimé des hommes. »

Un tel témoignage est révélateur ! Comprend-on maintenant pourquoi les Klinkowstroem, les Heidenstam, tous ceux qui ont juré de la « pureté » et qui ont eu probablement en mains bien d'autres documents de ce genre que l'on ne connaîtra jamais, devenaient et deviennent si nerveux dès qu'on veut examiner l'affaire Fersen sans préjugés ? Car pour celui qui comprend les accents du cœur, il ne peut y avoir de doute ; une reine qui parle à un homme si courageusement, si au-dessus de toutes les conventions, lui a donné depuis longtemps les dernières preuves de sa tendresse : cette seule ligne retrouvée remplace toutes celles supprimées. Si la destruction ne constituait pas déjà en elle-même une preuve, elle serait faite, aux yeux de celui qui sait comprendre, par ces quelques mots.

Mais allons plus loin ! Il y a, à côté de la lettre sauvée, une scène de la vie de Fersen qui tranche la question du point de vue psychologique. C'est six ans après la mort de la reine. Fersen doit représenter le gouvernement suédois au Congrès de Rastatt. Mais Bonaparte déclare brusquement au baron Edelsheim qu'il ne négocierait pas avec Fersen dont il connaissait les opinions royalistes et qui, de plus, avait couché avec la reine. Il ne dit pas « avait eu des relations ». Il emploie au contraire, de façon provocante, l'expression presque obscène, « qui avait couché avec la reine de France ». Le baron Edelsheim n'a pas l'idée de défendre Fersen ; à lui aussi le fait paraît absolument évident. Il se contente donc de répondre en riant qu'il croyait qu'on ne pensait plus depuis longtemps à ces histoires de l'ancien régime, et que d'ailleurs cela n'avait rien à voir avec la politique. Après quoi il va trouver Fersen et lui raconte cette conversation. Et que fait Fersen ? Ou plutôt que devrait-il faire si le mot de Bonaparte est un mensonge ? N'eût-il pas dû défendre aussitôt la reine défunte contre cette accusation ? Ne devrait-il pas crier à la calomnie ? Ne devrait-il pas provoquer en duel ce petit général corse, frais émoulu, qui va jusqu'à choisir pour exprimer son accusation les termes les plus positifs et les plus grossiers ? Est-il permis à un caractère droit, à un homme d'honneur, de laisser accuser une femme d'avoir été sa maîtresse quand elle ne l'a pas été ? Maintenant ou jamais Fersen a l'occasion, et même le devoir, de mettre fin par l'épée à une assertion qui circule secrètement depuis longtemps, d'arrêter à jamais ces bruits. Hélas ! il se tait. Il prend sa plume et note soigneusement dans son *Journal* toute la conversation d'Edelsheim avec Bonaparte, sans oublier l'imputation d'avoir « couché avec la reine ». Au plus profond de lui-même, il ne songe pas à infirmer par un mot cette accusation « infâme et cynique », comme disent ses biographes. Il baisse la tête, et par là il acquiesce. Lorsque quelques jours plus tard les gazettes anglaises s'étendent sur cet incident, il écrira : « Je trouvai ennuyeux qu'on écrive sur moi et l'infortunée reine », et il ajoute : « cela me choqua ». C'est là toute la protestation de Fersen – qui n'en est pas une. Là encore le silence est plus éloquent que les paroles.

On voit donc que ce que des héritiers timorés ont essayé de cacher si jalousement, à savoir que Fersen a été l'amant de Marie-Antoinette, l'amant lui-même ne l'a jamais nié. D'autres détails probants ressortent nombreux d'une foule de faits et de documents : sa sœur le conjure, lorsqu'il se montre officiellement à Bruxelles avec une autre maîtresse, de faire en sorte « qu'elle » n'en sache rien, car « elle » en serait offensée (de quel droit, peut-on se demander, si elle n'avait pas été sa maîtresse ?) ; le passage de son *Journal* où il relate qu'il a passé la nuit aux Tuileries est effacé ; devant le tribunal révolutionnaire une femme de chambre témoigne que quelqu'un avait souvent quitté secrètement la reine la nuit. Ce sont là certes des détails, importants seulement par le fait qu'ils concordent tous si bien ; malgré cela la preuve tirée d'éléments si divers ne serait pas concluante, si elle était sans rapport avec le caractère de la reine. Seul l'ensemble d'une personnalité permet d'expliquer son comportement, car tout acte d'un individu est commandé par sa nature. La question de la probabilité de relations intimes, ou platoniques, est donc liée, en dernière analyse, à l'attitude morale de Marie-Antoinette, et il faut, après toutes les preuves de détail, se demander avant tout : quelle conduite correspondait logiquement et psychologiquement au tempérament de la reine, le don libre et généreux de soi ou le refus craintif ? Celui qui envisage la question de ce point de vue n'hésitera guère. Car, à côté de toutes ses faiblesses, il y a chez Marie-Antoinette une très grande force : son courage qui ne connaît ni retenue ni hésitation, son audace vraiment souveraine. Sincère jusqu'au plus profond d'elle-même, incapable d'aucune hypocrisie, cette femme s'est élevée cent fois au-dessus des conventions, dans des occasions bien moins importantes, indifférente au qu'en dira-t-on. Et si elle n'atteint une réelle grandeur que dans les moments suprêmes, jamais elle n'a été mesquine, ni craintive, jamais elle n'a placé aucune sorte d'honneur ou de morale (morale mondaine ou morale de cour) au-dessus de sa propre volonté. Et ce serait justement à l'égard du seul être qu'elle aime de tout son cœur que cette femme courageuse aurait soudain fait la prude, joué à la craintive et honorable épouse de son Louis à qui elle était liée par raison d'État et nullement par amour ? Elle eût sacrifié une passion à un préjugé mondain, au milieu d'une époque apocalyptique où tous les liens d'ordre et de discipline se relâchaient dans l'ivresse sauvage et extatique de la mort prochaine et dans les soubresauts d'un monde à l'agonie ? Elle que personne ne pouvait ni arrêter ni dompter, elle aurait renoncé à la forme la plus naturelle, la plus féminine du sentiment, en faveur d'un fantôme, d'une union conjugale qui n'en a jamais été que la caricature, pour un homme qu'elle n'a jamais connu comme tel, au nom d'une morale que son instinct de liberté et sa nature indomptable ont toujours détestée ? Celui qui veut croire cette chose incroyable, on ne peut l'en empêcher. Mais ce ne sont point, cependant, ceux qui reconnaissent librement et sans restriction le courage et l'audace de Marie-Antoinette dans son unique passion amoureuse qui déforment son image ; les déformateurs ce sont, au contraire, ceux qui attribuent à cette femme sans peur une âme veule, lâche, tourmentée par toutes sortes de considérations, une âme qui n'ose pas aller jusqu'au bout et qui réprime en soi le naturel. Pour tous ceux qui ne peuvent concevoir un caractère que dans son unité, il est hors de doute que Marie-Antoinette, de toute son âme abusée, et aussi de tout son corps, longtemps profané et déçu, a été la maîtresse de Hans Axel de Fersen.

Mais le roi, que devient-il dans cette histoire ? Comme dans tout adultère est-il le personnage ennuyeux, gênant et ridicule ? Est-ce dans son intérêt que la postérité a essayé de jeter le voile sur ces relations à trois ? En réalité Louis XVI n'était aucunement le cocu ridicule, et il était au courant, sans aucun doute, des rapports de Fersen et de sa femme. Saint-Priest dit expressément : « Elle avait trouvé le moyen de lui faire agréer sa liaison avec le comte Fersen. »

Cette interprétation convient tout à fait à la situation. Rien n'était plus contraire à la nature de Marie-Antoinette que l'hypocrisie et la dissimulation ; un adultère sournois n'est pas conforme à son âme droite, et l'association malpropre, si fréquente, la vilaine communauté entre époux et amant, on ne peut même pas y penser, quand on a pénétré son caractère. Il est certain que lorsque commencèrent ses relations intimes avec Fersen (relativement tard, sans doute entre la quinzième et la vingtième année de son mariage) Marie-Antoinette avait rompu tout lien charnel avec son mari ; cette hypothèse purement psychologique est confirmée d'une façon surprenante par une lettre de son frère Joseph, qui a su à Vienne, d'une manière quelconque, qu'après son quatrième enfant sa sœur voulait cesser toutes relations sexuelles avec Louis XVI ; la date concorde exactement avec le début des rapports plus étroits avec Fersen. La situation est donc claire, pour qui aime voir clair. Marie-Antoinette, mariée par raison d'État avec un homme qu'elle n'aimait pas et qui n'était nullement séduisant, réprime pendant des années son besoin de tendresse en faveur des devoirs conjugaux. Mais après avoir mis deux fils au monde, donné à la dynastie deux héritiers au trône d'authentique sang bourbon, elle a la conviction que son devoir moral à l'égard de l'État, de la loi, de la famille est rempli, et elle se sent enfin libre. Après un sacrifice de vingt ans à la politique, cette femme tant éprouvée reprend à la dernière heure – heure tragique – son droit naturel, qui est de ne plus se refuser à l'homme aimé, tout à la fois pour elle ami et amant, confident et compagnon, courageux comme elle, et prêt, par son dévouement, à la dédommager du sien. Combien sont pauvres ces hypothèses artificielles d'une reine tendrement vertueuse en face de la claire réalité de sa conduite, et combien ceux qui veulent à tout prix défendre « l'honneur » royal de cette femme rabaissent son courage et sa dignité morale ! Car jamais une femme n'est plus honnête ni plus noble que quand elle cède librement et complètement à des sentiments qui ne trompent pas et que les années ont mis à l'épreuve, jamais une reine n'est plus royale que quand elle agit humainement.

CHAPITRE XXII

LA DERNIÈRE NUIT À VERSAILLES

Rarement, dans la France millénaire, les semailles ont mûri aussi vite qu'en cet été de 1789. Le blé monte rapidement en graine, mais, fumées avec du sang, les impatientes semailles de la Révolution lèvent plus rapidement encore. Des abus de dix, vingt ou trente ans, des injustices séculaires sont supprimés d'un trait de plume ; l'autre Bastille, l'invisible, celle où les rois avaient enchaîné les droits du peuple français, est renversée. Le 4 août, l'antique forteresse de la féodalité s'écroule au milieu des clameurs de joie ; les nobles, les princes de l'Église renoncent aux corvées et à la dîme, la gabelle est abolie ; les paysans, les citoyens, la presse sont déclarés libres, les Droits de l'Homme proclamés ; cet été a réalisé tous les rêves de Jean-Jacques Rousseau. Les fenêtres vibrent, tantôt sous la joie, tantôt sous la colère, dans cette salle des Menus Plaisirs (désignée par les rois pour leurs divertissements, par le peuple pour ses revendications) : à cent pas de là on entend déjà l'incessant bourdonnement de cet essaim humain. Mais plus loin, dans le grand palais de Versailles, règne un silence embarrassé. Effrayée, la cour regarde par les fenêtres cet hôte bruyant d'en face qui, bien qu'appelé seulement pour donner son avis, s'apprête déjà à être le maître du roi. Comment renvoyer cet apprenti sorcier ? Perplexe, Louis XVI confère avec ses conseillers qui se contredisent ; le mieux, pensent le roi et la reine, est d'attendre que cet orage se soit calmé. Tenons-nous tranquilles et restons à l'arrière-plan. Il suffit de gagner du temps et tout ira bien.

Mais la Révolution entend aller de l'avant, il faut qu'elle aille de l'avant, si elle ne veut pas s'enliser, car la Révolution est un fleuve. S'arrêter lui serait fatal, reculer serait sa fin ; il lui faut exiger, exiger toujours davantage, pour s'affirmer ; il lui faut conquérir, pour ne pas être vaincue. Les journaux battent le tambour de cette continuelle marche en avant ; ces enfants, ces gamins de la Révolution, précèdent, bruyants et effrénés, la véritable armée. Un simple trait de plume a donné la liberté à la parole écrite et parlée, cette liberté qui, dans son premier enthousiasme, ne manque jamais de tomber dans la fougue et l'excès. Dix, vingt, trente, cinquante journaux surgissent. Mirabeau en fonde un, Desmoulins, Brissot, Loustalot, Marat ont le leur, et comme chaque journal cherche à rassembler des lecteurs, et à être plus patriote que les autres, ils font un tapage infernal ; dans tout le pays on n'entend qu'eux. Il s'agit de crier fort, d'être turbulent – plus on fait de bruit mieux ça vaut – et d'accumuler la haine sur la cour ! Le roi s'apprête à trahir, le gouvernement empêche le blé d'arriver, des régiments étrangers sont en marche pour dissoudre les clubs, une nouvelle Saint-Barthélemy s'annonce ! Réveillez-vous, citoyens ! Réveillez-vous, patriotes ! Les journaux nuit et jour clament la peur, la méfiance, la rage, l'exaspération, qui se glissent ainsi dans des millions de cœurs. Et derrière les tambourineurs l'armée invisible du peuple français attend déjà, munie de piques et de sabres, et surtout animée d'une immense colère.

Aux yeux du roi tout va trop vite, car ce gros homme prudent est incapable de suivre la marche d'idées si jeunes. Pour la Révolution, tout va trop lentement. Versailles hésite et traîne : en avant, donc, Paris ! Mets un terme à ces interminables négociations, à ces insupportables marchandages entre le roi et le peuple, disent et répètent les journaux ! Tu as cent mille, deux cent mille poings ; dans tes arsenaux il y a des fusils et des canons qui attendent, va les prendre ; va chercher le roi et la reine à Versailles, empare-toi d'eux, et en même temps prends fermement ton sort en main. Le mot d'ordre est donné chez le duc d'Orléans, au Palais Royal, quartier général de la Révolution : tout est prêt, déjà, et l'un des transfuges de la cour, le marquis d'Huruge, prépare secrètement l'expédition.

Mais le château et la ville sont reliés par des voies souterraines. Dans les clubs, les patriotes savent par des domestiques soudoyés tout ce qui se passe au château, et de son côté celui-ci apprend par ses agents l'attaque projetée. Versailles décide donc d'agir ; mais comme on n'est plus assez sûr des soldats français, un régiment des Flandres est appelé pour garder le palais. Le 1er octobre les troupes quittent leurs cantonnements permanents pour Versailles, et, afin de les mettre dans de bonnes dispositions, la cour leur prépare une réception solennelle. On fait aménager la grande salle de l'Opéra pour leur servir un banquet, où, en dépit de la disette qui règne à Paris, on ne ménage ni le vin ni les bons plats, l'estomac jouant souvent un rôle en fidélité comme en amour. Afin d'attiser tout spécialement l'enthousiasme des troupes pour le roi – honneur inconnu jusque-là – Louis XVI et la reine, avec le dauphin sur les bras, se rendent dans la salle où se déroule la fête.

Marie-Antoinette n'a jamais su pratiquer l'art utile de gagner les gens par adresse, calcul ou flatterie. Mais la nature a paré son corps et son âme d'une certaine noblesse qui séduit tous ceux qui l'approchent pour la première fois ; ni les individus ni la masse ne surent jamais se soustraire à cette étrange magie de la première impression (qui s'évanouit d'ailleurs à la suite d'une connaissance plus approfondie). Cette fois encore, à l'entrée de cette jeune femme, toute de grâce et de grandeur, les officiers et les soldats bondissent de leurs sièges, mettent sabre au clair, et poussent un vivat bruyant et passionné en l'honneur du roi et de la reine, oubliant, sans doute, celui qu'ils doivent à la nation. La reine passe entre les rangs. Elle sait sourire d'une façon charmante, être merveilleusement aimable, sans que cela tire à conséquence ; elle sait, comme son autocratique mère, comme ses frères, comme presque tous les Habsbourgs (et cet art s'est continué dans l'aristocratie autrichienne), tout en conservant au fond d'elle-même un inébranlable orgueil, être d'une politesse et d'une affabilité des plus naturelles avec les gens les plus simples, sans jamais pour cela paraître condescendante. Avec un sourire sincèrement heureux, car il y a longtemps qu'elle n'a plus entendu ce cri de « Vive la reine ! », elle fait avec ses enfants le tour de la table du banquet, et la vue de cette souveraine gracieuse et bienveillante, qui vient en hôte chez de grossiers soldats, exalte la fidélité des officiers et des hommes ; tout le monde est prêt à mourir pour Marie-Antoinette. La reine aussi est enchantée en quittant cette bruyante société ; en même temps que le vin de la bienvenue, elle a bu le philtre doré de la confiance : la fidélité existe toujours et le trône de France est encore en sécurité !

Mais dès le lendemain les journaux patriotes annoncent avec frénésie que la reine et la cour ont, contre le peuple, soudoyé des assassins. On a grisé les soldats de vin rouge, afin qu'ils répandent docilement le sang de leurs concitoyens ; des officiers esclaves ont piétiné et insulté la cocarde tricolore, ils ont chanté des chants serviles – et tout cela sous le sourire provocant de la reine.

Deux jours plus tard, le 5 octobre, l'émeute éclate dans Paris. Comment ? Ceci fait partie des nombreux et impénétrables mystères de la Révolution française. Car cette émeute, en apparence spontanée, est en réalité merveilleusement organisée et réglée à l'avance ; fort habilement monté du point de vue politique, le coup part si droit et si exactement d'un point déterminé à un but choisi qu'il faut que des mains très avisées et très adroites s'en soient chargées. C'était déjà une idée de génie – digne d'un psychologue comme Choderlos de Laclos, qui, on le sait, dirige au Palais-Royal, pour le compte du duc d'Orléans, la campagne contre la couronne – que de ne pas vouloir aller chercher le roi à Versailles avec une armée d'hommes, mais avec une troupe de femmes. Des hommes on peut dire que ce sont des rebelles et des insurgés ; un soldat obéissant et bien commandé tire sur eux. Mais les femmes, dans les soulèvements populaires, font toujours figure de désespérées, la baïonnette la mieux aiguisée recule devant leur faible poitrine ; de plus les meneurs le savent, un homme craintif et sensible comme le roi ne donnera jamais l'ordre de braquer un canon sur des femmes. Donc, qu'on pousse l'excitation au plus haut point en arrêtant adroitement pendant deux jours le ravitaillement de Paris en pain, afin qu'éclate la famine, ce ressort le plus sûr de la fureur populaire. Et ensuite, dès que le mouvement sera déclenché, vite les femmes en avant, les femmes au premier rang !

C'est en effet une jeune femme, et on prétend qu'elle avait les mains couvertes de bagues, qui, le matin du 5 octobre, fait irruption dans un corps de garde et s'empare d'un tambour. Une foule de femmes rapidement accourues se massent aussitôt derrière elle, en criant et hurlant qu'elles veulent du pain. C'est l'émeute ; bientôt des hommes déguisés en femmes se mêlent à la multitude et poussent ce fleuve bouillonnant dans la direction prévue : l'Hôtel de Ville. Une demi-heure plus tard il est pris d'assaut ; des pistolets, des piques et même deux canons sont enlevés, et soudain – qui l'a appelé, qui l'a commandé ? – un chef du nom de Maillard fait une armée de cette masse agitée et désordonnée et l'incite à marcher sur Versailles, soi-disant pour aller chercher du pain, en réalité pour amener le roi à Paris. Trop tard, comme toujours – c'est le destin de cet homme maladroit, crédule et honnête avec noblesse, de se montrer régulièrement une heure après les événements – La Fayette, le commandant de la garde nationale, arrive sur son cheval blanc. Sa tâche serait évidemment – et il voudrait très sincèrement l'accomplir – d'empêcher le départ, mais ses soldats ne lui obéissent pas. Il ne lui reste qu'à suivre la troupe des insurgés avec sa garde nationale. Ce n'est pas une noble mission, il le sait, ce vieil ami de la liberté, et sa besogne ne le réjouit guère. Sur son célèbre cheval, La Fayette, l'humeur sombre, trottine donc derrière l'armée révolutionnaire – symbole de la froide, calculatrice et impuissante raison humaine – s'efforçant en vain de rattraper la passion superbement illogique et élémentaire.

La cour de Versailles ne sait rien jusqu'à midi du danger qui s'approche. Comme tous les jours, le roi a fait seller son cheval pour aller chasser dans les bois de Meudon ; la reine, de son côté, s'est rendue seule à pied, le matin, à Trianon. Que faire à Versailles dans l'immense château que la cour et ses meilleurs amis ont fui depuis longtemps et à côté duquel, à l'Assemblée nationale, les factieux présentent tous les jours contre elle de nouvelles motions hostiles ? Elle est lasse de toutes ces exaspérations, de ces luttes dans le vide, lasse des hommes et même de sa couronne. Elle ne désire que le repos, quelques heures de calme, de solitude, bien loin de toute politique, dans le parc automnal où le soleil d'octobre cuivre les feuilles ! Elle veut cueillir tranquillement les dernières fleurs des plates-bandes avant que l'hiver ne vienne, le terrible hiver, et peut-être aussi jeter à manger aux canards et aux poissons chinois du petit étang... Et puis se reposer, se reposer enfin de toutes les émotions et de toutes les contrariétés ; ne rien faire, ne rien vouloir, s'asseoir les mains libres dans la grotte, en simple robe du matin, un livre qu'elle ne lit pas ouvert à côté d'elle, et sentir dans son propre cœur la grande fatigue de la nature à l'automne.

C'est ainsi que la reine est assise sur le banc de pierre de la grotte – il y a longtemps qu'elle a oublié qu'on l'appelait jadis la grotte d'amour – lorsqu'elle voit arriver un page avec un pli à la main. Elle se lève et va à sa rencontre. C'est une lettre de Saint-Priest, il annonce que la populace marche sur Versailles et engage la reine à revenir immédiatement au château. Vite elle ramasse son chapeau et son manteau, accourt de son pas toujours jeune et ailé, et telle est sa hâte qu'elle ne jette même pas un dernier regard sur ce petit palais aimé et ce paysage factice édifié avec tant de peines et de plaisirs. Comment pourrait-elle se douter qu'elle ne reverra plus ces doux gazons, ces tendres collines avec le temple de l'amour et l'étang automnal, son hameau et son Trianon, et que ce départ est un départ définitif ?

Au château, Marie-Antoinette trouve les représentants de la noblesse et les ministres dans une agitation perplexe. Un serviteur accouru en hâte de Paris n'a apporté que des nouvelles confuses, et tous les messagers partis après lui ont été arrêtés en route par une armée de femmes. Tout à coup apparaît un cavalier, qui saute de son cheval écumant et se précipite dans l'escalier de marbre : Fersen. Au premier signe du danger, toujours prêt à se sacrifier, il est monté en selle et a devancé au grand galop les « huit mille Judiths », comme les appelle emphatiquement Camille Desmoulins, pour être aux côtés de la reine au moment du péril. Enfin le roi aussi arrive au conseil. On l'a trouvé dans la forêt près de la porte de Châtillon et on a dû le déranger dans son occupation favorite. Ce soir-là son journal mentionnera une piètre chasse avec cette remarque : « Interrompu par les événements. »

Il est là effaré et les yeux anxieux, et à présent que tout est déjà perdu, que dans le trouble général on a oublié de barrer le pont de Sèvres à l'avant-garde de la révolte, on commence à tenir conseil. Il reste encore deux heures, qui suffiraient largement pour prendre une décision énergique. Un ministre propose au roi de monter à cheval et de galoper à la tête des dragons et des autres régiments fidèles à la rencontre des émeutiers ; sa seule apparition ferait reculer la horde des femmes. Les plus prudents, à leur tour, conseillent au roi et à la reine de quitter immédiatement le château et d'aller à Rambouillet, ce qui ferait ainsi échouer le coup perfide projeté contre le trône. Mais Louis, éternel indécis, hésite. Incapable de prendre une décision, il laisse encore une fois les événements venir à lui au lieu d'aller à leur rencontre.

La reine, les lèvres serrées, se tient au milieu de ces hommes perplexes, dont aucun n'est vraiment un homme. Son instinct lui dit que tous les actes de violence qui se préparent doivent réussir, parce que depuis que le premier sang a été versé tous ont peur de tous : « Toute cette révolution n'est qu'une suite de la peur. » Mais que peut-elle seule ? En bas, dans la cour, les carrosses sont attelés et dans une heure la famille royale avec les ministres et l'Assemblée qui a juré de suivre le roi partout pourraient être à Rambouillet. Mais le roi ne se décide toujours pas à donner le signal du départ. Les ministres insistent de plus en plus énergiquement, Saint-Priest surtout : « Sire, si vous êtes conduit demain à Paris, votre couronne est perdue. »

Necker, lui, qui tient plus à sa popularité qu'au maintien des droits de la couronne, est d'un avis contraire, et entre deux opinions le roi, comme d'habitude, oscille, tel un pendule. Le soir tombe, les chevaux continuent à gratter la terre avec impatience sous les averses d'un orage, les laquais sont aux portières depuis des heures, et on tient toujours conseil.

Mais voici que déjà monte, de l'avenue de Paris, une rumeur confuse. Les femmes sont là. Les jupes relevées sur la tête pour se garantir de la pluie battante, masse obscure dans la nuit, elles marchent à grands pas, ces amazones de la halle. La garde de la Révolution est devant Versailles. Il est trop tard.

Elles arrivent trempées jusqu'aux os, affamées et grelottantes, les chaussures pleines de boue. Ces six heures de marche n'ont pas été une partie de plaisir, même si en route on a pris d'assaut les estaminets pour s'y réchauffer un peu l'estomac qui gargouillait. De leurs voix rudes et rauques elles lancent mille cris et ce qu'elles disent est peu aimable pour la reine. Leur première visite est pour l'Assemblée. Celle-ci siège depuis le matin et la marche des amazones n'est pas tout à fait inattendue pour certains de ses membres, adeptes du duc d'Orléans.

Tout d'abord elles ne demandent à l'Assemblée que du pain ; fidèles au programme, elles ne parlent pas du tout de ramener le roi à Paris. On décide d'envoyer au château une délégation accompagnée du président Mounier et de quelques députés. Les six femmes désignées s'y rendent et des laquais ouvrent poliment les portes à ces modistes, poissardes et nymphes de la rue ; l'étrange délégation est conduite avec tous les honneurs par le grand escalier de marbre dans des salons où n'ont accès, généralement, que les nobles au sang bleu et sept fois triés sur le volet. Parmi les députés qui accompagnent le président de l'Assemblée nationale se trouve un homme grand et fort, d'aspect jovial, qui n'attire pas particulièrement l'attention. Mais son nom donne à cette rencontre avec le roi une valeur symbolique, car avec le Dr Guillotin, député de Paris, la guillotine a fait, le 5 octobre, sa première visite à la cour.

Le bienveillant Louis reçoit ces dames si aimablement que leur porte-parole, une jeune femme qui offre des fleurs aux habitués du Palais Royal et sans doute davantage, intimidée, se trouve mal. On lui donne des soins, le souverain débonnaire embrasse gentiment la jeune fille remise de son émotion, promet aux femmes ravies du pain et tout ce qu'elles veulent, et met même ses carrosses à leur disposition pour le retour. Tout a l'air de s'être passé à merveille, mais en bas, excitées par des agents secrets, les manifestantes accueillent leur délégation par des cris de rage, lui reprochant de s'être laissé corrompre et de se contenter de mensonges. Ce n'est pas pour s'en retourner avec l'estomac vide et de vaines promesses qu'on a marché pendant six heures sous une pluie torrentielle. Non, on allait rester là, et on ne s'en irait pas sans emmener le roi, la reine et toute la bande à Paris, où on leur ferait perdre l'habitude de ruser et de mentir. Les femmes pénètrent carrément dans l'enceinte de l'Assemblée pour y dormir, tandis que parmi elles des professionnelles de l'amour, et notamment Théroigne de Méricourt, aguichent les soldats. Des traînards ont encore grossi le nombre des insurgés, et on voit de louches personnages se glisser le long des grilles à la lueur falote et incertaine des lanternes.

Là-haut la cour n'a toujours pas pris de décision. Ne serait-il pas quand même préférable de fuir ? Mais comment traverser cette foule agitée avec des lourds carrosses. Il est trop tard. Enfin, vers minuit, on entend des tambours dans le lointain : La Fayette approche. Il se rend tout d'abord à l'Assemblée nationale, sa seconde visite est pour le roi. Bien qu'il s'incline avec un respect sincère pour dire : « Je viens, Sire, vous apporter ma tête pour sauver celle de Votre Majesté », personne ne songe à le remercier, Marie-Antoinette moins que tout autre. Louis XVI déclare qu'il n'a plus l'intention de partir ni de s'éloigner de l'Assemblée. Le roi a donné sa parole. La Fayette et l'armée sont là pour le protéger. Les députés rentrent chez eux, les gardes nationaux et les insurgés se réfugient, devant la pluie qui ramollit tout, dans les casernes et les églises, et jusque sous les porches et sur les marches abritées. Peu à peu toutes les lumières s'éteignent, et, après avoir visité encore une fois tous les postes, La Fayette, bien qu'il ait promis de veiller à la sécurité du roi, se rend à l'hôtel de Noailles et se met au lit à quatre heures du matin. Les souverains aussi se retirent dans leurs appartements ; ils ne se doutent pas que c'est la dernière fois qu'ils couchent au palais de Versailles.

CHAPITRE XXIII

LE CHAR FUNÈBRE DE LA MONARCHIE

L'ancien pouvoir, la royauté et ses gardiens, les aristocrates, sommeillent. Mais la Révolution est jeune, son sang est chaud, impétueux, elle n'a pas besoin de repos ; elle attend, impatiente, le moment de l'action. Les soldats de l'insurrection parisienne qui n'ont pas trouvé de logis se groupent autour de feux allumés en pleine rue ; mais personne ne saurait dire pourquoi, en somme, ils sont encore à Versailles et non à Paris, dans leurs lits ; le roi, pourtant, a cédé docilement sur tout et tout promis. Mais une volonté cachée retient et domine cette foule agitée. Des ombres vont et viennent, porteuses de messages secrets, et à cinq heures du matin – le palais est encore plongé dans l'obscurité et le sommeil – des groupes, guidés par une main avertie, se glissent en passant par la cour de la chapelle jusque sous les fenêtres du château. Que veulent-ils ? Et qui dirige ces personnages suspects ? Qui les conduit, qui les pousse ici dans un but qu'on ne devine pas encore, mais tout à fait précis cependant ? Les instigateurs restent dans l'ombre ; le duc d'Orléans et le frère du roi, le comte de Provence, ont préféré, ils avaient peut-être leurs raisons, ne pas être au palais cette nuit auprès de leur roi légitime. Quoi qu'il en soit, un coup de fusil éclate subitement, un de ces coups provocateurs, toujours nécessaires pour déclencher le conflit voulu. Aussitôt les insurgés affluent de tous côtés, par dizaines, par centaines, par milliers, armés de piques, de pioches, de fusils – des régiments de femmes et d'hommes déguisés en femmes. C'est une poussée directe vers les appartements de la reine. Mais comment se fait-il que ces marchandes de poissons, ces dames de la halle de Paris, qui n'ont jamais mis le pied à Versailles, s'orientent si vite et avec une sûreté extraordinaire dans ce vaste château aux multiples escaliers et aux centaines de pièces ? En un clin d'œil la masse des femmes et des hommes travestis envahit l'escalier qui conduit aux appartements de Marie-Antoinette. Quelques gardes du corps essaient d'en défendre l'accès, deux d'entre eux sont terrassés, cruellement assassinés ; un colosse barbu tranche sur place les têtes des cadavres, qui, quelques minutes plus tard, tournoient sanglantes au bout de piques géantes.

Mais les victimes ont fait leur devoir. Leur cri aigu d'agonie a réveillé le palais à temps. Un des trois gardes du corps parvient à s'arracher des mains des assaillants, bien que blessé il monte l'escalier quatre à quatre et clame dans la maison de marbre qui résonne comme un coquillage creux : « Sauvez la reine ! »

Ce cri en effet la sauve. Une femme de chambre effrayée se précipite dans l'appartement de Marie-Antoinette. Déjà les portes, rapidement barricadées par les gardes du corps, retentissent sous les coups de pioche et de hache. La reine n'a le temps de mettre ni bas ni souliers, elle ne peut que passer une robe sur sa chemise et jeter un châle sur ses épaules. C'est ainsi que, pieds nus, les bas à la main, elle traverse en courant et le cœur battant le couloir qui conduit à l'Œil-de-Bœuf, et de cette vaste pièce gagne les appartements du roi. Mais, ô épouvante ! la porte est fermée. La reine et ses femmes de chambre la martèlent désespérément de leurs poings, mais, inexorable, elle reste close. Il faut attendre cinq minutes, cinq minutes horriblement longues – cependant que les assassins soudoyés entrent de force dans les chambres voisines, fouillent les lits et les armoires – avant qu'un serviteur n'entende enfin les coups de l'autre côté de la porte et ne vienne ouvrir ; ce n'est qu'alors que Marie-Antoinette peut se réfugier dans les appartements de son époux ; au même instant la gouvernante amène le dauphin et Madame Royale. La famille est réunie, la vie de tous est sauve, mais la vie seulement.

Enfin, le dormeur qui n'eût point dû, cette nuit-là, sacrifier à Morphée, et qui portera désormais le sobriquet de « général Morphée », La Fayette, se réveille lui aussi et s'aperçoit des conséquences de son insouciante crédulité. Ce n'est qu'avec des prières et des supplications et non point avec l'autorité d'un chef qu'il peut sauver de la mort les gardes du corps prisonniers et faire sortir la populace des appartements. Maintenant que le danger est passé voici qu'apparaissent, bien rasés et poudrés, le comte de Provence et le duc d'Orléans ; chose étrange, très étrange, la foule excitée s'écarte avec respect à leur passage. Le conseil de la couronne peut à présent siéger. Mais que restera-t-il à débattre ? Le château n'est plus qu'une fragile coquille de noix entre les poings noirs et sanglants des dix mille manifestants. Impossible d'échapper à leur étreinte. Finis les pourparlers et les transactions du vainqueur avec le vaincu ; devant les fenêtres la foule exige par ses hurlements ce que les agents des clubs lui ont doucement chuchoté, hier comme aujourd'hui : « Le roi à Paris ! Le roi à Paris ! » Les vitres tremblent sous la violence des cris et les portraits des ancêtres frémissent d'épouvante aux murs du palais.

Devant cet ordre impérieux le roi jette un regard interrogateur à La Fayette. Obéira-t-il, ou plutôt, faut-il qu'il obéisse tout de suite ? La Fayette baisse les yeux. Depuis hier ce dieu de la foule sait qu'il a perdu son auréole. Le roi espère encore temporiser : pour calmer cette multitude en délire, apaiser un peu cette faim violente de triomphe, il décide de paraître sur le balcon. A peine le brave homme s'est-il montré que le peuple éclate en applaudissements. Il acclame toujours le roi quand il a eu raison de lui. Et pourquoi ne pas applaudir quand un monarque se présente à lui tête nue et s'incline aimablement vers l'endroit où on vient de décapiter comme des bêtes deux de ses défenseurs et de brandir leurs têtes au bout de piques ? Mais à cet homme flegmatique, peu chatouilleux sur l'honneur, aucun sacrifice moral ne coûte vraiment ; et si, après cette humiliation volontaire, le peuple était tranquillement rentré chez lui, il aurait sans doute, une heure plus tard, enfourché son cheval et serait allé chasser à son aise pour rattraper ce que la veille les « événements » lui avaient fait manquer. Cependant le peuple ne se contente pas de cet unique triomphe, dans l'ivresse de son orgueil il exige un vin plus fort, plus capiteux. La reine, elle aussi, l'orgueilleuse au cœur de pierre, l'insolente, l'intraitable Autrichienne, il faut qu'elle se montre ! Elle aussi, elle surtout, l'arrogante, doit courber la tête sous l'invisible joug. Les cris deviennent de plus en plus violents, la foule trépigne de plus en plus sauvagement, l'injonction monte de plus en plus rauque : « La reine, la reine au balcon ! »

Marie-Antoinette, blême et les lèvres serrées, ne bouge pas. Ce qui la paralyse et décolore ses traits, ce n'est nullement la peur des fusils, peut-être déjà prêts à partir, des pierres et des injures, non, mais la fierté, l'héréditaire, l'indestructible orgueil d'une tête, d'une nuque, qui ne se sont jamais courbées devant personne. Tous la regardent, embarrassés. Enfin – les fenêtres vibrent déjà sous le tumulte, les pierres vont siffler – La Fayette s'avance vers elle : « Madame, cette démarche est nécessaire pour calmer le peuple. — En ce cas, je n'hésite plus », répond Marie-Antoinette. Et prenant ses deux enfants par la main, la tête haute, la bouche crispée, elle sort sur le balcon, non comme une suppliante, mais comme un soldat qui marche à l'assaut, avec la ferme volonté de bien mourir, sans trembler. Elle se montre, mais ne s'incline pas. Et c'est précisément son attitude, droite et altière, qui impose. Le regard de la reine et celui du peuple sont comme deux courants qui se croisent ; la tension est telle que pendant une minute un silence mortel règne sur l'immense place. Personne ne sait ce qui va le rompre, ce silence tendu à craquer, si ce sont des hurlements de rage, un coup de fusil ou une avalanche de pierres. Alors La Fayette, toujours courageux dans les grandes circonstances, s'approche de la reine, et d'un geste chevaleresque, s'incline devant elle et lui baise la main.

Ce geste amène immédiatement une détente. Et la chose la plus imprévue se produit. Le cri de « Vive la reine ! » jaillit de la place, poussé par des milliers de poitrines.

Malgré lui, ce même peuple, qui tout à l'heure s'extasiait devant la faiblesse du roi, acclame à présent la fierté, l'inflexible fermeté de cette femme, qui montre qu'elle ne vient pas solliciter sa faveur avec un sourire de commande ou de lâches amabilités.

Quand Marie-Antoinette revient du balcon tout le monde dans la pièce l'entoure et la félicite comme si elle avait échappé à un danger mortel. Mais après ses premières déceptions, elle ne s'illusionne plus sur cette tardive acclamation populaire. Elle a les larmes aux yeux quand elle dit à Mme Necker : « Il vont nous forcer, le roi et moi, à nous rendre à Paris, avec les têtes de nos gardes du corps portées au bout de leurs piques. »

Marie-Antoinette a senti juste. Le peuple ne se contente plus d'une révérence. Il détruirait plutôt cette maison, pierre par pierre et vitre par vitre, que de renoncer à sa volonté. Ce n'est pas inutilement que les clubs ont mis cette grande machine en mouvement, ce n'est pas en pure perte que ces milliers d'hommes et de femmes ont marché sous la pluie pendant six heures. Déjà les murmures montent, terribles, déjà la garde nationale, arrivée pour protéger la cour, semble toute disposée à se joindre à la masse pour assaillir le château. Mais voici que la cour cède enfin. Du haut du balcon et des fenêtres on jette des papiers annonçant que le roi est décidé à aller résider à Paris avec sa famille. On n'en demandait pas plus. Les soldats maintenant déposent leurs fusils, les officiers se mêlent au peuple, on s'embrasse, on crie sa joie ; les drapeaux flottent au-dessus de la foule, on dirige en hâte sur Paris les piques avec les têtes sanglantes. Cette menace n'est plus nécessaire.

A deux heures de l'après-midi on ouvre les grandes grilles dorées du château. Une immense calèche traînée par six chevaux sur un pavé raboteux emmène le roi, la reine et toute la famille ; ils quittent Versailles pour toujours. Un chapitre de l'Histoire, dix siècles d'autocratie royale viennent de prendre fin.

C'est sous une pluie battante, assaillie par le vent de tous côtés, que la Révolution s'était levée le 5 octobre pour aller chercher le roi. La victoire du 6 octobre est saluée par un jour éblouissant. L'air automnal est d'une grande pureté, le ciel d'un bleu soyeux, aucun vent n'agite les feuilles cuivrées des arbres; c'est comme si la nature, curieuse, retenait son souffle pour contempler ce spectacle unique à travers les siècles : l'enlèvement d'un roi par son peuple. Quel tableau que ce retour de Louis XVI et de Marie-Antoinette dans leur capitale! Mi-convoi funèbre, mi-cavalcade, enterrement de la monarchie et carnaval du peuple. Et, tout d'abord, quel est ce nouveau, cet étrange cérémonial? Ce ne sont pas, comme d'habitude, des coureurs galonnés qui précèdent le carrosse du roi, ce ne sont pas les fauconniers sur leurs chevaux gris et la garde du corps avec ses uniformes à brandebourgs qui chevauchent à sa droite et à sa gauche, ce n'est pas la noblesse en costume d'apparat qui l'escorte, mais une foule sale et désordonnée qui semble le charrier comme une épave. Les gardes nationaux marchent en tête, débraillés et en désordre, bras dessus bras dessous, la pipe à la bouche, riant et chantant, une miche de pain piquée au bout de leurs baïonnettes. Des femmes se tiennent à califourchon sur les canons, ou partagent la selle de dragons complaisants, ou encore vont à pied aux bras des soldats et des ouvriers comme s'ils se rendaient à une fête. Derrière eux, on entend le bruit des voitures chargées de farine dérobée aux magasins royaux et gardées par des dragons; et perpétuellement la cavalcade avance et recule, exubérante, acclamant la foule des spectateurs. Théroigne de Méricourt, chef des amazones, brandit frénétiquement son épée. Au milieu de ce vacarme et de cette agitation s'avance poussiéreux un pauvre et lugubre carrosse, dans lequel se serrent, derrière les rideaux à demi-baissés, Louis XVI, pusillanime descendant de Louis XIV, et Marie-Antoinette, fille tragique de Marie-Thérèse, leurs enfants et la gouvernante. Ils sont suivis, du même pas d'enterrement, par les carrosses des princes royaux, la cour, les députés et quelques rares amis restés fidèles. C'est l'ancien régime, entraîné par le nouveau, et qui, pour la première fois, en ressent l'irrésistible élan.

Il dure six heures, ce trajet funèbre de Versailles à Paris. Le long du parcours, il sort des gens de toutes les maisons.

Mais ils ne se découvrent pas avec déférence devant de pareils vaincus. Ils font la haie en curieux et silencieusement chacun veut voir l'humiliation du roi et de la reine. Les manifestantes montrent leur proie en criant triomphalement : « Nous ramenons le boulanger, la boulangère et le petit mitron. C'en est fini maintenant de la famine. » Marie-Antoinette entend tous ces cris de haine et de mépris, elle se blottit dans le fond de la voiture pour ne rien voir et ne pas être vue. Ses yeux se voilent. Peut-être songe-t-elle, pendant ces six heures interminables, à la gaîté, à l'insouciance des voyages sans nombre sur cette même route faits en cabriolet avec Mme de Polignac, quand elle se rendait au bal masqué, à l'Opéra, à des soupers, d'où l'on revenait à l'aube. Peut-être aussi son regard cherche-t-il parmi les gardes à cheval celui qui, sous ce déguisement, accompagne le cortège, son unique, son véritable ami. Peut-être ne pense-t-elle à rien et n'est-elle que fatiguée, épuisée, car les roues tournent lentement, très lentement vers un destin qu'elle sait irrévocable.

Enfin le char funèbre de la monarchie s'arrête aux portes de Paris ; une réception solennelle y attend le mort politique. A la lueur vacillante des flambeaux le maire Bailly accueille le roi et la reine en exaltant la date du 6 octobre, qui fait pour toujours de Louis le sujet de ses sujets. « Quel beau jour, sire, dit-il avec emphase, que celui où les Parisiens vont posséder dans leur ville votre Majesté et sa famille. » L'insensible roi lui-même sent la pointe, et il répond sèchement : « J'espère, monsieur, que mon séjour apporte la paix, la concorde et la soumission aux lois. » Ce n'est pas tout, malgré leur épuisement mortel, il faut encore que les souverains se rendent à l'Hôtel de Ville afin que tout Paris puisse contempler ses otages. Bailly transmet les paroles du roi : « C'est toujours avec plaisir et confiance que je me vois au milieu des habitants de ma bonne ville de Paris », mais il oublie de répéter le mot « confiance ». Avec une présence d'esprit surprenante la reine s'aperçoit de l'oubli. Elle reconnaît combien est important ce mot qui impose également une obligation au peuple insurgé. Elle rappelle à voix haute que le roi a exprimé aussi sa confiance. « Messieurs, dit Bailly tranquillement, vous êtes plus heureux que si je ne m'étais pas trompé. »

Pour finir les souverains sont obligés de se montrer à la fenêtre, et l'on approche des flambeaux de chaque côté de leurs visages, afin que le peuple s'assure que c'est bien le roi et la reine qu'on a été chercher à Versailles et non des marionnettes. Grisé par sa victoire inattendue le peuple s'enthousiasme : pourquoi, après cela, ne serait-il pas généreux ? Immédiatement les cris longtemps oubliés de « Vive le roi ! » « Vive la reine ! » retentissent à plusieurs reprises sur la place de Grève et, en récompense, Louis XVI et Marie-Antoinette sont autorisés à se rendre aux Tuileries sans escorte militaire, pour s'y reposer enfin de cette terrible journée et y mesurer l'abîme où elle les a précipités. Les voitures poussiéreuses s'arrêtent devant un château sombre et laissé à l'abandon. Depuis Louis XIV, depuis plus de cent ans, la cour n'a plus habité l'ancienne résidence des rois ; les pièces sont désertes, les meubles ont été enlevés, il n'y a ni lits ni chandelles ; les portes ne ferment pas, l'air froid entre par les vitres brisées. En hâte, on essaie, à la lueur de chandelles empruntées, d'improviser des chambres à coucher pour la famille royale, tombée du ciel comme un météore. « Tout est bien laid ici, maman », dit en entrant le dauphin, âgé de quatre ans et demi, lui qui a été élevé dans la splendeur de Versailles et de Trianon et qui est habitué à l'éclat des candélabres, aux reflets des glaces, à la richesse et à la magnificence. « Mon fils, répond la reine, Louis XIV y logeait et s'y trouvait bien ; nous ne devons pas être plus difficiles que lui. » Cependant Louis l'Indifférent s'accommode de son lit de fortune. Il bâille et dit paresseusement aux autres : « Que chacun s'installe comme il peut, moi je suis content. »

Marie-Antoinette, elle, n'est pas satisfaite. Jamais elle ne considérera cette maison, qu'elle n'a pas choisie librement, autrement que comme une prison, jamais elle n'oubliera la manière humiliante avec laquelle on l'a traînée ici.

Jamais, écrit-elle hâtivement à Mercy, on ne pourra croire ce qui s'est passé dans les dernières vingt-quatre heures. On aura beau dire rien ne sera exagéré, et, au contraire, tout sera au-dessous de ce que nous avons vu et éprouvé.

CHAPITRE XXIV

RETOUR SUR SOI-MÊME

En 1789 la Révolution n'a aucunement conscience de sa force, elle s'effraie parfois encore de son audace ; de même l'Assemblée nationale, les conseillers de la ville de Paris, la bourgeoisie, qui n'ont pas cessé, dans le fond, d'être fidèles à la royauté, sont plutôt épouvantés maintenant du coup de main des amazones qui livre le roi sans défense entre leurs mains. Ils font, par pudeur, tout ce qu'ils peuvent pour effacer cet acte de violence brutal ; d'un commun accord ils s'efforcent de transformer par des mensonges l'enlèvement de la famille royale en un changement de résidence volontaire. Avec une rivalité touchante, ils déposent les plus belles roses sur la tombe de l'autorité royale, dans le secret espoir de cacher que la monarchie est en réalité morte pour toujours et mise en bière depuis le 6 octobre. Les délégations se succèdent auprès du roi pour l'assurer de leur profond attachement. Le Parlement envoie trente membres, le conseil municipal de Paris vient présenter ses respects, le maire s'incline devant Marie-Antoinette en disant :

> La ville s'applaudit de vous voir dans le palais de nos rois ; elle désire que le roi et Votre Majesté lui fassent la grâce d'y établir leur résidence habituelle.

La chambre haute elle aussi présente ses hommages respectueux, de même que l'Université, la Cour des comptes, le conseil de la couronne, et finalement, le 20 octobre, toute l'Assemblée nationale ; journellement le peuple se presse en masse devant les fenêtres des Tuileries en criant : « Vive le roi ! Vive la reine ! » Tout le monde fait ce qu'il peut pour exprimer au roi sa joie « de son changement de résidence volontaire ». Mais Marie-Antoinette, toujours incapable de simuler, et son époux, toujours docile, se défendent avec un acharnement très compréhensible du point de vue humain, absolument absurde pourtant du point de vue politique, contre cet enjolivement des faits. « En oubliant où nous sommes et comment nous y sommes arrivés, nous devons être contents du mouvement du peuple », écrit la reine à l'ambassadeur Mercy. En réalité, elle ne peut et ne veut pas l'oublier. Elle a subi trop d'affronts, on l'a traînée de force à Paris, on a pris d'assaut son château de Versailles, assassiné ses gardes du corps sans que l'Assemblée nationale ni la garde nationale n'aient levé un doigt. On l'a enfermée aux Tuileries, il faut que le monde entier soit informé de cet outrage aux droits sacrés d'un monarque. Avec intention, ils ne font tous deux que souligner sans cesse leur défaite : le roi renonce à la chasse, la reine ne va plus au théâtre, ils ne se montrent pas dans la rue, ne sortent pas en voiture et laissent ainsi échapper la précieuse occasion de se rendre de nouveau populaires dans Paris. Et cette claustration obstinée leur cause un dangereux préjudice. Car, en se disant violentée, la cour convainc le peuple de sa force ; le roi, en proclamant perpétuellement qu'il est le plus faible, le devient réellement. Ce n'est pas le peuple, ce n'est pas l'Assemblée nationale, mais le roi et la reine qui ont creusé autour des Tuileries un fossé invisible ; par leur stupide orgueil, ils ont eux-mêmes transformé en captivité la liberté qu'on ne leur contestait pas encore.

Mais si la cour considère, avec pathétique, les Tuileries comme une prison, elle veut, tout au moins, que cette prison soit royale. Dès les jours suivants d'énormes voitures amènent des meubles de Versailles, des menuisiers et des tapissiers sont à l'œuvre jusqu'à une heure avancée de la nuit. Bientôt, dans la mesure où ils n'ont pas préféré émigrer, les anciens fonctionnaires de la cour arrivent dans la nouvelle résidence ; toute la foule des valets de chambre, laquais, cochers, cuisiniers remplit les communs. Les anciennes livrées brillent dans les couloirs, tout reflète Versailles, et l'étiquette aussi est rétablie intacte ; on aperçoit toutefois une petite différence : ce sont les gardes nationaux de La Fayette, au lieu des nobles gardes du corps congédiés, qui maintenant sont en faction devant les portes.

La famille royale n'habite que quelques pièces de l'immense suite d'appartements des Tuileries et du Louvre, car on ne veut plus ni fêtes, ni bals, ni redoutes, plus d'éclat et plus de splendeurs inutiles. Seule l'aile des Tuileries donnant sur le jardin (brûlée en 1870 par la Commune et qui n'a pas été reconstruite) est remise en état par la famille royale : elle comprend en haut la chambre à coucher et le salon de réception du roi, une chambre pour sa sœur, une pour chacun de ses enfants et un petit salon. Au rez-de-chaussée se trouvent la chambre à coucher de Marie-Antoinette avec un salon, un cabinet de toilette, une salle de billard et la salle à manger. Les deux étages sont réunis par un grand escalier, déjà existant, et un petit escalier, ajouté celui-là, qui conduit des appartements de la reine directement aux chambres du dauphin et du roi, et dont seules la reine et la gouvernante des enfants possèdent la clef. En examinant de près cette disposition des pièces on est frappé par un fait : l'isolement de Marie-Antoinette, sans doute voulu par elle, du reste de la famille. Elle couche et habite seule, et sa chambre à coucher, son salon de réception sont disposés de telle sorte qu'elle peut recevoir des visites n'importe quand, sans que celles-ci soient obligées de passer par l'escalier officiel et l'entrée principale. La raison de ces mesures apparaîtra bientôt, de même que l'avantage qu'il y a pour la reine de pouvoir accéder à tout moment à l'étage, tandis qu'elle est à l'abri de toute surprise de la part des domestiques, des espions, des gardes nationaux et peut-être aussi du roi. Même en captivité, elle défendra, grâce à sa « désinvoltura », jusqu'au dernier souffle, ce qui lui reste de liberté personnelle.

Le vieux château avec ses couloirs obscurs, éclairés jour et nuit par des quinquets fuligineux, avec ses escaliers en colimaçon, ses communs bondés et surtout ces perpétuels témoins de la toute-puissance populaire, les gardes nationaux, qui ne cessent de veiller, n'est pas en soi un très agréable séjour ; et pourtant, resserrée par le destin, la famille royale mène ici une existence plus calme, plus intime, peut-être même plus confortable que dans le pompeux château de Versailles. Après le petit déjeuner la reine fait venir ses enfants chez elle, puis elle va à la messe et reste seule dans sa chambre jusqu'au déjeuner commun. Ensuite, elle fait une partie de billard avec son époux, faible compensation gymnastique au plaisir de la chasse, dont il se passe à regrets. Marie-Antoinette se retire alors de nouveau dans ses appartements, tandis que le roi lit ou dort, pour tenir conseil avec ses familiers, Fersen, la princesse de Lamballe ou d'autres. Après le dîner, toute la famille se réunit au grand salon : le frère du roi, le comte de Provence et sa femme, qui habitent le palais du Luxembourg, Mesdames tantes et quelques rares fidèles. A onze heures les lumières s'éteignent, le roi et la reine se retirent chez eux. Cette vie calme et réglée de petits bourgeois ignore les diversions, les fêtes, le faste. Mlle Bertin, la modiste, n'est presque plus jamais appelée, le temps des joailliers aussi est passé, car Louis XVI a besoin de son argent pour des choses plus importantes, pour ses agents et son service politique secrets. Les fenêtres donnent sur le jardin, où l'on aperçoit l'automne et la chute des feuilles : il fuit rapidement, le temps qui, autrefois, semblait si long à la reine. Voici enfin le silence autour d'elle, le silence qu'elle a toujours redouté ; elle a maintenant l'occasion de réfléchir sérieusement et de se ressaisir.

Le calme est un élément créateur. Il rassemble, il purifie, il ordonne les forces intérieures. De même que dans une bouteille agitée et que l'on pose ensuite à terre le liquide se décante, de même, chez une nature trouble, le silence et la réflexion cristallisent plus nettement le caractère. Repliée brutalement sur elle-même, Marie-Antoinette commence à se découvrir. A présent seulement il apparaît que rien n'a été aussi fatal à cette nature étourdie, insouciante, frivole, que la légèreté avec laquelle le destin l'a comblée ; ce sont ces présents immérités de la vie qui furent cause précisément de son dénûment intérieur. De bonne heure la destinée l'avait trop gâtée ; une haute origine et une situation plus élevée encore lui étant échues sans peine, elle se crut éternellement dispensée de tout effort. Elle n'avait qu'à se laisser vivre à sa guise, et tout était pour le mieux. Les ministres pensaient, le peuple travaillait, les banquiers payaient ses dépenses, elle acceptait tout sans réflexion et sans gratitude. Ce n'est que placée devant l'obligation formidable de défendre sa couronne, ses enfants, sa propre vie contre le soulèvement le plus grandiose de l'Histoire, qu'elle cherche en elle-même des moyens de résistance et trouve soudain des réserves d'intelligence et d'énergie. La lumière s'est faite : « C'est dans le malheur qu'on sent davantage ce qu'on est » ; cette belle parole, émue et émouvante, éclate subitement dans une de ses lettres. Ses conseillers, sa mère, ses amis n'ont eu, des années durant, aucune influence sur cette âme orgueilleuse. C'était trop tôt pour celle qui ne voulait rien écouter. La souffrance a été le premier et le véritable maître de Marie-Antoinette, le seul dont elle ait appris quelque chose.

Une nouvelle époque commence dans la vie intérieure de cette étrange femme. Mais le malheur ne transforme pas, à vrai dire, un caractère, il n'y fait point entrer d'éléments nouveaux, il ne fait que développer des dispositions préexistantes. Marie-Antoinette ne devient pas subitement – ce serait une erreur de le croire – intelligente, active, énergique et courageuse en ces années d'ultime lutte ; elle était tout cela à l'état latent, mais, par suite d'une mystérieuse paresse de l'âme, d'une insouciance enfantine, elle n'avait pas fait valoir ce côté de sa personnalité ; jusqu'alors elle n'avait fait que jouer avec la vie – point n'est besoin de force pour cela – elle n'avait jamais lutté avec elle ; mais maintenant, devant cette immense tâche qui lui incombe, toutes ses facultés s'aiguisent et deviennent des armes. Marie-Antoinette ne pense et ne réfléchit que depuis qu'elle y est obligée. Elle travaille parce qu'elle est forcée de travailler. Elle s'élève, parce que le destin exige qu'elle soit grande, afin de ne pas être impitoyablement écrasée par les forces adverses. Une complète transformation de sa vie extérieure et intérieure commence aux Tuileries. Cette femme qui pendant vingt ans a été incapable d'écouter jusqu'au bout le rapport d'un ambassadeur, qui n'a pris connaissance d'une lettre qu'en la parcourant hâtivement, qui n'a jamais lu un livre, qui ne s'est occupée que de jeu, d'amusement, de mode et autres futilités, fait de son bureau une chancellerie, de sa chambre un cabinet de diplomate. Elle négocie à la place de son mari – mis à l'écart, après avoir impatienté tout le monde par son incurable faiblesse – avec tous les ministres et les ambassadeurs, elle surveille leurs décisions, elle rédige leurs lettres. Elle apprend l'écriture chiffrée et invente les moyens techniques les plus étonnants pour correspondre secrètement, par voie diplomatique, avec ses amis de l'étranger ; tantôt elle recourt à l'encre sympathique, tantôt ses nouvelles sont chiffrées et passent en fraude dans des revues et des boîtes de chocolat ; chaque mot est minutieusement étudié afin qu'il soit incompréhensible pour les indiscrets, mais clair pour les initiés. Et elle fait tout cela seule, sans aide, sans secrétaire à ses côtés, avec des espions à sa porte et jusque dans sa chambre ; qu'une seule de ces lettres soit découverte et son mari et ses enfants sont perdus. Cette femme, qui n'a jamais été habituée à une pareille besogne, travaille jusqu'à l'épuisement physique. « Je suis fatiguée à force d'écritures », dit-elle un jour dans une lettre, et une autre fois : « Je ne vois plus ce que j'écris. »

Autre point très important de cette évolution : Marie-Antoinette se rend enfin compte de la valeur de conseillers sincères, elle renonce à l'absurde prétention de décider par elle-même, au pied levé, des affaires politiques. Alors qu'autrefois elle ne recevait qu'en réprimant des bâillements le calme et vieil ambassadeur Mercy et éprouvait un véritable soulagement quand ce fâcheux pédant refermait la porte derrière lui, elle recherche maintenant, toute confuse, cet homme loyal et plein d'expérience qu'elle a trop longtemps méconnu : « Plus je suis malheureuse, et plus je suis tendrement attachée à mes véritables amis », écrit-elle au vieux confident de sa mère ; ou encore :

> Il me tarde bien de retrouver le moment où je pourrai vous voir librement et vous assurer de tous les sentiments qui vous sont si justement dus et que je vous ai voués pour la vie.

Dans sa trente-cinquième année, elle comprend enfin le sens du rôle exceptionnel que la destinée lui a réservé : non pas disputer à d'autres jolies femmes, coquettes et d'esprit ordinaire, les triomphes éphémères de la mode, mais faire ses preuves de façon durable, devant le regard inflexible de la postérité, en tant que reine et fille de Marie-Thérèse. Sa fierté, qui jusque-là n'était souvent qu'un misérable et puéril amour-propre de jeune fille gâtée, se transforme absolument en sentiment du devoir, le devoir de se montrer devant le monde digne des temps héroïques qu'elle traverse. Ce ne sont plus des choses personnelles, la puissance ou son bonheur particulier qui la préoccupent :

> Pour nos personnes, le bonheur est fini pour jamais, quelque chose qui arrive. Je sais que c'est le devoir d'un roi de souffrir pour les autres, mais aussi le remplissons-nous bien. Puissent-ils un jour le reconnaître !

Marie-Antoinette comprend tard, mais jusqu'au plus profond de son âme, qu'elle est destinée à devenir une figure historique, et ce rôle qu'elle sait lui être assigné accroît singulièrement ses forces. Quand un être descend au plus intime de soi-même, quand il est décidé à fouiller au fond de sa personnalité, il réveille en son sang les puissances mystérieuses de tous ses ancêtres. Le fait d'être une Habsbourg, descendante d'une grande maison régnante, héritière d'un antique honneur impérial, et la fille de Marie-Thérèse, élève tout à coup au-dessus d'elle-même, comme par magie, cette faible femme qui manquait d'assurance. Elle sent l'obligation d'être « digne de Marie-Thérèse », digne de sa mère, et le mot « courage » devient le leitmotiv de sa symphonie funèbre. Sans cesse elle répète que « rien ne peut briser son courage » ; et quand de Vienne la nouvelle lui parvient que son frère Joseph, dans sa terrible agonie, a gardé jusqu'au bout son attitude mâle et décidée, elle sent là comme un appel prophétique, et elle répond par la parole la plus fière de sa vie : « J'ose dire qu'il est mort digne de moi. »

Cette fierté, qu'elle brandit comme un étendard devant le monde entier, coûte à Marie-Antoinette certainement plus qu'on ne peut le soupçonner. Car, en réalité, cette femme n'est ni orgueilleuse, ni forte ; ce n'est pas une héroïne, mais une créature très féminine, née pour le dévouement et la tendresse et non pour la lutte. Le courage qu'elle montre est destiné uniquement à en inspirer aux autres ; elle-même ne croit plus, en somme, à des temps meilleurs. A peine est-elle rentrée dans sa chambre que ses bras tombent de lassitude, alors que devant le monde ils portent si énergiquement le drapeau de sa fierté ; Fersen, presque toujours, la trouve en larmes. Ces heures d'amour avec l'ami infiniment aimé, et enfin retrouvé, ne ressemblent en rien à des jeux galants ; au contraire, cet homme, ému lui-même, a besoin de toutes ses forces pour arracher l'aimée à ses fatigues et à ses mélancolies, et c'est le malheur de cette femme qui éveille en lui le plus profond des sentiments. « Elle pleure souvent avec moi, écrit-il à sa sœur, jugez si je dois l'aimer. » Les dernières années ont été trop dures pour ce cœur léger. Elle a vu « trop d'horreur et trop de sang pour être encore un jour véritablement heureuse ». Mais la haine continue à grandir contre cette femme qui n'a plus d'autre défenseur que sa conscience.

> Je défie l'univers de me trouver en tort réel, s'écrie-t-elle, j'attends de l'avenir un jugement équitable et cela m'aide à supporter mes souffrances. Je méprise trop ceux qui me le refusent pour m'occuper d'eux.

Et pourtant elle dit en soupirant : « Nous vivons avec un cœur pareil dans un tel monde ! » On sent que bien des fois cette femme désespérée n'a plus qu'un désir, que cela finisse vite : « Si au moins nos souffrances actuelles pouvaient rendre nos enfants heureux ! C'est le dernier vœu que je me permette. »

La pensée de ses enfants est la seule que Marie-Antoinette ose encore relier à l'idée de bonheur. « Si je pouvais être heureuse, je le serais par ces deux petits êtres », dit-elle ; et une autre fois : « Quand je suis triste, je prends mon petit garçon avec moi. » Ou encore : « Je suis toute la journée seule chez moi. Mes enfants sont mon unique ressource ; je les ai le plus possible avec moi. » Deux sur quatre sont morts et son amour qu'elle répandait autrefois avec légèreté sur tout le monde, elle le concentre à présent sur les deux enfants qui lui sont restés. Le dauphin surtout fait sa joie, parce qu'il est fort, gai, intelligent et gentil, « un chou d'amour », comme elle dit tendrement ; mais comme tous ses autres sentiments, les penchants et les affections de cette femme sont devenus peu à peu lucides. Bien qu'elle adore ce fils, elle ne le gâte pas. « Notre tendresse doit être sévère pour cet enfant, écrit-elle à sa gouvernante, il ne faut pas oublier que nous élevons un roi. » Et quand, ayant pris une nouvelle gouvernante en remplacement de Mme de Polignac, elle confie son fils à Mme dauphin qui révèle, de façon magistrale, toutes ses facultés de jugement, jusque-là cachées, et toute son intuition psychologique.

> Mon fils a quatre ans quatre mois moins deux jours ; je ne parle ni de sa taille ni de son extérieur : il n'y a qu'à le voir. Sa santé a toujours été bonne ; mais, même au berceau, on s'est aperçu que ses nerfs étaient très délicats, et que le moindre bruit extraordinaire faisait effet sur lui. Il a été tardif pour ses premières dents, mais elles sont venues sans maladie ni accident. Ce n'est qu'aux dernières, et je crois que c'était à la sixième, qu'il a eu une convulsion. Depuis il en a eu deux : une dans l'hiver de 87 à 88, et l'autre à son inoculation, mais cette dernière a été très petite. La délicatesse de ses nerfs fait qu'un bruit auquel il n'est pas accoutumé lui fait toujours peur. Il a peur, par exemple, des chiens, parce qu'il en a entendu aboyer près de lui. Je ne l'ai jamais forcé à en voir, parce que je crois qu'à mesure que sa raison viendra, ses craintes passeront. Il est, comme tous les enfants forts et bien portants, très

étourdi, très léger et violent dans ses colères ; mais il est bon enfant, tendre et caressant même, quand son étourderie ne l'emporte pas. Il a un amour-propre démesuré qui, en le conduisant bien, peut un jour tourner à son avantage. Jusqu'à ce qu'il soit bien à son aise avec quelqu'un, il sait prendre sur lui, et même dévorer ses impatiences et ses colères, pour paraître doux et aimable. Il est d'une grande fidélité quand il a promis une chose ; mais il est très indiscret ; il répète aisément ce qu'il a entendu dire, et souvent, sans vouloir mentir, il y ajoute ce que son imagination lui a fait voir. C'est son plus grand défaut et sur lequel il faut bien le corriger. Du reste, je le répète, il est bon enfant, et avec de la sensibilité, et en même temps de la fermeté, sans être trop sévère, on fera toujours de lui ce qu'on voudra. Mais la sévérité le révolterait, car il a beaucoup de caractère pour son âge. Et pour en donner un exemple, dès sa plus petite enfance le mot pardon l'a toujours choqué. Il fera et dira tout ce qu'on voudra, quand il a tort ; mais le mot pardon, il ne le prononce qu'avec des larmes et des peines infinies. On a toujours accoutumé mes enfants à avoir grande confiance en moi, et, quand ils ont eu tort, à me le dire eux-mêmes. Cela fait qu'en les grondant j'ai l'air plus peinée et affligée de ce qu'ils ont fait que fâchée. Je les ai accoutumés tous à ce que oui ou non prononcé par moi est irrévocable ; mais je leur donne toujours une raison à la portée de leur âge, pour qu'ils ne puissent pas croire que c'est humeur de ma part. Mon fils ne sait pas lire et apprend fort mal ; mais il est trop étourdi pour s'appliquer. Il n'a aucune idée de hauteur dans sa tête, et je désire fort que cela continue : nos enfants apprendront toujours assez tôt ce qu'ils sont. Il aime sa sœur beaucoup et a bon cœur. Toutes les fois qu'une chose lui fait plaisir, soit d'aller quelque part ou qu'on lui donne quelque chose, son premier mouvement est toujours de demander pour sa sœur de même. Il est né gai ; il a besoin pour sa santé d'être beaucoup à l'air...

Si l'on compare ce document maternel aux lettres antérieures de la femme, on a peine à le croire écrit de la même main, si grande est la différence entre la nouvelle Marie-

Antoinette et l'ancienne; elles s'opposent comme le malheur et le bonheur, comme le désespoir et l'exubérance. C'est dans les âmes souples et molles, manquant encore de maturité, que le malheur imprime le plus nettement son sceau : il sait dessiner un caractère aux contours nets là où tout était fluide et inconsistant. « Quand deviendrez-vous enfin vous-même ? », ne cessait de répéter Marie-Thérèse avec désespoir. Maintenant, en même temps que sont venus à ses tempes les premiers cheveux blancs, Marie-Antoinette est devenue elle-même.

Cette transformation complète apparaît également dans un portrait, le seul que la reine ait fait faire aux Tuileries. Koucharski, un peintre polonais, en a tracé l'ébauche; la fuite à Varennes l'a empêché de le terminer; néanmoins c'est le plus parfait que nous possédions. Les tableaux officiels de Wertmüller, les portraits de salon de Mme Vigée-Lebrun s'efforcent constamment de rappeler au public par les costumes et les décors que cette femme est reine de France. Quand nous la voyons coiffée d'un magnifique chapeau aux superbes plumes d'autruche, en robe de brocart, parée de diamants, elle est près de son trône de velours; et ceux-là mêmes qui la représentent en costume mythologique ou champêtre ne manquent pas d'indiquer par un signe quelconque que cette femme est d'un rang élevé, du rang le plus élevé de la nation, qu'elle est reine de France. Ce portrait de Koucharski néglige toutes les draperies éclatantes : une femme d'une beauté opulente est assise sur une chaise et regarde devant elle, songeuse. Elle paraît un peu lasse et fatiguée. Elle n'est pas en grande toilette, sur sa nuque ne brillent ni bijoux ni pierres précieuses, et elle n'est nullement attifée (il est passé le temps des artifices). Le désir de plaire a cédé la place au recueillement, la coquetterie s'est effacée en faveur de goûts plus simples. Les cheveux tombent, naturels et flous, et déjà l'on aperçoit les premières mèches argentées, la robe coule tout naturellement sur les épaules rondes et nacrées, rien dans l'attitude ne vise à l'effet ou à la séduction. La bouche ne sourit plus, les yeux ne demandent plus rien; encore belle, mais d'une beauté déjà adoucie, maternelle, placée entre le désir et le renoncement, plus toute jeune, mais pas encore vieille, ne désirant peut-être plus, mais encore désirable, elle est là, lointaine, comme baignée d'une lumière automnale. Tandis que tous les autres portraits de Marie-Antoinette donnent l'impression d'une femme éprise de sa beauté et qui, entre les distractions, la danse et les rires, s'est tournée un instant vers le peintre pour, la minute d'après, retourner rapidement à ses plaisirs, on a le sentiment, ici, d'une femme qui s'est assagie et qui recherche le calme. Après les multiples idoles précieusement encadrées, ou taillées dans le marbre et l'ivoire, ce portrait inachevé montre enfin l'être humain et permet de deviner que cette reine a aussi une âme.

CHAPITRE XXV

MIRABEAU

Dans la lutte écrasante qu'elle mène contre la Révolution, Marie-Antoinette, jusqu'à présent, n'a eu recours qu'à un seul allié : le temps. « Seules la souplesse et la patience peuvent nous aider. » Mais le temps est un allié incertain et opportuniste, qui se met régulièrement du côté du plus fort et abandonne avec mépris celui qui se fie paresseusement à lui. La Révolution est en marche, chaque semaine lui amène des milliers de recrues venant de la ville, de la campagne, de l'armée ; et le club des Jacobins, tout nouvellement fondé, appuie chaque jour un peu plus sur le levier qui doit renverser la monarchie. Le roi et la reine finissent par comprendre le danger de leur existence retirée et solitaire et se mettent en quête d'alliés.

Un allié sérieux s'est, il est vrai, présenté à la cour plusieurs fois, offrant ses services à mots couverts ; le secret de cette démarche est jalousement gardé. On sait, en effet, aux Tuileries, depuis les jours de septembre, que le chef redouté et admiré de l'Assemblée nationale, le comte de Mirabeau, le lion de la Révolution, est prêt à manger au râtelier de la monarchie. « Faites donc, avait-il dit alors à un intermédiaire, qu'au château on me sache plus disposé pour eux que contre eux. » Mais, aussi longtemps qu'elle avait vécu à Versailles, la cour s'était sentie trop sûre pour faire appel à lui. D'ailleurs la reine n'avait pas encore reconnu l'importance de cet homme, capable comme pas un de diriger la Révolution, parce qu'il était lui-même le génie de la révolte, l'incarnation de l'esprit de liberté, la force révolutionnaire faite homme, l'anarchie vivante. Les autres membres de l'Assemblée, braves savants bien intentionnés, hommes de loi sagaces, honnêtes démocrates, sont des idéalistes qui tous rêvent d'ordre et de réorganisation, mais lui ne voit dans le chaos de l'État que le moyen d'échapper à son chaos intérieur. Sa force volcanique, qu'il appelle avec orgueil une force de dix hommes, a besoin d'une tempête mondiale pour se déployer librement; ébranlé lui-même dans sa situation morale, matérielle et familiale, il a besoin d'un État chancelant pour s'élever au-dessus des ruines. Toutes les explosions de sa nature élémentaire, pamphlets, enlèvements de femmes, duels et scandales, n'ont été jusqu'à présent que des soupapes insuffisantes à un tempérament excessif, que toutes les prisons de France n'ont pu dompter. Cette âme impétueuse a besoin d'espace, il faut des tâches plus vastes à cet homme extraordinaire; comme un taureau furieux, enfermé trop longtemps dans une étable étroite, il se précipite dans l'arène de la Révolution et, du premier coup, brise les barrières vermoulues des États généraux. L'Assemblée nationale s'effraie quand, pour la première fois, elle entend tonner cette voix, mais elle plie sous son joug autoritaire; esprit prodigieux autant que grand écrivain, Mirabeau, ce puissant ouvrier, forge et inscrit en quelques instants sur des tables d'airain les lois les plus difficiles, les formules les plus osées. Avec son éloquence fulgurante, il soumet toute l'Assemblée à sa volonté, et n'étaient la méfiance que suscite son passé trouble et l'inconsciente défense de l'esprit d'ordre contre ce messager du chaos, l'Assemblée nationale française n'aurait eu, à ses débuts, qu'une seule tête au lieu de douze cents, un seul chef au pouvoir illimité.

Mais ce stentor de la liberté n'est pas lui-même un homme libre : des dettes pèsent sur lui, il est pris dans un réseau de procès malpropres qui lui lient les mains. Un Mirabeau ne peut vivre, ne peut agir que s'il se gaspille. Il lui faut l'insouciance, le faste, les poches pleines d'or et tenir table ouverte; il a besoin de secrétaires, de femmes, d'aides et de domestiques : il ne peut déployer sa plénitude que dans l'abondance. Pour être ainsi libre, cet homme pourchassé par les créanciers s'offre à tous : à Necker, au duc d'Orléans, au frère du roi et, pour finir, à la cour elle-même. Mais Marie-Antoinette, qui ne déteste rien tant que les transfuges de la noblesse, se croit encore assez forte à Versailles pour pouvoir renoncer à la protection intéressée de ce « monstre ».

> Nous ne serons pas assez malheureux, je pense, répond-elle à l'intermédiaire, le comte de La Marck, pour être réduits à la pénible extrémité de recourir à Mirabeau.

Mais maintenant ils en sont là. Cinq mois plus tard – laps de temps interminable dans une révolution – l'ambassadeur Mercy fait savoir au comte de La Marck que la reine est prête à négocier avec Mirabeau, c'est-à-dire à l'acheter. Heureusement il n'est pas encore trop tard : dès la première offre Mirabeau happe l'amorce dorée. Il apprend non sans convoitise que Louis XVI tient à sa disposition quatre billets de deux cent cinquante mille livres chacun, signés de sa propre main, qui lui seront remis à la fin de la session de l'Assemblée, « à condition qu'il me rende de bons services », ajoute prudemment le roi économe. A peine se voit-il subitement libéré de ses dettes, avec de plus la perspective de toucher une mensualité de six mille livres, que cet homme harcelé, pendant des années, par les huissiers et les porteurs de contraintes se livre « à une ivresse de bonheur » dont l'excès surprend même le comte de La Marck. Avec la passion qui lui est particulière et avec laquelle il a toujours convaincu tout le monde, il se persuade à lui-même que seul il pouvait et voulait sauver tout à la fois le roi, la Révolution et le pays. Tout à coup, depuis que l'or roule dans ses poches, Mirabeau se rappelle qu'au fond il a toujours été, lui, le lion rugissant de la Révolution, un ardent royaliste. Le 10 mai il signe le reçu de son propre acte de vente, par lequel il s'engage à servir le roi avec « loyauté, zèle, activité, énergie et courage »...

> J'ai professé les principes monarchiques, écrit-il, lorsque je ne voyais de la cour que sa faiblesse et que, ne connaissant ni l'âme ni la pensée de la fille de Marie-Thérèse, je ne pouvais compter sur cette auguste auxiliaire... J'ai servi le monarque lorsque je savais bien que je ne devais attendre d'un roi juste, mais trompé, ni bienfaits ni récompenses. Que ferai-je maintenant que la confiance a relevé mon courage et que la reconnaissance a fait de mes principes mes devoirs ? Je serai ce que j'ai toujours été, le défenseur du pouvoir monarchique, réglé par les lois, et l'apôtre de la liberté garantie par le pouvoir monarchique. Mon cœur suivra la route que la raison seule m'avait tracée.

Malgré cette emphase, les deux partis savent exactement à quoi s'en tenir. Ce contrat n'est pas, en effet, une affaire très honorable ; au contraire, il redoute plutôt le grand jour. C'est pourquoi il est convenu que jamais Mirabeau ne se présentera personnellement au château, et qu'il ne fera parvenir ses conseils au roi que par écrit. Mirabeau sera révolutionnaire pour la rue, à l'Assemblée nationale il travaillera pour le roi, marché trouble auquel personne n'a rien à gagner et où chaque parti se méfie de l'autre. Mirabeau se met tout de suite à l'œuvre, il écrit lettre sur lettre au roi, mais c'est la reine qui en est le véritable destinataire, c'est d'elle qu'il espère être compris, car le roi ne compte pas, il ne tarde pas à s'en apercevoir.

> Le roi n'a qu'un homme, écrit-il dès sa seconde note, c'est sa femme. Il n'y a de sûreté pour elle que dans le rétablissement de l'autorité royale. J'aime à croire qu'elle ne voudrait pas de la vie sans la couronne ; mais ce dont je suis bien sûr . c'est qu'elle ne conservera pas sa vie si elle ne conserve sa couronne. Le moment viendra bientôt où il lui faudra essayer ce que peuvent une femme et un enfant à cheval ; c'est pour elle une méthode de famille ; mais en attendant il faut se mettre en mesure et ne pas croire pouvoir, soit à l'aide du hasard, soit à l'aide de combinaisons, sortir d'une crise extraordinaire par des hommes et des moyens ordinaires.

L'homme exceptionnel et extraordinaire que Mirabeau propose de façon si transparente, c'est lui-même. Il espère, par le trident de sa parole, calmer la mer en furie avec la même facilité qu'il l'a agitée ; dans son orgueil et son exaltation, il se voit déjà président de l'Assemblée nationale et premier ministre du roi et de la reine. Mais Mirabeau se fait des illusions. Marie-Antoinette ne songe pas un instant à donner le pouvoir à ce « mauvais sujet ». L'être démoniaque inspire toujours à l'être moyen une méfiance instinctive, et Marie-Antoinette est incapable de comprendre l'amoralité grandiose de ce génie, le premier et le dernier qu'elle rencontre dans sa vie. Elle n'éprouve que malaise devant les audaces de cet homme ; ce titan passionné l'effraie, plus qu'il ne la séduit. C'est pourquoi son désir secret est de se débarrasser au plus vite de cet être impétueux, prodigieux, démesuré, plein d'imprévu, et de le renvoyer aussitôt qu'on n'en aura plus besoin. On l'a acheté ; il rendra donc, en échange de l'argent qu'il touche, les services qu'on attend de lui ; il donnera des conseils – car il est intelligent et habile – qu'on suivra, s'ils ne sont ni trop excentriques ni trop audacieux, et c'est tout. Au moment du vote de l'Assemblée nationale, ce bon agitateur sera un agent utile, un négociateur adroit pour la « bonne cause », on pourra probablement se servir de lui, le corrompu, pour en corrompre d'autres. Que le lion rugisse à l'Assemblée, la cour, elle, le tiendra en laisse. Voilà comment Marie-Antoinette juge un esprit de cette envergure ; quant à l'homme, si elle en apprécie quelquefois l'utilité, elle ne lui accorde jamais la moindre confiance, elle méprise toujours sa « moralité », et, de la première à la dernière heure, elle méconnaît son génie.

La lune de miel du premier enthousiasme prend vite fin. Mirabeau s'aperçoit que ses lettres ne font que remplir la corbeille à papier royale au lieu d'entretenir une sorte de feu spirituel. Mais, que ce soit vanité ou cupidité, il continue à poursuivre la cour de ses assiduités. Et puisqu'il voit que ses propositions écrites ne portent plus leurs fruits, il fait un dernier effort. Il sait, par son expérience politique, par ses aventures féminines, que sa grande, sa véritable force ne réside pas dans l'écriture, mais dans la parole, qu'une puissance vraiment magnétique émane de sa personne. C'est pourquoi il insiste constamment auprès de l'intermédiaire, le comte de La Marck, pour qu'il lui ménage enfin une entrevue avec la reine. Qu'il ait avec elle une heure d'entretien, et sa méfiance, de même que chez bien d'autres femmes, se transformera en admiration. Une audience, rien qu'une seule ! Car son amour-propre se grise à l'idée que ce ne sera pas la dernière. Ceux qui l'ont rencontré ne peuvent plus se dégager de son ascendant.

Marie-Antoinette se défend longtemps, puis elle finit par céder et se déclare prête à recevoir le tribun le 3 juillet, au château de Saint-Cloud.

Cette entrevue, cela va de soi, devra être tenue tout à fait secrète ; par une singulière ironie du sort la faveur dont avait rêvé le pauvre cardinal de Rohan est accordée à Mirabeau ; le rendez-vous a lieu dans un bosquet. Le parc de Saint-Cloud offre de nombreuses cachettes, Hans Axel de Fersen s'en rend compte ce même été.

> J'ai trouvé un endroit, écrit la reine à Mercy, non pas commode, mais suffisant pour le voir et pallier tous les inconvénients des jardins et du château.

On a choisi le dimanche matin, à huit heures, heure à laquelle la cour dort encore et où les gardes ne supposent pas qu'il puisse y avoir de visiteurs. Mirabeau, certainement agité, passe la nuit chez sa sœur à Passy. Une voiture le conduit à Saint-Cloud de bon matin ; son neveu, déguisé, lui sert de cocher. Il fait attendre la voiture dans un endroit retiré, baisse son chapeau sur les yeux, remonte le col de son manteau comme un conspirateur, et pénètre dans le parc par une petite porte latérale laissée ouverte avec intention.

Il entend bientôt un pas léger sur le gravier. La reine paraît, elle est seule. Mirabeau va s'incliner, mais, au moment où elle aperçoit, encadré de cheveux en désordre, le visage vérolé et ravagé par la passion de l'aristocrate plébéien, son masque brutal et puissant à la fois, elle ne peut réprimer un frisson. Mirabeau le remarque, il y a longtemps qu'il s'est rendu compte de cette frayeur qu'il inspire. Toutes les femmes, il le sait, même la douce Sophie de Monnier, ont toujours eu, en le voyant pour la première fois, un mouvement de recul. Mais la fascination puissante de sa laideur ne fait pas qu'effrayer, elle peut aussi retenir ; toujours il a réussi à transformer ce premier effroi en étonnement, en admiration, et que de fois en passion effrénée !

Ce dont il fut alors question entre la reine et Mirabeau est demeuré un secret. Comme ils étaient sans témoins, tous les rapports, tel celui de Mme Campan, la femme de chambre qui prétend tout savoir, ne sont que fable ou hypothèse. On ne sait qu'une chose : ce n'est pas Mirabeau qui subjugua la reine, mais la reine qui subjugua Mirabeau. Sa noblesse héréditaire, jointe au nimbe de la royauté, sa dignité naturelle et sa vivacité d'esprit, qui, au premier abord, font paraître Marie-Antoinette plus intelligente, plus énergique et plus décidée qu'elle n'est en réalité, agissent avec un charme invincible sur la nature inflammable et passionnée de Mirabeau. Le courage éveille en lui la sympathie. Encore tout ému, il saisit, en quittant le parc, le bras de son neveu et lui dit avec la fougue qui lui est coutumière : « Elle est bien grande, bien noble et bien malheureuse, mais je la sauverai. » En une heure Marie-Antoinette a fait de cet homme changeant et corruptible un homme décidé. « Rien ne m'arrêtera, je périrai plutôt que de manquer à mes promesses », écrit Mirabeau à La Marck.

La reine n'a laissé aucune relation écrite de cette rencontre. Aucune expression de gratitude ou de confiance n'est sortie de ses lèvres. Jamais elle n'a voulu revoir Mirabeau, jamais elle ne lui a écrit une ligne. Dans cette entrevue elle n'a pris avec lui aucun engagement, elle n'a fait qu'accepter l'assurance de son dévouement. Elle ne lui a permis que de se sacrifier pour elle.

Mirabeau a fait une promesse, ou plutôt, il en a fait deux. Il a juré fidélité au roi et à la nation ; en pleine lutte il est en même temps chef d'état-major de l'un et de l'autre parti. Jamais homme politique n'a accepté tâche plus difficile

(Wallenstein était une mazette à côté de lui), jamais personne n'a joué plus brillamment jusqu'au bout un semblable rôle. Déjà du point de vue physique l'effort fourni par Mirabeau durant ces semaines et ces mois dramatiques est sans pareil. Il tient des discours à l'Assemblée et dans les clubs, discute, négocie, reçoit des visites, lit, travaille, rédige, l'après-midi, des exposés et des motions pour l'Assemblée et, le soir, des rapports secrets pour le roi. Il a besoin de trois ou quatre secrétaires à la fois qui suivent avec peine la rapidité de son discours, mais cela ne suffit pas à son inépuisable activité. Il lui faut plus de travail, plus de danger, plus de responsabilité encore et en même temps il veut vivre et jouir. Comme un acrobate il cherche à garder l'équilibre, tantôt à droite, tantôt à gauche ; il voue au service des deux causes les deux forces de sa nature exceptionnelle : sa clairvoyance politique et son ardente et irrésistible passion. Il distribue et pare les coups si rapidement, il fait tournoyer son épée avec une telle dextérité, que personne ne sait au juste qui est visé, si c'est le roi ou le peuple, l'ancien ou le nouveau régime ; peut-être, dans ses moments d'enthousiasme, ne le sait-il pas lui-même. Mais à la longue une telle duplicité ne saurait durer. Déjà les soupçons s'éveillent. Marat le dit vendu et Fréron le menace de la lanterne. « Plus de vertu et moins de talent ! », lui crie-t-on à l'Assemblée ; mais lui, véritablement grisé, ne connaît ni crainte ni trouble ; insouciant, il sème sa richesse, alors que tout Paris connaît ses dettes. Que lui importe que le monde s'étonne, chuchote et se demande d'où viennent les moyens qui lui permettent tout à coup de tenir une maison princière, de donner de somptueux dîners, d'acheter la bibliothèque de Buffon, de couvrir de diamants des chanteuses de l'Opéra et des filles ! Comme Jupiter, il marche intrépide sous l'orage, parce qu'il se sait maître de toutes les tempêtes. Si on l'attaque, il abat les Philistins, second Samson, avec la massue de la colère et la foudre de l'ironie. L'abîme devant lui, environné de suspicions, sa force gigantesque se sent enfin dans son véritable élément ; en ces jours décisifs, juste avant de s'éteindre, son incomparable énergie se consume en une immense et unique flamme, d'un éclat formidable. Il est donné, enfin, à cet homme incroyable une tâche qui répond à son génie ; il s'agit d'enrayer l'inévitable, d'arrêter le destin ; de toute la force de son être il se jette dans les événements, il essaie, seul contre mille, de faire tourner à reculons la roue de la Révolution que lui-même a mise en mouvement.

L'étonnante audace de cette lutte pour deux partis, le grandiose de cette position équivoque dépassent la compréhension politique d'une nature aussi droite que celle de Marie-Antoinette. Plus les mémoires que soumet Mirabeau sont hardis, plus les conseils qu'il donne deviennent diaboliques, plus s'effraie cette femme à l'esprit simple et positif au fond. L'idée de Mirabeau est de chasser le mal par le pire, de détruire la Révolution par l'anarchie. Puisqu'on ne peut pas améliorer la situation, il faut – c'est sa fameuse « politique du pire » – tâcher de l'envenimer, comme ferait un médecin qui, pour hâter la guérison, provoquerait une crise au moyen d'excitants. Ne pas repousser le mouvement populaire, mais le canaliser, ne pas combattre l'Assemblée nationale de front, mais exciter secrètement le peuple pour qu'il la chasse de lui-même, ne pas espérer le retour du calme et de la paix, mais au contraire augmenter à l'extrême l'injustice et le mécontentement dans le pays et, par cela même, éveiller un grand besoin d'ordre, d'ordre ancien ; ne reculer devant rien, même pas devant la guerre civile – voilà les propositions amorales, mais judicieuses du point de vue politique, que soumet Mirabeau. Mais devant une pareille hardiesse, devant cette annonce brutale que « quatre ennemis arrivent au pas de charge : l'impôt, la banqueroute, l'armée, l'hiver », « qu'il faut prendre un parti..., se préparer aux événements en les dirigeant », « que la guerre civile est certaine et peut-être nécessaire », le cœur de la reine bat violemment.

> Comment Mirabeau ou tout être pensant peut-il croire que jamais, mais surtout dans cet instant, le moment soit venu pour que nous, nous provoquions la guerre civile ? réplique-t-elle avec effroi.

Elle qualifie ce projet de « fou d'un bout à l'autre ». Sa méfiance envers l'amoraliste, prêt à se servir de tous les moyens, même les plus horribles, devient peu à peu insurmontable. En vain Mirabeau souhaite-t-il « qu'un coup de tonnerre brise la déplorable léthargie de la cour », on ne l'écoute pas ; peu à peu, à sa colère contre ce manque d'énergie se mêle un certain mépris pour le « royal bétail », qui attend patiemment l'arrivée du boucher. Depuis longtemps il sait qu'il combat inutilement pour cette cour, dont les bonnes intentions sont vagues et l'aptitude à l'action complètement nulle. Mais la lutte est son élément. Homme perdu lui-même, il bataille pour une cause perdue, et déjà entraîné par la vague, il lance une dernière fois au couple royal cette prophétie désespérée :

> Roi bon, mais faible ; reine infortunée ! Voilà l'abîme affreux où le flottement entre une confiance trop aveugle et une méfiance exagérée vous ont conduits ! Un effort reste encore aux uns et aux autres : mais c'est le dernier. Soit qu'on y renonce, soit qu'on échoue, un voile funèbre va couvrir cet empire. Quelle sera la suite de sa destinée ? Où sera porté ce vaisseau, frappé de la foudre et battu par l'orage ? Je l'ignore. Mais si j'échappe moi-même au naufrage public, je dirai toujours avec fierté dans ma retraite : « Je m'exposai à me perdre pour les sauver tous ; ils ne le voulurent pas. »

Ils ne l'ont pas voulu ; la Bible déjà défend d'atteler le bœuf et le cheval à la même charrue. L'esprit lourd et conservateur de la cour ne peut pas suivre la nature ardente et fougueuse du grand tribun. Femme de l'ancien monde, Marie-Antoinette ne comprend pas la nature révolutionnaire de Mirabeau, elle ne saisit que ce qui est rectiligne, et non le jeu audacieux de cet aventurier de la politique. Mais Mirabeau combat jusqu'à la dernière heure, poussé à la fois par son amour de la lutte et par son orgueil téméraire. Suspect au peuple, à la cour, à l'Assemblée nationale, il est avec tous et contre tous à la fois. Le corps ravagé, le sang fiévreux, il se traîne dans l'arène pour continuer à imposer sa volonté aux douze cents membres de l'Assemblée ; puis, en mars 1791 – pendant huit mois il a servi simultanément le roi et la Révolution – la mort s'abat sur lui. Il vient encore de faire un discours, ses secrétaires ont comme d'habitude écrit jusqu'au soir sous sa dictée, il a passé sa dernière nuit avec deux chanteuses, enfin la force de cet être extraordinairement puissant s'est brisée. La foule se masse devant sa maison pour savoir si le cœur de la Révolution bat encore. Trois cent mille personnes suivent le cercueil du tribun. Pour la première fois le Panthéon ouvre ses portes afin que le mort y repose éternellement.

Mais qu'il est lamentable ce mot « éternel » en un temps où tout est tellement précipité ! Deux ans plus tard, après la découverte des relations de Mirabeau avec le roi, un nouveau décret tire du caveau le corps non encore réduit en poussière et le jette à la voirie.

Seule la cour garde le silence à la mort de Mirabeau, et elle sait pourquoi. On peut, sans hésiter, écarter la sotte anecdote de Mme Campan, d'après laquelle on aurait vu briller une larme dans les yeux de Marie-Antoinette à l'annonce de la mort du tribun. La chose est peu probable, et tout porte à croire que c'est avec un soupir de soulagement que la reine accueillit la fin d'une pareille association : cet homme était trop grand pour servir, trop audacieux pour obéir ; la cour l'a redouté vivant, mort il continue à lui faire peur. Mirabeau râle encore que déjà un agent secret est envoyé chez lui pour s'emparer d'urgence des lettres compromettantes qui sont dans son bureau, et que reste celée l'alliance dont les deux partis avaient honte, Mirabeau parce qu'il servait la cour et la reine parce qu'elle se servait de lui. Mirabeau était le dernier homme qui aurait pu, peut-être, jouer le rôle de médiateur entre la monarchie et le peuple. Lui disparu, Marie-Antoinette et la Révolution se trouvent face à face.

CHAPITRE XXVI

PRÉPARATIFS DE FUITE

La royauté a perdu en Mirabeau son unique allié dans la lutte contre la Révolution. De nouveau la cour est seule. Elle est placée devant cette alternative : combattre ou capituler. Comme toujours, dans des cas semblables, elle opte pour la solution la plus malheureuse, elle recourt à un moyen terme : la fuite.

Déjà Mirabeau avait pensé que pour rétablir son autorité le roi devait tout d'abord se soustraire à la tutelle qu'on lui imposait à Paris, car un prisonnier ne peut pas livrer bataille. Pour pouvoir lutter, il faut avoir les mains libres et sentir un terrain ferme sous ses pieds. Mais Mirabeau voulait, lui, que le roi ne partît pas en cachette, car ce serait contraire à sa dignité. « Un roi ne fuit pas devant son peuple », disait-il, et avec plus d'insistance encore : « Un roi ne s'en va qu'en plein jour, quand c'est pour être roi. » Il avait proposé à Louis XVI de faire une promenade en voiture aux environs, où un régiment de cavalerie resté fidèle l'aurait attendu ; alors, au milieu de son régiment, à cheval, en plein jour, il eût rejoint l'armée et de là négocié avec l'Assemblée nationale en homme libre. Mais pour adopter une pareille conduite il fallait évidemment être un homme, et jamais appel à l'audace n'a trouvé d'individu plus indécis que Louis XVI. Il pèse, vaguement il est vrai, le pour et le contre de ce projet, mais en fin de compte il préfère malgré tout sa commodité à sa vie. A présent pourtant que Mirabeau est mort, Marie-Antoinette, lasse des humiliations quotidiennes, reprend énergiquement son idée. Le danger d'une fuite ne l'effraie pas, elle ne craint que l'indignité, qui, pour une reine, est liée à une telle conduite. Mais la situation, qui empire de jour en jour, ne permet plus le choix.

> Il n'y a plus de milieu, écrit-elle à Mercy, ou rester sous le glaive des factieux (et n'être par conséquent plus rien) s'ils ont l'avantage ; ou se trouver enchaîné sous le despotisme de gens qui se disent bien intentionnés, et qui cependant nous ont fait et nous feront toujours du mal. Voilà l'avenir, et peut-être le moment est plus proche qu'on ne pense, qui nous attend, si nous ne pouvons pas prendre nous-mêmes un parti, ni diriger par notre force et notre marche les opinions. Croyez que ce que je vous dis là ne tient pas à une tête exaltée, ni au dégoût de notre position et à l'envie d'agir. Je sens parfaitement tous les dangers et les différentes chances que nous courons dans ce moment. Mais je vois de tout côté des choses si affreuses autour de nous qu'il vaut encore mieux périr en cherchant un moyen de se sauver qu'en se laissant écraser entièrement dans une inaction totale.

Et comme Mercy, prudent et timoré, continue, de Bruxelles, à se montrer hésitant, elle lui écrit une lettre plus énergique et plus clairvoyante encore, qui montre avec quelle impitoyable lucidité cette femme, autrefois si légère, voit venir sa chute :

> Notre position est affreuse, et telle que ceux qui ne sont pas à portée de la voir ne peuvent pas s'en faire une idée. Il n'y a plus qu'une alternative ici pour nous, ou faire aveuglément tout ce que les factieux exigent, ou périr par le glaive qui est sans cesse suspendu sur nos têtes. Croyez que je n'exagère point les dangers. Vous savez que mon opinion a été, autant que je l'ai pu, la douceur, le temps et l'opinion publique ; mais aujourd'hui tout est changé : ou il faut périr ou il faut prendre un parti qui seul nous reste. Nous sommes bien loin de nous aveugler

> au point de croire que ce parti même n'a pas ses dangers ; mais s'il faut périr, ce sera au moins avec gloire et en ayant tout fait pour nos devoirs, notre honneur et la religion... Je crois les provinces moins corrompues que la capitale ; mais c'est toujours Paris qui donne le ton à tout le royaume... Les clubs, les affiliations mènent la France d'un bout à l'autre ; les honnêtes gens et les mécontents (quoique en grand nombre), ou fuient leur pays, ou se cachent, parce qu'ils ne sont pas les plus forts et qu'ils n'ont pas de point de ralliement. Ce n'est que quand le Roi pourra se montrer librement dans une ville forte, qu'alors on sera étonné du nombre de mécontents qui paraîtront et qui jusqu'ici gémissent en silence. Mais, plus on tardera, moins on aura de soutien. L'esprit républicain gagne chaque jour dans toutes les classes ; les troupes sont plus tourmentées que jamais, et il n'y aurait plus aucun moyen de compter sur elles, si on tardait encore.

Mais outre la Révolution, un second danger menace le roi et la reine. Le comte d'Artois, le prince de Condé et les autres émigrés, piètres héros, mais fanfarons bruyants, se tiennent aux frontières et agitent avec fracas leur épée que, d'ailleurs, ils gardent prudemment dans le fourreau. Ils intriguent auprès de toutes les cours, ils cherchent, pour masquer leur fuite gênante, à jouer à tout prix aux héros, tant qu'il n'y a pas péril pour eux ; ils vont de cour en cour, excitent contre la France empereurs et rois, sans se demander si, par leurs creuses démonstrations, ils n'augmentent pas le danger mortel dans lequel se trouvent le roi et la reine.

> Il (le comte d'Artois) s'embarrasse peu de son frère et de sa sœur, écrit l'empereur Léopold II, il ne réfléchit pas combien il expose les jours du Roi et de ma sœur par ses projets et ses tentatives.

Les grands héros sont à Coblence et à Turin, ils y font bonne chère et prétendent, ce faisant, être assoiffés de sang jacobin ; c'est avec bien de la peine que la reine les empêche de commettre les plus absurdes sottises. Il faut leur enlever, à eux aussi, la possibilité d'agir. Il faut que le roi soit libre pour mater les ultrarévolutionnaires et les ultraréactionnaires, les extrémistes de Paris et ceux des frontières. Et pour qu'il soit libre, il faut recourir au moyen le plus pénible : la fuite.

C'est la reine qui se charge de l'exécution du projet; ainsi s'explique que, tout naturellement, elle en confie les préparatifs matériels à celui à qui elle ne cache rien : Fersen. A celui qui a dit : « Je ne vis que pour vous servir », à lui, « l'ami », elle confie une mission qui réclame l'enjeu complet de ses forces et plus encore l'enjeu de sa vie même. Les difficultés sont infinies. Pour sortir du palais surveillé par les gardes nationaux et où presque chaque serviteur est un espion, pour traverser la ville hostile, des précautions spéciales sont nécessaires; pour le voyage à travers le pays, il faut s'entendre avec le général Bouillé, le seul chef de l'armée sur qui on puisse compter. Celui-ci devra, tel est le plan, envoyer jusqu'à mi-chemin de la forteresse de Montmédy, c'est-à-dire jusqu'à Châlons à peu près, des détachements de cavalerie qui, en cas de reconnaissance ou de poursuite, pourront protéger immédiatement le carrosse royal. Mais une nouvelle difficulté se présente : ce mouvement militaire près de la frontière ne passera pas inaperçu, il faut le justifier. Le gouvernement autrichien concentrera donc un corps d'armée à la frontière, pour donner au général Bouillé l'occasion d'exécuter ses manœuvres. Tout cela demande à être débattu secrètement, en d'innombrables correspondances, avec une prudence extrême, car on ouvre la plupart des lettres et, comme le dit Fersen lui-même, « tout serait perdu, si l'on pouvait soupçonner le moindre projet ». En outre – autre difficulté encore – cette fuite exige d'assez grosses sommes d'argent et le roi et la reine sont absolument sans moyens. Toutes les tentatives pour obtenir quelques millions du frère de la reine, ou d'autres princes, en Angleterre, en Espagne, à Naples, ou du banquier de la cour, ont échoué. Comme de tout le reste, Fersen s'occupera aussi de cela. Le gentilhomme suédois puise sa force dans sa passion. Il travaille comme dix, d'un cœur plein d'abnégation. Il discute avec la reine des heures entières de tous les détails, se glissant chez elle la nuit ou l'après-midi par un chemin secret. C'est lui qui correspond avec les princes étrangers, avec le général Bouillé ; il choisit les gentilshommes les plus sûrs qui, déguisés en courriers, accompagneront le carrosse royal, ou entre Paris et la frontière seront chargés des messages. Il commande le carrosse à son nom, s'occupe des faux passeports, fournit l'argent en empruntant trois cent mille livres à une dame russe et autant à une dame suédoise, à qui sa propre fortune sert de garantie ; il emprunte même encore trois mille livres à son portier. Il apporte pièce par pièce aux Tuileries les déguisements nécessaires et sort en cachette les diamants de la reine. Nuit et jour, semaine après semaine, il écrit, négocie, fait des plans, voyage, et cela dans une tension perpétuelle, risquant sa vie à tout moment. Que se défasse une seule maille de ce réseau tendu sur toute la France, qu'un seul initié trahisse, qu'un seul mot soit surpris, une lettre interceptée et c'en est fait de sa vie. Mais lucide en même temps qu'audacieux, infatigable parce que poussé par son amour, il remplit tout son devoir, modeste héros de second plan, dans un des plus grands drames de l'Histoire.

Cependant on hésite toujours, le roi continue à espérer un événement favorable qui lui évitera l'effort d'une fuite pénible. Il espère en vain. Le carrosse est commandé, l'argent nécessaire est là, et les pourparlers avec le général Bouillé au sujet de l'escorte sont terminés. Il ne manque plus qu'une chose : un prétexte vraiment officiel, une couverture morale à cette fuite qui, malgré tout, n'est pas très chevaleresque. Il faut trouver quelque chose qui prouve, avec évidence, que le roi et la reine n'ont pas fui par simple crainte, mais parce que la terreur elle-même les y a obligés. Afin de créer ce prétexte, le roi annonce à l'Assemblée nationale et à la municipalité qu'il passera la semaine de Pâques à Saint-Cloud. La presse jacobine, conformément au secret désir de la cour, donne immédiatement dans le panneau : elle prétend que la cour ne veut aller à Saint-Cloud que pour entendre la messe et recevoir l'absolution d'un prêtre non assermenté, qu'en outre, il serait à craindre que, de là, le roi ne tentât de s'évader avec sa famille. La campagne des journaux fait son effet. Le 19 avril, lorsque le roi s'apprête à monter dans son carrosse qui, très ostensiblement, l'attend, une foule immense s'est déjà massée autour des Tuileries : les troupes de Marat et des clubs sont accourues pour s'opposer par la force au départ.

C'est cet éclat public que la reine et ses conseillers désiraient. Ainsi sera faite la preuve aux yeux du monde entier que Louis XVI est le seul homme de France qui n'a même plus la liberté d'aller à une lieue de Paris avec sa voiture pour prendre l'air. Toute la famille royale s'installe donc délibérément dans le carrosse et attend qu'on harnache les chevaux. Mais la foule, et avec elle les gardes nationaux, barre les portes des écuries. Enfin arrive La Fayette, l'éternel « sauveur », qui, en sa qualité de chef de la garde nationale, ordonne qu'on laisse passer le roi. Mais personne ne lui obéit. Le maire à qui il commande de déployer le drapeau rouge, à titre de sommation, lui rit au nez. La Fayette veut parler au peuple, sa voix est étouffée par les hurlements. L'anarchie se prononce ouvertement pour le droit à l'illégalité.

Tandis que le triste commandant supplie en vain ses troupes de lui obéir, le roi, la reine et Madame Élisabeth restent assis tranquillement dans la voiture, au milieu des clameurs de la foule. Ces démonstrations, ces injures grossières, ne touchent pas Marie-Antoinette ; au contraire, elle voit avec un secret plaisir La Fayette, l'apôtre de la liberté, le favori du peuple, trembler devant la masse excitée. Elle ne se mêle pas à la querelle de ces deux puissances qu'elle déteste également ; calme et sereine, elle laisse se dérouler ce tumulte autour d'elle, car il apporte au monde la preuve évidente que la garde nationale est sans autorité, qu'une anarchie complète règne en France, que la populace peut impunément insulter la famille royale, et que par conséquent le roi est moralement en droit de fuir. Pendant plus de deux heures le roi et la reine laissent faire, alors seulement Louis XVI ordonne de rentrer les carrosses et déclare qu'il renonce à sa promenade. Aussitôt, comme toujours quand elle vient de triompher, la foule, qui vociférait furieusement il y a un instant à peine, se livre à un enthousiasme subit et acclame les époux royaux, tandis que la garde nationale, dans un revirement brusque, promet de protéger la reine. Mais Marie-Antoinette, qui sait à quoi s'en tenir, répond à haute voix : « Oui, nous y comptons, mais vous avouerez à présent que nous ne sommes pas libres. » En apparence ils s'adressent à la garde nationale, mais en réalité c'est à toute l'Europe que parle la reine.

Si la nuit même de ce 20 avril le projet de fuite s'était réalisé, l'effet aurait suivi la cause, l'indignation aurait répondu à l'offense, le coup et le contre-coup se seraient enchaînés dans un ordre logique immédiat. Deux voitures ordinaires et légères, d'aspect quelconque, dans l'une le roi et son fils, dans l'autre la reine, sa fille et à la rigueur Madame Élisabeth, n'eussent attiré l'attention de personne et le convoi eût atteint la frontière sans encombre. Mais, même à un doigt de la mort, la famille royale n'abandonnera pas ses saintes lois domestiques, et dans l'accomplissement du plus dangereux des voyages, elle se gardera bien de violer l'impérissable étiquette. Première faute : on décide que les cinq personnes prendront place dans la même voiture, toute la famille donc, telle exactement que la représentent des centaines d'estampes connues dans la France entière. Mais cela ne suffit pas : Mme de Tourzel rappelle son serment qui lui interdit de quitter un seul instant les enfants royaux, il s'ensuit, seconde faute, qu'il faut l'emmener et qu'elle sera la sixième personne. Cet inutile encombrement retarde le départ, et pourtant chaque quart d'heure, chaque minute même importe. Troisième faute : on n'imagine pas qu'une reine puisse se servir elle-même. Il faut donc, dans une seconde voiture, prendre deux femmes de chambre ; cela fait déjà huit personnes. Et comme les postes de cocher, de piqueur, de postillon et de laquais doivent être occupés par des hommes de confiance appartenant à la noblesse – peu importe s'ils ne connaissent pas la route – on arrive au nombre respectable de douze personnes, avec Fersen et son cocher cela fait quatorze ; c'est beaucoup pour un secret. Quatrième, cinquième, sixième et septième faute : il faut emporter des toilettes pour que, à Montmédy, le roi et la reine puissent se débarrasser de leurs costumes de voyage et paraître en habits de gala ; on charge donc encore sur la voiture quelques malles toutes neuves remplies d'effets, nouveau retard, nouveau moyen d'attirer l'attention. Peu à peu d'une fuite discrète on fait une pompeuse expédition.

Mais la faute des fautes, c'est que le roi et la reine ne peuvent accomplir un voyage de vingt-quatre heures, même pour s'échapper de l'enfer, sans avoir leurs aises. Il faut donc une voiture très large, pourvue d'excellents ressorts, une voiture qui sente le vernis neuf et la richesse, ce qui ne manquera pas, à chaque relais, d'éveiller la curiosité de tous les cochers, postillons, maîtres de poste et voituriers. Et comme Fersen – les amoureux ne pensent jamais très lucidement – veut pour Marie-Antoinette ce qu'il y a de plus beau, de plus somptueux, de plus luxueux, c'est lui qui se charge de faire fabriquer (soi-disant pour une baronne de Korff) une énorme machine, une espèce de vaisseau de guerre sur quatre roues qui non seulement transportera les cinq membres de la famille royale, la gouvernante, le cocher et les laquais, mais où l'on trouvera également toutes les commodités imaginables : de la vaisselle d'argent, une garde-robe, des provisions de bouche et même des chaises servant à des besoins qui ne sont point particuliers aux rois. On y aménage de plus toute une cave à vins bien garnie, car on connaît le gosier altéré du monarque ; chose plus insensée encore : l'intérieur du carrosse est capitonné de damas clair, et il y a presque lieu de s'étonner qu'on ait omis les fleurs de lys sur la portière. Ainsi équipé, cet énorme carrosse a besoin, pour avancer à peu près, d'au moins huit chevaux et même plus souvent de douze ; alors qu'une petite chaise de poste à deux chevaux peut être relayée en cinq minutes, il faut régulièrement, ici, une demi-heure pour changer les relais, ce qui fait une perte de quatre à cinq heures sur un trajet où un quart d'heure peut décider de la vie ou de la mort des souverains. Pour dédommager les nobles gardes qui porteront pendant vingt-quatre heures des habits de domestiques, on les revêt de livrées rutilantes, flambant neuf, qui contrastent étrangement avec les modestes déguisements prévus pour le roi et la reine. Ce qui finira d'attirer l'attention c'est que, le long du trajet, dans chaque petite ville, arrivent soudain, en pleine paix, des escadrons de dragons, soi-disant pour attendre un « chargement d'argent », et que – suprême et authentique stupidité – le duc de Choiseul choisit comme officier de liaison entre les différents détachements l'homme impossible par excellence, Figaro en personne, le coiffeur de la reine, le divin Léonard, parfaitement indiqué pour coiffer mais non pour s'occuper de diplomatie, et qui, plus fidèle à son éternel rôle de Figaro qu'à la personne du roi, embrouille encore davantage une situation déjà bien complexe.

La seule excuse à tout cela, c'est que l'étiquette française ne pouvait trouver aucune indication dans l'Histoire pour régler la fuite d'un roi. La façon dont on s'y prend pour se rendre à un baptême, à un couronnement, au théâtre et à la chasse, quels habits, quelles chaussures et quelles boucles il faut dans les grandes et les petites réceptions, pour la messe et le jeu – tout cela est prévu dans les mille détails de l'étiquette. Mais il n'y a aucune règle qui dise comment un roi et une reine doivent s'enfuir, déguisés, du palais de leurs ancêtres ; il s'agit ici de prendre une décision hardie et spontanée, de saisir le moment. Parce que le monde réel lui était complètement étranger, la cour, à son premier contact avec la réalité, devait succomber. A partir de l'instant où un roi de France endosse la livrée d'un domestique pour fuir, il ne peut plus être le maître de sa destinée.

Après des ajournements sans fin, la fuite est décidée pour le 19 juin : il est temps, grand temps, car un réseau de secrets tendu entre tant de gens peut se déchirer à tout moment. Un article de Marat, qui annonce la préparation d'un complot pour l'enlèvement du roi, claque soudain comme un coup de fouet au milieu des chuchotements et des conciliabules de la cour :

> On veut à toute force l'entraîner dans les Pays-Bas, sous prétexte que sa cause est celle de tous les rois d'Europe, écrit Marat. Vous êtes assez imbéciles pour ne

> pas prévenir la fuite de la famille royale. Parisiens, insensés Parisiens, je suis las de vous le répéter : gardez avec soin le roi et dauphin dans vos murs ; renfermez l'Autrichienne, son beau-frère, le reste de la famille. La perte d'un seul jour peut être fatale à la nation, et creuser le tombeau à trois millions de Français.

Étrange prophétie que celle de cet homme, si clairvoyant derrière les lunettes d'une méfiance maladive ! Mais ce n'est pas à la nation que « la perte de ce seul jour » fut fatale, c'est au roi et à la reine. C'est en vain que Fersen s'est épuisé pour que tout soit prêt le 19 juin. Depuis des semaines, il a voué passionnément tout son temps à cette entreprise. Chaque nuit en sortant de chez la reine, il emporte des vêtements sous son manteau. Dans de nombreuses correspondances avec le général Bouillé il a fixé les endroits où dragons et hussards attendront le carrosse du roi ; il essaie lui-même sur la route de Vincennes les chevaux de poste qu'il a commandés. Les initiés sont prêts, tous les rouages du mécanisme fonctionnent à merveille. Au dernier moment, la reine remet le départ. Une de ses femmes de chambre, qui est l'amante d'un révolutionnaire, lui paraît très suspecte. Le lendemain 20 juin justement cette femme est de sortie, on attendra donc ce jour-là. Vingt-quatre heures de retard encore, contre-ordre au général, ordre aux hussards de déharnacher les chevaux, nouvelle tension nerveuse pour Fersen, déjà complètement éreinté, et pour Marie-Antoinette qui maîtrise à grand-peine son inquiétude. Enfin cette dernière journée passe aussi. Afin de dissiper tout soupçon, la reine conduit, l'après-midi, ses deux enfants et sa belle-sœur Élisabeth au Tivoli. Au retour, avec l'assurance et la dignité qui lui sont coutumières, elle donne ses ordres au commandant pour le lendemain. Elle ne trahit aucune émotion et le roi encore moins, parce que cet homme sans nerfs n'en est même pas capable. Le soir à huit heures, Marie-Antoinette congédie ses femmes et se retire dans ses appartements. On couche les enfants et, après le dîner, la famille insouciante en apparence se réunit au grand salon. Un observateur perspicace pourrait peut-être remarquer une seule chose, c'est que parfois la reine se lève et regarde l'heure, comme si elle était fatiguée. Mais en réalité jamais ses nerfs n'ont été plus tendus, jamais elle ne s'est sentie aussi éveillée, plus décidée à affronter le destin que cette nuit.

CHAPITRE XXVII

LA FUITE À VARENNES

Le soir de ce 20 juin 1791, l'observateur le plus méfiant n'aurait rien pu constater de suspect aux Tuileries : les gardes nationaux sont à leur poste comme toujours, les femmes de chambre et les laquais se sont retirés après le dîner ainsi que chaque soir et, comme d'habitude, le roi, son frère le comte de Provence, et les membres de la famille royale sont installés tranquillement au salon autour d'un trictrac, ou plongés dans un paisible entretien. Y a-t-il de quoi s'étonner si vers dix heures la reine se lève au milieu de la conversation et s'éloigne pendant quelques minutes ? Il se peut qu'elle ait un ordre à donner, qu'il lui faille écrire une lettre ; aucun serviteur ne la suit et lorsqu'elle sort dans le couloir il est complètement désert. Marie-Antoinette s'arrête un instant et, l'oreille tendue, retenant son souffle, elle écoute le pas pesant des gardes ; puis elle monte en hâte jusqu'à la chambre de sa fille et frappe doucement à la porte. La petite princesse se réveille, appelle, effrayée, la seconde gouvernante, Mme Brunier ; celle-ci arrive, s'étonne que la reine lui ordonne d'habiller en toute hâte l'enfant, mais n'ose pas résister. La reine, entre-temps, a aussi réveillé le dauphin elle a ouvert les rideaux damassés du baldaquin et lui a murmuré tendrement : « On part ; on va dans une place de guerre où il y aura beaucoup de soldats. » Ivre de sommeil le petit prince balbutie quelque chose, il demande son sabre et son uniforme, puisqu'on va retrouver des soldats. « Vite, vite, dépêchons-nous, partons ! » dit Marie-Antoinette à la première gouvernante, Mme de Tourzel, qui est depuis longtemps au courant, et qui habille le dauphin en fille en lui disant qu'on se rend à un bal masqué. On conduit sans bruit les deux enfants dans les appartements de la reine. Là une surprise amusante les attend : quand Marie-Antoinette ouvre le placard, il en sort un officier de la garde, M. de Malden, amené là par l'infatigable Fersen. Puis tous les quatre se dirigent vers la sortie qui n'est pas gardée.

La cour est dans une obscurité presque complète. Des voitures sont rangées en longue file, quelques cochers et laquais désœuvrés vont et viennent ou bavardent avec les gardes nationaux, qui ont posé leurs lourds fusils à terre, et – la tiède soirée d'été est si belle – ne songent ni au devoir ni au danger. La reine ouvre elle-même la porte et regarde au-dehors : pas un instant elle ne perd son assurance dans ces moments décisifs. Et voici que, déguisé en cocher, un homme sort furtivement de l'ombre des voitures et saisit sans mot dire la main du dauphin : c'est Fersen, qui, depuis l'aube, s'est dépensé d'une façon surhumaine. Il a commandé les postillons, habillé en courriers les trois gardes du corps et placé chacun à son poste. Il a sorti en cachette du palais les objets indispensables pour la nuit, préparé le carrosse et, l'après-midi, il a encore consolé la reine émue jusqu'aux larmes. Il a traversé tout Paris à quatre ou cinq reprises, déguisé une fois, les autres fois dans son costume ordinaire, pour mettre tout au point. A présent qu'il risque sa vie en enlevant le dauphin de France, il ne veut d'autre récompense qu'un regard reconnaissant de l'aimée qui lui confie, à lui seul, ses enfants.

Les quatre ombres disparaissent dans l'obscurité, la reine referme doucement la porte. Sans attirer l'attention, d'un pas léger et insouciant, elle rentre au salon comme si rien ne s'était passé et reprend la conversation d'un air indifférent, tandis que ses enfants, sous la conduite de Fersen, traversent heureusement la place et sont installés dans un antique fiacre où, aussitôt, ils se rendorment ; en même temps les deux femmes de chambre de la reine sont expédiées en voiture à Claye où elles attendront le carrosse. Il est onze heures, c'est le moment critique. Le comte de Provence et sa femme, qui eux aussi fuiront cette nuit, quittent le château comme d'habitude, la reine et Madame Élisabeth se rendent dans leurs appartements. Afin de n'éveiller aucun soupçon, la reine se fait déshabiller par sa femme de chambre et commande les voitures pour aller en promenade le lendemain. A onze heures et demie elle donne l'ordre d'éteindre les lumières, ce qui indique aux gens qu'ils doivent se retirer. Mais à peine la porte s'est-elle refermée sur les femmes de chambre que la reine se lève et s'habille en hâte ; elle met une robe terne, en soie grise, un chapeau noir avec une voilette violette qui cache ses traits. Il n'y a plus qu'à descendre le petit escalier jusqu'à la porte où l'attend un homme de confiance et à traverser la sombre place du Carrousel – tout marche à merveille. Mais, par un hasard malheureux, à ce moment des lumières s'approchent, c'est une voiture précédée de coureurs et de porte-flambeaux, celle de La Fayette, qui vient de s'assurer que, comme toujours, tout est pour le mieux. La reine se glisse dans l'obscurité du porche et le carrosse de La Fayette passe si près d'elle qu'elle pourrait en toucher les roues. Personne ne l'a remarquée. Quelques pas encore, et la voici près du fiacre qui renferme ce qu'elle a de plus cher au monde : Fersen et ses enfants.

Pour le roi, la fuite est plus difficile. Tout d'abord il doit subir encore la visite quotidienne de La Fayette, et celle-ci est si longue, ce soir-là, que Louis XVI est sur le point de perdre son calme. A plusieurs reprises il se lève et va vers la fenêtre comme s'il voulait contempler le ciel. Enfin à onze heures et demie, l'importun prend congé. Louis XVI se rend dans sa chambre où commence la dernière lutte désespérée avec l'étiquette, vraiment excessive. Conformément à un usage séculaire, le valet de chambre dort dans la même pièce que le roi avec au poignet un cordon que le monarque n'a qu'à tirer pour le réveiller. Si Louis XVI veut s'enfuir, il faut donc que le pauvre homme échappe tout d'abord à son valet de chambre. Louis XVI se fait tranquillement déshabiller comme d'habitude, se couche et tire le rideau du baldaquin comme s'il s'apprêtait à dormir. En réalité il n'attend que le moment où le valet de chambre ira se déshabiller dans le cabinet voisin, et, durant ce bref instant – la scène serait digne d'un Beaumarchais – le roi se glisse hors du baldaquin, pieds nus, en chemise de nuit, et file par la porte opposée dans la chambre de son fils, où on lui a préparé un costume très simple, une perruque grossière et – nouvelle humiliation – un chapeau de laquais. Sur ces entrefaites, le fidèle valet revient avec précaution, en retenant craintivement son souffle de peur d'éveiller son roi bien-aimé qui repose sous le baldaquin, et enroule comme tous les soirs le cordon autour de son poignet. Pendant ce temps Louis XVI, descendant et héritier de Saint Louis, roi de France et de Navarre, se glisse en chemise jusqu'à l'étage inférieur, son costume gris, sa perruque et son chapeau sur le bras ; c'est là que l'attend pour lui indiquer le chemin M. de Malden, le garde du corps caché dans le placard. Méconnaissable dans sa redingote vert-bouteille, le chapeau de laquais sur son illustre chef, le roi, placide, gagne la cour déserte de son palais ; les gardes nationaux, à moitié endormis, le laissent passer. Il semble qu'on ait réussi le plus difficile, et, à minuit, toute la famille se trouve réunie dans le fiacre ; Fersen habillé en cocher monte sur le siège et trotte à travers Paris avec le roi-laquais et sa famille.

C'est une idée bien malencontreuse que de vouloir traverser tout Paris. Car Fersen, gentilhomme habitué à se faire conduire par les cochers et non à conduire lui-même, ne connaît pas le dédale infini des rues de la capitale. De plus, il tient encore, par précaution, à passer rue Matignon pour s'assurer du départ du grand carrosse, au lieu de sortir de la ville tout de suite. A deux heures seulement, au lieu de minuit, il franchit la porte avec son précieux chargement ; deux heures sont ainsi perdues qu'on ne pourra pas rattraper.

L'énorme voiture doit attendre derrière la barrière ; elle n'y est pas : première surprise. Il se perd encore un certain temps jusqu'à ce que, enfin, on la découvre, attelée de quatre chevaux et munie de lanternes sourdes. Fersen conduit alors le fiacre jusqu'au carrosse, pour que la famille royale puisse changer de voiture, sans risquer de salir ses chaussures – ce qui serait épouvantable ! Il est deux heures et demie du matin quand les chevaux se mettent en route. Fersen à présent ne ménage plus les coups de fouet, en une demi-heure ils sont à Bondy où déjà les attend un officier de la garde avec huit chevaux de rechange, huit chevaux de poste bien reposés. Ici il faut se séparer. C'est dur. Marie-Antoinette voit s'en aller à regret le seul être sur qui elle puisse compter, mais le roi a déclaré expressément qu'il ne désirait pas que Fersen continuât à les escorter. La raison ? On l'ignore. Peut-être pour ne pas arriver devant ses fidèles avec ce trop intime ami de sa femme, peut-être aussi par égard pour Fersen lui-même ? Toujours est-il que celui-ci note dans son journal : « Il n'a pas voulu. » Il a été décidé, d'ailleurs, que Fersen irait les retrouver aussitôt qu'ils seraient définitivement à l'abri, la séparation ne sera donc pas longue. Une dernière fois Fersen, à cheval, s'approche de la voiture – une lueur pâle monte déjà à l'horizon, annonciatrice d'une chaude journée d'été – et dit, en élevant la voix avec intention pour donner le change aux postillons étrangers : « Au revoir Madame de Korff ! »

Huit chevaux tirent mieux que quatre ; l'immense carrosse se balance allègrement sur la chaussée grise. Tout le monde est de bonne humeur, les enfants ont bien dormi, le roi est plus gai que d'habitude. On plaisante sur les faux noms dont on s'est affublé : Mme de Tourzel est la grande dame et s'appelle Mme de Korff, la reine passe pour la gouvernante des enfants et se nomme Mme Rochet, le roi, avec son chapeau de laquais, est l'intendant Durand, Madame Élisabeth est la femme de chambre et le dauphin s'est mué en fille. La famille royale se trouve plus libre, en somme, dans cette confortable voiture que dans son palais, gardé par cent laquais et six cents soldats ; bientôt le fidèle ami de Louis XVI, celui qui ne le quitte jamais, l'appétit, se fait sentir. On déballe les abondantes provisions, on déjeune plantureusement dans de la vaisselle d'argent, les os de poulets et les bouteilles vides volent par les portières. Les braves gardes du corps ne sont pas oubliés. Les enfants, ravis de l'aventure, s'amusent dans le carrosse, la reine s'entretient avec tout le monde et le roi profite de cette occasion inattendue pour apprendre à connaître son royaume. Il sort une carte et, avec intérêt, suit le trajet de village en village, de hameau en hameau. Peu à peu tout le monde est envahi par un sentiment de quiétude. Au premier relais, à six heures, les gens sont encore dans leurs lits, personne ne demande les passeports de la baronne de Korff; qu'on passe sans encombre la grande ville de Châlons, et la partie est gagnée, car, à quatre lieues de ce dernier obstacle, à Pont-de-Somme-Vesles, un premier détachement de cavalerie, sous les ordres du jeune duc de Choiseul, attend les fugitifs.

Enfin voici Châlons, il est quatre heures de l'après-midi. Nullement animés de mauvaises intentions, quantité de gens se rassemblent au relais. Quand arrive une diligence, il est tout naturel de venir chercher les dernières nouvelles de Paris auprès des postillons, ou de leur remettre une lettre ou un paquet pour la prochaine station; et d'ailleurs, dans une petite ville sans distraction, on a de tout temps aimé bavarder, voir des étrangers, une belle voiture. Et qu'a-t-on de mieux à faire, mon Dieu, par une chaude journée d'été! Quelques-uns examinent le carrosse en connaisseurs. Ils constatent tout d'abord avec respect qu'il est tout neuf, remarquablement élégant, garni de damas, merveilleusement capitonné, que les bagages sont magnifiques; ce sont des nobles certainement, des émigrants sans aucun doute. Au fond, on serait curieux de les voir, de causer avec eux; mais, chose étonnante, pourquoi, par cette splendide journée d'été, ces six personnes s'obstinent-elles à rester dans le carrosse après un si long voyage, au lieu de descendre pour se dégourdir les jambes ou boire un verre de vin en bavardant? Pourquoi ces laquais ont-ils tant de morgue, comme s'ils se croyaient d'essence supérieure? C'est bien étrange! On commence à chuchoter, quelqu'un s'approche du maître de poste et lui parle à l'oreille. Il paraît surpris, très surpris même. Mais l'affaire en reste là et il laisse tranquillement repartir la voiture; cependant – personne ne sait comment cela se fait – une demi-heure après, toute la ville raconte que le roi et sa famille ont traversé Châlons.

Mais eux ne se doutent de rien, au contraire, et malgré la fatigue ils sont contents, car Choiseul ne les attend-il pas à la station suivante avec ses hussards : finis alors les dissimulations et les déguisements, on pourra jeter cette coiffure de laquais et déchirer les faux passeports, on entendra enfin de nouveau les cris de : « Vive le roi ! Vive la reine ! » qui se sont tus depuis si longtemps. Madame Élisabeth ne cesse pas de regarder avec impatience par la portière pour être la première à saluer Choiseul ; les courriers lèvent la main devant le soleil couchant afin de voir étinceler de loin les sabres des hussards. Mais rien. Rien. Enfin voici un cavalier ; il est seul, c'est un officier de la garde qui a pris les devants.

— Choiseul ? lui crie-t-on.

— Parti !

— Les hussards ?

— Pas un homme !

La bonne humeur cesse subitement. Il y a quelque chose qui ne va pas. Et, de plus, il fait déjà sombre, la nuit tombe. Ce n'est guère rassurant d'aller à présent vers l'inconnu. Mais il n'y a pas de retour, pas d'arrêt possible ; une seule voie s'ouvre aux fuyards : continuer devant eux. La reine encourage les autres. S'il n'y a pas de hussards ici, on trouvera des dragons à Sainte-Menehould, qui n'est qu'à deux heures. Alors on sera sauvé. Ces deux heures sont longues, plus longues que toute la journée. Mais – nouvelle surprise – pas d'escorte non plus à Sainte-Menehould. Les cavaliers ont attendu longtemps, ils ont passé la journée dans les auberges et là, pour tuer l'ennui, ils ont tellement bu et fait tant de tapage qu'ils ont éveillé la curiosité de toute la population. Finalement le commandant, induit en erreur par un message confus du coiffeur de la cour, a jugé plus sage de les conduire hors de la ville et de les faire stationner à l'écart, au bord de la route ; lui seul est resté. Enfin le pompeux carrosse à huit chevaux finit par arriver et, derrière lui, le petit cabriolet. C'est, pour ces braves citadins, le second événement mystérieux et inexplicable de la journée. Tout d'abord ces dragons qui sont venus et ont traîné là on ne sait pourquoi, maintenant ces deux voitures conduites par des postillons aux élégantes livrées. Et voyez avec quel respect, quelle obséquiosité, le commandant salue ces hôtes étranges ! Non seulement avec respect, mais avec soumission : tout le temps qu'il leur parle il tient la main au casque. Le maître de poste Drouet, membre du club des Jacobins et farouche républicain, observe d'un regard aigu. Ce doit être des aristocrates, des émigrants, pense-t-il, des gens de la haute canaille, à qui, en somme, on ferait bien de mettre la main au collet. En tout cas, il ordonne discrètement à ses postillons de ne pas trop se hâter avec ces mystérieux passagers ; et, cahin-caha, le carrosse, avec ses voyageurs somnolents, continue son chemin.

Mais dix minutes à peine après son départ la nouvelle se répand subitement – vient-elle de Châlons ou l'instinct du peuple a-t-il deviné juste ? – que la voiture était occupée par la famille royale. L'agitation est générale, le commandant se rend compte immédiatement du danger et veut dépêcher ses hommes derrière le carrosse. Mais il est déjà trop tard ; la foule irritée s'y oppose, et les dragons, échauffés par le vin, n'obéissent plus et fraternisent avec le peuple. Quelques hommes décidés font battre la générale, et, tandis que tout le monde s'agite dans un désordre indescriptible, un seul homme prend une décision, c'est Drouet, le maître de poste. Bon cavalier, car il a fait la guerre, il selle rapidement un cheval et, accompagné d'un camarade, galope jusqu'à Varennes, par des raccourcis, afin de devancer la lourde voiture. On aura là-bas un entretien sérieux avec ces passagers suspects, et si c'est vraiment le roi, alors, malheur à lui et à sa couronne ! Cette fois encore, l'action énergique d'un seul homme suffit pour changer le cours de l'Histoire.

Pendant ce temps l'énorme carrosse royal descend la route en lacets qui conduit à Varennes. Vingt-quatre heures de trajet sous un toit surchauffé par le soleil ont fatigué les voyageurs, serrés les uns contre les autres ; les enfants dorment depuis longtemps, le roi a plié ses cartes, la reine se tait. Encore une heure, une dernière heure, et ils seront sous bonne escorte. Mais – nouvelle surprise ! – au relais prévu hors des murs de Varennes, il n'y a pas de chevaux. On tâtonne dans l'obscurité, on frappe aux fenêtres et on se heurte à des voix désagréables. Les deux officiers qui avaient mission d'attendre ici – il ne fallait vraiment pas choisir Figaro comme messager – ont cru, sur les dires embrouillés de Léonard, que le roi ne viendrait plus. Ils sont allés se coucher, et leur sommeil est aussi funeste pour le roi que celui de La Fayette le 6 octobre 1789. On se remet donc en route avec des chevaux fatigués, espérant trouver des relais dans Varennes même. Mais, surprise encore : à la porte de la ville quelques hommes barrent la route au postillon et lui ordonnent de s'arrêter. Les voitures immédiatement sont encerclées et escortées par toute une bande de jeunes gens. Drouet et les siens, arrivés dix minutes plus tôt, ont été chercher dans leurs lits ou dans les auberges toute la jeunesse révolutionnaire de Varennes. « Les passeports ! », ordonne-t-on. « Qu'on se dépêche, nous avons hâte d'arriver », répond du fond de la voiture une voix féminine. C'est celle de la soi-disant Mme Rochet, de la reine, qui, seule en cette minute dangereuse, conserve son énergie. Mais la résistance est inutile, on emmène les voyageurs à la prochaine auberge, qui a pour enseigne – ô ironie de l'Histoire ! – « Au grand monarque ». Là le procureur, épicier de son métier et répondant au nom amusant de Sauce, les attend déjà et demande à voir leurs passeports. Le petit épicier, fidèle au roi dans le fond, et rempli de crainte à l'idée de s'embarquer dans une vilaine affaire, parcourt rapidement les papiers qu'on lui tend et dit : « Ce passeport est parfaitement valable ». En ce qui le concerne, il laisserait tranquillement passer les voitures. Mais le jeune Drouet qui ne veut pas lâcher sa proie frappe sur la table et s'écrie : « Je suis sûr, maintenant, que c'est le roi et sa famille, si vous le laissez passer en pays étranger vous êtes coupable du crime de haute trahison. » Pareille menace a de quoi faire frémir un brave père de famille ; au même instant, le tocsin se fait entendre, sonné par les camarades de Drouet ; toutes les fenêtres s'éclairent, la ville entière est en émoi. Une foule toujours plus nombreuse se masse autour du carrosse : impossible de songer à partir sans avoir recours à la force, d'ailleurs les relais ne sont pas encore attelés. Pour se tirer d'embarras, le brave épiciermaire suggère qu'il est trop tard, n'importe comment, pour continuer le voyage ; et il invite la baronne de Korff et sa famille à passer la nuit chez lui. Tout au fond de lui-même le malin se dit que le lendemain matin on sera sûrement fixé, et qu'il sera dégagé de la responsabilité qui lui échoit si malencontreusement. Ennuyé, mais n'ayant pas le choix, le roi accepte l'invitation. Les dragons, pense-t-il, ne tarderont pas à venir.

Dans une heure ou deux, il faut que Choiseul ou Bouillé soit là. Louis XVI pénètre donc tranquillement dans la maison, coiffé de sa fausse perruque, et son premier acte royal consiste à demander une bouteille de vin et un morceau de fromage. Est-ce le roi ? Est-ce la reine ? murmurent, inquiets et irrités, les paysans et les vieilles femmes accourus. Car une petite ville française, à cette époque, est si loin de la cour, de la grande cour invisible, que jamais aucun de ces hommes n'a vu le roi autrement que sur les monnaies, et qu'il faut dépêcher un messager auprès d'un noble de l'endroit pour que celui-ci vienne enfin constater si ce voyageur inconnu n'est vraiment que le laquais de la baronne de Korff ou s'il est réellement Louis XVI, le roi très chrétien de France et de Navarre.

CHAPITRE XXVIII

LA NUIT À VARENNES

Ce 21 juin 1791, Marie-Antoinette, alors dans sa trente-sixième année et reine de France depuis dix-sept ans, pénètre pour la première fois dans la maison d'un petit bourgeois français. C'est l'unique intermède de sa vie entre les palais et les prisons. Il faut passer tout d'abord par la boutique de l'épicier qui sent l'huile rance, le saucisson séché et les fortes épices. Le roi, ou plutôt l'inconnu à fausse perruque, et la gouvernante de la soi-disant baronne de Korff montent l'un derrière l'autre au premier étage par un escalier étroit qui craque sous leurs pas ; deux pièces : une salle à manger et une chambre à coucher, basses, pauvres et sales. Deux paysans armés de fourches se placent immédiatement devant la porte, garde d'un nouveau genre et bien différente de l'éclatante garde du corps de Versailles. Tous les huit, le roi, la reine, Madame Élisabeth, les deux enfants, la gouvernante, les deux femmes de chambre sont là, assis ou debout, dans cet espace réduit. On couche les enfants qui tombent de sommeil et ils s'endorment aussitôt sous la surveillance de Mme de Tourzel. La reine s'est assise sur une chaise et a baissé sa voilette ; personne ne pourra se vanter d'avoir vu sa colère et son amertume. Seul le roi, tout de suite à l'aise, se met tranquillement à table et se taille de bons morceaux de fromage. Personne ne parle.

Soudain on entend des sabots de chevaux dans la rue ; en même temps jaillit un cri sauvage poussé par des milliers de poitrines : « Les hussards ! Les hussards ! » Choiseul, lui aussi trompé par de fausses nouvelles, est enfin arrivé ; il se fraye un chemin au moyen de quelques coups de sabre et rassemble ses soldats autour de la maison. Les braves hussards allemands, qui ne savent pas de quoi il s'agit, ne comprennent pas sa harangue, ils n'ont saisi que deux mots prononcés en allemand, « le roi et la reine ». Toutefois ils obéissent et foncent brutalement sur la foule, ce qui dégage un instant la voiture.

Le duc de Choiseul monte l'escalier en hâte et fait une proposition : il est prêt à mettre sept chevaux à la disposition des souverains. Le roi, la reine et leur suite les enfourcheront rapidement et quitteront la ville, au milieu de ses troupes, avant que la garde nationale des environs ne se soit rassemblée. Puis l'officier s'incline et dit : « Sire, j'attends les ordres de votre Majesté. » Mais donner des ordres, prendre des décisions rapides n'a jamais été l'affaire de Louis XVI. Il discute et veut savoir si Choiseul peut lui assurer qu'en procédant ainsi aucune balle n'atteindra sa femme, sa sœur ou un de ses enfants. Il demande s'il ne vaudrait pas mieux réunir d'abord les dragons disséminés dans les auberges. Des minutes précieuses s'écoulent durant ces pourparlers. Assise sur les sièges de paille de la petite pièce obscure, la famille royale attend, l'ancien régime attend, tergiverse et discute. Mais la Révolution, qui est jeune, n'attend pas. Réveillées par le tocsin les milices arrivent des villages, la garde nationale est au complet, on a descendu le vieux canon des remparts, on a barricadé les rues. Les cavaliers qui traînaient à droite et à gauche depuis vingt-quatre heures, sans raison, acceptent volontiers le vin qu'on leur offre et fraternisent avec la population. Les rues, de plus en plus, se remplissent de monde. Comme si le pressentiment que l'on va au-devant d'heures décisives agitait le peuple dans son inconscient, paysans, villageois, bergers et ouvriers se lèvent et marchent sur Varennes ; de vieilles femmes, poussées par la curiosité, prennent leurs béquilles pour aller voir le roi, et maintenant que celui-ci est obligé de se démasquer, ils sont tous décidés à ne pas le laisser sortir de leurs murs. Toute tentative pour relayer les chevaux est arrêtée. « A Paris, ou nous le fusillons dans sa voiture ! », crient des voix sauvages au postillon. Soudain, le tocsin se remet à sonner. Nouvelle alerte au milieu de cette nuit dramatique : une voiture arrive, deux des commissaires que l'Assemblée a envoyés au hasard dans toutes les directions pour arrêter le roi ont réussi à trouver sa trace. Une joie sans bornes acclame les messagers du pouvoir public. Varennes maintenant est déchargée de sa responsabilité ; boulangers, cordonniers, tailleurs ou bouchers de la pauvre petite ville n'ont plus à décider du sort du monde : les envoyés de l'Assemblée nationale, la seule autorité que le peuple reconnaisse, sont là. C'est en triomphe que l'on conduit les deux commissaires à la maison du brave épicier Sauce, où l'on monte aussitôt chez le roi.

Entre-temps la terrible nuit peu à peu a pris fin, il est six heures et demie du matin. L'un des deux délégués, Romeuf, pâle, mal à l'aise, s'acquitte à contre-cœur de sa mission. En qualité d'officier adjoint de La Fayette, il a souvent monté la garde aux Tuileries auprès de la reine, et celle-ci, qui traitait tous ses subordonnés avec une bienveillante cordialité, était animée des meilleurs sentiments à son égard ; elle lui a souvent parlé, presque avec amitié, et le roi également ; tout au fond de lui-même, cet ancien officier de La Fayette n'a qu'un désir : les sauver tous deux. Mais la fatalité, invisiblement dressée contre le roi, a voulu qu'on adjoignît à Romeuf dans sa mission un compagnon très ambitieux et sincèrement révolutionnaire du nom de Bayon. A peine Romeuf est-il sur la piste du roi, qu'il essaie de ralentir sa course pour lui laisser une avance ; mais Bayon, surveillant implacable, le harcèle. C'est donc honteux et craintif qu'il tend à présent à la reine le décret fatal de l'Assemblée qui ordonne d'arrêter la famille royale. Marie-Antoinette ne peut cacher sa surprise : « Quoi, Monsieur, c'est vous ! Ah ! je ne l'aurais pas cru ! » Dans son embarras, Romeuf balbutie que tout Paris est en émoi, que l'intérêt de l'État exige que le roi revienne. La reine perd patience et tourne le dos aux délégués, elle ne voit dans ce verbiage confus que mauvais présages. Le roi enfin demande le décret et lit qu'il est relevé de ses fonctions par l'Assemblée nationale, et que chaque courrier qui rencontrera la famille royale a ordre de l'empêcher, par tous les moyens, de continuer son voyage. Les mots : fuite, arrestation, emprisonnement sont, il est vrai, habilement évités. Ce qui n'empêche que par ce décret l'Assemblée déclare que le roi n'est pas libre, mais qu'il est soumis à sa volonté. Louis lui-même, malgré sa lenteur d'esprit, saisit ce changement historique.

Mais il ne se défend pas. « Il n'y a plus de roi en France », dit-il de sa voix endormie, comme si la chose le regardait à peine, et, distrait, il pose le papier sur le lit où dorment ses enfants épuisés. Mais Marie-Antoinette se redresse soudain. Quand sa fierté est en jeu, son honneur menacé, cette femme, qui a été petite dans les petites choses et futile dans les choses futiles, a des sursauts de dignité. Elle s'empare du décret de l'Assemblée nationale qui se permet de disposer d'elle et de sa famille, le froisse et le jette dédaigneusement par terre en disant : « Je ne veux pas qu'il souille mes enfants. »

Les commissaires frémissent devant cette provocation. Pour éviter une scène, Choiseul se dépêche de ramasser le papier. Tous, dans la pièce, sont également embarrassés, le roi est étonné de l'audace de sa femme ; les deux envoyés se sentent dans une situation difficile ; Louis XVI fait alors une proposition, en apparence résignée, mais en réalité astucieuse. Qu'on le laisse se reposer ici pendant deux ou trois heures, ensuite il reprendra le chemin de Paris ; les délégués devraient se rendre compte de l'état de fatigue des enfants ; après deux journées et deux nuits si terribles on avait bien besoin d'un peu de repos. Romeuf comprend immédiatement ce que veut le roi. Dans deux heures toute la cavalerie de Bouillé sera là, avec l'infanterie et des canons derrière elle. Comme, au fond, il désire le sauver, il ne fait aucune objection : il n'a été chargé, après tout, que d'arrêter le voyage. C'est ce qu'il a fait. Mais l'autre commissaire, Bayon, s'aperçoit vite de ce petit jeu, et décide de répondre à la ruse par la ruse. Il acquiesce en apparence, descend nonchalamment dans la rue et, quand la foule agitée l'entoure et lui demande ce qui a été décidé, il soupire hypocritement : « Ils ne veulent pas partir... Bouillé approche, ils l'attendent. » Ces quelques mots versent de l'huile sur le feu. Non, pas de ça ! On ne les trompera pas : « A Paris ! A Paris ! » Le bruit fait vibrer les fenêtres, les magistrats municipaux, et surtout le malheureux épicier Sauce, insistent désespérément auprès du roi pour qu'il parte, car ils ne pourraient plus, autrement, garantir sa sécurité. Les hussards sont empêtrés dans la foule ou ont déjà passé du côté du peuple, le carrosse est traîné en triomphe devant l'épicerie et aussitôt attelé, afin de couper court à tout atermoîment. Et c'est maintenant une comédie humiliante qui se déroule, il s'agit de gagner un peu de temps. Les hussards de Bouillé doivent être tout près, une seule minute peut sauver la royauté ; il faut donc, en recourant à tous les moyens, même les plus indignes, retarder le départ pour Paris. Marie-Antoinette, elle-même, est forcée d'implorer, pour la première fois de sa vie elle demande une faveur. Elle s'adresse à la femme de l'épicier et la supplie de lui venir en aide. Mais cette pauvre femme craint pour son mari. Les larmes aux yeux elle regrette d'être obligée de refuser l'hospitalité à un roi, à une reine de France, mais elle a, elle aussi, des enfants, et son mari le payerait de sa tête ; elle ne se trompait pas dans ses appréhensions, car il en a coûté la vie au malheureux épicier d'avoir, en cette nuit, aidé le roi à brûler quelques papiers secrets. Le roi et la reine trouvent les plus misérables excuses pour s'attarder mais le temps passe et les hussards de Bouillé ne se montrent pas. Tout est prêt lorsque Louis XVI – il est tombé bien bas pour en arriver à jouer pareille comédie ! – déclare qu'il désire manger un morceau. Peut-on refuser un modeste repas à un roi ? Non. Et l'on se hâte de lui apporter ce qu'il veut. Louis XVI grignote vaguement, Marie-Antoinette repousse son assiette avec dédain. Il n'y a plus d'excuse à présent. Mais voici un nouvel incident, le dernier, la famille est prête à descendre, lorsqu'une des femmes de chambre, Mme Neuveville tombe à terre en simulant des convulsions. Marie-Antoinette déclare immédiatement avec autorité qu'elle ne l'abandonnera pas, qu'elle ne s'en ira pas avant qu'on ait été chercher un médecin. Mais le médecin – tout Varennes est sur pied – arrive lui aussi plus vite que les troupes de Bouillé. Il donne à la simulatrice quelques gouttes qui la calmeront ; impossible maintenant de prolonger cette triste comédie. Le roi soupire et, le premier, il descend l'étroit escalier. Les lèvres serrées, Marie-Antoinette le suit au bras du duc de Choiseul. Elle prévoit ce qui les attend tous durant ce retour. Mais au milieu de ses propres soucis elle pense encore à l'ami ; son premier mot à l'arrivée de Choiseul a été : « Croyez-vous que Fersen se soit sauvé ? » Avec un homme véritable à ses côtés, ce voyage infernal ne lui eût point fait peur ; mais il est difficile, quand on est entouré de gens faibles et sans volonté, de conserver tout son courage.

La famille royale monte en voiture. Ils ne désespèrent pas encore de voir arriver Bouillé et ses hussards. Mais rien. Rien que le vacarme de la foule autour d'eux. Enfin le grand carrosse s'ébranle. Six mille hommes l'entourent, et la fureur et la crainte se transforment alors en cris de triomphe. Au milieu des chants révolutionnaires, escorté par l'armée populaire, le malheureux navire de la monarchie quitte l'écueil où il a échoué.

Vingt minutes plus tard seulement – on voit encore monter en colonnes dans le ciel pesant les nuages de poussière que le carrosse a laissés derrière lui – arrivent au galop par l'autre bout de la ville des escadrons de cavalerie. Ils sont là, enfin, les hussards de Bouillé vainement attendus. Que le roi eût tenu une demi-heure de plus, son armée l'aurait enlevé au nez des insurgés, et ceux qui se réjouissent actuellement seraient rentrés chez eux consternés. Mais quand Bouillé apprend que le roi découragé a cédé, il se retire avec ses troupes. A quoi bon encore d'inutiles massacres ? Il sait, lui aussi, que la faiblesse du monarque a décidé du sort de la monarchie, que Louis XVI n'est plus roi, ni Marie-Antoinette reine de France.

CHAPITRE XXIX

LE RETOUR

Un bateau avance plus vite quand la mer est calme que lorsqu'elle est en furie. Le carrosse avait fait le voyage de Paris à Varennes en vingt heures ; le retour va durer trois jours. Goutte à goutte, jusqu'à la lie, le roi et la reine boiront le calice de l'humiliation. Éreintés par deux nuits d'insomnie, n'ayant pas changé de vêtements depuis leur départ – la chemise du roi est tellement maculée de sueur qu'il est obligé d'en emprunter une à un soldat – ils sont là tassés à six dans ce carrosse, véritable fournaise. Sans pitié, le soleil de juin darde ses rayons sur le toit déjà brûlant de la voiture, l'air a un goût de poussière incandescente ; une foule toujours plus grande escorte en ricanant les vaincus. Des mots injurieux parviennent aux voyageurs, chacun veut savourer la honte des prisonniers. Le voyage de Versailles aux Tuileries était quelque chose de paradisiaque à côté de celui-ci. Il est donc préférable de fermer les glaces et de baisser les rideaux, de cuire à petit feu et de souffrir de la soif dans ce four ambulant, que de subir les regards sarcastiques du dehors et d'essuyer les injures de tous ces gens. Déjà les visages des malheureux voyageurs sont enduits d'une poudre grise, la fatigue et la poussière ont rougi leurs yeux, mais on ne leur permet pas de garder les stores baissés, car à tous les arrêts un petit maire quelconque se croit obligé de tenir une harangue au roi, qui chaque fois doit assurer que son intention n'était pas de quitter la France. Dans ces moments-là c'est la reine qui garde le mieux sa dignité. Lorsque à un relais on leur apporte enfin de quoi se sustenter et qu'ils baissent les stores pour calmer leur faim en paix, la foule hurle et demande qu'on lève les rideaux. Déjà Madame Élisabeth va céder, mais la reine refuse énergiquement. Très calme, elle laisse les gens crier et tempêter, et c'est seulement un quart d'heure plus tard, lorsqu'elle n'a plus l'air d'obéir à un ordre, qu'elle remonte elle-même les stores, jette les os de poulets par la portière et dit avec fermeté : « Il faut avoir du caractère jusqu'au bout. »

Enfin une lueur d'espoir : on se reposera le soir à Châlons. Les citoyens attendent là-bas derrière l'arc de triomphe en pierre, qui – ironie de l'Histoire – a été érigé il y a vingt et un ans pour Marie-Antoinette, lorsque, dans un somptueux carrosse vitré, acclamée par le peuple, elle arrivait d'Autriche à la rencontre de son futur époux ; sur le fronton ces mots sont gravés : *Perstet aeterna ut amor.* « Que ce monument soit éternel comme notre amour. » Mais l'amour est plus éphémère que le vrai marbre et la pierre taillée. Cela semble un rêve à Marie-Antoinette que la noblesse en costume de parade l'ait accueillie un jour sous cet arc, que la route ait été semée de lumières et de monde, et que le vin ait coulé des fontaines en son honneur. Elle n'est reçue maintenant qu'avec une froide politesse, compatissante tout au plus, mais qui lui semble délicieuse après toutes ces bruyantes clameurs de haine. On peut dormir, changer d'habits ; mais le lendemain matin il faut reprendre le calvaire, et le soleil continue à darder ses rayons brûlants. Plus on approche de Paris, plus la population se montre haineuse ; quand par exemple le roi demande une éponge mouillée pour essuyer son visage sale et poussiéreux, un fonctionnaire lui répond en ricanant : « Voilà ce qu'on gagne à voyager. » Lorsque la reine, après une courte halte, remonte dans le carrosse, elle entend la voix sifflante d'une femme crier méchamment derrière elle : « Allez, ma petite, on vous en fera voir bien d'autres. » Un noble, qui la salue, est jeté à bas de son cheval et tué à coups de pistolet et de couteau. Maintenant seulement la reine et le roi comprennent que Paris n'est pas seul à être tombé dans

« l'erreur » de la Révolution, que les nouvelles semailles ont levé et mûri dans tous les champs du royaume ; mais peut-être n'ont-ils plus la force de bien s'en rendre compte : la fatigue les a peu à peu complètement insensibilisés. Ils sont là, dans la voiture, exténués et déjà indifférents au sort qui les attend lorsque, enfin, enfin, des courriers arrivent annonçant que trois membres de l'Assemblée nationale viennent au-devant du roi et de la reine pour les protéger. A présent leur vie est sauve, mais c'est tout.

La voiture s'arrête au milieu de la grand'route : les trois délégués, Maubourg un royaliste, Barnave l'avocat bourgeois, Pétion le jacobin, s'avancent à leur rencontre. La reine ouvre elle-même la portière : « Ah ! Messieurs, dit-elle nerveusement, leur tendant rapidement la main à chacun, qu'aucun malheur n'arrive ! que les gens qui nous ont accompagnés ne soient pas victimes ! qu'on n'attente pas à leurs jours ! » Son tact infaillible dans les grandes circonstances lui a tout de suite fait dire ce qu'il fallait : ce n'est pas pour elle qu'une reine doit demander protection, mais uniquement pour ceux qui l'ont servie avec fidélité.

L'énergique noblesse de Marie-Antoinette désarme immédiatement les délégués qui avaient tout d'abord pensé adopter une attitude protectrice ; même Pétion, le jacobin, avouera malgré lui, dans ses notes, que les fermes paroles de la reine l'avaient fortement ému. Sur-le-champ il ordonne aux manifestants de se taire et propose au roi de placer à côté de lui deux des délégués de l'Assemblée qui, par leur présence dans le carrosse, protégeraient la famille royale contre tout danger. Mme de Tourzel et Madame Élisabeth monteraient dans la seconde voiture. Mais le roi réplique qu'il y aurait moyen en s'arrangeant de rester tous dans le carrosse, qu'il suffirait de se serrer un peu. On s'installe donc en hâte de la manière suivante : Barnave s'assied entre le roi et la reine, qui prend le dauphin sur ses genoux. Pétion se place entre Mme de Tourzel et Madame Élisabeth, qui tient la princesse sur elle. Huit personnes au lieu de six, les représentants de la monarchie et ceux du peuple sont à présent tassés dans la même voiture jambe contre jambe ; on peut dire que jamais la famille royale et les députés de l'Assemblée ne furent aussi près les uns des autres qu'en ces heures-là.

Ce qui se passe dans cette voiture est tout aussi naturel qu'inattendu. D'abord une certaine hostilité règne de part et d'autre, entre les cinq membres de la famille royale et les deux membres de l'Assemblée nationale, entre les prisonniers et leurs geôliers. Les deux partis sont fermement décidés à conserver leur autorité respective. Justement parce qu'elle est protégée par les « factieux » et livrée à leur merci, Marie-Antoinette évite obstinément de les regarder et n'ouvre pas la bouche. Il ne faut pas leur laisser supposer qu'elle sollicite leur faveur. Les délégués, de leur côté, ne veulent à aucun prix que l'on confonde la politesse avec l'obséquiosité : il s'agit, durant ce trajet, de montrer au roi que des hommes libres et incorruptibles portent le front plus haut que de serviles courtisans. Il est donc indispensable de garder ses distances.

Dans cette disposition d'esprit, Pétion, le jacobin, passe même ouvertement à l'attaque. Dès le début il tient à donner une petite leçon à la reine, qui est la plus fière, afin de lui faire perdre sa contenance. Il sait très bien, déclare-t-il, que la famille royale est montée non loin du palais dans un fiacre ordinaire, qui était conduit par un Suédois du nom de... un Suédois du nom de... Pétion hésite, s'arrête comme s'il ne pouvait plus se souvenir, et demande à la reine de l'aider. C'est un coup de stylet empoisonné qu'il porte à Marie-Antoinette en la questionnant sur son amant en présence du roi. Mais celle-ci pare énergiquement le coup : « Je ne suis pas dans l'usage de savoir le nom des cochers de remise. » Cette escarmouche ne fait qu'accroître l'hostilité. Un léger incident détend alors l'atmosphère. Le jeune prince est descendu des genoux de sa mère. Les deux inconnus occupent beaucoup son attention. De ses petits doigts il saisit un bouton de cuivre de l'habit de gala de Barnave et épelle péniblement l'inscription qui s'y trouve : « Vivre libre ou mourir. » Les deux commissaires s'amusent évidemment à la vue du futur roi de France apprenant de cette manière les maximes fondamentales de la Révolution. Une conversation s'engage peu à peu. Et il arrive cette chose singulière que Pétion, nouveau Balaam, parti avec l'intention de maudire, est amené à bénir. Les deux partis commencent à se trouver beaucoup plus sympathiques qu'ils ne le pensaient de loin. Pétion, petit bourgeois et jacobin, Barnave, jeune avocat de province, s'étaient représenté les « tyrans » dans leur vie privée comme des êtres inabordables, gonflés d'orgueil, stupides et insolents ; ils étaient convaincus que les nuages d'encens de la cour étouffaient chez eux toute humanité. A présent les voici tout étonnés, le jacobin et le révolutionnaire bourgeois, du naturel des mœurs de la famille royale. Même Pétion, qui voulait faire son petit Caton, est obligé d'avouer :

> J'aperçus un air de simplicité et de famille qui me plut ; il n'y avait plus de représentation royale, il existait une aisance et une bonhomie domestiques : la reine appelait madame Élisabeth ma petite sœur, madame Élisabeth lui répondait de même. Madame Élisabeth appelait le roi mon frère, la reine faisait danser le prince sur ses genoux. Madame, quoique plus réservée, jouait avec son frère ; le roi regardait tout cela avec un air assez satisfait, quoique peu ému et peu sensible.

Les deux révolutionnaires constatent avec étonnement que les enfants royaux s'amusent tout à fait comme les leurs chez eux ; ils se sentent même gênés d'être vêtus avec beaucoup plus d'élégance que le roi de France, qui porte du linge sale. Les rapports tendus du début se relâchent peu à peu : quand le roi boit, il offre poliment son propre verre à Pétion, et lorsque le dauphin demande à satisfaire un petit besoin, et que le roi de France et de Navarre lui-même déboutonne la culotte de l'enfant et lui tient le vase en argent, ce fait apparaît au jacobin comme un événement surnaturel. Ces « tyrans » sont en somme des gens comme nous, reconnaît, surpris, le farouche révolutionnaire. Et la reine est tout aussi étonnée. Ces « scélérats », ces « monstres » de l'Assemblée nationale sont, à vrai dire, des gens assez aimables et polis ! Ils ne sont pas du tout altérés de sang, ni mal élevés, et surtout, ils ne sont pas bêtes ; au contraire, leur conversation est même beaucoup plus intelligente que celle du comte d'Artois et de ses compagnons. Il n'y a pas trois heures qu'ils voyagent ensemble, que déjà les deux clans, qui voulaient se montrer durs et arrogants l'un à l'égard de l'autre – changement singulier et pourtant profondément humain – cherchent réciproquement à se séduire. La reine met la conversation sur le terrain politique, afin de prouver aux deux révolutionnaires que dans son milieu on n'était pas aussi borné et aussi malintentionné que voulait bien le croire le peuple, induit en erreur par de mauvais journaux. Les deux délégués, de leur côté, s'appliquent à démontrer à la reine qu'elle ne devait pas confondre les intentions de l'Assemblée nationale avec les vociférations du sieur Marat; et lorsqu'on en vient à parler de la république, Pétion lui-même devient évasif. Bientôt il apparaît – expérience vieille comme le monde – que l'air de la cour trouble jusqu'aux révolutionnaires les plus farouches, et rien ne prouve plus drôlement que les notes de Pétion à quelle extravagance le contact des rois peut mener un homme vaniteux. Après trois nuits angoissantes, trois jours de voyage par une chaleur mortelle, dans une inconfortable voiture, après les émotions et les humiliations subies, il est tout naturel que les femmes et les enfants soient fatigués. Involontairement, Madame Élisabeth, en s'endormant, s'appuie sur son voisin Pétion. Ce vaniteux imbécile s'emballe aussitôt et se persuade qu'il a fait une conquête galante. Et il écrit dans son rapport ces lignes qui, pendant des siècles, livreront le pauvre homme au ridicule :

> Madame Élisabeth me fixait avec des yeux attendris, avec cet air de langueur que le malheur donne et qui inspire un assez vif intérêt. Nos yeux se rencontraient quelquefois avec une espèce d'intelligence et d'attraction, « la nuit se fermait », la lune commençait à répandre cette clarté douce. Madame Élisabeth prit Madame sur ses genoux, elle la plaça ensuite moitié sur son genou, moitié sur le mien... Madame s'endormit, j'allongeai mon bras, madame Élisabeth allongea le sien sur le mien. Nos bras

> étaient enlacés, le mien touchait sous son aisselle. Je sentais des mouvements qui se précipitaient, une chaleur qui traversait ses vêtements ; les regards de madame Élisabeth me semblaient plus touchants. J'apercevais un certain abandon dans son maintien, ses yeux étaient humides, la mélancolie se mêlait à une espèce de volupté. Je puis me tromper, on peut facilement confondre la sensibilité du malheur avec la sensibilité du plaisir ; mais je pense que si nous eussions été seuls, que si, comme par enchantement, tout le monde eût disparu, elle se serait laissé aller dans mes bras et se serait abandonnée aux mouvements de la nature.

Le charme pernicieux de la majesté royale agit sur Barnave beaucoup plus gravement que sur « le beau Pétion » et sa rêverie érotique. Tout jeune avocat venu de province à Paris, ce révolutionnaire idéaliste est tout ébloui de voir une reine, la reine de France, se faire modestement expliquer par lui les idées fondamentales de la Révolution et celles de ses camarades de club. Quelle occasion, se dit-il malgré lui, d'imposer à la souveraine le respect et la considération des saints principes, de la gagner peut-être à l'idée constitutionnelle. Le jeune et ardent avocat parle et s'écoute parler, et voici que – il ne s'en serait jamais douté – cette femme soi-disant superficielle (Dieu sait si on l'a calomniée !) écoute, intéressée et attentive, et combien ses objections sont intelligentes ! Avec son amabilité autrichienne, son apparente bonne volonté à comprendre les idées de Barnave, Marie-Antoinette captive tout à fait cet homme naïf et crédule. Combien on a été injuste envers cette noble femme, combien on a mal agi à son égard ! se dit-il, surpris. Elle a pourtant les meilleures intentions, et s'il se trouvait quelqu'un pour la guider discrètement, tout pourrait aller pour le mieux en France ! La reine ne lui laisse aucun doute sur son désir de rencontrer un pareil conseiller ni sur la reconnaissance qu'elle lui témoignerait si, à l'avenir, il voulait bien se charger de remédier à son inexpérience. Barnave se dit déjà que ce sera là dorénavant sa tâche : d'une part faire connaître à cette femme qu'il ne croyait pas si intelligente les désirs réels du peuple, et d'autre part convaincre l'Assemblée nationale de la pureté des intentions démocratiques de la reine. Et lorsqu'on s'arrête à Meaux, Marie-Antoinette réussit si bien à prendre Barnave dans ses filets, au cours de longs entretiens qu'ils ont ensemble au palais épiscopal, que l'envoyé de l'Assemblée nationale se met à sa disposition pour n'importe quel service ; c'est ainsi que secrètement – personne ne se serait attendu à pareil dénouement – la reine revient de son voyage à Varennes avec un succès politique considérable. Alors que les autres ne font que manger et transpirer, sont fatigués et épuisés, elle remporte, elle, dans cette prison roulante, une dernière victoire pour la cause royale.

Le troisième et dernier jour du voyage est le plus épouvantable. Le ciel aussi est pour la nation et contre le roi. Sans pitié le soleil, du matin au soir, chauffe ce four à quatre roues ; pas un nuage ne met une minute d'ombre sur le carrosse brûlant. Enfin le cortège s'arrête aux portes de Paris, mais comme il faut que l'immense foule, accourue pour assister au retour du roi, y trouve son compte, les souverains ne rentreront pas directement dans leur palais par la porte Saint-Denis ; on leur imposera un énorme détour par les interminables boulevards. Aucun cri ne s'élève sur le trajet en leur honneur, aucune injure non plus ; des affiches livrent au mépris public tous ceux qui salueront le roi et menacent de la bastonnade ceux qui insulteront les prisonniers de la nation. Cependant des acclamations sans fin accueillent la voiture qui suit celle du roi, c'est là que se tient, gonflé d'orgueil, l'homme à qui le peuple doit ce triomphe, Drouet, le maître de poste, le hardi chasseur dont la ruse et l'énergie sont venues à bout du gibier royal.

La fin du voyage, les quelques mètres qui séparent la voiture de l'entrée des Tuileries, est l'instant le plus dangereux. La famille royale est protégée par les députés, mais comme le peuple a besoin de victimes, qu'il veut à tout prix satisfaire sa colère, il tombe sur les trois innocents gardes du corps qui ont prêté la main à « l'enlèvement » du roi. Ils sont bientôt arrachés de leur siège, et il semble, un instant, que la reine va voir encore des têtes sanglantes tournoyer au bout de piques ; mais la garde nationale intervient et dégage les abords avec ses baïonnettes. Alors seulement on ouvre la porte du carrosse ; sale et suant à grosses gouttes, le roi, de son pas pesant, descend de voiture le premier, la reine est derrière lui. Aussitôt une rumeur menaçante s'élève contre l'« Autrichienne » qui traverse rapidement, suivie de ses enfants, l'étroit espace qui sépare la voiture de l'entrée du palais ; le cruel voyage est terminé.

A l'intérieur, les laquais attendent solennellement alignés : la table est mise comme d'habitude, l'ordre hiérarchique est respecté ; en rentrant chez elle la famille royale peut croire que tout ce qui vient de se passer n'a été qu'un rêve. Mais en réalité ces cinq jours ont bien plus ébranlé les fondations de la monarchie que des années de réformes, car des prisonniers ne sont plus des souverains. Le roi est encore descendu d'un degré, et la Révolution est montée d'autant.

Mais cet homme fatigué ne semble guère s'en émouvoir. Indifférent à tout, il l'est aussi à son propre sort. D'une main imperturbable, il se contente de noter dans son journal : « Départ de Meaux à six heures et demie. Arrivée à Paris à huit heures sans s'arrêter. » C'est tout ce qu'un Louis XVI trouve à dire sur la plus profonde humiliation de sa vie. Et Pétion rapporte également : « Il était tout aussi flegme, tout aussi tranquille que si rien n'eût été... Il semblait que le roi revenait d'une partie de chasse. »

Cependant Marie-Antoinette, elle, sait que tout est perdu. Toute l'horreur de ce voyage inutile a dû être pour son orgueil une secousse presque mortelle. Mais, vraiment femme et profondément amoureuse, avec tout l'attachement d'une dernière et tardive passion, au milieu même de cet enfer, elle ne pense qu'à celui qui s'en est échappé ; elle craint que Fersen, son seul ami, ne s'inquiète trop à son sujet. Sous la menace des plus horribles dangers, ce qui la tourmente le plus dans sa souffrance, c'est sa compassion à lui, son inquiétude à lui : « Rassurez-vous sur nous », écrit-elle rapidement sur une feuille, « nous vivons ». Et le lendemain, avec plus d'insistance et plus d'amour (les passages vraiment intimes ont été effacés par le descendant de

Fersen, mais on sent malgré tout dans la vibration des mots le souffle de la tendresse) :

> J'existe... que j'ai été inquiète de vous et que je vous plains de tout ce que vous souffrez de n'avoir point de nos nouvelles ! Le ciel permettra-t-il que celles-ci vous arrivent ? Ne m'écrivez pas, car ce serait nous exposer, et surtout ne revenez pas ici sous aucun prétexte. On sait que c'est vous qui nous avez sortis d'ici, tout serait perdu si vous paraissiez. Nous sommes gardés à vue jour et nuit, cela m'est égal... Soyez tranquille, il n'arrivera rien. L'Assemblée veut nous traiter avec douceur. Adieu... Je ne pourrai plus vous écrire.

Pourtant, elle ne peut supporter de rester sans un mot de Fersen, précisément en des moments comme ceux-ci. Le lendemain encore, elle lui écrit la lettre la plus tendre, la plus ardente, demandant des nouvelles, des paroles rassurantes, de l'amour :

> Je peux vous dire que je vous aime et n'ai même le temps que de cela. Je me porte bien. Ne soyez pas inquiet de moi. Je voudrais bien vous savoir de même. Écrivez-moi par un chiffre... faites mettre les adresses par votre valet de chambre. Mandez-moi à qui je dois adresser celles que je pourrais vous écrire, car je ne peux plus vivre sans cela. Adieu le plus aimant et le plus aimé des hommes. Je vous embrasse de tout cœur.

« Je ne peux plus vivre sans cela » : jamais on n'a entendu un tel cri de passion des lèvres de la reine. Mais combien elle l'est peu encore, reine ! Que ne lui a-t-on pas enlevé de cette puissance d'autrefois ! Seule la femme a gardé ce que personne ne saurait lui ravir : son amour. Et ce sentiment lui donne la force de défendre sa vie avec noblesse et énergie.

CHAPITRE XXX

DUPERIE RÉCIPROQUE

La fuite à Varennes ouvre un nouveau chapitre de l'histoire de la Révolution ; cet événement donne naissance à un nouveau parti, le parti républicain. Jusque-là, jusqu'au 21 juin 1791, l'Assemblée nationale était entièrement royaliste, parce que composée uniquement de nobles et de bourgeois ; mais déjà, en vue des élections à venir, derrière le tiers état bourgeois, un quatrième état s'avance, le prolétariat, la grande masse fougueuse, élémentaire, qui effraie autant la bourgeoisie que celle-ci effrayait le roi. Inquiète et en proie à de tardifs regrets la classe des possédants se rend compte des forces primordiales et démoniaques qu'elle a déchaînées ; aussi voudrait-elle établir rapidement par une Constitution les limites respectives du pouvoir royal et du pouvoir populaire. Pour gagner Louis XVI à ce projet, il est indispensable de le ménager personnellement ; les partis modérés obtiennent donc qu'on ne fasse au roi aucun reproche au sujet de sa fuite ; ils déclarent hypocritement que ce n'est pas de plein gré qu'il a quitté Paris, mais qu'il a été « enlevé ». Et lorsque les jacobins, de leur côté, réclament la destitution du roi et organisent à cet effet une manifestation au Champ-de-Mars, les chefs de la bourgeoisie, Bailly et La Fayette, font, pour la première fois, disperser la foule par la cavalerie et des feux de salve. Mais la reine, étroitement surveillée par les gardes nationaux dans sa propre demeure – depuis la fuite à Varennes il lui est défendu de fermer ses portes à clef –, ne se fait plus aucune illusion sur la valeur réelle de ces tardives mesures de sauvetage. Elle entend trop souvent sous ses fenêtres au lieu de l'ancien cri de « Vive le roi ! », celui nouveau de « Vive la République ! » Et elle sait que pour que cette république existe, il faut que le roi, elle et ses enfants périssent tout d'abord.

La vraie fatalité de la nuit de Varennes – ceci aussi la reine ne tarde pas à s'en apercevoir – ne fut pas tant l'échec de leur fuite, que la réussite, au même moment, de celle du frère puîné de Louis, le comte de Provence. A peine à Bruxelles, il secoue la subordination fraternelle, qui lui a pesé si longtemps, et se déclare régent, représentant légitime de la royauté, tant que le vrai roi, Louis XVI, sera prisonnier à Paris, cependant qu'il fait tout, secrètement, pour prolonger le plus possible cette situation.

> On s'est exprimé ici de la façon la plus inconvenante sur l'arrestation du roi, écrit Fersen de Bruxelles, le comte d'Artois paraissait radieux.

Les voici enfin bien en selle, ceux qui pendant si longtemps durent se contenter de chevaucher humblement derrière leur frère ; ils peuvent à présent faire cliqueter leur épée et pousser à la guerre sans aucune retenue ; qu'à cette occasion périssent Louis XVI, Marie-Antoinette et, ils l'espèrent aussi, Louis XVII, tant mieux ! voilà deux marches du trône gravies d'un seul coup, et Monsieur, comte de Provence, pourra enfin s'appeler Louis XVIII. Chose mystérieuse, les princes étrangers sont d'avis que quel que soit le Louis qui occupe le trône de France, le fait n'a pas d'importance pour l'idée monarchique ; l'essentiel, pour eux, est que le poison républicain, révolutionnaire, soit éliminé d'Europe, que « l'épidémie française » soit étouffée dans l'œuf. Avec un sang-froid sinistre, Gustave III de Suède écrit :

> Quoique l'intérêt que je prends à la famille royale de France soit très grand, celui que je prends à la cause publique, à l'intérêt particulier de la Suède et à la cause de tous les rois est plus grand encore. Tout cela tient au

> rétablissement de la monarchie française, et il peut être égal si c'est Louis XVI, Louis XVII ou Charles X qui occupe ce trône, pourvu que le monstre du Manège soit terrassé, et que les principes destructeurs de toute autorité soient détruits avec cette infâme assemblée et le repaire infâme où elle a été créée.

On ne saurait s'exprimer plus clairement et plus cyniquement. Pour les monarques seule compte la « cause des monarques », c'est-à-dire le maintien de leur puissance pleine et entière ; « il peut être égal », comme dit Gustave III, que ce soit tel ou tel Louis qui soit assis sur le trône de France. En effet, cela leur est indifférent. Et cette indifférence coûte la vie à Marie-Antoinette et à Louis XVI.

C'est contre ce double danger, intérieur et extérieur, contre le républicanisme dans le pays et l'agitation guerrière des princes aux frontières, que Marie-Antoinette doit lutter en même temps : tâche surhumaine et dont ne peut pas venir à bout une femme faible et isolée. C'est un génie qu'il faudrait ici, à la fois Ulysse et Achille, un homme astucieux et hardi, un nouveau Mirabeau ; mais dans cette grande détresse il ne se présente que de petits auxiliaires, et c'est à eux que la reine a recours. Au retour de Varennes, Marie-Antoinette s'est vite rendu compte de la facilité avec laquelle Barnave, petit avocat de province, qui a le verbe haut à l'Assemblée, se laisse prendre par les paroles flatteuses d'une reine ; elle décide d'exploiter cette faiblesse.

Elle s'adresse donc directement à Barnave et lui dit dans une lettre confidentielle que

> ... depuis son retour de Varennes elle a beaucoup réfléchi à l'intelligence et à l'esprit de celui auquel elle avait tant parlé et qu'elle avait senti tout le profit qu'elle pourrait tirer, en continuant avec lui une espèce de conversation par écrit.

Elle l'assure de sa discrétion et qu'il peut compter sur son caractère, toujours prêt à se soumettre aux nécessités quand il s'agit du bien public. Et après cette introduction, elle devient plus précise :

> On ne peut pas rester comme l'on est ; il est certain qu'il faut faire quelque chose. Mais quoi ? Je l'ignore. C'est à lui que je m'adresse pour le savoir. Il doit avoir vu par nos discussions mêmes, combien j'étais de bonne foi. Je le serai toujours. C'est le seul bien qui nous reste et que jamais on ne pourra m'ôter. Je lui crois le désir du bien ; nous l'avons aussi, et, quoi qu'on dise, nous l'avons toujours eu. Qu'il nous mette donc à même de l'exécuter tous ensemble ; qu'il trouve un moyen de me communiquer ses idées ; j'y répondrai avec franchise sur tout ce que je pourrais faire. Rien ne me coûtera quand j'y verrai réellement le bien général.

Barnave montre cette lettre à ses amis qui s'en réjouissent et s'en effraient tout à la fois, mais finissent par décider de se charger dorénavant en commun – Louis XVI ne compte pas ? – de donner secrètement des conseils à la reine. Ils commencent par demander à Marie-Antoinette d'engager les princes à revenir en France, et de pousser son frère, l'empereur, à reconnaître la Constitution française. Docile en apparence, la reine fait siennes toutes ces propositions. Elle adresse à son frère des lettres dictées par ses conseillers et agit conformément à leurs ordres, sauf « sur un point où l'honneur et la reconnaissance sont engagés ». Déjà les nouveaux maîtres de l'heure s'imaginent avoir trouvé en Marie-Antoinette une élève attentive et dévouée.

Mais combien ces braves gens se trompent ! Marie-Antoinette ne songe pas un instant à se livrer à ces factieux, toutes ces négociations ne doivent servir qu'à « temporiser » – comme toujours – jusqu'à ce que son frère ait convoqué ce « Congrès armé » tant souhaité. Comme Pénélope, elle défait la nuit le travail qu'elle a fait le jour avec ses nouveaux amis. Tandis qu'elle expédie docilement les lettres dictées à son frère, l'empereur Léopold, elle mande à Mercy :

> Je vous ai écrit le 29 une lettre que vous jugerez aisément n'être pas de mon style. J'ai cru devoir céder aux désirs des chefs de parti ici, qui m'ont donné eux-mêmes

> le projet de la lettre. J'en ai écrit une autre à l'empereur hier 30 ; j'en serais humiliée si je n'espérais pas que mon frère jugera que dans ma position je suis obligée de faire et d'écrire tout ce qu'on exige de moi.

Elle souligne « qu'il est essentiel que l'Empereur soit bien persuadé qu'il n'y a pas là un mot qui soit d'elle ni de sa manière de voir les choses ». Ce qui ne l'empêche pas malgré cette perfidie de « rendre justice » à ses conseillers et d'écrire :

> Quoiqu'ils tiennent toujours à leurs opinions, je n'ai jamais vu en eux que grande franchise, de la force et une véritable envie de remettre de l'ordre et par conséquent l'autorité royale.

Elle refuse cependant de les suivre sincèrement, car « quelques bonnes intentions qu'ils montrent, leurs idées sont exagérées et ne peuvent jamais nous convenir ».

Il est inquiétant, le double jeu dans lequel s'engage ainsi Marie-Antoinette, et il n'est pas très honorable pour elle, car pour la première fois depuis qu'elle s'occupe de politique, et parce qu'elle s'en occupe, elle est forcée de mentir, et elle le fait avec la plus extrême témérité. Tandis qu'elle assure hypocritement à ses auxiliaires n'avoir aucune arrière-pensée, elle écrit en même temps à Fersen :

> Rassurez-vous, je ne me laisse pas aller aux enragés, et si j'en vois et si j'ai des relations avec quelques-uns d'eux, ce n'est que pour m'en servir, et ils me font tous trop horreur pour jamais me laisser aller à eux.

Au fond, elle se rend parfaitement compte de l'indignité de cette imposture à l'égard de gens sincères qui, à cause d'elle, laisseront leur tête sur l'échafaud ; elle a nettement le sentiment de sa faute, mais elle accuse résolument l'époque et les circonstances de la contraindre à ce rôle misérable.

> Quelquefois je ne m'entends pas moi-même, écrit-elle à Fersen, et je suis obligée de réfléchir pour voir si c'est

> bien moi qui parle ; mais que voulez-vous ? tout cela est nécessaire, et croyez que nous serions plus bas encore que nous sommes, si je n'avais pris ce parti tout de suite ; au moins gagnerons-nous du temps par là, et c'est tout ce qu'il faut. Quel bonheur si je puis un jour redevenir assez moi-même pour prouver à tous ces gueux que je n'étais pas leur dupe !

Son indomptable fierté ne rêve que d'une chose : redevenir libre, ne plus être forcée de s'occuper de politique et de diplomatie, ne plus être obligée de mentir. Et parce qu'elle est persuadée qu'en tant que reine Dieu lui a donné le droit de jouir d'une liberté illimitée, elle croit pouvoir tromper indignement tous ceux qui veulent limiter cette liberté.

Mais la reine n'est pas la seule à tricher, dans cette crise décisive ; tous ceux qui participent au grand jeu de la politique trichent – et rarement l'on a vu l'immoralité de la diplomatie secrète apparaître avec plus de relief que dans les innombrables correspondances des gouvernements, princes, ministres et ambassadeurs de l'époque. Tous travaillent sournoisement contre tous et chacun uniquement pour son intérêt particulier. Louis XVI trompe l'Assemblée nationale, qui, de son côté, attend seulement que l'idée républicaine ait suffisamment pénétré les masses pour détrôner le roi. Les constitutionnels affichent devant Marie-Antoinette une puissance qu'ils ne possèdent plus depuis longtemps, cependant que celle-ci les dupe, avec le plus grand mépris, en négociant à leur insu avec son frère Léopold. Celui-ci berne sa sœur, car il est décidé, au fond, à ne pas exposer un soldat, à ne pas engager un sou pour sa cause – il est d'ailleurs en train de négocier avec la Russie et la Prusse en vue d'un second partage de la Pologne. Mais tandis que, de Berlin, le roi de Prusse discute avec lui au sujet du « Congrès armé » contre la France, l'ambassadeur prussien à Paris finance les Jacobins et dîne avec Pétion. De leur côté les princes émigrés poussent à la guerre, non certes pour conserver le trône à leur frère Louis XVI, mais pour s'y asseoir le plus vite possible, et au centre de toutes ces luttes, de toutes ces ambitions, gesticule le Don Quichotte de la royauté, Gustave de Suède, que tout cela ne regarde vraiment pas, mais qui voudrait jouer au Gustave-Adolphe, sauveur de l'Europe. Le duc de Brunswick, qui doit commander l'armée de la coalition contre la France, négocie en même temps avec les Girondins, qui lui offrent le trône de France ; Danton, également, mène un double jeu, ainsi que Dumouriez. Les princes sont aussi peu d'accord que les révolutionnaires, le frère trompe la sœur, le roi son peuple, l'Assemblée le roi, les monarques se bernent réciproquement, tous se mentent les uns aux autres, afin de gagner du temps pour leur propre cause. Chacun voudrait tirer avantage du désordre et ne fait qu'augmenter par ses menaces l'insécurité générale. Personne ne voudrait se brûler les doigts, mais tout le monde joue avec le feu ; empereurs, rois, princes et révolutionnaires créent, par leurs perpétuelles négociations et leurs éternels jeux de dupes, une atmosphère de méfiance (semblable à celle qui empoisonne le monde actuel) et finissent par entraîner, sans le vouloir en somme, vingt-cinq millions d'hommes dans la catastrophe d'une guerre de vingt-cinq ans.

Cependant, sans se soucier de ces menées, le temps court à vive allure ; le rythme de la Révolution ne saurait s'adapter à la « temporisation » de la vieille diplomatie. Il s'agit de prendre une décision. L'Assemblée nationale enfin a établi un projet de Constitution et l'a soumis à Louis XVI. Il faut donner une réponse. Marie-Antoinette sait que cette « monstrueuse » Constitution – ainsi qu'elle l'écrit à l'impératrice Catherine de Russie – « signifie une mort morale, qui est mille fois pire que la mort physique qui délivre de tous les maux », elle sait aussi qu'à Coblence et dans les cours on en considérera l'acceptation comme une lâcheté, peut-être même comme une lâcheté personnelle, mais la puissance royale est déjà tombée si bas que la reine elle-même se voit obligée de conseiller la soumission.

> Nous avons trop prouvé, par le voyage que nous avons entrepris il y a deux mois, écrit-elle, que nous ne cal-

culons pas nos personnes quand il s'agit du bien général... Il est impossible, vu la position ici, que le Roi refuse son acceptation. Croyez que la chose doit être vraie, puisque je le dis. Vous connaissez assez mon caractère pour croire qu'il se porterait plutôt à une chose noble et pleine de courage ; mais il n'en existe point à courir un danger plus que certain.

Mais à l'instant même où la capitulation est sur le point d'être signée, Marie-Antoinette informe ses intimes que le roi, au fond, ne songe pas du tout – qui trompe est trompé à son tour – à tenir sa parole à l'égard du peuple.

Quant à l'acceptation, il est impossible que tout être pensant ne voie pas que, quelque chose qu'on fasse, nous ne sommes pas libres. Mais il est essentiel que nous ne donnions pas de soupçon sur cela aux monstres qui nous entourent... En tout état de cause, les puissances étrangères peuvent seules nous sauver. L'armée est perdue, l'argent n'existe plus : aucun lien, aucun frein ne peut retenir la populace armée de toute part. Les chefs mêmes de la révolution, quand ils veulent parler d'ordre, ne sont plus écoutés. Voilà l'état déplorable où nous nous trouvons. Ajoutez à cela que nous n'avons pas un ami, que tout le monde nous trahit : les uns par haine, les autres par faiblesse ou ambition. Enfin je suis réduite à craindre le jour où on aura l'air de nous donner une sorte de liberté. Au moins, dans l'état de nullité où nous sommes, nous n'avons rien à nous reprocher.

Et avec une merveilleuse franchise elle continue :

Vous voyez mon âme tout entière dans cette lettre. Je peux me tromper ; mais c'est le seul moyen que je vois encore pour pouvoir aller. J'ai écouté autant que je le peux des gens des deux côtés, et c'est de tous leurs avis que je me suis formé le mien. Je ne sais pas s'il sera suivi. Vous connaissiez la personne à laquelle j'ai affaire ; au moment où on la croit persuadée, un mot, un raisonnement la fait changer sans qu'elle s'en doute. C'est aussi

> pour cela que mille choses ne sont point à entreprendre. Enfin, quoi qu'il arrive, conservez-moi votre amitié et votre attachement. J'en ai bien besoin, et croyez que, quel que soit le malheur qui me poursuit, je peux céder aux circonstances, mais jamais je ne consentirai à rien d'indigne de moi. C'est dans le malheur qu'on sent davantage ce qu'on est. Mon sang coule dans les veines de mon fils, et j'espère qu'un jour il se montrera digne fils de Marie-Thérèse.

Voilà de grandes et émouvantes paroles, mais elles ne cachent pas la honte intérieure qu'éprouve cette femme, d'intention droite, à jouer ce jeu de dupes qui lui est imposé. Elle sait, au plus profond de son cœur, qu'elle agit moins royalement, par cette conduite malhonnête, que si elle renonçait au trône de son plein gré. Mais il n'y a plus le choix.

> Refuser eût été plus noble, écrit-elle à son cher Fersen, mais cela était impossible dans les circonstances où nous sommes. J'aurais voulu que l'acceptation fût plus simple et plus courte ; mais c'est le malheur de n'être entourés que de scélérats ; encore je vous assure que c'est le moins mauvais projet qui a passé. Les folies des princes et des émigrants nous ont aussi forcés dans nos démarches ; il était essentiel, en acceptant, d'ôter tout doute que ce n'était pas de bonne foi.

Par cette adhésion apparente, déloyale et par conséquent impolitique, la famille royale a gagné un peu de temps, c'est là tout le profit – profit cruel, comme il apparaîtra bientôt – de ce double jeu. Tous, à présent, respirent et font mine de croire à leurs mensonges réciproques. La nuée orageuse se déchire en l'espace d'une seconde et se dissipe. Le soleil de la faveur populaire luit encore une fois trompeusement sur la tête des Bourbons. Aussitôt après la déclaration du roi, le 13 septembre, qu'il prêterait serment de fidélité à la Constitution le lendemain devant l'Assemblée, les gardes attachés à la surveillance du palais sont retirés et les jardins des Tuileries ouverts au public. La captivité a pris fin et –

ainsi que la plupart le croient trop vite – la Révolution aussi. Pour la première fois, depuis des semaines et des mois, mais aussi pour la dernière, Marie-Antoinette entend, poussé par des milliers de voix, le cri déjà tout à fait oublié de : « Vive le roi ! Vive la reine ! »

Mais il y a beau temps que tout, amis et ennemis, en deçà et au-delà des frontières, conspire à sa perte prochaine.

CHAPITRE XXXI

LA DERNIÈRE APPARITION DE L'AMI

Les heures vraiment tragiques de la fin de Marie-Antoinette ne furent pas celles des grands orages, mais au contraire celles des beaux jours trompeurs qui apparaissent entre-temps. Si la Révolution s'était précipitée comme une avalanche, écrasant d'un seul coup la monarchie, si elle s'était accomplie brusquement sans donner le temps de réfléchir, d'espérer, de résister, elle n'eût pas été aussi terrible pour les nerfs de la reine que cette lente agonie. Mais sans cesse de soudaines accalmies se produisent entre deux tempêtes : cinq fois, dix fois au cours de la Révolution le roi et la reine peuvent croire que la paix est définitivement rétablie, la lutte terminée. Malheureusement pour eux, la Révolution est comme la mer une force de la nature ; la marée montante ne couvre pas la terre d'un seul bond, la vague au contraire se retire après chaque élan vigoureux, en apparence épuisée, mais en réalité afin de reprendre sa marche envahissante. Et jamais ceux qu'elle menace ne savent si la dernière vague ne sera suivie d'une autre plus forte, plus dangereuse.

La Constitution une fois acceptée, la crise paraît surmontée. La Révolution est légalisée, la révolte cristallisée. Pendant quelques jours, quelques semaines, on ressent un bien-être illusoire, on est envahi par une fallacieuse euphorie ; la joie emplit les rues et l'enthousiasme l'Assemblée, des tonnerres d'applaudissements ébranlent les théâtres. Mais il y a longtemps que Marie-Antoinette a perdu la confiance naïve et spontanée de sa jeunesse :

> Qu'il est triste, dit-elle à la gouvernante de ses enfants en rentrant de la ville illuminée, que quelque chose d'aussi beau ne laisse dans nos cœurs qu'un sentiment de tristesse et d'inquiétude !

Non, elle a été trop souvent déçue, elle ne veut plus se laisser aller à aucune illusion.

> Tout est assez tranquille pour le moment, en apparence, écrit-elle à Fersen, l'ami de son cœur, mais cette tranquillité ne tient qu'à un fil et le peuple est toujours comme il était, prêt à faire des horreurs ; on nous dit qu'il est pour nous ; je n'en crois rien, au moins pour moi. Je sais le prix qu'il faut mettre à tout cela ; la plupart du temps cela est payé, et il ne nous aime qu'autant que nous faisons ce qu'il veut. Il est impossible d'aller longtemps comme cela ; il n'y a pas plus de sûreté à Paris qu'auparavant, et peut-être moins encore, car on s'accoutume à nous voir avilis.

En effet, la nouvelle Assemblée nationale est, de l'avis de la reine, « mille fois plus mauvaise que l'autre », et un de ses premiers décrets est d'enlever au roi le titre de « Majesté ». Au bout de quelques semaines la direction est passée aux mains des Girondins, dont les sympathies vont ouvertement à la république. L'arc-en-ciel sacré de la réconciliation disparaît rapidement derrière les nouveaux nuages qui s'amassent. La lutte recommence.

Si leur situation a empiré si vite ce n'est pas à la Révolution que le roi et la reine doivent l'attribuer, mais, en premier lieu, à leur propre famille. Le comte de Provence et le comte d'Artois ont établi leur quartier général à Coblence, et de là ils mènent contre les Tuileries une guerre ouverte. Le fait que le roi dans sa détresse a accepté la Constitution leur est une excellente occasion d'accuser Louis XVI et Marie-Antoinette de lâcheté – par l'intermédiaire de journalistes à leur solde – et de se faire passer, eux qui sont à l'abri, pour les seuls vrais et dignes défenseurs de l'idée monarchique : que ce soit aux dépens de la vie de leur frère, peu leur chaut. C'est en vain que Louis XVI supplie ses frères, qu'il leur ordonne même de revenir pour écarter la méfiance justifiée du peuple. Ces usurpateurs prétendent perfidement que ce n'est pas là la volonté personnelle du roi prisonnier, et ils restent à Coblence où ils continuent à faire les matamores. Marie-Antoinette frémit de rage devant la lâcheté des émigrés, « cette vilaine race d'hommes, qui se disent attachés et qui ne nous ont fait que du mal ». Elle accuse ouvertement les parents de son mari, seule « leur conduite les a entraînés dans la position où ils sont ».

> Mais que voulez-vous ? écrit-elle irritée, le ton et la manie est, pour ne pas faire nos volontés, de dire que nous ne sommes pas libres (ce qui est bien vrai), mais que, par conséquent, nous ne pouvons pas dire ce que nous pensons et qu'il faut agir à l'inverse.

Elle supplie en vain l'empereur de « contenir les princes et Français qui sont dehors » ; mais le comte de Provence devance les courriers, fait passer les ordres de la reine pour des ordres « forcés » et rencontre l'approbation de tous les partisans de la guerre. Gustave de Suède renvoie, sans l'ouvrir, la lettre dans laquelle Louis XVI lui annonce l'acceptation de la Constitution. Catherine de Russie raille Marie-Antoinette avec plus de mépris encore, lui disant qu'il est triste de n'avoir plus d'autre espoir qu'un chapelet. Son frère de Vienne laisse passer des semaines avant de lui donner une réponse entortillée ; au fond toutes les puissances attendent l'occasion qui leur permettra de tirer un profit quelconque du désordre français. Personne n'offre d'aide réelle au roi et à la reine, ne leur fait de proposition nette et ne s'inquiète sincèrement de leurs volontés et de leurs désirs : avec toujours plus d'acharnement, chacun continue à jouer son double jeu aux dépens des malheureux captifs.

Mais que veut, que désire Marie-Antoinette ? La Révolution française qui, comme presque tout mouvement politique, suppose chez l'adversaire des projets profonds et mystérieux, croit que la reine et le « comité autrichien » préparent aux Tuileries une immense croisade contre le peuple français, ce que d'ailleurs bien des historiens ont répété. En réalité Marie-Antoinette, diplomate par désespoir, n'a jamais eu d'idée nette, de plan réel. Avec un remarquable esprit de sacrifice, un zèle surprenant, elle écrit et envoie des lettres dans toutes les directions, rédige des mémoires et des propositions, discute et négocie, mais plus elle écrit, moins en somme on comprend ses idées politiques. Elle rêve vaguement d'un congrès armé des puissances, de demi-mesures, qui intimideraient les révolutionnaires, sans toutefois être des défis au sentiment national français ; mais elle ne sait pas très bien elle-même ce qu'elle veut ; elle n'agit pas, elle ne pense pas avec logique ; ses mouvements brusques et ses cris font penser à celui qui se noie et qui, en se débattant, s'enfonce toujours plus profondément. Tantôt elle déclare que la seule voie possible pour elle est de gagner la confiance du peuple, et, dans un même souffle, dans la même lettre, elle écrit : « Il n'y a plus de moyen de conciliation. » Elle ne veut pas la guerre, car elle prévoit très justement et très nettement ce qui se passera :

> D'un côté nous serons obligés de marcher contre eux, et cela ne se peut autrement, et de l'autre nous serons encore soupçonnés ici d'être de mauvaise foi et d'accord avec eux.

Et quelques jours plus tard elle écrit :

> Il n'y a que la force armée qui puisse tout réparer, et, sans aucun secours étranger, nous ne ferons rien.

D'une part elle excite son frère, l'empereur, pour « qu'il sente donc une fois ses propres injures », et ajoute :

> Il n'y a plus à s'inquiéter pour notre sûreté ; c'est ce pays-ci qui provoque la guerre.

Et par ailleurs elle l'empêche d'agir en déclarant : « Une attaque du dehors nous coûterait la vie. » Finalement personne ne comprend plus rien à ses intentions. Les chancelleries, qui ne songent pas à gaspiller leur argent dans un congrès armé et qui, si elles jettent aux frontières de coûteuses armées, veulent au moins avoir une guerre véritable, avec annexions et réparations, haussent les épaules à l'idée qu'on pourrait attendre d'elles d'entretenir des soldats sur le pied de guerre rien que « pour le roi de France ».

> Que faut-il penser, écrit Catherine de Russie, de gens qui négocient tout le temps de deux manières dont l'une est opposée de l'autre ?

Et même le très dévoué Fersen, qui croit cependant connaître les pensées les plus secrètes de Marie-Antoinette, finit par ne plus savoir ce que veut réellement la reine, si c'est la guerre ou la paix, si, dans son for intérieur, elle est réconciliée avec la Constitution ou si elle ne fait que berner les constitutionnels, si c'est la Révolution qu'elle trompe ou les princes ; et pourtant, en vérité, la pauvre femme ne veut qu'une chose : vivre et ne plus subir d'humiliations. Elle souffre plus qu'ils ne l'imaginent tous de ce double jeu si contraire à sa nature loyale. Et le dégoût de ce rôle forcé s'exhale parfois en un cri profondément humain :

> Je ne sais quelle contenance faire ni quel ton prendre ; tout le monde m'accuse de dissimulation, de fausseté, et personne ne peut croire – avec raison – que mon frère s'intéresse assez peu de l'affreuse position de sa sœur pour l'exposer sans cesse sans lui rien dire. Oui, il m'expose, et mille fois plus que s'il agissait ; la haine, la méfiance, l'insolence sont les trois mobiles qui font agir dans ce moment ce pays-ci. Ils sont insolents par excès de peur, et parce que, en même temps, ils croient qu'on ne fera rien au-dehors... Il n'y a rien de pis que de rester comme nous sommes ; il n'y a plus aucun secours à attendre du temps et de l'intérieur.

Un seul finit par comprendre que toutes ces hésitations, tous ces ordres et contre-ordres ne sont que les signes d'un embarras désespéré, et que cette femme ne peut pas se sauver seule. Il sait qu'elle n'a personne à ses côtés, car Louis XVI, du fait de son indécision, ne compte pas. Et sa belle-sœur, Madame Élisabeth, n'est pas l'amie adorable, dévouée et divine dont parle la légende royaliste :

> Ma sœur est tellement indiscrète, entourée d'intrigants, et surtout dominée par ses frères au-dehors, qu'il n'y a pas moyen de se parler, ou il faudrait quereller tout le jour.

Et plus énergiquement, plus brutalement encore, avec une franchise qui jaillit du plus profond d'elle-même, elle déclare :

> C'est un enfer que notre intérieur ; il n'y a pas moyen d'y rien dire, avec les meilleures intentions du monde.

Fersen, au loin, sent de plus en plus nettement qu'une seule personne pourrait maintenant lui porter secours, quelqu'un qui aurait sa confiance et qui ne serait ni son mari, ni son frère, ni aucun de ses parents, mais lui-même. Quelques semaines auparavant elle lui a envoyé secrètement par le comte Esterhazy un message d'amour, sacré :

> Si vous lui écrivez, dites-lui que bien des lieues et bien des pays ne peuvent jamais séparer les cœurs. Je sens cette vérité chaque jour davantage.

Et, une autre fois encore, elle s'écrie :

> Je ne sais où il est ; c'est un supplice affreux de n'avoir aucunes nouvelles et de ne savoir même pas où habitent les gens qu'on aime.

Ces dernières et ardentes paroles d'amour étaient accompagnées d'un présent, un petit anneau en or, sur lequel étaient gravées trois fleurs de lys avec cette inscription : « Lâche, qui les quitte. » Cette bague, écrit Marie-Antoinette à Esterhazy, elle l'a fait faire à la mesure de son propre doigt, elle l'a portée pendant deux jours avant de l'envoyer, afin que la chaleur de son sang pénètre dans l'or froid. Fersen porte la bague de l'aimée, et cette bague avec son inscription devient un appel quotidien à sa conscience, une invitation à tout oser pour cette femme ; devant le violent accent de désespoir qui éclate dans ses lettres, devant le trouble farouche de celle qui se voit délaissée de tous, il se sent poussé à un acte héroïque : puisque par lettre il leur est impossible de s'expliquer à fond, Fersen décide de se rendre auprès de Marie-Antoinette, d'accourir à Paris où il est hors la loi et où une mort certaine l'attend s'il se montre.

Marie-Antoinette prend peur à cette nouvelle. Non, elle n'accepte pas ce sacrifice vraiment trop grand. L'aimant profondément elle préfère la vie de son ami à la sienne, elle la préfère aussi à l'apaisement et au bonheur ineffable que lui procurerait cependant sa présence. Aussi lui répond-elle hâtivement le 7 décembre :

> Il est absolument impossible que vous veniez ici dans ce moment : ce serait risquer notre bonheur ; et quand je le dis, on peut m'en croire, car j'ai un extrême désir de vous voir.

Mais Fersen ne renonce pas à son idée. Il veut à tout prix « la tirer de l'état où elle est ». Il a élaboré avec le roi de Suède un nouveau projet de fuite et son cœur lui dit combien la reine, malgré sa résistance, languit après lui, et combien, après toutes ces correspondances secrètes, un entretien libre et sans entrave soulagerait l'âme de cette femme complètement isolée. Au début de février Fersen décide de ne pas attendre plus longtemps et de se rendre en France.

Cette résolution équivaut à un véritable suicide. Il y a cent probabilités contre une qu'il ne reviendra pas de ce voyage, car en France aucune tête n'est plus mise à prix que la sienne. Aucun nom n'a été prononcé davantage et avec plus de haine : son signalement est entre toutes les mains ; qu'une seule personne, en route ou à Paris, le reconnaisse, et son corps roulera en lambeaux sur le pavé. Pourtant Fersen – et son héroïsme s'en trouve mille fois accru – ne veut pas venir à Paris pour s'y terrer, mais au contraire pour se rendre directement au lieu inaccessible, aux Tuileries, gardées jour et nuit par douze cents gardes nationaux, et où chaque serviteur, chaque femme de chambre, chaque cocher le connaît personnellement. Mais cette fois ou jamais l'occasion est donnée à ce gentilhomme de prouver la vérité de son serment d'amour : « Je ne vis que pour vous servir. » Le 11 février il met ce serment à exécution en s'engageant dans une des entreprises les plus hardies de l'histoire de la Révolution. Déguisé sous une perruque, muni d'un faux passeport où il a imité avec audace l'indispensable signature du roi de Suède, Fersen voyage accompagné uniquement de son officier d'ordonnance pour le valet de qui il passe. Ils sont soi-disant en mission diplomatique et se rendent à Lisbonne. Par miracle, ni les papiers ni les personnes ne sont examinés attentivement et il arrive à Paris sans encombre le 13 février, à cinq heures et demie du soir. Bien qu'il y possède une amie sûre, ou plutôt une maîtresse prête à risquer sa vie pour le cacher, Fersen, en descendant de diligence, se dirige tout droit vers les Tuileries. Pendant les mois d'hiver la nuit tombe vite, elle prend l'audacieux sous son amicale protection. La porte secrète dont il possède encore la clef n'est heureusement pas gardée. Fersen entre : après huit mois de cruel éloignement, d'événements indicibles – tout un monde s'est transformé – l'amant retrouve l'aimée, Fersen est pour la dernière fois auprès de Marie-Antoinette.

Il existe au sujet de cette mémorable visite deux notes de la main de Fersen qui diffèrent sensiblement, l'une officielle, l'autre intime ; et leur différence précisément nous renseigne merveilleusement sur la véritable nature des rapports qui unissaient le gentilhomme suédois et Marie-Antoinette. Dans la lettre officielle il mande à son souverain qu'il est arrivé à Paris le 13 février à six heures du soir et qu'il a vu leurs Majestés et parlé avec elles le soir même, et une seconde fois le lendemain soir. Mais cette note destinée au roi de Suède, que Fersen sait très bavard et à qui il ne veut pas confier l'honneur de Marie-Antoinette, est démentie par une autre mention significative de son *Journal* intime.

> Allé chez elle, passé par mon chemin ordinaire, peur des gard. nat., son logement à merveille.

Il dit bien « chez elle » et non « chez eux ». Suivent encore dans le *Journal* deux mots biffés à l'encre par la main pudibonde du fameux descendant. Mais on a réussi, heureusement, à les mettre au jour, et ces deux mots, lourds de sens, sont : « Resté là. »

Mots qui éclairent tout à fait la situation : Fersen n'a donc pas été reçu ce soir-là par les deux majestés, comme il l'a laissé croire au roi de Suède, mais par Marie-Antoinette seule, et – il n'y a aucun doute – il a passé la nuit dans les appartements de la reine. Un départ, un retour et un second départ nocturnes eussent multiplié le danger d'une façon absurde, car dans le couloir les gardes nationaux patrouillaient jour et nuit. Or, les appartements de Marie-Antoinette au rez-de-chaussée ne comportaient, on le sait, qu'une chambre à coucher et un minuscule cabinet de toilette : il n'y a donc qu'une explication possible, pénible sans doute aux défenseurs de la vertu, c'est que Fersen est resté la nuit et le jour suivant jusqu'à minuit dans la chambre à coucher de la reine, la seule pièce de tout le château qui fût à l'abri de la surveillance des gardes nationaux et des regards des domestiques.

Ces heures de tête à tête, Fersen, qui a toujours su merveilleusement se taire, les passe sous silence, même dans son *Journal* intime. Certes, il ne saurait être interdit à personne de croire que cette nuit fut consacrée exclusivement à l'adoration romantique et aux conversations politiques. Mais pour celui qui sent avec son cœur et ses sens, qui croit à la puissance du sang comme à une loi éternelle, il est certain que, même si Fersen n'avait pas été depuis longtemps l'amant de Marie-Antoinette, il le serait devenu dans cette dernière et fatale nuit, obtenue au prix du plus beau courage humain.

La première nuit appartint toute aux amants, seul le lendemain soir fut consacré à la politique. A six heures, vingt-quatre heures exactement après l'arrivée de Fersen, l'époux discret pénètre dans l'appartement de la reine pour s'entretenir avec l'héroïque messager. Le projet de fuite soumis par Fersen, Louis XVI le rejette, d'abord parce qu'il ne le croit pas pratiquement réalisable et ensuite parce qu'il a promis publiquement à l'Assemblée de rester à Paris et qu'il ne veut pas être parjure. (Fersen, plein de respect, note dans son *Journal* : « Car il était un honnête homme. ») D'homme à homme, en toute confiance, le roi explique ensuite sa situation :

> Nous sommes entre nous, dit-il, et nous pouvons parler, je sais qu'on me taxe de faiblesse et d'irrésolution, mais personne ne s'est jamais trouvé dans ma position, je sais que j'ai manqué le moment (de la fuite), c'était le 14 juillet, et depuis je ne l'ai pas retrouvé. J'ai été abandonné par tout le monde.

La reine et lui ont perdu tout espoir de se sauver eux-mêmes. Que les puissances fassent tout ce qui est en leur pouvoir, sans s'occuper de leurs personnes. Et qu'elles ne s'étonnent pas s'il donne ici son consentement à bien des choses ; leur position actuelle les oblige parfois à faire ce qui n'est pas selon leur cœur. Ils ne peuvent de leur côté que gagner du temps, le salut doit venir du dehors.

Fersen reste au palais jusqu'à minuit. Tout ce qu'il avait à dire a été dit. Voici maintenant le moment le plus dur de ces trente heures : il faut se séparer. Fersen et la reine ne veulent pas le croire, mais tous deux le pressentent d'une façon qui ne trompe pas : jamais plus ils ne se reverront ! Pour consoler l'amie ébranlée, il lui promet de revenir dès que cela sera possible, et il sent, heureux, combien sa présence l'a calmée. La reine reconduit Fersen jusqu'à la porte par le couloir sombre et heureusement désert. Ils ne se sont pas encore dit adieu, ils n'ont pas encore échangé les derniers embrassements que déjà on entend s'approcher des pas inconnus : vite, la vie de Fersen est en danger ! Enveloppé dans son manteau, la perruque bien enfoncée sur la tête, il se glisse dehors ; Marie-Antoinette rentre furtivement dans sa chambre : les amants se sont vus pour la dernière fois.

CHAPITRE XXXII

LE REFUGE DANS LA GUERRE

Remède vieux comme le monde : quand les États et les gouvernements ne peuvent plus se rendre maîtres des crises intérieures, ils cherchent une diversion à l'extérieur ; conformément à cette loi éternelle, les porte-parole de la Révolution réclament depuis des mois, pour échapper à la guerre civile presque inévitable, la guerre avec l'Autriche. En acceptant la Constitution, Louis XVI a, il est vrai, limité son autorité, mais il a voulu l'assurer. A présent la Révolution – les esprits candides comme La Fayette le croyaient vraiment – allait prendre fin pour toujours. Mais le parti des Girondins, qui mène la nouvelle Assemblée, est républicain de cœur. Il veut supprimer la royauté, et il n'y a pas de meilleur moyen pour cela qu'une guerre, qui mettra infailliblement la famille royale en conflit avec la nation, car les deux bruyants frères du roi se trouvent à l'avant-garde des armées étrangères, et les états-majors ennemis sont soumis au frère de la reine.

Marie-Antoinette sait qu'une guerre, loin d'être utile à sa cause, ne pourrait que lui nuire. Quel qu'en soit le dénouement, il ne peut être qu'à son désavantage. Si les armées de la Révolution remportent la victoire sur les émigrés, les empereurs et les rois, il est certain que la France ne continuera pas à supporter un « tyran ». Si d'autre part, les troupes françaises sont battues par les parents du roi et de la reine, le peuple parisien excité ou monté par des gens intéressés en rendra responsables les prisonniers des Tuileries.

Si la France est victorieuse, ils perdront le trône, si ce sont les puissances étrangères, ils perdront la vie. C'est pourquoi Marie-Antoinette, dans de nombreuses lettres, a toujours conjuré les émigrés et son frère Léopold de se tenir tranquilles; et celui-ci, prudent, hésitant, froid calculateur et, dans le fond, ennemi de la guerre, a en effet refusé d'écouter le cliquetis des sabres princiers et des émigrés, en même temps qu'il évitait tout ce qui eût pu passer pour une provocation.

Mais il y a longtemps que la bonne étoile de Marie-Antoinette s'est obscurcie. Tout ce que le sort réserve en fait de surprises se retourne contre elle. C'est juste à ce moment-là, le 1er mars, que la maladie enlève subitement son frère Léopold, le mainteneur de la paix, et que quinze jours plus tard la balle d'un conspirateur tue le meilleur défenseur de l'idée royaliste en Europe, Gustave de Suède. La guerre est devenue inévitable, car le successeur de Gustave III ne se soucie plus de la cause monarchique, et François II ne se préoccupe pas de sa tante, mais uniquement de ses propres intérêts. Chez cet empereur de vingt-quatre ans, borné, froid, complètement insensible, dans l'âme de qui ne luit pas la moindre étincelle de l'esprit de Marie-Thérèse, Marie-Antoinette ne rencontre ni compréhension ni volonté de comprendre. Il reçoit ses messagers avec froideur, ses lettres avec indifférence; que sa parente se trouve enfermée dans le plus épouvantable des dilemmes, que les mesures qu'il prend mettent la vie de la reine en danger, peu lui importe. Il ne voit que l'occasion d'augmenter sa puissance et oppose à tous les désirs de l'Assemblée nationale un refus cassant et blessant.

Les Girondins ont à présent le dessus, Le 20 avril, après une longue résistance, et, dit-on, les larmes aux yeux, Louis XVI se voit contraint de déclarer la guerre au « roi de Hongrie ». Les armées se mettent en marche, le destin suit son cours.

De quel côté est le cœur de la reine dans cette guerre? Est-il avec son ancienne ou sa nouvelle patrie? Avec les armées françaises ou les armées étrangères? Les historiens royalistes, ses défenseurs et panégyristes sans réserve, ont tourné craintivement autour de cette question capitale et sont même allés jusqu'à falsifier des passages entiers de Mémoires et de lettres pour masquer le fait, clair et évident, que dans cette guerre Marie-Antoinette a souhaité de toute son âme le triomphe des princes alliés et la défaite des armées françaises. Il est manifeste que c'est dans ce sens-là qu'elle a pris position ; taire le fait, c'est commettre un faux. Le nier, c'est mentir. Car, mieux encore : Marie-Antoinette, qui se sent reine avant tout, et reine de France en second lieu seulement, ne se contente pas d'être contre ceux qui ont réduit sa puissance royale et pour ceux qui veulent la fortifier du point de vue monarchique, elle fait même tout ce qu'elle peut pour hâter la défaite française et amener la victoire de l'étranger. « Dieu veuille qu'un jour toutes les provocations qui nous sont venues de ce pays soient vengées », écrit-elle à Fersen ; et, quoiqu'elle ait oublié sa langue maternelle depuis longtemps et qu'elle soit obligée de se faire traduire toutes les lettres allemandes, elle écrit : « Je me sens plus que jamais enorgueillie d'être née Allemande. » Quatre jours avant que la guerre ne soit déclarée elle transmet – ou plutôt elle trahit – le plan de campagne des armées révolutionnaires, dans la mesure où elle en est informée, à l'ambassadeur autrichien. Son attitude est tout à fait claire : pour Marie-Antoinette les drapeaux autrichien et prussien sont les drapeaux amis, le drapeau tricolore de la France est la bannière de l'ennemi.

C'est là, sans aucun doute – le mot monte spontanément aux lèvres – une trahison ouverte et les tribunaux de tous les pays qualifieraient aujourd'hui cette attitude de criminelle. Mais il ne faut pas oublier que l'idée de nation, l'idée de patrie, n'existait pas encore au XVIIIe siècle ; la Révolution française seulement commence à lui donner corps en Europe. Le XVIIIe, dans les idées duquel Marie-Antoinette est fermement ancrée, ne connaît pas encore d'autre point de vue que le point de vue purement dynastique ; le pays appartient au roi, le droit est là où est le roi : qui se bat pour le roi et la royauté lutte infailliblement pour la bonne cause. Celui qui se dresse contre la royauté est un rebelle, un révolté, même s'il défend son propre pays. Du fait de l'état embryonnaire de l'idée de patrie, il arrive d'ailleurs dans cette guerre cette chose surprenante, que de l'autre côté de la frontière française, les meilleurs d'entre les Allemands adoptent une attitude sentimentale antipatriotique : Klopstock, Schiller, Fichte, Hölderlin, souhaitent, par amour de l'idée de liberté, la défaite des troupes allemandes, qui ne sont pas encore des troupes nationales, mais l'armée du despotisme. Ils se réjouissent de la retraite des forces prussiennes, tandis qu'en France le roi et la reine saluent la défaite de leurs propres troupes comme une victoire personnelle. De part et d'autre il n'est pas question des intérêts du pays, on se bat pour une idée, celle de dynastie ou celle de liberté. Et rien ne caractérise mieux la différence de conception entre l'ancien et le nouveau siècle que ce fait : un mois avant la déclaration de guerre le duc de Brunswick se demandait encore sérieusement s'il ne vaudrait pas mieux prendre le commandement des armées françaises plutôt que celui des armées allemandes ! On le voit, l'idée de patrie et de nation n'est pas encore bien claire en 1791 ; c'est cette guerre seulement qui, en donnant naissance aux armées nationales, à la conscience nationale et par là aux guerres fratricides entre peuples, va créer le patriotisme et le léguer au siècle suivant.

On n'a, à Paris, ni la preuve que Marie-Antoinette désire la victoire des puissances étrangères ni celle de sa trahison. Mais si le peuple, en tant que masse, ne pense jamais logiquement et avec suite, il a, malgré tout, un flair plus élémentaire, plus animal que l'individu ; au lieu d'agir avec réflexion, il agit avec instinct, et celui-ci est presque toujours infaillible. Dès le commencement le peuple sent dans l'atmosphère l'hostilité des Tuileries ; sans points de repère apparents, il flaire la trahison militaire effective de Marie-Antoinette envers son armée et sa cause ; et, à cent pas du château royal, à l'Assemblée nationale, un des Girondins, Vergniaud, lance cette accusation :

> De cette tribune où je vous parle, on aperçoit le palais où des conseillers pervers égarent et trompent le Roi que la Constitution nous a donné, forgent les fers dont ils

> veulent nous enchaîner et préparent les manœuvres qui doivent nous livrer à la maison d'Autriche. Je vois les fenêtres du palais où l'on trame la contre-révolution, où l'on combine les moyens de nous replonger dans les horreurs de l'esclavage.

Et afin qu'on sache que Marie-Antoinette est la véritable instigatrice de ces conspirations, il ajoute, menaçant :

> Que tous ceux qui l'habitent sachent que notre Constitution n'accorde l'inviolabilité qu'au Roi. Qu'ils sachent que la loi y atteindra sans distinction les coupables, et qu'il n'y aura pas une seule tête, convaincue d'être criminelle, qui puisse échapper au glaive.

La Révolution commence à comprendre qu'elle ne peut battre l'ennemi extérieur qu'en se débarrassant également de l'ennemi intérieur. Pour qu'elle puisse gagner cette grande partie devant le monde, il faut que l'influence que subit le roi chez lui soit annihilée. Tous les vrais révolutionnaires à présent poussent énergiquement à la lutte. De nouveau les journaux sont à l'avant-garde et réclament la destitution du roi. Pour réveiller la vieille haine, on distribue dans les rues de nouvelles éditions du fameux pamphlet : *La vie scandaleuse de Marie-Antoinette*. A l'Assemblée nationale on présente des motions dans l'espoir d'amener le roi à user de son droit de veto ; on insiste sur la nécessité d'expulser les prêtres non assermentés, car on sait que le roi, en tant que catholique pratiquant, ne pourra jamais y consentir, bref on cherche à provoquer la rupture officielle. Louis XVI, en effet, se rebiffe pour la première fois et oppose son veto. Aussi longtemps que le roi a été fort, il n'a usé d'aucun de ses droits ; maintenant à deux doigts de la fin, ce malheureux homme essaie, au moment le plus tragique, de faire preuve de courage. Mais le peuple n'est plus disposé à admettre les objections de cette marionnette. Ce veto doit être le dernier mot d'opposition du roi à son peuple.

Pour donner une bonne leçon au roi, et plus encore à

l'indomptable et orgueilleuse Autrichienne, les Jacobins, troupe d'assaut de la Révolution, choisissent un jour symbolique, le 20 juin. C'est le 20 juin, il y a trois ans, que les représentants du peuple se sont réunis pour la première fois dans la salle du Jeu de Paume et qu'ils y ont juré solennellement de ne pas céder à la force des baïonnettes et de ne pas se séparer avant d'avoir donné une Constitution à la France. C'est le 20 juin également, il y a un an, que le roi, déguisé en laquais, s'est glissé nuitamment hors de son palais par l'escalier de service pour échapper à la dictature du peuple. En ce jour anniversaire, il lui sera rappelé à jamais qu'il n'est rien, et que le peuple est tout. On prépare méthodiquement l'assaut des Tuileries, comme on avait préparé celui de Versailles en 1789. Mais trois ans auparavant c'était secrètement et illégalement encore, dans la nuit, qu'il avait fallu lever l'armée des amazones; aujourd'hui c'est en plein jour, au son du tocsin, sous les yeux de la municipalité, que, bannières déployées et commandés par le brasseur Santerre, s'avancent quinze mille hommes, à qui l'Assemblée nationale ouvre les portes, cependant que le maire Pétion, chargé en réalité de maintenir l'ordre, fait celui qui ne voit et n'entend rien, afin que soit complète l'humiliation du roi.

La colonne révolutionnaire se déploie d'abord comme un cortège ordinaire devant le siège de l'Assemblée nationale. En rangs serrés et au chant du *Ça ira!* les quinze mille hommes, portant de grandes pancartes sur lesquelles on lit : « A bas le veto ! » et « La liberté ou la mort ! », défilent devant le manège où se tient l'Assemblée; à trois heures et demie, tout semble terminé. Mais c'est alors seulement que commence la véritable manifestation, car, au lieu de se retirer paisiblement, l'énorme masse populaire se précipite, comme guidée par une main invisible, vers l'entrée du palais. Les gardes nationaux et les gendarmes sont là, baïonnette au canon, mais la cour, indécise comme toujours, n'ayant donné aucun ordre, alors que ce qui arrive était pourtant facile à prévoir, les soldats n'opposent aucune résistance, et, d'une seule coulée, le peuple entre par l'étroit entonnoir de la porte. La pression de cette foule est si forte que les manifestants sont comme portés jusqu'au premier étage. Il n'y a plus moyen de les arrêter à présent, ils enfoncent les portes, brisent les serrures, et, avant qu'on ait pu prendre la moindre mesure de protection, les premiers assaillants se trouvent déjà devant le roi, qu'un groupe de gardes nationaux ne peut qu'imparfaitement préserver du pire. Et voici Louis XVI obligé de passer la revue de son peuple insurgé dans sa propre demeure ; seul son flegme imperturbable évite un choc violent. Il répond avec une patience polie à toutes les provocations et se coiffe docilement du bonnet rouge de l'un des sans-culottes. Pendant trois heures et demie, par une chaleur torride, il supporte sans révolte ni protestation la curiosité et l'ironie de ces hôtes hostiles.

En même temps un autre groupe d'insurgés a pénétré dans les appartements de la reine ; l'horrible scène du 5 octobre à Versailles semble vouloir se répéter. Mais comme la reine est plus exposée que le roi, les officiers se sont dépêchés d'appeler des soldats ; ils ont poussé Marie-Antoinette dans un coin et glissé une table devant elle pour la mettre à l'abri tout au moins des brutalités ; en outre trois rangs de gardes nationaux sont alignés devant cette table. Les hommes et les femmes entrés en trombe ne peuvent atteindre Marie-Antoinette, mais ils l'approchent suffisamment pour pouvoir examiner le « monstre » d'une façon provocante, ils s'avancent assez près pour qu'elle entende distinctement leurs menaces et leurs injures. Santerre, dont le but est d'humilier la reine le plus possible, mais qui s'efforce d'éviter de réels actes de violence, ordonne aux grenadiers de s'écarter, pour que la volonté du peuple s'accomplisse et pour que celui-ci puisse contempler sa victime, la reine vaincue ; en même temps, il cherche à rassurer Marie-Antoinette : « Madame, vous êtes trompée ; le peuple ne vous veut pas de mal. Si vous vouliez, il n'y en aurait pas un d'eux qui ne vous aimât autant que cet enfant » (et il montre le dauphin qui, effrayé et tremblant, se blottit contre sa mère). « Au reste n'ayez pas peur, on ne vous fera pas de mal. » Mais comme toujours, quand un des « factieux » offre sa protection à la reine, l'orgueil de celle-ci se cabre.

« Je ne suis ni trompée ni égarée, et je n'ai pas peur, répond-elle durement, on ne craint jamais rien, lorsqu'on est avec de braves gens. » Froide et fière, la reine tient tête aux regards les plus hostiles et aux apostrophes les plus effrontées. Toutefois quand on veut l'obliger à mettre le bonnet rouge sur la tête de son enfant, elle se détourne et dit aux officiers : « C'est trop fort aussi, cela va au-delà de toute patience humaine. » Mais elle tient bon, sans trahir la moindre peur ou le moindre manque d'assurance. Lorsqu'elle n'est vraiment plus en danger le maire Pétion se montre et engage les assaillants à rentrer chez eux, « pour ne pas donner occasion d'incriminer leurs intentions respectables ». Mais il se fait tard avant que le palais ne soit évacué, et c'est alors seulement que la reine, la femme humiliée, se rend compte avec douleur de son impuissance totale. Elle sait à présent que tout est perdu. « J'existe encore, mais c'est un miracle », écrit-elle en hâte à son confident, Hans Axel de Fersen. « La journée du 20 a été affreuse. »

CHAPITRE XXXIII

LES DERNIERS CRIS

Depuis qu'elle a senti passer sur son visage le souffle de la haine, depuis qu'elle a vu les piques de la Révolution dans sa propre chambre et qu'elle a constaté l'impuissance de l'Assemblée et la malveillance du maire de Paris, Marie-Antoinette sait qu'elle et sa famille sont irrémédiablement perdues, sans un secours rapide du dehors. Seule une prompte victoire des Prussiens et des Autrichiens pourrait encore les sauver. Il est vrai que maintenant même, à la dernière heure, des amis, anciens et nouveaux, s'occupent activement d'une nouvelle fuite. Le général La Fayette propose d'enlever le roi et sa famille à la tête d'une division de cavalerie, le 14 juillet, au milieu des cérémonies du Champ-de-Mars, et de les conduire hors de la ville sabre au clair. Mais Marie-Antoinette, qui continue à voir en La Fayette l'auteur de tous les maux, aime mieux périr que de confier ses enfants, son mari et sa propre personne à cet homme par trop irréfléchi.

Pour des raisons plus nobles elle refuse également la proposition de la landgrave de Hesse-Darmstadt de l'enlever seule du palais, comme étant la plus menacée.

> Non, ma princesse, répond Marie-Antoinette, en sentant tout le prix de vos offres, je ne puis les accepter. Je suis vouée pour la vie à mes devoirs et aux personnes chères dont je partage les malheurs et qui, quoi qu'on en dise, méritent tout intérêt par le courage avec lequel elles

> soutiennent leur position... Puisse un jour tout ce que nous faisons et souffrons rendre heureux nos enfants ; c'est le seul vœu que je me permette. Adieu ma princesse. Ils m'ont tout ôté, hors mon cœur, qui me restera toujours pour vous aimer, n'en doutez jamais ; c'est le seul malheur que je ne saurais supporter.

C'est là une des premières lettres que Marie-Antoinette n'écrit plus pour elle, mais pour la postérité. Au fond, elle sait déjà que le malheur ne peut plus être conjuré et elle ne pense plus qu'à remplir le dernier de ses devoirs : mourir dignement et la tête haute. Peut-être souhaite-t-elle déjà, inconsciemment, une mort rapide et héroïque, au lieu de ce lent enlisement, de cette chute d'heure en heure plus profonde. Le 14 juillet lorsque – pour la dernière fois – elle doit assister au Champ-de-Mars à la commémoration de la prise de la Bastille, elle refuse de mettre sous ses vêtements une cotte de maille ainsi que le fait par prudence son mari. La nuit elle couche seule, bien qu'une fois un personnage suspect se soit introduit dans sa chambre. Elle ne quitte plus le palais, car il y a longtemps qu'elle ne peut plus sortir dans son jardin sans entendre le peuple chanter :

Madame veto avait promis,
De faire égorger tout Paris.

Elle ne dort plus ; chaque fois qu'une cloche sonne, on redoute au château que ce ne soit le signal d'alarme de l'assaut définitif des Tuileries décidé depuis longtemps. La cour, qui est renseignée journellement, presque à toute heure, par des courriers et des espions, sur les sections des faubourgs et les clubs secrets, sait que l'exécution du dernier acte de violence des Jacobins n'est plus qu'une question de jours, et ce n'est d'ailleurs pas un secret que trahissent ces espions. Car, d'une voix toujours plus retentissante, les journaux de Marat et d'Hébert réclament la destitution. Seul un miracle – Marie-Antoinette en est convaincue – ou une avance rapide et écrasante des armées étrangères pourrait apporter le salut.

Le tourment, l'effroi, la terreur de ces jours d'expectative angoissante et de suprême attente se reflètent dans les lettres de la reine à son ami le plus fidèle. Ce ne sont plus des lettres, à vrai dire, mais des cris, des appels angoissés, vibrants, passionnés, à la fois confus et perçants, comme ceux d'un être traqué et étranglé. Ce n'est qu'avec une extrême prudence, et par d'audacieux moyens, qu'on peut encore faire sortir en cachette des nouvelles des Tuileries, car la domesticité n'est plus sûre, il y a des espions devant les fenêtres et derrière les portes. Les lettres de Marie-Antoinette, cachées dans des boîtes de chocolat, sous la doublure des chapeaux, chiffrées et écrites à l'encre sympathique, sont conçues de telle façon qu'en cas de découverte elles paraissent tout à fait inoffensives. Elles ne parlent en apparence que de choses tout à fait générales, d'affaires imaginaires ; ce que la reine veut vraiment dire est presque toujours exprimé à la troisième personne et, de plus, chiffré. Ces appels de détresse se suivent maintenant de plus en plus rapidement ; avant le 20 juin la reine écrit :

> Vos amis croient le rétablissement de leur fortune impossible, ou au moins très éloigné. Donnez-leur, si vous le pouvez, quelque consolation à cet égard ; ils en ont besoin ; leur situation devient tous les jours plus affreuse.

Le 23 juin l'avertissement se fait plus pressant :

> Votre ami est dans le plus grand danger. Sa maladie fait des progrès effrayants. Les médecins n'y connaissent plus rien. Si vous voulez le voir, dépêchez-vous. Faites part de sa malheureuse situation à ses parents.

La fièvre monte toujours plus :

> Il faut une crise prompte pour le tirer d'affaire, et elle ne s'annonce point encore ; cela nous désespère. Faites part de sa situation aux personnes qui ont des affaires avec lui, afin qu'elles prennent leurs précautions, le temps presse... (26 juin.)

Au milieu de ses cris d'alarme la pauvre femme, sensible comme toutes les amoureuses, s'effraie parfois en pensant à l'inquiétude qu'elle peut causer à l'être qui lui est cher; même au plus fort de sa détresse Marie-Antoinette, avant de songer à son propre sort, pense aux tourments que vont causer à l'aimé ses appels désespérés :

> Notre position est affreuse ; mais ne vous inquiétez pas trop ; je sens du courage, et j'ai en moi quelque chose qui me dit que nous serons bientôt heureux et sauvés. Cette seule idée me soutient... Adieu ! Quand pourrons-nous nous revoir tranquillement ? (3 juillet.)

Elle écrit encore :

> Ne vous tourmentez pas trop sur mon compte. Croyez que le courage impose toujours... Adieu. Hâtez, si vous pouvez, les secours qu'on nous promet pour notre délivrance... Ménagez-vous pour nous, et ne vous inquiétez pas sur nous.

Les lettres se suivent alors précipitamment :

> Demain il arrive huit cents hommes de Marseille. On dit que dans huit jours le rassemblement sera assez fort pour l'exécution de ce projet (21 juillet).

Et trois jours plus tard :

> Dites donc à M. de Mercy que les jours du Roi et de la Reine sont dans le plus grand danger ; qu'un délai d'un jour peut produire des malheurs incalculables... la troupe des assassins grossit sans cesse.

Et l'ultime lettre du 1er août, qui est en même temps la dernière que Fersen reçoit de la reine, décrit avec la lucidité du désespoir tout le danger :

> La vie du Roi est évidemment menacée depuis longtemps ainsi que celle de la Reine. L'arrivée d'environ six cents Marseillais et d'une quantité d'autres députés de tous les clubs des Jacobins augmente bien nos inquiétudes, malheureusement trop fondées. On prend des précautions de toutes espèces pour la sûreté de Leurs Majestés, mais les assassins rôdent continuellement autour du château ; on excite le peuple ; dans une partie de la garde nationale, il y a mauvaise volonté, et dans l'autre faiblesse et lâcheté... Pour le moment, il faut songer à éviter les poignards, et à déjouer les conspirateurs qui fourmillent autour du trône prêt à disparaître. Depuis longtemps les factieux ne prennent plus la peine de cacher le projet d'anéantir la famille royale. Dans les deux dernières assemblées nocturnes, on ne différait que sur les moyens à employer. Vous avez pu juger par une précédente lettre combien il est intéressant de gagner vingt-quatre heures ; je ne ferai que vous le répéter aujourd'hui, en ajoutant que, si on n'arrive pas, il n'y a que la Providence qui puisse sauver le Roi et sa famille.

L'amant reçoit ces lettres à Bruxelles ; on imagine avec quel désespoir ! Du matin au soir il lutte contre la lenteur, l'indécision des rois, des chefs d'armée, des ambassadeurs ; il écrit lettre sur lettre, fait démarche sur démarche, et pousse, avec une énergie décuplée par l'impatience, à une rapide action militaire. Mais le duc de Brunswick est un soldat de l'ancienne école qui se croit obligé de calculer des mois à l'avance le jour du déclenchement de l'offensive. Il prépare ses armées lentement, minutieusement, systématiquement, selon l'art de la guerre, depuis longtemps dépassé, appris chez Frédéric II ; et avec l'éternel orgueil des généraux, il ne se laisse pas détourner d'un pouce de ses plans de mobilisation écrits, ni par les politiciens ni par d'autres. Il déclare ne pouvoir franchir la frontière avant la mi-août, mais il promet – la promenade militaire a toujours été le rêve des généraux – de pousser alors d'un trait jusqu'à Paris.

Mais Fersen que bouleversent les cris de détresse venus des Tuileries sait qu'on n'a plus le temps d'attendre jusque-là. Il faut faire immédiatement quelque chose pour sauver la reine. Et, dans le trouble de sa passion, l'ami accomplit exactement ce qui va perdre l'aimée. C'est la mesure qui doit arrêter l'assaut des Tuileries qui justement le précipite. Depuis longtemps, Marie-Antoinette demandait aux alliés de rédiger un manifeste. Son raisonnement – très juste – était qu'il fallait essayer, dans ce manifeste, de séparer nettement la cause des républicains, des Jacobins, de celle de la nation française, d'encourager ainsi les éléments bien-pensants (à son point de vue) et de faire peur aux « gueux ». Elle souhaitait avant tout qu'on ne s'y mêlât pas des affaires intérieures de la France et qu'on « évitât de trop parler du roi, de trop faire sentir qu'on cherchait à le soutenir ». Elle rêvait d'un manifeste qui serait à la fois une déclaration d'amitié au peuple français et une menace aux terroristes. Mais, la mort dans l'âme, le malheureux Fersen, qui sait qu'il se passera encore une éternité avant que l'on puisse compter sur une aide militaire effective des alliés, demande que ce manifeste soit conçu dans les termes les plus durs ; il en écrit lui-même un projet, le fait remettre par un ami, et par malheur c'est justement celui-là qui est accepté ! Le fameux manifeste des alliés aux troupes françaises est si impérieux qu'on pourrait croire les armées du duc de Brunswick déjà victorieuses et aux portes de Paris ; il contient tout ce que la reine, en connaissance de cause, voulait éviter. Il y est parlé constamment de la personne sacrée du roi très chrétien, l'Assemblée nationale y est accusée de s'être injustement emparée des rênes du pouvoir, les soldats français y sont invités à se soumettre immédiatement au roi, leur souverain légitime, et la ville de Paris est menacée, au cas où les Tuileries seraient prises d'assaut, d'une « vengeance exemplaire et à jamais mémorable », d'exécutions militaires et de destruction totale : un général pusillanime exprime ici, avant le premier coup de fusil, les pensées d'un Tamerlan.

Le résultat de cette menace est terrible. Même ceux qui jusqu'ici ont été de loyaux défenseurs du roi deviennent subitement des républicains, en apprenant combien leur souverain est cher aux ennemis de la France, et en s'apercevant qu'une victoire des troupes étrangères anéantirait toutes les conquêtes de la Révolution, rendrait inutile la prise de la Bastille, vain le serment du Jeu de Paume et nul ce qu'avaient juré au Champ-de-Mars des centaines de milliers de Français. Cette absurde menace sortie de la main de Fersen, de la main de l'aimé, est une bombe qui fait exploser la colère de vingt millions d'hommes.

Le texte du malheureux manifeste du duc de Brunswick est révélé à Paris au cours des derniers jours de juillet. La menace des alliés de raser Paris si l'on assaillait les Tuileries est considérée par le peuple comme un véritable défi, une provocation à l'attaque. On se prépare immédiatement, et si les hostilités ne commencent pas tout de suite, c'est parce qu'on attend encore les troupes d'élite, les six cents républicains de Marseille. Le 6 août ils arrivent, ces hommes fougueux et énergiques, hâlés par le soleil du Midi, ils marchent au rythme d'un nouveau chant, dont les accents en quelques semaines entraîneront tout le pays, la *Marseillaise*, l'hymne de la Révolution, inspiré en un jour béni à un officier tout à fait inconnu. Tout est prêt à présent pour donner le coup de grâce à la monarchie vermoulue. L'attaque peut commencer : « Allons, enfants de la patrie... »

CHAPITRE XXXIV

LE DIX AOÛT

La nuit du 9 au 10 août annonce une chaude journée. Pas un nuage au ciel, où brillent mille étoiles, pas la moindre brise ; les rues sont tout à fait calmes ; les toits scintillent sous la lumière blanche de la lune estivale.

Mais ce calme ne trompe personne. Et si les rues sont si étrangement désertes, cela ne fait que confirmer que quelque chose de singulier, d'extraordinaire, se prépare. La Révolution ne dort pas. Les chefs sont réunis dans les sections, dans les clubs, chez eux ; des messagers silencieux et suspects courent d'un arrondissement à l'autre, porteurs d'ordres ; – tout en demeurant invisibles – les chefs d'état-major de l'insurrection, Danton, Robespierre et les Girondins organisent l'armée illégale, le peuple de Paris, en vue de l'attaque.

Mais au palais non plus personne ne dort. Depuis bien longtemps on s'attend à un soulèvement. On sait bien que les Marseillais ne sont pas venus pour rien à Paris, et d'après les dernières nouvelles on peut craindre l'assaut pour le lendemain matin. Les fenêtres sont ouvertes par cette étouffante nuit d'été, la reine et Mme Élisabeth prêtent l'oreille aux bruits du dehors. On n'entend rien encore. Un calme complet règne dans le parc fermé des Tuileries, on ne perçoit que les pas des gardes dans les cours, parfois un sabre cliquette ou un cheval frappe le sol de son sabot, car plus de deux mille soldats campent au palais ; les galeries sont pleines d'officiers et de gentilshommes armés.

Enfin, à une heure moins le quart du matin – tout le monde se précipite aux fenêtres – une cloche dans un faubourg sonne le tocsin, puis une deuxième, une troisième, une quatrième. Et au loin, tout au loin, on entend un roulement de tambour. Plus de doute, à présent ; l'insurrection se rassemble. Quelques heures encore, et on sera fixé. La reine, agitée, court sans cesse à la fenêtre, afin de se rendre compte si la menace se précise. Personne ne dort cette nuit-là. A quatre heures le soleil se lève sanglant dans un ciel sans nuage. Il va faire chaud.

Au château, toutes les précautions sont prises. Le régiment le plus sûr de la couronne, celui des Suisses, fort de neuf cents hommes, vient d'arriver ; ce sont des hommes durs, résolus, soumis à une discipline de fer et d'une fidélité à toute épreuve. Déjà, depuis six heures du soir, seize bataillons d'élite de la garde nationale et de la cavalerie gardent les Tuileries, les ponts-levis sont baissés, les sentinelles triplées et une douzaine de canons barrent l'entrée du palais de leurs gueules muettes et menaçantes. On a en outre envoyé des messages à deux mille nobles, mais cent cinquante gentilshommes seulement, et la plupart déjà d'un certain âge, ont répondu à cet appel. Mandat, officier courageux et énergique, s'est chargé de la discipline et est décidé à ne céder devant aucune menace. Mais les révolutionnaires l'ont appris, et à quatre heures du matin il est subitement appelé à l'Hôtel de Ville. Le roi, stupidement, le laisse partir, et quoique Mandat sache ce qui le menace et ce qui l'attend, il répond à la convocation. Il est reçu par la Commune qui s'est installée à l'Hôtel de Ville et qui n'y va pas par quatre chemins ; deux heures plus tard, il est traîtreusement assassiné et, le crâne broyé, son cadavre flotte sur la Seine. Voilà les troupes de protection privées de leur chef.

Car le roi n'est pas un chef. Ne sachant ce qu'il doit faire, le pauvre homme erre d'une pièce à l'autre dans sa robe de chambre violette, la perruque de travers, le regard vide, et il attend... La veille encore on a décidé de défendre les Tuileries jusqu'à la dernière goutte de sang, et avec une énergie pleine d'audace on les a transformées en forteresse, en camp retranché. Mais avant même que l'ennemi ne se soit montré, on se remet à hésiter, et cette hésitation vient de Louis XVI. Cet homme qui n'est pas lâche, mais qu'effare toute responsabilité, se sent malade chaque fois qu'il s'agit de prendre une décision ; comment dans ces conditions attendre du courage de soldats qui voient trembler leur chef ? Le régiment suisse, commandé par des officiers rigides, tient bon, mais des signes inquiétants commencent à se manifester chez les gardes nationaux, depuis qu'ils entendent répéter autour d'eux cette question : « Se battra-t-on ? Ne se battra-t-on pas ? »

La reine n'arrive presque plus à cacher sa colère devant l'irrésolution de son mari. Elle veut que l'on prenne une décision définitive. Ses nerfs fatigués ne peuvent plus supporter cette éternelle tension et sa fierté en a assez de ces perpétuelles menaces et de cette indigne humiliation. Elle s'est trop rendu compte, en ces deux ans, que concessions et faiblesses ne diminuent pas les exigences d'une Révolution, mais au contraire en augmentent l'arrogance. A présent la royauté se trouve sur la dernière marche de l'escalier qui conduit à l'abîme ; un pas de plus et tout est perdu, même l'honneur. Cette femme frémissante d'orgueil se rendrait volontiers auprès des gardes nationaux découragés pour leur insuffler son énergie et les rappeler à leur devoir. Inconsciemment, peut-être, le souvenir de sa mère s'est réveillé en elle : dans une heure de détresse, l'héritier du trône dans les bras, Marie-Thérèse s'était avancée vers les nobles hongrois, également indécis, et par ce geste les avait ramenés à sa cause pleins d'enthousiasme. Mais elle sait qu'en un moment pareil une femme ne peut pas remplacer son mari, ni une reine le roi. Elle engage donc Louis XVI à passer ses troupes en revue, une dernière fois avant la bataille, et à leur adresser une allocution qui relèvera leur moral.

L'idée était bonne : l'instinct est toujours infaillible chez Marie-Antoinette. Quelques mots enflammés comme ceux que, plus tard, dans les situations dangereuses, Napoléon tirera du plus profond de son être, un geste énergique, persuasif, le serment de mourir avec ses soldats, et ces bataillons hésitants se seraient transformés en un mur d'airain. Mais voici qu'un gros homme, qui n'y voit pas à deux mètres, qui n'a rien d'un soldat, descend en trébuchant le grand escalier, et, son chapeau sous le bras, balbutie quelques paroles décousues et sans relief : « On dit qu'ils arrivent... Ma cause est celle de tous les bons citoyens... Nous allons nous battre vaillamment, n'est-ce pas ? » Le ton hésitant, la contenance embarrassée de l'homme augmentent l'incertitude plutôt qu'ils ne l'effacent. Au lieu du cri attendu de « Vive le roi », c'est tout d'abord le silence, puis le cri à double sens de « Vive la nation ! » que lancent les gardes nationaux. Et lorsque le roi se risque jusqu'à la grille, où les troupes déjà fraternisent avec le peuple, il entend des cris de révolte ouverte : « A bas le Veto ! A bas le gros cochon ! » Ses partisans et ses ministres l'entourent alors épouvantés et le reconduisent au palais : « Grand Dieu ! c'est le Roi qu'on hue ! », crie du premier étage le ministre de la Marine, cependant que Marie-Antoinette, les yeux rougis par les larmes et les veilles, se rendant compte de ce triste spectacle, se détourne, pleine d'amertume, et dit accablée à sa femme de chambre : « Tout est perdu, cette revue a fait plus de mal que de bien. » Avant que le combat ne commence, il est déjà terminé.

En ce matin de bataille décisive entre la monarchie et la république se trouve parmi la foule, aux abords des Tuileries, un jeune lieutenant, un officier corse sans emploi, Napoléon Bonaparte, qui traiterait de fou quiconque lui dirait qu'il habitera un jour ce palais et succédera à Louis XVI. De son regard perçant de soldat il mesure les chances de l'attaque et de la défense. Quelques coups de canon, une attaque vigoureuse, et cette canaille (comme il appellera plus tard à Sainte-Hélène les troupes des faubourgs) serait radicalement balayée. Si le roi avait sous la main ce petit lieutenant d'artillerie, il se maintiendrait contre tout Paris. Mais il ne s'en trouve pas un, dans le palais, qui ait son rapide coup d'œil et son énergie. « Vous ne tirerez qu'autant qu'on tirera sur vous. » Ce sont là tous les ordres qu'on donne aux soldats, demi-mesure qui est déjà une entière défaite. Il est alors près de sept heures du matin; l'avant-garde des factieux s'avance, troupe désordonnée et mal armée, redoutable non par ses capacités guerrières mais uniquement par son indomptable volonté. Quelques-uns se rassemblent déjà devant le pont-levis. Il faut prendre une décision tout de suite. Roederer, le procureur général, se rend compte de sa responsabilité. Il a déjà conseillé au roi il y a une heure de se rendre à l'Assemblée et de se mettre sous sa protection. Mais Marie-Antoinette a bondi : « Monsieur, il y a des forces ici; il est temps enfin de savoir qui l'emportera, du Roi et de la Constitution, ou de la faction. » Mais le roi lui-même ne trouve aucune parole énergique. La respiration pénible, l'air hagard, il est assis dans son fauteuil et attend il ne sait quoi; il voudrait atermoyer, surtout ne pas encore se décider. Roederer revient, ceint de son écharpe, qui lui ouvre toutes les portes, quelques conseillers municipaux l'accompagnent. « Sire, dit-il énergiquement à Louis XVI, Votre Majesté n'a pas cinq minutes à perdre; il n'y a de sûreté pour elle que dans l'Assemblée nationale. » – « Mais je n'ai pas vu grand monde au Carrousel », répond craintivement Louis XVI, qui ne cherche qu'à gagner du temps. – « Sire, il y a douze pièces de canon et il arrive un monde énorme des faubourgs. »

Un conseiller municipal – marchand de dentelles dont la reine autrefois a été une des bonnes clientes – appuie Roederer. Mais Marie-Antoinette l'arrête d'un : « Taisez-vous, Monsieur, laissez parler le procureur général » (la colère la prend chaque fois que quelqu'un qu'elle n'estime pas veut la sauver). Puis elle dit à Roederer : « Mais, Monsieur, nous avons des forces. » — Madame, tout Paris marche, l'action est inutile, la résistance impossible. »

Marie-Antoinette ne peut plus réprimer son émotion, le sang lui monte au visage, il faut qu'elle se domine pour ne pas éclater devant des hommes si peu virils. Mais la responsabilité est écrasante et une femme n'a pas d'ordre à donner quand le roi est là. Elle attend donc la décision de l'éternel indécis. Il lève enfin sa lourde tête, regarde Roederer pendant quelques secondes, puis il soupire et dit, heureux de s'être décidé : « Allons ! »

Il passe devant la haie des gentilshommes qui le regardent sans estime, à côté des soldats suisses à qui l'on oublie de dire s'ils doivent se battre ou non, fend la foule toujours plus dense qui l'injurie ainsi que sa femme et ses derniers fidèles, et quitte sans avoir lutté, sans avoir esquissé la moindre tentative de résistance, le palais qu'ont construit ses aïeux et où jamais plus il ne mettra les pieds. On traverse le jardin, le roi et Roederer marchent devant, la reine les suit au bras du ministre de la Marine et tient son petit garçon par la main. Ils se rendent hâtivement et sans dignité au manège couvert, où autrefois la cour assistait, gaie et insouciante, à des cavalcades, et où maintenant le roi vient chercher craintivement asile auprès de l'Assemblée nationale.

Les souverains ont franchi environ deux cents pas. Mais ces deux cents pas marquent la chute irrémédiable de Louis XVI et de Marie-Antoinette. La royauté a pris fin.

L'Assemblée voit avec des sentiments très mêlés le maître d'hier, à qui elle est toujours liée par le serment et par l'honneur, lui demander l'hospitalité. Dans la générosité du premier moment Vergniaud, le président, déclare :

> Vous pouvez compter, Sire, sur la fermeté de l'Assemblée nationale. Ses membres ont juré de mourir en défendant les droits du peuple et les autorités constituées.

C'est là une grande promesse, car le roi est toujours, conformément à la Constitution, une des deux autorités légales établies et l'Assemblée nationale fait, en pleine anarchie, comme si l'ordre légal régnait encore. Elle se réfère strictement à l'article de la Constitution qui interdit la présence du roi pendant les délibérations de l'Assemblée. Et comme on veut continuer à délibérer, on lui donne pour asile la loge qu'occupent habituellement les logographes. C'est une pièce si basse qu'on ne peut pas s'y tenir debout, sur le devant se trouvent quelques chaises et dans le fond un banc de paille : une grille de fer la sépare de la salle des délibérations proprement dite. Avec l'assistance des députés, on se hâte d'enlever cette grille au moyen de limes et de marteaux, car on redoute toujours une tentative d'enlèvement de la famille royale par le peuple ; si la chose arrivait les débats seraient interrompus et les députés placeraient le roi et les siens au milieu d'eux. C'est dans cette cage, où il fait une chaleur étouffante en ces journées d'août, que Louis XVI et Marie-Antoinette devront passer dix-huit heures avec leurs enfants, exposés aux regards compatissants, curieux ou malveillants de l'Assemblée. Mais ce qui rend leur humiliation encore plus cruelle, c'est la complète indifférence de l'Assemblée qui semble les ignorer durant ces dix-huit heures de débat. Ils ne comptent pas plus que les huissiers ou les spectateurs des tribunes ; aucun député ne se lève pour les saluer, personne ne songe à leur rendre le séjour dans ce réduit plus supportable. Il ne leur est permis que d'écouter et de se rendre compte qu'on parle comme s'ils n'existaient pas : image macabre qui fait penser à quelqu'un qui, par une fenêtre, assisterait à son propre enterrement.

Soudain un frémissement parcourt l'Assemblée. Quelques députés bondissent de leurs sièges et prêtent l'oreille ; par la porte ouverte on entend des coups de fusil partir des Tuileries ; un bruit sourd, à présent, fait vibrer les fenêtres : c'est le canon. En entrant dans le palais, les insurgés se sont heurtés à la garde suisse. Dans la pitoyable précipitation du départ, le roi a oublié de donner des indications ou, comme d'habitude, il n'a pas eu l'énergie de se prononcer catégoriquement. Fidèles au premier ordre, qui n'a pas été révoqué, de rester sur la défensive, les gardes suisses défendent la « cage » vide de la royauté et, sur le commandement de leurs officiers, exécutent quelques feux de salve. Déjà ils ont fait évacuer la cour, se sont emparés des canons qu'avaient amenés les factieux prouvant ainsi qu'un roi énergique eût pu se défendre honorablement au milieu de ses troupes. Alors seulement ce souverain sans tête – bientôt il la perdra réellement – se rappelle son devoir, qui est de ne pas exiger des autres le courage et le sacrifice de leur vie là où lui-même a manqué d'énergie, et il envoie aux Suisses l'ordre d'abandonner la défense du palais. Mais

– parole éternellement fatale en ce qui le concerne – trop tard ! Son indécision et sa négligence ont déjà coûté la vie à plus de mille hommes. Aussitôt la foule exaspérée envahit le château sans défense. La lanterne sanglante de la Révolution luit de nouveau : des têtes de royalistes tournoient au bout de piques, à onze heures du matin seulement la boucherie est terminée. Il ne tombe plus de têtes ce jour-là, mais une couronne roule à terre.

Serrée dans la loge où elle étouffe, la famille royale est obligée d'assister, sans avoir le droit de rien dire, à tout ce qui se passe dans cette Assemblée. Elle voit tout d'abord ses fidèles Suisses, noirs de poudre, ruisselants de sang, se précipiter dans la salle, pourchassés par les insurgés victorieux qui cherchent à les arracher à la protection des députés. Puis les objets dérobés au palais sont déposés sur le bureau du président : argenterie, bijoux, lettres, cassettes et assignats. Marie-Antoinette est obligée d'entendre l'éloge des chefs de l'insurrection, sans pouvoir protester. Elle est condamnée à écouter, muette et impuissante, les délégués des différentes sections qui viennent devant l'Assemblée exiger avec véhémence la destitution du roi, elle s'aperçoit que les faits les plus évidents sont faussés dans les rapports : on prétend que c'est le palais qui a donné l'ordre de sonner le tocsin, que c'est lui qui a attaqué la nation, et non la nation le palais. Elle constate à son tour un fait éternel : dès que les politiciens sentent tourner le vent, ils deviennent lâches. Ce même Vergniaud qui, il y a deux heures encore, promettait, au nom de l'Assemblée, de mourir plutôt que de laisser toucher aux droits des autorités constituées, s'empresse maintenant de capituler et présente une motion réclamant la suppression immédiate du veto et le transfert de la famille royale au palais du Luxembourg « sous la protection des citoyens et de la loi », c'est-à-dire son emprisonnement. Afin d'atténuer la chose aux yeux des députés royalistes, on propose, pour la forme, la nomination d'un gouverneur pour le dauphin, mais en réalité personne ne se soucie plus de la couronne ni du roi. On lui enlève son veto, sa seule prérogative, et les lois qu'il a rejetées, l'Assemblée nationale les promulgue aussitôt ; pas un regard ne demande l'acquiescement du pauvre diable qui est là, tout en nage, affalé sur sa chaise, et qui préfère peut-être, en son for intérieur, qu'on ne lui demande pas son avis. Louis XVI n'aura plus dorénavant de décisions à prendre, on décidera pour lui.

Il y a quatorze heures que dure la séance. Les cinq personnes entassées dans l'étroite loge n'ont pas dormi pendant cette nuit effroyable, et elles ont vécu toute une éternité. Les enfants épuisés, qui ne comprennent rien à tout cela, se sont assoupis. La sueur coule sur le front du roi et de la reine. A plusieurs reprises Marie-Antoinette a fait mouiller son mouchoir pour se rafraîchir le visage, une ou deux fois elle a bu un verre d'eau glacée que lui a passé une main charitable. Les yeux brûlants, exténuée et terriblement éveillée en même temps, elle regarde fixement cette salle surchauffée où depuis des heures il est question de leur sort. Elle ne touche à aucune nourriture, contrairement à Louis XVI qui, sans se soucier du monde, réclame plusieurs fois à manger et fait fonctionner lentement ses lourdes mâchoires avec autant de satisfaction qu'à sa table de Versailles où il était servi dans de la vaisselle d'argent. Même en face du plus grand danger l'appétit et le sommeil ne quittent point ce corps si peu royal ; ses paupières pesantes se ferment peu à peu, et au cœur de la lutte qui lui coûte sa couronne, Louis XVI fait un petit somme d'une heure. Marie-Antoinette s'est éloignée de lui et reculée dans l'ombre. En des moments pareils, elle a toujours honte de la faiblesse indigne de son mari, plus préoccupé de son estomac que de son honneur, et qui, même au milieu des pires humiliations, peut se gaver de nourriture et dormir. Pour ne pas trahir son amertume elle se détourne de lui ; elle se détourne aussi de l'Assemblée, et volontiers elle se boucherait les oreilles avec les poings. Elle est seule à se rendre compte de tout ce que cette journée a d'avilissant pour eux, et dans sa gorge contractée elle sent comme un goût de fiel, annonciateur de ce qui va venir ; mais toujours grande aux heures où elle se sent provoquée, pas un instant elle ne perd contenance ; ils ne lui verront pas une larme, ces rebelles, ils ne l'entendront pas pousser un soupir. Et elle s'enfonce toujours plus dans l'obscurité de la loge.

Enfin, après avoir passé dix-huit heures dans cette cage brûlante, le roi et la reine sont autorisés à se rendre à l'ancien couvent des Feuillants où, dans une des cellules vides et abandonnées, on leur dresse un lit en toute hâte. Des femmes qu'elle ne connaît point prêtent à la reine de France une chemise et un peu de linge, et comme dans l'émeute elle a oublié ou perdu son argent, elle emprunte quelques pièces d'or à une de ses servantes. Maintenant qu'elle est seule, Marie-Antoinette prend enfin quelque nourriture. Mais dehors le calme n'est pas revenu. La ville est en effervescence et des bandes bruyantes passent sans cesse sous les fenêtres grillagées du couvent, cependant que du côté des Tuileries on entend un roulement sourd de voitures : ce sont les charrettes qui emportent les cadavres de mille tués. On a attendu la nuit pour exécuter cet affreux travail, mais le cadavre de la royauté on s'en débarrassera en plein jour.

Le lendemain et le surlendemain la famille royale est encore forcée d'assister, dans cet horrible réduit, aux débats de l'Assemblée nationale ; le roi et la reine peuvent voir leur pouvoir fondre d'heure en heure dans cette ardente fournaise. Hier on parlait encore du roi, aujourd'hui Danton parle déjà des « oppresseurs du peuple » et Cloots des « individus appelés roi ». Hier, on choisissait encore le palais du Luxembourg comme « résidence » de la cour, et on proposait de nommer un gouverneur au dauphin, aujourd'hui la formule est déjà plus grave : on veut mettre le roi « sous la sauvegarde de la nation », c'est-à-dire l'emprisonner, mais l'expression est plus élégante ; et bientôt la Commune, qui s'est constituée dans la nuit du 10 août, n'admet plus le Luxembourg ou le ministère de la Justice comme future résidence ; elle en dit clairement la raison : il serait trop facile de s'échapper de ces deux bâtiments. Il n'y a qu'au Temple qu'elle puisse répondre de la sécurité des « détenus » – l'idée de l'emprisonnement se dégage de plus en plus nettement. L'Assemblée nationale, ravie dans le fond de se décharger, laisse à la Commune le soin de s'occuper du roi. Celle-ci promet de conduire la famille royale au Temple « avec tout le respect dû au malheur ». Voilà l'affaire expédiée, et toute la journée, jusqu'à deux heures du matin, le moulin à paroles continue à tourner, mais il n'y a pas un mot en faveur des malheureux qui sont là, courbés dans l'obscurité de la loge comme dans l'ombre du destin.

Enfin, le 13 août, le Temple est prêt. Un chemin immense a été parcouru en ces trois jours. Pour aller de la royauté absolue à l'Assemblée nationale il a fallu des siècles, de l'Assemblée nationale à la Constitution deux ans, de la Constitution à l'assaut des Tuileries quelques mois et de l'assaut des Tuileries à la captivité trois jours seulement. Il ne faudra plus maintenant que quelques mois pour aller jusqu'à l'échafaud et une simple secousse suffira pour la descente au tombeau.

Le 13 août, à six heures du soir, la famille royale est amenée au Temple sous la conduite de Pétion – à six heures du soir avant la tombée du crépuscule, car on veut que le peuple vainqueur puisse contempler son ancien maître et surtout l'orgueilleuse reine sur le chemin de leur prison. Pendant deux heures la voiture traverse avec une lenteur intentionnelle la moitié de la ville ; on fait exprès un détour par la place Vendôme pour que Louis XVI puisse voir la statue de son aïeul Louis XIV brisée et arrachée de son socle sur l'ordre de l'Assemblée nationale, et sache bien ainsi que ce n'est pas seulement son règne qui est terminé, mais celui de toute sa race.

Et le jour même où l'ancien maître de la France quitte le palais de ses ancêtres pour une prison, le nouveau maître de Paris change également de résidence. Dans la nuit du 13 août la guillotine est amenée de la cour de la Conciergerie sur la place du Carrousel où elle va se dresser menaçante. La France doit savoir que dorénavant ce n'est plus Louis XVI qui commande, mais la Terreur.

CHAPITRE XXXV

LE TEMPLE

Il fait déjà nuit quand la famille royale arrive au Temple. D'innombrables lampions – n'est-ce pas une fête populaire ? – illuminent les fenêtres du bâtiment principal. Marie-Antoinette connaît ce petit palais. C'est là qu'habitait, au cours des années heureuses et frivoles, le comte d'Artois, son danseur et compagnon de plaisir. C'est là qu'il y a quatorze ans, enveloppée de précieuses fourrures, elle est venue un jour d'hiver, en traîneau richement décoré et dans un tintement de grelots, dîner en hâte chez son beau-frère. Aujourd'hui des maîtres de maison moins aimables, les maîtres de la Commune, l'ont invitée à y séjourner de façon permanente ; les huissiers ont été remplacés par des gardes nationaux et des gendarmes vigilants. La grande salle, dans laquelle on sert à dîner aux prisonniers, nous la connaissons par un tableau célèbre : *Un thé chez le prince de Conti.* Le petit garçon et la petite fille qui y donnent un concert à une illustre société ne sont autres que le jeune Mozart, âgé de huit ans, et sa sœur : de la musique et de la gaîté ont retenti dans ces pièces, de nobles seigneurs, savourant voluptueusement la joie de vivre, ont habité les derniers cette maison.

Ce n'est pas, cependant, cet élégant palais, dans les boiseries dorées duquel vibre peut-être encore légèrement la musique ailée et argentine de Mozart, qui est destiné au séjour de Marie-Antoinette et de Louis XVI, mais les deux vieilles tours rondes aux toits pointus qui se dressent à côté.

Construites au Moyen Age par les Templiers pour servir de forteresse, ces bâtisses de pierres sombres et grises éveillent un sentiment lugubre. Avec leurs lourdes portes bardées de fer, leurs fenêtres basses, leurs cours obscures elles évoquent les ballades oubliées d'autrefois, les tribunaux secrets, l'Inquisition, les antres de sorcières et les chambres de tortures. Les Parisiens ne jettent qu'un regard furtif et mêlé de crainte sur ces vestiges d'une époque violente, d'autant plus mystérieux qu'ils sont restés inutilisés au milieu d'un quartier animé de petits bourgeois : symbole terriblement éloquent que l'emprisonnement dans ces vieux murs, qui ne servent à rien, de la royauté déchue et devenue elle aussi inutile.

Durant les semaines qui suivent des mesures sont prises pour augmenter la sûreté de cette vaste prison. On démolit une série de petites maisons encerclant les tours, on abat tous les arbres de la cour pour faciliter partout la surveillance, on sépare, en outre, les deux cours nues, cernant les tours, des autres bâtiments par un mur de pierre, de sorte qu'il faut tout d'abord franchir trois remparts avant d'atteindre la véritable citadelle. On dresse des guérites à toutes les sorties, on construit des guichets aux portes intérieures donnant sur les couloirs de chaque étage afin d'obliger tous ceux qui entrent et sortent à se soumettre à la surveillance de sept ou huit gardiens. Le conseil municipal, qui répond des prisonniers, désigne tous les jours par tirage au sort quatre commissaires chargés de surveiller jour et nuit toutes les pièces et de ramasser chaque soir les clefs de toutes les portes. Personne, hormis eux et les conseillers municipaux, n'a le droit de pénétrer dans le Temple sans une permission spéciale de la municipalité : aucun Fersen, aucun ami complaisant ne peut plus approcher de la famille royale, la possibilité de passer des lettres et de se concerter avec le dehors est une chose sur laquelle il ne faut plus compter du tout – ou du moins il le semble.

Une autre mesure de précaution frappe plus durement encore la famille royale. Dans la nuit du 19 août deux fonctionnaires de la Commune arrivent avec l'ordre d'emmener toutes les personnes ne faisant pas partie de la famille royale. La reine souffre particulièrement de devoir se séparer de Mme de Lamballe, qui, déjà en sûreté, était revenue de Londres de son plein gré pour lui prouver son attachement à l'heure du danger. Toutes deux pressentent qu'elles ne se reverront plus ; c'est sans doute au cours de cet adieu, auquel n'assistait aucun témoin, que Marie-Antoinette a donné à son amie, comme dernier gage d'amitié, cette mèche pâle enchâssée dans une bague portant l'inscription tragique : « Blanchis par le malheur », et trouvée plus tard auprès du corps déchiqueté de la princesse. Mme de Tourzel et sa fille sont également emmenées et transférées à la Force, de même que la suite du roi (on ne lui laisse qu'un valet de chambre pour son service personnel). Et voilà détruit le dernier simulacre de cour ; la famille royale – Louis XVI, Marie-Antoinette, leurs deux enfants et Madame Élisabeth – est maintenant seule avec elle-même.

La crainte d'un événement est presque toujours plus insupportable que l'événement lui-même. Si humiliante que soit la captivité du roi et de la reine, elle leur offre en attendant une certaine sécurité. Les murs épais qui les entourent, les cours hermétiquement closes, les sentinelles avec leurs fusils toujours chargés, empêchent, certes, toute tentative d'évasion, mais en même temps les protègent contre toute agression. La famille royale n'a plus besoin, comme aux Tuileries, de tendre sans cesse l'oreille pour savoir si le tocsin et le tambour d'alarme n'annoncent pas une attaque ; dans leur tour solitaire tout se passe aujourd'hui comme hier, c'est toujours le même isolement calme et sûr, le même éloignement de toutes les agitations du monde. La Commune fait d'abord tout son possible pour assurer le bien-être physique des prisonniers royaux : impitoyable dans la lutte, la Révolution au fond n'est cependant pas inhumaine. Après chaque avance énergique elle s'arrête un instant, sans se douter que justement ces moments de répit, ces détentes apparentes, rendent la défaite encore plus sensible aux vaincus. Les premiers jours qui suivent le transfert au Temple, on fait tout ce qu'on peut pour que la vie des détenus ne soit pas trop pénible. On tapisse et on meuble la grande tour, on aménage un étage entier comprenant quatre pièces pour le roi et quatre pièces pour la reine, Madame Élisabeth et les enfants. Les prisonniers peuvent, quand ils le désirent, quitter la lugubre tour sentant le moisi et se promener au jardin. Mais avant tout la Commune s'efforce de leur procurer une bonne et abondante chère, ce qui, pour le roi, est la chose essentielle. Il n'y a pas moins de treize personnes préposées à sa table, on sert tous les jours à midi au moins trois potages, quatre entrées, deux rôtis, quatre plats légers, des compotes, des fruits, du vin de Malvoisie, du bordeaux, du champagne, de sorte qu'en trois mois et demi les dépenses de la cuisine s'élèvent à trente-cinq mille livres. La famille royale est en outre largement pourvue de linge, de vêtements, de tout ce dont elle a besoin pour son intérieur, tant qu'on ne considère pas Louis XVI comme un criminel. On lui donne, sur sa demande, une bibliothèque de deux cent cinquante-sept volumes – des classiques latins pour la plupart – afin de l'aider à passer le temps. Durant cette première et très courte période, la captivité de la famille royale n'a absolument pas le caractère d'un châtiment, et, abstraction faite de la souffrance morale, le roi et la reine pourraient mener une vie calme et presque paisible. Le matin Marie-Antoinette fait venir ses enfants et les instruit ou joue avec eux, à midi on prend le repas en commun, ensuite on joue une partie de trictrac ou d'échecs. Pendant que le roi promène le dauphin au jardin et qu'ils essaient des cerfs-volants, la reine, trop fière pour se promener surveillée par des gardes, se livre volontiers à des travaux d'aiguille dans sa chambre. Le soir elle couche elle-même ses enfants, puis on cause, on joue aux cartes ; quelquefois elle essaie de se mettre au clavecin comme jadis ou de chanter un peu, mais, éloignée du monde, de ses amies, il lui manque cette légèreté du cœur, à jamais perdue. Elle parle peu et préfère être seule ou avec ses enfants. Elle n'a pas pour se consoler cette grande piété qui permet à Louis XVI et à sa sœur, souvent en prières et strictement pratiquants, d'être patients et résignés. Sa volonté de vivre n'est pas aussi facile à briser que celle de ces deux natures placides ; son esprit, même entre ces murs, est toujours tourné vers le monde ; son âme, habituée au triomphe, se refuse à renoncer, l'espoir ne l'a pas encore quittée. Elle est seule, même en prison, à ne pas s'avouer vaincue ; les autres sentent à peine leur captivité, et n'étaient la surveillance et l'éternelle peur du lendemain, le petit bourgeois Louis XVI et la religieuse Madame Élisabeth verraient réalisé l'idéal auquel ils aspirent inconsciemment depuis des années : vivre sans responsabilité et dans une passivité complète.

Mais les gardes sont là. Sans cesse il est rappelé aux captifs qu'un pouvoir nouveau régit leur destinée. Dans la salle à manger, la Commune a accroché, imprimé sur grand format, le texte de la « Déclaration des droits de l'homme » avec cette date, pénible pour le roi : « An premier de la République. » Sur les plaques de laiton de son poêle il lit : « Liberté, égalité, fraternité. » A l'heure du repas surgit un commissaire ou le commandant de la tour. Leur pain est coupé par une main étrangère et examiné au cas où il contiendrait un message secret, aucun journal n'entre au Temple, toutes les personnes qui pénètrent dans la tour ou la quittent sont soigneusement fouillées par les gardiens, toujours à la recherche de papiers cachés, et, en outre, les portes de leurs appartements sont fermées de l'extérieur. Le roi et la reine ne font pas un mouvement sans que se profile aussitôt derrière eux, le fusil chargé sur l'épaule, la silhouette d'un garde, ils n'ont pas de conversation sans témoins, ils ne lisent aucun imprimé qui n'ait passé par la censure. Ils ne connaissent le bonheur et la grâce d'être seuls que lorsqu'ils se retirent dans leurs chambres à coucher.

Cette surveillance était-elle intentionnellement tracassière ? Les gardiens des prisonniers royaux étaient-ils réellement les tortionnaires sadiques dont parlent les écrits royalistes ? A-t-on vraiment humilié sans cesse et inutilement Marie-Antoinette et les siens, et a-t-on choisi dans ce but des sans-culottes particulièrement grossiers ? Les comptes rendus de la Commune le démentent, mais eux aussi sont partiaux. La plus grande circonspection est de rigueur avant de se prononcer équitablement sur cette question importante : oui ou non la Révolution a-t-elle humilié et maltraité consciemment le roi vaincu ? Car l'idée de Révolution est très large et comporte toute une gamme de nuances, allant du plus haut idéalisme à la véritable brutalité, de la grandeur à la cruauté, du spiritualisme le plus subtil à la violence la plus grossière ; elle change et se transforme, parce qu'elle tient toujours sa couleur des hommes et des circonstances. Dans la Révolution française, comme dans toute autre, deux types se dessinent nettement : les révolutionnaires que guide l'idéalisme, et ceux qui sont conduits par le ressentiment ; les uns, mieux partagés que la masse, veulent l'élever jusqu'à eux, lui faire atteindre leur niveau, leur culture, leurs formes de vie, augmenter sa liberté. Les autres, qui furent eux-mêmes longtemps malheureux, cherchent à se venger sur ceux qui furent plus heureux qu'eux et veulent imposer leur puissance aux maîtres d'hier. Un état d'esprit identique se rencontre aujourd'hui, parce qu'il est fondé sur la dualité de la nature humaine. Dans la Révolution française, l'idéalisme eut d'abord le dessus : l'Assemblée nationale, composée de nobles, de bourgeois et des notables du pays, voulut aider le peuple, libérer les masses, mais la masse libérée et déchaînée se tourna bientôt contre ses libérateurs ; dans la seconde phase, les éléments extrémistes, les révolutionnaires par rancune, prennent le dessus et pour ceux-ci le pouvoir est une chose trop nouvelle pour qu'ils puissent résister au plaisir d'en jouir pleinement. Des personnages à l'intelligence étroite, sortis enfin d'une situation pénible, s'emparent du gouvernail, et leur ambition est de rabaisser la Révolution à leur propre mesure, à leur propre médiocrité.

Hébert, à qui est confiée la garde de la famille royale, est justement un des représentants les plus typiques et les plus antipathiques de ces révolutionnaires par rancune. Les plus nobles parmi les esprits de la Révolution, Robespierre, Camille Desmoulins, Saint-Just, se sont immédiatement rendu compte de ce qu'était cet écrivailleur malpropre, ce braillard enragé : un abcès de la Révolution, et Robespierre – trop tard il est vrai – l'extirpera au fer rouge. D'un passé louche, accusé ouvertement d'avoir volé la caisse d'un théâtre, sans place et sans scrupules, il saute dans la Révolution comme un gibier traqué dans un fleuve, et le courant le porte parce que, dit Saint-Just, il « varie, selon l'esprit et le danger, ses couleurs, comme un reptile qui rampe au soleil » ; plus la République se tache de sang, plus sa plume devient rouge dans son *Père Duchêne*, la feuille la plus ignoble de la Révolution. Sur le ton le plus vulgaire – « comme si la Seine était un égout de Paris », dit Camille Desmoulins – il y flatte les instincts les plus répugnants des plus basses classes et enlève par là à la Révolution toute considération à l'étranger ; il doit à cette basse popularité, outre d'abondants revenus, son siège au conseil municipal et une puissance toujours plus grande : c'est entre ses mains, malheureusement, qu'est remis le sort de Marie-Antoinette.

Un pareil homme, institué maître et gardien de la famille royale, jouit évidemment, avec toute la satisfaction d'une petite âme, de la possibilité d'humilier et de traiter de haut une archiduchesse d'Autriche, une reine de France. D'une politesse intentionnellement réservée dans ses rapports personnels avec la famille royale et toujours soucieux de prouver qu'il est bien l'authentique représentant de la justice nouvelle, Hébert décharge sa colère devant cette reine qui décline toute conversation avec lui en recourant aux injures les plus grossières dans son *Père Duchêne* ; c'est lui qui demande sans cesse « le saut de la carpe en avant » et le « rasoir national » pour « l'ivrogne et sa grue » – que le substitut Hébert vient d'ailleurs visiter toutes les semaines avec courtoisie. Sans doute ses paroles dépassent-elles ses sentiments, mais c'est humilier inutilement les vaincus que de nommer chef de leur prison le plus mesquin justement, le moins sincère des patriotes. Car il est évident que la peur inspirée par Hébert agit sur les sentinelles et les gardiens. Ils sont forcés, sous peine de paraître suspects, de se comporter avec plus de rudesse qu'ils ne le voudraient réellement ; mais d'autre part les cris de haine du journaliste servent les prisonniers de façon surprenante. Car si ces braves et candides artisans et petits bourgeois qu'Hébert prépose à leur surveillance ont toujours entendu parler par le *Père Duchêne* du tyran sanguinaire et de l'Autrichienne prostituée et dépensière, qu'aperçoivent-ils maintenant ? Un gros homme sans malice, qui se promène en tenant son petit garçon par la main et mesure avec lui le nombre de pouces et de pieds carrés de la cour ; ils le voient manger copieusement et de très bon appétit, dormir ou se pencher sur ses livres. Ils ne tardent pas à reconnaître que ce brave père de famille apathique ne ferait pas de mal à une mouche ; vraiment il serait difficile de détester pareil tyran, et si Hébert ne veillait pas si sévèrement, les soldats de garde lieraient sans doute conversation avec cet homme, bon enfant, comme avec un camarade du peuple, et ils échangeraient des plaisanteries ou joueraient aux cartes avec lui. La reine, naturellement, est plus distante. Marie-Antoinette n'adresse pas une seule fois à table la parole aux inspecteurs, et quand on vient s'informer si elle a un désir quelconque à exprimer ou des plaintes à formuler, elle répond toujours négativement. Mais c'est justement cette noblesse dans le malheur qui émeut ces gens simples, et, comme toujours, une femme dont la souffrance est visible éveille la compassion. A la longue les gardiens, qui partagent en somme la captivité de leurs prisonniers, sont pris d'une certaine sympathie pour la reine et la famille royale, et cela seul explique la possibilité des diverses tentatives d'évasion ; si donc les soldats, comme il est dit dans les *Mémoires royalistes*, affichent des allures rudes et des sentiments particulièrement républicains, s'ils lâchent de temps en temps un juron, s'ils chantent et sifflent plus fort qu'il ne conviendrait, ce n'est bien souvent que pour dissimuler leur pitié. Mieux que les idéologues de la Convention, le menu peuple a compris qu'il convient de respecter le vaincu dans son malheur, et la reine a certes enduré au Temple moins de haines et moins de vilenies des soldats, soi-disant grossiers, que dans les salons de Versailles.

Cependant le temps ne s'arrête pas, et si dans ce quadrilatère entouré de murs on ne s'en aperçoit pas, il vole, au-dehors, avec des ailes géantes. De mauvaises nouvelles arrivent des frontières, les Prussiens et les Autrichiens se sont enfin mis en marche et au premier choc ils ont bousculé les troupes révolutionnaires. En Vendée les paysans se sont révoltés, la guerre civile commence, le gouvernement anglais a rappelé son ambassadeur; La Fayette quitte l'armée, dégoûté de l'extrémisme d'une Révolution qu'il a lui-même provoquée; les vivres deviennent rares, le peuple s'agite. Comme après toutes les défaites le plus dangereux des vocables, le mot de trahison, surgit de partout, mille voix le propagent, et il jette le trouble dans toute la capitale. En cette heure tragique, Danton, l'homme le plus énergique et le moins scrupuleux de la Révolution, empoigne le drapeau sanglant de la Terreur et approuve la décision secrète de faire massacrer pendant les journées de septembre tous les suspects qui sont dans les prisons. Parmi ce millier de victimes se trouve l'amie de la reine, la princesse de Lamballe.

Au Temple, la famille royale ignore ces événements effroyables, car elle vit séparée du monde des vivants et de la parole imprimée. Elle n'entend que le tocsin qui se met soudain à sonner, et Marie-Antoinette connaît cet oiseau de bronze de mauvais augure. Elle sait que quand son vol sonore retentit au-dessus de la ville, c'est l'annonce d'un sinistre ou l'approche d'un malheur. Les captifs troublés chuchotent. Le duc de Brunswick serait-il déjà aux portes de Paris avec ses troupes ? Une contre-révolution aurait-elle éclaté ?

Mais en bas, à la porte fermée du Temple, les hommes de garde et les municipaux discutent, en proie à une extrême agitation : eux en savent plus long. Des messagers accourus en hâte viennent de leur annoncer que des faubourgs s'avance une foule immense, portant sur une pique la tête livide, cheveux au vent, de la princesse de Lamballe et traînant son corps nu, mutilé et déchiqueté; il est certain que cette bande de cannibales, ivres de sang et de vin, veut s'offrir à présent la joie de montrer à Marie-Antoinette la tête blafarde de son amie ainsi que le corps nu et profané de la malheureuse sur lequel – ils en sont tous convaincus – la reine s'est si longtemps livrée à ses penchants saphiques. Désespérée la garde envoie chercher du secours auprès de la Commune, car elle ne peut résister seule à ces masses en furie ; mais le fourbe Pétion reste invisible, comme toujours quand il y a du danger ; il n'arrive aucun renfort et déjà la foule déchaînée hurle devant l'entrée principale avec son horrible trophée. Pour ne pas la rendre plus furieuse encore et pour éviter un assaut, qui, sans aucun doute, serait fatal à la famille royale, le commandant cherche à complaire à la populace ; il laisse tout d'abord entrer le cortège bachique dans la cour extérieure du Temple, et, tel un torrent boueux, la foule se précipite dans l'enceinte.

Deux des cannibales traînent le corps nu par les jambes, un autre brandit dans son poing des viscères sanglants, un quatrième porte au bout d'une pique la tête d'une pâleur verdâtre. Ils annoncent qu'ils veulent monter dans la tour avec ces trophées pour obliger la reine à embrasser la tête de sa grue. La force ne peut rien contre ces énergumènes ; un des commissaires essaie donc de recourir à la ruse. Ceint de son écharpe officielle, il réclame le silence et harangue la foule. Pour la flatter, il commence par la féliciter de sa prouesse et lui conseille ensuite de promener la tête à travers tout Paris, afin que le peuple entier puisse admirer « ce trophée », « monument éternel de la victoire ». La flatterie prend, heureusement, et au milieu de cris sauvages la foule s'ébranle et se rend au Palais Royal en continuant à traîner derrière elle le cadavre déchiqueté de la malheureuse.

Entre-temps les captifs s'impatientent. Ils entendent les cris confus d'une foule furieuse sans comprendre ce qu'elle veut et ce qu'elle demande. Mais ils connaissent ces sombres clameurs depuis l'assaut de Versailles et des Tuileries, et ils remarquent l'agitation et la pâleur des soldats qui courent à leur poste parer au danger. Inquiet, le roi se renseigne auprès d'un garde national : « Eh bien ! Monsieur, répond vivement celui-ci, puisque vous voulez le savoir c'est la tête de Mme de Lamballe qu'on veut vous montrer. Je vous conseille de paraître si vous ne voulez pas que le peuple monte ici. » A ces mots on entend un cri sourd : Marie-Antoinette s'est évanouie. « C'est le seul moment », écrira sa fille plus tard, « où sa fermeté l'ait abandonnée ».

Trois semaines plus tard, le 21 septembre, de nouveaux bruits montent de la rue. Les prisonniers tendent encore l'oreille avec inquiétude. Mais ce n'est pas la colère du peuple qui gronde cette fois, c'est sa joie qui éclate ; ils entendent les crieurs de journaux annoncer, en élevant exprès la voix, que la Convention a aboli la royauté. Le lendemain des commissaires viennent signifier au roi, qui n'est plus roi, sa destitution. Louis le Dernier – c'est ainsi qu'on le nomme désormais, avant de l'appeler dédaigneusement Louis Capet – apprend cette nouvelle avec la même placidité que le roi Richard II de Shakespeare.

Que doit faire le roi ? Se soumettre ?
Le roi le fera. Faut-il qu'il soit détrôné ?
Le roi se soumet. Faut-il que le nom de roi
Soit perdu ? Va, au nom de Dieu !

On ne peut ni obtenir de lumière d'une ombre, ni prendre sa puissance à celui qui est impuissant. Cet homme, depuis longtemps indifférent à toutes les humiliations, n'élève pas la moindre protestation, ni Marie-Antoinette non plus ; peut-être même se sentent-ils, tous deux, déchargés. Car dorénavant ils n'ont plus aucune responsabilité, ni en ce qui touche leur propre sort, ni en ce qui concerne celui de l'État ; ils ne risquent plus de se tromper ou de négliger quoi que ce soit et n'ont plus à se soucier que de ce petit bout de vie qu'on leur laissera peut-être. Le mieux à présent pour la reine est de chercher sa joie dans les petites choses humaines, d'aider sa fille dans ses travaux d'aiguille ou au clavecin, de corriger les devoirs de son fils (il faut maintenant, il est vrai, se dépêcher de déchirer la feuille sur laquelle l'enfant écrit encore – comment ce garçonnet de huit ans pourrait-il comprendre les événements ? – « Louis Charles, Dauphin », appris péniblement). On cherche la solution des charades dans le dernier numéro du *Mercure de France*, on descend au jardin et on remonte, on suit sur la cheminée la marche trop lente de l'aiguille de la vieille pendule, on regarde onduler la fumée sur les toits lointains, on voit les nuages d'automne amener l'hiver. Et surtout on tâche d'oublier ce qui fut autrefois, et on essaie de penser à ce qui vient et doit inévitablement venir.

La Révolution, à présent, semble avoir atteint son but. Le roi est destitué, il a renoncé à son trône sans protester et habite tranquillement sa tour avec sa femme et ses enfants. Mais toute Révolution est une avalanche qui roule sans cesse de l'avant. Celui qui la dirige et veut en rester le maître est forcé de courir avec elle sans s'arrêter, pour se maintenir en équilibre : nulle pause n'est possible. Chaque parti le sait et redoute de se laisser devancer par l'autre. La droite craint les modérés, les modérés craignent la gauche, la gauche craint : son aile gauche, les Girondins, ceux-ci craignent les Maratistes ; les chefs redoutent le peuple, les généraux les soldats, la Convention la Commune, la Commune les sections. Et c'est cette peur contagieuse qu'ont les groupes les uns des autres qui les lance dans une course si effrénée ; c'est la crainte de passer pour modérés, crainte éprouvée par tous, qui seule a donné à la Révolution française cet élan torrentiel qui l'a poussée si loin au-delà de son véritable but. C'était son destin de franchir tous les points d'arrêt qu'elle s'était fixés, de dépasser sans cesse ses buts une fois qu'elle les avait atteints. La Révolution crut d'abord avoir rempli sa tâche en ignorant le roi, puis en le destituant. Mais, destitué et découronné, ce pauvre homme inoffensif demeure un symbole, et si la république va jusqu'à arracher des tombeaux ce qui reste de la dépouille des rois morts depuis des siècles, pour brûler ce qui n'est plus que cendre et poussière, comment pourrait-elle supporter l'ombre d'un roi vivant ? Les chefs, donc, se croient obligés de consommer par la mort physique la mort politique de Louis XVI, afin de s'assurer contre tout retour de la royauté. L'édifice de la république ne peut durer, aux yeux d'un républicain extrémiste, que s'il est cimenté avec du sang royal ; de peur de se laisser distancer dans la course à la faveur populaire, les modérés ne tardent pas à se rallier à cet avis et le procès de Louis Capet est fixé au mois de décembre.

Au Temple, on apprend cette décision inquiétante par la soudaine apparition d'une commission, qui exige la remise de « tous les instruments tranchants », couteaux, ciseaux et fourchettes ; le « détenu » qui n'était qu'en surveillance est devenu un accusé. De plus Louis XVI est séparé de sa famille. Bien qu'habitant la même tour, et un étage seulement au-dessous des siens, ce qui augmente encore la cruauté de cette mesure, il n'a plus le droit, à partir de ce jour, de voir ni sa femme ni ses enfants. Durant toutes ces semaines fatales, sa femme ne peut pas lui parler une seule fois ; il ne lui est pas permis de savoir comment se déroule le procès, ni comment il s'achèvera. Elle ne peut lire aucun journal, ni interroger les défenseurs de son mari ; elle est obligée de passer ces heures tragiques dans une incertitude et une angoisse horribles. Elle entend au-dessous d'elle le pas pesant de son époux, dont elle n'est séparée que par le plancher, et ne peut ni le voir ni lui parler : tourment indicible, mesure absolument stupide. Et lorsque le 20 janvier un employé municipal entre chez Marie-Antoinette et lui annonce d'une voix oppressée qu'elle est autorisée ce jour-là, exceptionnellement, à se rendre avec sa famille à l'étage inférieur, elle comprend immédiatement ce que cette faveur a d'épouvantable : Louis XVI est condamné à mort, elle voit son époux pour la dernière fois, les enfants ne reverront plus leur père. Comme l'instant est tragique et que celui qui demain montera à l'échafaud n'est plus dangereux, on laisse seuls dans la pièce, durant cette dernière réunion de famille, l'époux, l'épouse, la sœur et les enfants ; on se contente de surveiller les adieux par une porte vitrée.

Personne n'a assisté à cette entrevue pathétique ; tous les récits qui ont été imprimés à ce sujet sont de pure invention romanesque, de même que les estampes sentimentales qui, dans le style douceâtre de l'époque, rabaissent le tragique d'un tel instant par un attendrissement larmoyant. Comment douter que cet adieu du père de ses enfants fut un des instants les plus douloureux de la vie de Marie-Antoinette, et à quoi bon essayer d'exagérer encore une scène aussi déchirante ? Le seul fait déjà de voir un individu qui va mourir, un condamné à mort, fût-ce le plus étranger des hommes, avant sa marche au supplice, est une chose poignante pour tout être sensible ; et si Marie-Antoinette n'a jamais aimé son mari avec passion, si elle a donné son cœur à un autre depuis longtemps, elle a tout de même vécu avec lui pendant vingt ans et elle a eu de lui quatre enfants ; jamais, en cette période d'agitation, elle ne l'a connu autrement que bon et dévoué pour elle. Ces deux êtres mariés uniquement par raison d'État sont à présent plus unis qu'ils ne le furent jamais dans leurs belles années ; le malheur immense subi en commun au cours de ces heures sombres du Temple les a rapprochés. Et la reine sait en outre qu'elle ne tardera pas à suivre son mari, à gravir à son tour cette dernière marche. Il ne la précède que de peu.

En cet instant suprême, cette apathie qui, toute sa vie, fut fatale au roi, est pour lui un avantage ; son imperturbabilité, révoltante en d'autres circonstances, confère à présent à Louis XVI une certaine grandeur morale. Il ne trahit ni peur ni émotion ; les quatre commissaires qui attendent la fin des adieux dans la pièce ne l'entendent à aucun moment ni élever la voix ni sangloter : en quittant à jamais les siens cet homme d'une faiblesse déplorable, ce roi indigne, montre une énergie et une dignité qu'on ne lui a jamais connues au cours de sa vie. Calme comme les autres soirs, le condamné se lève à dix heures et donne ainsi à sa famille le signal de la séparation. Devant une volonté aussi clairement exprimée, Marie-Antoinette n'ose pas protester, d'autant plus qu'il lui promet, en un pieux mensonge, de monter chez elle le lendemain matin à sept heures.

Là-haut la reine est seule dans sa chambre ; la nuit est longue et sans sommeil. Enfin on voit poindre le jour et avec lui commencent les bruits sinistres des préparatifs. Elle entend arriver un carrosse aux lourdes roues, elle entend sans cesse des gens monter et descendre l'escalier : est-ce le confesseur, les municipaux ou déjà le bourreau ? Les tambours des régiments en marche battent au loin, il fait plus clair, le jour se lève, l'heure approche qui ravira leur père à ses enfants, qui lui prendra le compagnon, plein d'égards et digne d'estime, de nombreuses années. Captive dans sa chambre, des gardiens inflexibles devant sa porte, cette femme éprouvée n'a pas le droit de descendre les quelques marches qui la séparent de son mari, ni de voir ou d'entendre ce qui se passe, et les choses que son esprit se représente sont mille fois plus épouvantables encore que la réalité. Enfin un affreux silence règne à l'étage inférieur. Le roi a quitté le Temple, le lourd carrosse l'emmène au supplice. Une heure plus tard, la guillotine a donné à Marie-Antoinette, autrefois archiduchesse d'Autriche, puis dauphine et enfin reine de France, un nom nouveau, celui de veuve Capet.

CHAPITRE XXXVI

SEULE

Un silence confus suit la chute impitoyable du couperet. La Convention, en guillotinant Louis XVI, ne voulait qu'établir une ligne sanglante de démarcation entre la royauté et la république. Pas un seul des députés, dont la plupart n'ont poussé cet homme faible et débonnaire sous la guillotine qu'avec d'intimes regrets, ne songe pour le moment à mettre Marie-Antoinette en accusation. Sans discussion, la Commune accorde à la veuve les habits de deuil qu'elle demande, la surveillance se relâche visiblement, et si on retient encore au Temple l'Autrichienne avec ses enfants, c'est parce qu'on pense qu'elle est un otage précieux permettant d'agir sur l'Autriche.

Mais le calcul est faux ; la Convention surestime terriblement le sentiment de famille des Habsbourgs. L'empereur François, dénué de toute sensibilité, rapace et sans aucune grandeur morale, n'a pas du tout l'intention de vendre une seule pierre du trésor impérial – qui contient, outre le fameux diamant florentin, nombre d'autres joyaux et objets de valeur – pour racheter la liberté de sa tante ; de plus, le parti militaire autrichien met tout en œuvre pour faire échouer les pourparlers. Vienne, sans doute, a solennellement déclaré au début qu'elle n'entrait en guerre que pour une idée et non en vue de conquêtes et d'indemnités, mais – la Révolution française ne tardera pas, elle aussi, à être parjure – il est dans la nature de toute guerre de devenir irrésistiblement une guerre d'annexion. Jamais, en aucun temps, les généraux n'ont aimé être dérangés quand ils sont occupés à guerroyer ; les peuples, à leur avis, leur en donnent trop rarement l'occasion, c'est pourquoi ils tiennent à faire durer le plaisir. Il ne sert à rien que le vieux Mercy, sans cesse poussé par Fersen, rappelle à la cour de Vienne que Marie-Antoinette, du fait qu'on lui a ravi le titre de reine de France, est redevenue archiduchesse d'Autriche et membre de la famille impériale, et que c'est le devoir de l'empereur d'exiger son retour en Autriche. Qu'importe une femme captive dans une guerre mondiale, qu'importe la vie d'un individu dans le jeu cynique de la politique ! Partout les cœurs restent froids et les portes fermées. Tous les souverains affirment que la situation de Marie-Antoinette les touche profondément, mais aucun ne bouge. Et l'ex-reine pourrait dire comme Louis XVI à Fersen : « J'ai été abandonnée de tout le monde. »

Tout le monde l'a abandonnée, Marie-Antoinette le sent dans son appartement solitaire et verrouillé. Mais la volonté de vivre est encore entière chez cette femme, et de cette volonté naît la décision de s'aider elle-même. On a pu lui prendre sa couronne, mais il y a une chose qu'elle a conservée, malgré son visage fatigué et vieilli, c'est le pouvoir magique de gagner à elle son entourage. Les mesures de précaution prises par Hébert et la municipalité s'avèrent sans effet devant la mystérieuse force magnétique, qui, pour toutes ces petites gens attachées à sa surveillance, continue à rayonner de la personne d'une ancienne reine. Quelques semaines suffisent pour faire des complices de tous ou presque tous les sans-culottes bon teint chargés de la surveiller, et malgré les règlements sévères de la Commune, on perce le mur invisible qui sépare Marie-Antoinette du monde. Grâce à l'aide des gardiens gagnés à sa cause, des messages et des nouvelles, écrits sur de petits bouts de papier avec du jus de citron ou de l'encre sympathique, vont et viennent continuellement, et circulent sous forme de bouchons de carafe, ou par les cheminées. On invente un langage des mains et des gestes pour faire connaître à Marie-Antoinette, malgré la vigilance des commissaires, les événements quotidiens de la politique et de la guerre, on décide en outre qu'un colporteur commandé à cet effet criera plus fort devant le Temple les nouvelles particulièrement importantes. Peu à peu le cercle mystérieux des complices s'élargit. Et maintenant que Louis XVI, qui par son éternelle indécision paralysait toute action, n'est plus à ses côtés, Marie-Antoinette ose, délaissée de tous, tenter elle-même sa libération.

Le danger agit comme un acide. Ce qui, en période de vie calme et ordinaire, se mélange confusément – l'audace et la lâcheté des hommes – se sépare clairement à l'heure du péril. Les lâches de l'ancienne société, les égoïstes de la noblesse, ont tous émigré lors du transfert du roi à Paris. Seuls les vrais fidèles sont restés, et ceux qui n'ont pas fui on peut s'y fier, car le séjour à Paris est un danger mortel pour tout ancien serviteur du roi. L'ex-général de Jarjayes, dont la femme fut dame d'honneur de Marie-Antoinette, figure au premier rang de ces hommes courageux. Il est revenu de Coblence exprès, où il était en sûreté, pour se mettre à l'entière disposition de Marie-Antoinette et il lui a fait savoir qu'il était prêt à n'importe quel sacrifice. Le 2 février 1793, quinze jours après l'exécution du roi, arrive chez de Jarjayes un homme qu'il ne connaît pas du tout et qui lui propose, à sa grande surprise, de faire évader Marie-Antoinette. Jarjayes jette un regard méfiant sur l'inconnu qui a l'air d'un authentique sans-culotte. Tout de suite il suppose que c'est un espion. Mais voici que l'homme lui tend un billet minuscule, écrit de la main de Marie-Antoinette, sans aucun doute :

> Vous pouvez prendre confiance en l'homme qui vous parlera de ma part en vous remettant ce billet. Ses sentiments me sont connus ; depuis cinq mois il n'a pas varié.

C'est Toulan, un des gardiens permanents du Temple, cas psychologique curieux ! Le 10 août, lorsqu'il s'est agi de briser la royauté, il a été un des premiers volontaires parmi les assaillants des Tuileries ; la médaille qu'il a obtenue pour ce fait orne fièrement sa poitrine. Ses convictions républicaines font que Toulan, considéré par le conseil municipal comme un homme sûr et incorruptible, se voit confier la surveillance de Marie-Antoinette. Mais Saül fait place à Paul ; touché par le malheur de la femme qu'il doit surveiller, Toulan devient l'ami le plus dévoué de celle contre qui il a porté les armes, et il lui témoigne un tel dévouement que dans ses messages secrets elle ne l'appelle jamais autrement que « Fidèle ». De tous ceux qui participent à ce complot, l'étrange Toulan est le seul qui ne risque pas sa vie par cupidité, mais que guide, au contraire, une espèce de passion humanitaire, peut-être aussi le goût de l'aventure audacieuse, car les braves aiment toujours le danger ; aussi est-il tout à fait dans la logique des choses que ceux qui ne cherchent que leur profit s'en tirent adroitement, dès qu'on a vent de la chose, tandis que Toulan, seul, paie sa témérité de sa vie.

Jarjayes a confiance en l'inconnu, mais sa confiance n'est pas absolue. Il est toujours possible que cette lettre soit un faux, toute correspondance est dangereuse. Jarjayes demande donc à Toulan de lui faciliter l'accès du Temple, afin qu'il puisse discuter lui-même de tout avec Marie-Antoinette. A première vue, il paraît impossible d'introduire un inconnu, un gentilhomme, dans cette tour si étroitement surveillée. Mais la captive, entre-temps, a gagné, par des promesses d'argent, de nouveaux complices parmi ses gardiens, et quelques jours plus tard Toulan apporte à Jarjayes un autre billet :

> Maintenant, si vous êtes décidé à venir ici, il serait mieux que ce fût bientôt. Mais, mon Dieu ! prenez bien garde d'être reconnu, surtout de la femme qui est enfermée ici avec nous.

Cette femme s'appelle Tison, et l'intuition de la reine ne la trompe pas en devinant en elle une espionne, dont l'attention fera échouer le complot. Mais pour l'instant tout réussit : la manière dont Jarjayes est introduit dans le Temple fait penser à une comédie policière. Chaque soir un allumeur de réverbères pénètre dans l'enceinte de la prison ; par ordre de la municipalité tout doit être bien éclairé, car l'obscurité pourrait favoriser une évasion. Toulan a fait croire à cet allumeur qu'un de ses amis a envie de voir le Temple et obtient qu'il lui prête pour un soir ses habits et son attirail. L'allumeur rit et va boire un coup avec l'argent qu'on lui donne. Ainsi accoutré Jarjayes réussit à parvenir jusqu'à la reine et combine avec elle un audacieux projet de fuite : elle et Madame Élisabeth se déguiseront en commissaires de la Commune et, munies de papiers dérobés, elles quitteront la tour comme si elles venaient de procéder à une tournée d'inspection. Pour les enfants la chose paraît plus difficile. Mais, par un heureux effet du hasard, cet allumeur est souvent accompagné dans sa tournée par ses enfants. Quelque gentilhomme décidé prendra donc sa place, et, une fois sa corvée terminée, fera passer tranquillement devant le guichet les deux enfants royaux pauvrement vêtus comme si c'étaient ceux de l'allumeur. Près du Temple trois voitures légères attendront, l'une pour la reine, son fils et Jarjayes, la seconde pour sa fille et le deuxième conspirateur nommé Lepître, la troisième pour Mme Élisabeth et Toulan. En admettant qu'on ne découvre leur fuite que cinq heures plus tard, ils espèrent, dans ces voitures légères, échapper à toute poursuite. L'audace du projet n'effraie pas la reine. Elle acquiesce, et Jarjayes se déclare prêt à entrer en relations avec Lepître.

Lepître, ancien maître d'école, bavard, petit et boiteux – la reine écrit elle-même : « Vous verrez le nouveau personnage, son extérieur ne prévient pas, mais il est absolument nécessaire et il faut l'avoir » – joue dans ce complot un rôle étrange. Ce n'est pas l'humanité, et encore moins le goût de l'aventure qui le décide à y participer, mais uniquement la forte somme que Jarjayes lui promet – sans, malheureusement, l'avoir sous la main. Car, chose curieuse, Jarjayes n'est pas en rapports avec le véritable banquier de la contre-révolution à Paris, le baron de Batz; leurs deux complots se déroulent parallèlement, presque en même temps, sans que les deux hommes sachent quoi que ce soit l'un de l'autre. De ce fait on perd du temps, un temps important, parce qu'il faut tout d'abord mettre dans la confidence l'ancien banquier de la reine. Finalement, après d'interminables allées et venues, les fonds sont réunis et on peut en disposer. Mais entre-temps Lepître, qui en sa qualité de membre de la municipalité a déjà procuré les faux passeports, perd courage. Le bruit s'est répandu que les barrières de Paris allaient être fermées et que toutes les voitures seraient visitées minutieusement : cet homme prudent prend peur. Peut-être aussi s'est-il aperçu, d'une façon quelconque, que l'espionne Tison était aux aguets ; toujours est-il qu'il refuse ses services, et il devient alors impossible de faire sortir du Temple les quatre personnes en même temps. On ne pourrait sauver que la reine. Jarjayes et Toulan cherchent à la convaincre. Mais avec une réelle noblesse elle rejette la proposition qui lui est soumise de la faire évader seule. Elle aime mieux renoncer à la fuite que quitter ses enfants. Et, avec une émotion touchante, elle explique à Jarjayes les motifs de son inébranlable résolution :

> Nous avons fait un beau rêve, voilà tout ; mais nous y avons beaucoup gagné, en trouvant encore dans cette occasion une nouvelle preuve de votre entier dévouement pour moi. Ma confiance en vous est sans bornes ; vous trouverez toujours, dans toutes les occasions, en moi, du caractère et du courage ; mais l'intérêt de mon fils est le seul qui me guide, et quelque bonheur que j'eusse éprouvé à être hors d'ici, je ne peux pas consentir à me séparer de lui. Au reste, je connais bien votre attachement dans tout ce que vous m'avez détaillé hier. Comptez que je sens la bonté de vos raisons pour mon propre intérêt, et que cette occasion peut ne plus se rencontrer ; mais je ne pourrais jouir de rien en laissant mes enfants, et cette idée ne me laisse pas même de regrets.

Jarjayes a fait son devoir de gentilhomme ; il ne peut plus maintenant être d'aucun secours à Marie-Antoinette. Mais il peut encore lui rendre un service : elle a la possibilité, par son intermédiaire, de faire parvenir à l'étranger un dernier signe de vie et d'affection. Peu avant son exécution Louis XVI avait voulu envoyer à sa famille, par son valet de chambre, une chevalière et une mèche de cheveux, mais les commissaires de la Commune n'avaient pu s'empêcher de voir dans ce don suprême d'un homme voué à la mort quelque chose de mystérieux, en vue peut-être d'un complot, et avaient confisqué ces reliques, mises ensuite sous scellés. Toulan, toujours téméraire, brise les scellés et apporte ces souvenirs à Marie-Antoinette. Mais elle sent qu'ils ne seront pas longtemps en sécurité chez elle, et puisqu'elle a enfin sous la main un messager sûr, elle envoie la bague et les cheveux aux frères du roi. Elle écrit en même temps au comte de Provence :

> Ayant un être fidèle, sur lequel nous pouvons compter, j'en profite pour envoyer à mon frère et ami ce dépôt, qui ne peut être confié qu'entre ses mains. Le porteur vous dira par quel miracle nous avons pu avoir ces précieux gages ; je me réserve de vous dire moi-même un jour le nom de celui qui nous est si utile, l'impossibilité où nous avons été jusqu'à présent de pouvoir vous donner de nos nouvelles, et l'excès de nos malheurs nous fait sentir encore plus vivement notre cruelle séparation. Puisse-t-elle n'être pas longue ! Je vous embrasse, en attendant, comme je vous aime, et vous savez que c'est de tout mon cœur.

Elle écrit une lettre semblable au comte d'Artois. Mais Jarjayes hésite à quitter Paris, il espère toujours pouvoir encore être utile à Marie-Antoinette. Rester, cependant, c'est courir un danger insensé. Juste avant son départ il reçoit d'elle un dernier mot :

> Adieu ! je crois que, si vous êtes décidé à partir, il vaut mieux que ce soit promptement. Mon Dieu ! que je plains votre pauvre femme !... Que je serais heureuse si nous pouvions être bientôt tous réunis ! Jamais je ne pourrai assez reconnaître tout ce que vous avez fait pour nous. Adieu ! ce mot est cruel.

Marie-Antoinette a le pressentiment, la certitude même, que c'est la dernière fois qu'elle peut envoyer au loin un message intime : une ultime occasion lui est offerte. N'a-t-elle pas à transmettre un mot, un signe d'affection à un autre qu'aux comtes de Provence et d'Artois, à qui elle doit si peu de reconnaissance, et que seul le sang désigne comme gardiens du legs fraternel ? N'a-t-elle vraiment aucun salut à adresser à celui qui fut ce qu'elle eut de plus cher au monde, en dehors de ses enfants, à Fersen, dont elle a dit qu'elle « ne pouvait pas vivre » sans nouvelles, et à qui, de l'enfer des Tuileries assiégées, elle avait envoyé cette fameuse bague, afin qu'il se souvint d'elle éternellement ? Et maintenant, en cette dernière occasion, elle ne lui ouvrirait pas encore une fois son cœur ? Mais non ; les *Mémoires* de Goguelat qui relatent ce départ de Jarjayes, avec la reproduction des lettres, ne disent pas un mot de Fersen, ne font pas la moindre allusion à lui ; notre sentiment, qui, étayé sur une profonde conviction morale, s'attendait là à un dernier message, est déçu.

Mais tout de même le sentiment finit toujours par avoir raison. Marie-Antoinette, en effet – comment pourrait-il en être autrement – n'a pas oublié l'aimé dans sa dernière solitude, et ce message du devoir adressé à ses beaux-frères ne fut peut-être qu'un prétexte pour masquer celui, plus profond, dont Jarjayes s'est fidèlement acquitté. Seulement, en 1823, lorsque parurent ces *Mémoires*, la conspiration du silence autour de Fersen, qui devait cacher à la postérité l'intimité de leurs rapports, avait déjà commencé. Là aussi le passage, pour nous le plus important de la lettre, a été supprimé par une main byzantine. On ne le mit au jour qu'un siècle plus tard et il prouve que jamais la passion de la reine n'a été plus forte qu'en ces derniers moments. Pour garder constamment en elle le souvenir consolateur de l'aimé, Marie-Antoinette s'était fait faire une bague dans laquelle étaient gravées, au lieu du lys royal, les armes de Fersen ; comme il porte au doigt la devise de la reine, elle porte au sien, en ces jours d'éloignement, les armoiries du gentilhomme suédois, de sorte que chaque regard qu'elle jette sur sa main lui rappelle l'absent. Et maintenant que l'occasion se présente, enfin, de lui donner un dernier témoignage d'amour, elle veut lui prouver qu'elle garde, en même temps que cette bague, le sentiment qu'elle lui a voué. Elle imprime l'écusson et sa légende dans de la cire et envoie cette empreinte à Fersen par l'intermédiaire de Jarjayes : point n'est besoin de paroles, cette marque dit tout.

> L'empreinte que je joins ici est tout autre chose, écrit-elle à Jarjayes, je désire que vous la remettiez à la personne que vous savez être venue me voir de Bruxelles, l'hiver dernier, et que vous lui disiez en même temps que la devise n'a jamais été plus vraie.

Mais que dit-elle cette inscription de la chevalière que Marie-Antoinette s'était fait faire tout exprès ? Que dit cette bague, sur laquelle une reine de France a fait graver les armes d'un petit gentilhomme suédois et qu'elle continue à porter en prison après avoir délaissé ses multiples bijoux d'autrefois ? Cinq mots italiens composent la devise, cinq mots, qui, à deux doigts de la mort, « n'ont jamais été plus vrais » *Tutto a te mi guida*, « Tout me conduit vers toi ».

C'est le dernier cri de passion amoureuse d'une femme vouée à la mort, et dont le corps ne tardera pas à tomber en poussière, que traduit avec force ce message pour ainsi dire muet; et l'ami saura que jusqu'au bout le cœur de cette femme a battu d'amour pour lui. Cet adieu évoque l'idée d'éternité, la pérennité du sentiment au milieu des événements éphémères. Le dernier mot de cette grande et incomparable tragédie d'amour à l'ombre de la guillotine est dit : le rideau peut tomber.

CHAPITRE XXXVII

LA DERNIÈRE SOLITUDE

Détente : le dernier mot est dit, le sentiment, encore une fois, a pu s'épancher librement. Et il est plus facile, à présent, d'attendre les événements avec calme et résignation. Marie-Antoinette a fait ses adieux au monde. Elle n'espère plus rien, elle ne tente plus rien. Il n'y a plus à compter sur la cour de Vienne, sur la victoire des troupes françaises, et, depuis que Jarjayes l'a quittée et que le fidèle Toulan a été révoqué par ordre de la Commune, il n'y a plus personne à Paris qui puisse la sauver. Les renseignements fournis par l'espionne Tison ont rendu la municipalité plus méfiante ; et si hier une tentative d'évasion était dangereuse, aujourd'hui elle serait insensée et équivaudrait à un suicide.

Mais il y a des natures qu'attire mystérieusement le danger, des gens qui aiment jouer leur vie, qui ne sentent la plénitude de leurs forces que quand ils risquent l'impossible et pour qui l'aventure audacieuse est la seule forme d'existence acceptable. En période ordinaire ces gens respirent mal ; la vie leur semble trop monotone, toute action leur paraît trop mesquine, trop veule, il faut des tâches hardies à leur témérité, des buts extravagants, et leur passion la plus forte est de tenter l'irréalisable. Un homme de cette espèce vit alors à Paris, il s'appelle le baron de Batz. Aussi longtemps que la royauté fut à l'honneur, ce riche gentilhomme s'est orgueilleusement tenu à l'écart ; pourquoi courber l'échine dans l'espoir d'une place, d'une sinécure ? Mais au moment du danger le goût de l'aventure s'éveille en lui. Quand tout le monde juge le roi perdu, alors seulement ce Don Quichotte de la fidélité royale se jette dans la lutte, avec un héroïsme insensé, pour tenter de le sauver. Cette tête chaude se tient durant toute la Révolution, cela va de soi, à la place la plus dangereuse ; sous les noms les plus divers, le baron de Batz se cache dans Paris pour lutter tout seul contre le nouveau régime. Il sacrifie sa fortune dans d'innombrables entreprises, dont la plus folle jusqu'ici a été de s'élancer soudain, au moment où l'on conduisait Louis XVI à l'échafaud au milieu de quatre-vingt mille hommes armés, de brandir son épée et de s'écrier : « A nous ! mes amis, ceux qui veulent sauver leur roi ! » Mais personne ne l'a suivi. Personne, dans toute la France, n'a eu l'extravagante témérité de tenter en plein jour d'arracher un homme à toute une ville, à toute une armée. Et c'est ainsi que le baron de Batz disparut de nouveau dans la foule, avant que les gardes n'aient eu le temps de se remettre de leur surprise. Mais cet insuccès ne l'a pas découragé, au contraire ; c'est ainsi qu'il prépare un plan d'une audace plus fantastique encore en vue de sauver Marie-Antoinette.

Le baron de Batz, d'un regard expert, a vu le point faible de la Révolution, ce qui l'empoisonne secrètement et ce que Robespierre essaie de brûler au fer rouge : la corruption qui commence. En même temps que le pouvoir politique, les révolutionnaires ont obtenu des emplois officiels, et l'argent, ce dangereux corrosif qui agit sur les âmes comme la rouille sur l'acier, est mêlé à tous ces emplois. Des prolétaires, de petites gens, qui n'ont jamais vu beaucoup d'argent, des artisans, des journalistes, des agitateurs politiques jusque-là sans profession, sont appelés du jour au lendemain à gérer sans contrôle des sommes énormes concernant les fournitures militaires, les réquisitions, la vente des biens des émigrés. Ils ne sont pas nombreux ceux qui possèdent l'intégrité d'un Caton pour résister à pareille tentation. Des liens troubles s'établissent entre les convictions et les affaires, après avoir mérité de la république, beaucoup, parmi les révolutionnaires les plus fanatiques, cherchent farouchement, à présent, à s'enrichir à ses dépens.

Le baron de Batz jette énergiquement son hameçon dans cet étang de la corruption en murmurant un mot magique aussi grisant aujourd'hui qu'hier : un million. Un million pour ceux qui aideront à arracher Marie-Antoinette du Temple ! Avec pareille somme on peut ouvrir une brèche dans les murs de prison les plus épais. Car le baron de Batz n'opère pas, comme Jarjayes, avec des complices subalternes, des allumeurs de réverbères et quelques soldats isolés. Il va droit au but, hardiment et résolument, il n'achète pas les petits fonctionnaires, mais les chefs de la surveillance, à commencer par l'homme le plus important de la Commune, l'ancien limonadier Michonis, à qui est confiée l'inspection des prisons, celle du Temple y compris. Son second partenaire est le commandant de section Cortey. De sorte que ce royaliste, recherché jour et nuit par la police et les tribunaux a en mains aussi bien l'administration civile que l'autorité militaire du Temple, et il peut, tandis qu'à la Convention et au Comité de Salut public on tempête contre « l'infâme Batz », se mettre à l'ouvrage bien tranquillement.

Ce maître conspirateur qu'est le baron de Batz, ce froid calculateur, cet adroit corrupteur est également un individu d'un courage extraordinaire. Cet homme que poursuivent désespérément dans tout le pays des centaines d'agents et d'espions – le Comité de Salut public est informé qu'il échafaude plan après plan destinés à faire sombrer la république – entre comme simple soldat dans la garde du Temple sous le nom de Forguet, afin d'explorer lui-même le terrain. Le fusil sur l'épaule, revêtu de l'uniforme sale et fripé des gardes nationaux, cet aristocrate, riche à millions, habitué à une vie facile, accomplit comme les autres soldats les dures corvées que comporte son service de garde aux portes de Marie-Antoinette. On ignore s'il réussit à pénétrer chez elle, ce qui, du reste, n'était pas nécessaire pour le projet en question, car Michonis, à qui doit revenir une bonne part du million, avait certainement mis lui-même la captive au courant. En même temps, grâce au concours payé du commandant militaire Cortey, on introduit clandestinement dans les compagnies de garde un nombre de plus en plus imposant de complices du baron. Pour finir il arrive cette chose invraisemblable, ahurissante : un beau jour de l'année 1793, en plein Paris révolutionnaire, la prison du Temple – où personne n'a accès sans mandat ou autorisation de la Commune et où est enfermée Marie-Antoinette – est gardée uniquement par des ennemis de la république, par un détachement de royalistes déguisés, dont le chef est le baron de Batz, poursuivi par la Convention et le Comité de Salut public, et contre qui sont lancés vingt mandats d'arrêt : jamais romancier ou dramaturge n'a inventé un renversement de situation aussi extravagant et aussi hardi.

Enfin le baron de Batz pense que l'heure du coup de main décisif est arrivée. S'il réussit, cette date peut devenir une des plus importantes de l'Histoire, car il s'agit d'arracher des mains de la Révolution non seulement Marie-Antoinette, mais aussi Louis XVII, le futur roi de France. Le baron de Batz et le destin vont décider du sort de la république. Le soir vient, la nuit tombe, tout est prêt jusque dans les plus petits détails. Cortey entre dans la cour du Temple avec son détachement, accompagné du chef du complot. Il dispose ses hommes de façon que les issues principales soient exclusivement gardées par des soldats royalistes. En même temps Michonis a pris son service dans les appartements et il a pourvu de manteaux Marie-Antoinette, Madame Élisabeth et Madame Royale. A minuit toutes les trois, coiffées en militaires, le fusil sur l'épaule, sortiront en compagnie d'autres faux soldats, telle une patrouille ordinaire, sous les ordres de Cortey, avec entre elles le petit dauphin. Cortey ayant le droit, en sa qualité de commandant de la garde, de faire ouvrir à n'importe quel moment les portes du Temple pour ses patrouilles, il est pour ainsi dire certain que son détachement gagnera la rue sans encombre. Le baron de Batz, qui possède dans les environs de Paris, sous un nom d'emprunt, une maison de campagne où la police n'a jamais pénétré, s'est chargé de tout le reste : c'est dans cette maison qu'on cachera tout d'abord la famille royale pendant quelques semaines, et de là, à la première occasion sûre, on lui fera passer la frontière. En outre quelques jeunes royalistes, courageux et décidés, sont postés dans la rue, des pistolets dans les poches, pour arrêter les poursuivants en cas d'alarme.

Il va être onze heures. Marie-Antoinette et les siens sont prêts à suivre leurs libérateurs à tout instant. Ils entendent la patrouille arpenter énergiquement le préau, mais cette surveillance ne les effraie pas, car ils savent que sous ces uniformes battent des cœurs amis. Michonis n'attend que le signal du baron de Batz. Mais tout à coup – que s'est-il passé ? – ils prennent peur ; on frappe des coups violents à la porte de la prison. Pour éviter tout soupçon on laisse entrer immédiatement l'arrivant. C'est le cordonnier Simon, membre de la Commune, l'honnête et incorruptible révolutionnaire qui accourt tout ému au Temple afin de voir si Marie-Antoinette n'a pas été enlevée. Il y a quelques heures, un gendarme lui a remis un billet disant que Michonis projetait une trahison pour cette nuit, et il a communiqué aussitôt l'importante nouvelle au Conseil général de la Commune. Celui-ci n'a pas voulu croire à une histoire aussi romanesque. Ne reçoit-il pas journellement des centaines de dénonciations de ce genre ? D'ailleurs, comment la chose serait-elle possible ? Le Temple n'est-il pas gardé par deux cent quatre-vingts hommes et surveillé par les commissaires les plus sûrs ? Quoi qu'il en soit, on charge quand même Simon cette nuit-là de la surveillance du Temple à la place de Michonis. Aussitôt que Cortey le voit arriver, il sait que tout est perdu. Simon, heureusement, est loin de le soupçonner. « Si je ne te voyais pas ici, je ne serais pas tranquille », lui dit-il, en bon camarade, et il monte rejoindre Michonis dans la tour.

Le baron de Batz, qui voit échouer son projet par la méfiance d'un seul homme, se demande un instant s'il ne doit pas se précipiter derrière Simon et lui brûler la cervelle d'un coup de pistolet. Mais cela n'aurait guère de sens. Car le bruit ferait accourir tous les autres gardes, et d'ailleurs, quoi qu'il fasse, il doit y avoir un traître parmi eux. La fuite de la prisonnière n'est plus possible : tout acte de violence exposerait inutilement sa vie. Il s'agit à présent de manœuvrer pour que, tout au moins, sortent du Temple, sains et saufs, ceux qui s'y sont glissés sous un uniforme d'emprunt. Cortey, qui ne se sent plus très à l'aise, forme une patrouille avec les conjurés. Celle-ci, dont fait partie le baron de Batz, sort tranquillement du Temple et gagne la rue : les conspirateurs sont sauvés, Marie-Antoinette est abandonnée.

Pendant ce temps Simon, furieux, questionne Michonis et le somme d'aller immédiatement s'expliquer devant la Commune. Le traître, qui a caché en hâte les déguisements, reste impassible. Sans protester, il suit cet homme dangereux devant le redoutable tribunal. Mais, chose curieuse, là-bas on expédie Simon assez froidement. On loue, il est vrai, son patriotisme, sa bonne volonté et sa vigilance, mais on lui laisse nettement entendre qu'il a des visions. Il semble que la Commune ne prenne pas du tout au sérieux cette conspiration.

En réalité – et ceci permet de jeter un regard sur les chemins tortueux de la politique – les municipaux ont pris très au sérieux cette tentative d'évasion, mais ils n'ont pas voulu que la chose fût ébruitée. La preuve en est un acte curieux dans lequel le Comité de Salut public recommande expressément à l'accusateur public, au cours du procès de Marie-Antoinette, de passer sous silence tous les détails du fameux projet de fuite déjoué par Simon. Il ne fallait parler que du fait de cette tentative, car, en divulguant les détails, la Commune craignait de laisser voir au monde jusqu'à quel point la corruption avait déjà empoisonné ses meilleurs représentants. Et c'est ainsi que, pendant de longues années, un des épisodes les plus dramatiques et les plus invraisemblables de l'Histoire a été passé sous silence.

Mais si la Commune, effarée de la corruptibilité de ses fonctionnaires soi-disant les plus sûrs, n'ose pas faire de procès aux complices du baron de Batz, elle prend la résolution d'être désormais plus sévère et de rendre impossibles à cette femme audacieuse, qui lutte obstinément et indomptablement pour reconquérir sa liberté, des tentatives de ce genre. Tout d'abord les commissaires suspects, surtout Toulan et Lepître, sont relevés de leurs fonctions, et Marie-Antoinette est surveillée comme une criminelle. La nuit à onze heures, Hébert, le plus insolent des membres de la Commune, arrive chez Marie-Antoinette et chez Madame Élisabeth, qui, sans se douter de rien, sont couchées depuis longtemps, et il use largement d'un ordre de la Commune de fouiller « à discrétion » les appartements et les personnes. Jusqu'à quatre heures du matin on explore les pièces, les vêtements, les meubles et les tiroirs. Mais le résultat de ces recherches est d'une insignifiance vexante : on trouve un portefeuille de cuir rouge avec quelques adresses sans importance, un porte-crayon sans mine, un morceau de cire à cacheter, deux miniatures et autres souvenirs, un vieux chapeau de Louis XVI. On renouvelle les perquisitions, mais toujours sans succès. Marie-Antoinette, qui, pour ne pas compromettre inutilement ses amis et complices, a continué pendant toute la Révolution à brûler aussitôt tout document écrit, ne fournit pas encore, cette fois-ci, le moindre prétexte à une accusation. Irritée de ne jamais pouvoir prendre en défaut cette froide lutteuse, et convaincue, par ailleurs, qu'elle ne renonce pas à ses impénétrables efforts, la Commune se décide à la frapper là où elle est le plus sensible, dans son sentiment maternel. Cette fois le coup porte droit au cœur. Le 1er juillet, peu de jours après la découverte du complot, le Comité de Salut public décrète, au nom de la Commune, que le jeune Louis Capet sera séparé de sa mère, mis dans l'impossibilité de communiquer avec elle, et logé dans la pièce la plus sûre du Temple. Le Conseil général de la Commune se réserve le droit de lui choisir un précepteur et se prononce, sans doute en reconnaissance de sa vigilance, pour le cordonnier Simon, le plus fidèle et le plus éprouvé des sans-culottes, sur qui ni l'argent ni la sensiblerie ne sauraient avoir de prise. Cependant Simon, homme du peuple simple, fruste et grossier, véritable prolétaire, n'était nullement l'ignoble ivrogne et le sadique cruel que les royalistes en ont fait ; mais, tout de même, quelle haine dans ce choix d'un précepteur ! Car cet homme n'a certainement lu aucun livre de sa vie, et ainsi que le prouve l'unique lettre connue de lui, ne possède même pas les règles les plus élémentaires de l'orthographe. Mais c'est un sans-culotte sincère et en 1793 cela semble suffisant pour que l'on soit apte à exercer n'importe quel emploi. La courbe intellectuelle de la Révolution est descendue brusquement depuis six mois, depuis l'époque où à l'Assemblée nationale on envisageait encore de nommer Condorcet, l'auteur distingué des *Progrès de l'esprit humain*, précepteur du dauphin. La différence est effrayante. Mais si la devise « liberté, égalité, fraternité » existe toujours, les notions de liberté et de fraternité, depuis que fonctionnent le Comité de Salut public et la guillotine, sont presque aussi dévalorisées que les assignats ; seule l'idée d'égalité, c'est-à-dire de nivellement par la force, domine la dernière phase, la phase brutale et radicale de la Révolution. Choisir le cordonnier Simon comme précepteur du dauphin, c'est, en fait, avouer qu'on ne veut faire de lui ni un homme éduqué ni même un homme instruit, mais un individu qui sera tenu de vivre dans la classe la plus basse et la plus ignorante de la société. Il faut qu'il oublie complètement ses origines et qu'il permette ainsi aux autres de l'oublier plus facilement.

Marie-Antoinette est loin de se douter que la Convention a résolu d'arracher l'enfant à ses soins maternels lorsque à neuf heures et demie du soir six délégués de la Commune frappent aux portes du Temple. La méthode des surprises cruelles est le procédé favori d'Hébert. Ses inspections ne sont jamais annoncées. Ce sont toujours des irruptions imprévues pendant la nuit. L'enfant est couché il y a longtemps, sa mère et Madame Élisabeth veillent encore. Les municipaux entrent, Marie-Antoinette, méfiante, se lève ; elle sait qu'à chacune de ces visites nocturnes elle ne peut s'attendre qu'à de nouvelles humiliations ou à de mauvais messages. Cette fois les commissaires eux-mêmes semblent un peu confus. C'est pour eux, dont la plupart sont pères de famille, un devoir pénible de dire à une mère que le Comité de Salut public lui ordonne, sans raisons apparentes, et presque sans lui laisser le temps de faire ses adieux, de remettre immédiatement et pour toujours son fils unique en des mains étrangères.

Nous n'avons pas d'autre relation sur ce qui se passa cette nuit-là entre la mère exaspérée et les commissaires que celle, très sujette à caution, du seul témoin oculaire, la fille de Marie-Antoinette. Est-il vrai, comme le dit la future duchesse d'Angoulême, que Marie-Antoinette ait, en pleurant, conjuré ces hommes, qui n'étaient que des fonctionnaires accomplissant un mandat, de lui laisser son enfant ? Qu'elle leur ait crié de la tuer plutôt que de lui arracher son fils ? Que les commissaires, chose invraisemblable (leur autorité n'allant pas jusque-là), l'aient menacée, si elle résistait plus longtemps, de tuer l'enfant et la princesse, et que finalement, après une lutte violente de plusieurs heures, ils aient emmené brutalement le dauphin en sanglots ? Le rapport officiel n'en dit rien ; de leur côté les commissaires, enjolivant la scène, disent :

> La séparation s'est faite avec toute la sensibilité que l'on devait attendre dans cette circonstance, où les magistrats du peuple ont eu tous les égards compatibles avec la sévérité de leurs fonctions.

Deux partis, deux façons de présenter les faits ; là où s'exprime le parti, la vérité parle rarement. Mais il y a une chose qui est hors de doute : cette séparation violente et inutilement cruelle a peut-être été le moment le plus dur de la vie de Marie-Antoinette. La mère était particulièrement attachée à ce blondinet exubérant et précoce ; ce garçon dont elle voulait faire un roi, lui seul, par son entrain et sa curiosité toujours en éveil, l'aidait encore à supporter les heures solitaires de la tour. Il était, sans aucun doute, plus près de son cœur que sa fille, qui, nature sombre, maussade, peu aimable, d'esprit paresseux et insignifiante à tous les points de vue, était loin d'offrir à la tendresse éternellement vivante de Marie-Antoinette autant de satisfaction que ce gentil et frêle enfant qu'on lui ravissait d'une façon si brutale et si stupidement haineuse. Car bien que le dauphin continue à habiter le Temple, à quelques mètres seulement de la tour de Marie-Antoinette, un inexcusable formalisme de la Commune ne permet plus à la mère d'échanger un seul mot avec son enfant ; même quand elle apprend qu'il est malade, on lui défend de le voir : elle est tenue à l'écart comme une pestiférée. Elle n'a même pas le droit – nouvelle et absurde cruauté – de parler avec son étrange précepteur, le cordonnier Simon, et tout renseignement sur son fils lui est refusé ; abandonnée et réduite au silence, la mère sait son enfant tout proche d'elle et ne peut pas lui sourire ou l'embrasser, elle n'a d'autre contact avec lui que celui de la pensée et du cœur, qu'aucun décret ne saurait lui défendre.

Enfin – petite et pauvre consolation ! – Marie-Antoinette découvre que par une fenêtre minuscule de l'escalier de la tour, au troisième étage, on aperçoit la partie de la cour où le dauphin vient quelquefois jouer. Et c'est là que se poste, pendant des heures, et souvent en vain, cette femme éplorée, qui jadis régnait sur tout le royaume, dans l'espoir d'apercevoir un instant à la dérobée la claire silhouette de son fils chéri. L'enfant, qui ne se doute pas que d'une lucarne grillée sa mère, le regard souvent trempé de larmes, suit tous ses gestes, joue avec entrain. (Que sait de son sort un enfant de huit ans ?) Le petit garçon s'est rapidement, beaucoup trop rapidement, adapté à son nouvel entourage, il a oublié dans sa joyeuse insouciance son origine, son sang et son nom. Il chante à pleine gorge, sans en connaître le sens, la *Carmagnole* et le *Ça ira*, que Simon et ses compagnons lui ont appris ; il porte le bonnet rouge des sans-culottes et cela l'amuse, il plaisante avec les soldats qui gardent sa mère – dont tout un monde, déjà, le sépare intérieurement, et pas seulement un mur de pierre. Malgré tout, le cœur de la mère ne peut s'empêcher de battre avec force quand elle voit son enfant, qu'elle ne peut plus embrasser que du regard, jouer si gaîment et si insouciamment. Quel avenir attend le pauvre petit ? Hébert, entre les mains misérables de qui la Convention l'a livré sans pitié, n'a-t-il pas déjà écrit dans son journal infâme, le *Père Duchêne*, ces paroles menaçantes :

> Pauvre nation !... ce petit marmotin te sera bientôt funeste tôt ou tard : plus il est drôle, et plus il est redoutable. Que ce petit serpent et sa sœur soient jetés dans une île déserte ; il faut qu'on s'en défasse à tel prix que ce

> soit. Au surplus, qu'est-ce qu'un enfant, quand il s'agit du salut de la République ?

Qu'est-ce qu'un enfant ? Pas grand'chose pour Hébert, la mère le sait bien. C'est pourquoi elle frémit lorsqu'elle n'aperçoit pas son fils chéri dans la cour. C'est pourquoi aussi elle tremble chaque fois de rage impuissante, quand pénètre chez elle cet ennemi de son cœur, sur le conseil de qui son enfant lui a été ravi, cet homme qui a commis le crime moral le plus méprisable : la cruauté inutile à l'égard d'une vaincue. Que ce soit justement à Hébert, son Thersite, que la Révolution ait confié Marie-Antoinette, c'est là une page sombre de son histoire qu'il vaut mieux passer. Car l'idée même la plus pure devient basse et petite dès qu'elle donne à des hommes mesquins le pouvoir d'être inhumains en son nom.

Les heures sont longues maintenant, et les pièces grillées de la tour paraissent plus sombres, depuis que le rire de l'enfant ne les éclaire plus. Aucun bruit, aucune nouvelle ne parvient plus du dehors, les derniers complices ont disparu, les amis sont trop loin pour qu'on puisse les toucher. Trois femmes solitaires sont réunies là jour après jour : Marie-Antoinette, sa fille et Madame Élisabeth ; il y a longtemps qu'elles n'ont plus rien à se dire, elles ont désappris l'espoir et peut-être aussi la crainte. C'est à peine si elles descendent encore au jardin, quoique ce soit le printemps et presque l'été, une grande fatigue alourdit leurs membres. Et dans le visage de Marie-Antoinette quelque chose s'éteint au cours de ces jours d'ultime épreuve. Si l'on examine son dernier portrait fait à cette date par un peintre inconnu, on reconnaît difficilement l'ancienne reine des comédies pastorales, la déesse du rococo, la lutteuse fière et énergique qu'elle était encore aux Tuileries. Sur ce tableau aux durs contours, Marie-Antoinette, avec son voile de veuve et ses cheveux blanchis par la souffrance, est déjà une vieille femme, bien qu'elle n'ait que trente-huit ans. L'éclat et la vie ont disparu de ses yeux autrefois si mutins, elle est là, abattue, les mains lasses et tombantes, prête à répondre docilement à tout appel, fût-ce à l'appel suprême.

L'ancienne grâce de son visage a fait place à une tristesse résignée et l'agitation de son être à une grande indifférence. Vu de loin on prendrait ce portrait pour celui d'une religieuse, d'une abbesse, d'une femme qui n'a plus de désirs, de préoccupations terrestres, qui déjà vit dans un autre monde. On n'y sent plus la beauté, le courage, la force, mais rien qu'une grande et profonde lassitude. La reine a abdiqué, la femme a renoncé ; seule une matrone terne et fatiguée lève son regard bleu et limpide que rien ne peut plus étonner ni effrayer.

Et Marie-Antoinette ne s'effraie pas non plus lorsque, quelques jours plus tard, à deux heures du matin, on frappe de nouveau brutalement à sa porte. Que peut encore le monde contre elle, à présent qu'on lui a pris son mari, son enfant, son amant, sa couronne, son honneur, sa liberté ? Elle se lève avec calme, s'habille et laisse entrer les commissaires. Ils lui donnent lecture du décret de la Convention qui exige le transfert à la Conciergerie de la veuve Capet, mise en accusation. Marie-Antoinette écoute tranquillement et ne répond pas. Elle sait qu'une accusation du Tribunal révolutionnaire équivaut à une condamnation et que la Conciergerie pour elle est la maison des morts. Mais elle ne supplie pas, ne discute pas, ne demande aucun répit. Elle ne dit pas une parole à ces hommes qui, comme des assassins, viennent la surprendre au milieu de la nuit avec une pareille nouvelle. Indifférente, elle laisse fouiller ses vêtements et prendre tout ce qu'elle a sur elle. On ne lui laisse qu'un mouchoir et un petit flacon de sels. Et la voici encore obligée de faire ses adieux – à plusieurs reprises déjà ne s'est-elle pas trouvée dans cette situation ? – à sa belle-sœur, cette fois, et à sa fille. Elle sait que ce sont les derniers. Mais le monde l'a habituée aux séparations.

Sans se retourner, droite et ferme, Marie-Antoinette se dirige vers la porte de sa chambre et descend rapidement l'escalier. Elle refuse tout secours et il était superflu de lui laisser son flacon de sels : elle n'aura point de défaillance, sa force intérieure la soutient. Il y a longtemps qu'elle a subi le plus dur : rien ne peut être pire que la vie de ces derniers mois. Ce qui l'attend est plus facile : il ne s'agit que de la mort. Elle se précipite presque vers elle. Elle est si pressée de sortir de cette tour peuplée d'épouvantables souvenirs – peut-être ses yeux sont-ils voilés de larmes – qu'elle ne pense pas à se baisser et va se cogner le front à une poutre. Les commissaires accourent inquiets et lui demandent si elle s'est fait mal. « Oh non ! » répond-elle tranquillement, « rien à présent ne peut me faire du mal ».

CHAPITRE XXXVIII

LA CONCIERGERIE

Une autre femme a également été réveillée cette nuit-là, c'est Mme Richard, la femme du gardien de la Conciergerie. Le soir très tard on lui a soudain communiqué l'ordre de préparer une cellule pour Marie-Antoinette ; après des ducs, des princes, des comtes, des évêques, des bourgeois, après des victimes de tous genres, la reine de France elle aussi va venir à la maison des morts. Mme Richard s'effraie. Car pour une femme du peuple ce mot de « reine » continue à vibrer comme une cloche puissante et à inspirer le respect. Une reine, la reine sous son toit ! Mme Richard cherche aussitôt dans son linge la toile la plus blanche et la plus fine ; le général Custine, le vainqueur de Mayence, qu'attend aussi le couperet, est obligé de quitter la cellule grillée qui servait de chambre du Conseil il y a de nombreuses années ; en hâte le sombre réduit est aménagé pour la reine. Un lit de sangle, deux matelas, deux chaises, un oreiller, une couverture légère, une cuvette et un vieux tapis pour cacher le mur humide, c'est tout ce que la gardienne peut donner à la prisonnière. Et les voici tous à attendre, dans cette maison de pierre antique et à demi-souterraine.

A trois heures du matin on entend un bruit de voiture. Des gendarmes munis de flambeaux pénètrent les premiers dans le sombre corridor, puis – sa souplesse lui a permis de se tirer de l'affaire de Batz et de garder son poste d'inspecteur général des prisons – voici le limonadier Michonis et derrière lui, dans la lumière vacillante, Marie-

Antoinette, suivie de son petit chien, le seul être vivant autorisé à la suivre en prison. En raison de l'heure avancée, et parce que ce serait une comédie de faire comme si l'on ne savait pas, à la Conciergerie, qui est Marie-Antoinette, on lui épargne les formalités bureaucratiques usuelles et on lui permet de gagner immédiatement sa cellule. La servante de la concierge, Rosalie Lamorlière, pauvre fille de la campagne, qui ne sait pas écrire et à qui pourtant nous devons la relation la plus vraie et la plus émouvante des soixante-dix-sept derniers jours de Marie-Antoinette, suit, toute ébranlée, cette pâle femme en noir et veut l'aider à se déshabiller. « Je vous remercie, ma fille », lui répond Marie-Antoinette, « depuis que je n'ai plus personne, je me sers moi-même ». Elle commence par accrocher sa montre au mur, ce qui lui permettra de mesurer le temps très court et cependant infini qui lui reste à vivre. Puis elle se déshabille et se couche. Un gendarme entre, le fusil chargé, ensuite la porte se ferme. Le dernier acte de la grande tragédie a commencé.

On sait à Paris et dans le monde entier que la Conciergerie est la prison réservée aux criminels politiques les plus dangereux ; l'inscription d'un nom sur le registre des entrées peut être considérée comme un acte de décès. On sort vivant de Saint-Lazare, des Carmes, de l'Abbaye, de toutes les autres prisons, de la Conciergerie jamais, ou seulement dans des cas tout à fait exceptionnels. Marie-Antoinette et le monde savent donc forcément (et on veut qu'ils le sachent) que le transfert à la maison des morts est la première mesure de la danse macabre qui va se dérouler. En réalité la Convention n'est nullement pressée de faire le procès de cet otage précieux. L'incarcération provocante de Marie-Antoinette à la Conciergerie n'est qu'un coup de fouet en vue d'activer les pourparlers avec l'Autriche, qui traînent vraiment en longueur, qu'un geste menaçant qui veut dire : « dépêchez-vous », en un mot un moyen de pression politique ; en fait on laisse dormir tranquillernent l'accusation claironnée à la Convention. Trois semaines après ce pathétique transfert auquel, il va sans dire, tous les journaux étrangers répondent par un cri d'effroi (ce qu'espérait bien le Comité de Salut public) l'accusateur public, Fouquier-Tinville, n'a encore en mains aucune pièce du procès, et, une fois le grand coup de trompette donné, il n'est plus question de Marie-Antoinette dans aucun débat public de la Convention ou de la Commune. Hébert, le chien odieux de la Révolution, aboie bien encore par-ci par-là dans le *Père Duchêne* en disant qu'il faut « essayer aussi la cravate de Samson » à la « grue » et que le bourreau doit « jouer à la boule avec la tête de la louve » ; mais le Comité de Salut public, qui voit plus loin, le laisse tranquillement s'étonner :

> ... que l'on cherche midi à quatorze heures pour juger la tigresse d'Autriche, que l'on demande des pièces pour la condamner, tandis que si on lui rendait justice, elle devrait être hachée comme chair à pâté pour tout le sang qu'elle avait fait répandre.

Tous ses cris et ses vociférations n'influent en rien sur les plans secrets du Comité de Salut public, qui ne considère que la carte des hostilités. Qui sait quel parti l'on pourra tirer de cette fille des Habsbourgs, et peut-être même bientôt, car les journées de juillet ont été funestes à l'armée française ? A tout moment la Coalition peut marcher sur Paris, à quoi bon gâcher inutilement un sang si précieux ! On laisse donc Hébert crier et tempêter, ce qui, d'ailleurs, renforce l'idée d'une exécution prochaine : en réalité le sort de Marie-Antoinette est en suspens. On ne la libère pas, on ne la condamne pas. On ne fait que tenir le glaive très visiblement au-dessus de sa tête et de temps à autre on en fait miroiter la lame, parce qu'on espère effrayer la maison de Habsbourg et l'amener enfin à négocier.

Mais malheureusement la nouvelle du transfert de Marie-Antoinette à la Conciergerie n'effraie pas le moins du monde sa famille ; Marie-Antoinette, aux yeux de Kaunitz, n'avait compté pour la politique des Habsbourgs qu'aussi longtemps qu'elle était restée reine de France ; une reine détrônée, une simple femme dans le malheur est complètement indifférente aux ministres, aux généraux, aux empereurs ; la diplomatie ignore la sentimentalité. Il n'y en a qu'un, que la nouvelle atteint en plein cœur, un seul, mais qui, lui, est complètement impuissant : Fersen. Désespéré, il mande à sa sœur :

> Ma chère Sophie, ma seule et unique amie, vous savez sans doute en ce moment le malheur affreux de la translation de la Reine dans les prisons de la Conciergerie et le décret de cette exécrable Convention, qui la livre au tribunal révolutionnaire pour être jugée. Depuis cet instant je ne vis plus, car ce n'est pas vivre que d'exister comme je fais ni de souffrir toutes les douleurs que j'éprouve. Si je pouvais encore agir sur sa délivrance, il me semble que je souffrirais moins, mais de ne pouvoir rien faire que par des sollicitations est affreux pour moi... Il n'y a que vous qui puissiez sentir tout ce que j'éprouve, tout est perdu pour moi... mes regrets seront éternels et rien que la mort pourra me les faire oublier. Je ne puis m'occuper de rien, je ne puis penser qu'au malheur de cette infortunée et digne princesse. Je n'ai pas la force d'exprimer ce que je sens, je donnerais ma vie pour la sauver et je ne le puis ; mon plus grand bonheur serait de mourir pour elle et pour la sauver.

Et quelques jours plus tard il lui écrit encore :

> Je me reproche souvent jusqu'à l'air que je respire, quand je pense qu'elle est renfermée dans une affreuse prison, cette idée me déchire le cœur, elle empoisonne ma vie et je suis sans cesse partagé entre la douleur et la rage.

Mais qu'est ce pauvre Fersen aux yeux du tout-puissant état-major, quelle importance a-t-il au regard de la grande, sage et sublime politique ? Aussi n'a-t-il d'autre ressource que de traduire en prières inutiles sa colère, son indignation, son désespoir, la rage infernale qui flambe en lui et qui consume son âme, que de courir les antichambres et d'adjurer les militaires, les hommes d'État, les princes, les émigrés les uns après les autres, de ne pas assister avec une indifférence indigne à l'humiliation et à l'assassinat d'une reine de France, d'une princesse de la maison de Habsbourg. Partout il rencontre une aimable froideur ; le fidèle Mercy lui-même se montre « de glace » à son égard et décline respectueusement, mais catégoriquement, toute intervention de Fersen, cédant ainsi malheureusement à une rancune personnelle ; car le vieil ambassadeur n'a jamais pardonné à Fersen d'avoir été plus intime avec la reine que ne le permettaient les conventions, et c'est justement de l'amant de la reine – le seul qui l'aime et qui voudrait lui sauver la vie – qu'il ne veut recevoir aucune instruction.

Mais Fersen ne renonce pas. Cet accueil glacial de tous, qui contraste si affreusement avec sa propre ardeur, le met hors de lui. Puisque Mercy refuse, il s'adresse à l'autre ami fidèle de la famille royale, le comte de La Marck, qui, en son temps, conduisit les pourparlers avec Mirabeau. Il rencontre là une compréhension plus humaine. Le comte de La Marck se rend chez Mercy et rappelle au vieillard la promesse qu'il a faite à Marie-Thérèse, il y a un quart de siècle, de veiller sur sa fille jusqu'au dernier instant. Ils rédigent ensemble, à sa table, une lettre énergique au prince de Cobourg, commandant en chef des troupes autrichiennes, dans laquelle il est dit :

> Tant que la reine n'a pas été directement menacée, on a pu garder le silence dans la crainte d'éveiller la rage des sauvages qui l'entourent ; mais aujourd'hui qu'elle est livrée à un tribunal de sang, toute mesure qui donne un espoir de la sauver vous paraîtra peut-être un devoir.

Poussé par La Marck, Mercy réclame une avance immédiate et rapide sur Paris, qui y répandrait la frayeur ; toute autre opération militaire devait être négligée par rapport à celle-ci, extrêmement urgente.

> Laissez-moi seulement, déclare Mercy, vous parler des regrets que tous, nous pourrions éprouver un jour d'être restés dans l'inaction à un pareil moment. La postérité

> pourrait-elle croire qu'un si grand attentat a pu être consommé à quelques marches des armées victorieuses de l'Autriche et de l'Angleterre, sans que ces armées victorieuses aient tenté quelques efforts pour l'empêcher !

Cet appel en vue de sauver à temps Marie-Antoinette s'adresse malheureusement à un homme faible et d'une effroyable bêtise. La réponse du commandant en chef est telle qu'on pouvait s'y attendre. Comme si en 1793 on était encore aux temps du « Marteau des maléfices » et de l'Inquisition, ce prince, connu pour sa nullité, répond que :

> ... dans le cas où la moindre violence serait exercée sur la personne de Sa Majesté la reine, l'autorité autrichienne fera immédiatement rouer vifs les quatre commissaires de la Convention qu'elle a arrêtés dernièrement.

Mercy et de La Marck, tous deux intelligents et cultivés, sont sincèrement effarés en prenant connaissance de cette stupidité et se rendent compte que des négociations avec un pareil imbécile ne peuvent mener à rien ; aussi de La Marck adjure-t-il Mercy d'écrire sans retard à la cour de Vienne :

> Expédiez immédiatement un autre courrier; faites connaître le danger; exprimez les craintes les plus vives, et qui ne sont, hélas, que trop fondées. Il faut qu'on comprenne à Vienne ce qu'il y aurait de pénible, j'oserais dire de fâcheux pour le gouvernement impérial, si l'histoire pouvait dire un jour, qu'à quarante lieues des armées autrichiennes, formidables et victorieuses, l'auguste fille de Marie-Thérèse a péri sur l'échafaud, sans qu'on ait fait une tentative pour la sauver. Ce serait une tache ineffaçable pour le règne de notre empereur.

Et pour stimuler encore davantage le vieillard assez difficile à mettre en mouvement, il joint à sa lettre à Mercy un avertissement personnel :

> Permettez-moi de vous dire, l'injustice des jugements humains ne vous tiendrait pas compte des sentiments que vos amis vous connaissent si, dans les déplorables circonstances où nous nous trouvons, vous n'aviez pas tenté d'avance et à coups redoublés de tirer notre cour du fatal engourdissement où elle se trouve.

Secoué par cet avertissement, le vieux Mercy se montre enfin énergique et écrit à Vienne :

> Je me suis demandé s'il était de la dignité de l'empereur, de son intérêt même, de rester spectateur du sort dont son auguste tante est menacée, sans rien tenter pour l'y soustraire ou pour l'en arracher... L'empereur n'a-t-il point à remplir, dans cette circonstance, des devoirs particuliers... ? Il ne faut pas perdre de vue que la conduite que notre gouvernement va tenir sera jugée un jour par la postérité, et ne doit-on pas redouter la sévérité de ce jugement s'il est prouvé que la reine de France, menacée comme elle l'est, Sa Majesté l'empereur n'a fait ni tentatives, ni sacrifices pour la sauver ?

Cette lettre, assez courageuse pour un ambassadeur, est rangée froidement dans quelque dossier de la chancellerie impériale et abandonnée à la poussière sans qu'il y soit répondu. L'empereur François n'éprouve nullement le besoin de lever, ne fût-ce qu'un doigt, pour essayer de sauver sa tante ; il se promène tranquillement à Schoenbrunn, et Cobourg attend sans s'émouvoir dans son quartier d'hiver, où il fait faire des exercices à ses soldats jusqu'à ce qu'il s'en échappe plus qu'il n'en aurait perdu dans la plus sanglante des batailles. Tous les souverains restent calmes, indifférents et sans soucis. Qu'importe un peu plus ou un peu moins d'honneur à l'antique maison de Habsbourg ? Personne ne bouge pour le salut de Marie-Antoinette, et Mercy, l'amertume au cœur, dit dans un subit accès de colère : « Ils ne l'auraient pas sauvée non plus, si de leurs propres yeux ils l'avaient vue monter à la guillotine. »

On ne peut compter ni sur Cobourg, ni sur l'Autriche, ni sur les princes, ni sur les émigrés, ni sur la famille ; Mercy et Fersen, de leur propre chef, recourent donc au dernier moyen : la corruption. On envoie de l'argent à Paris par le maître de danse Noverre et un financier louche : mais personne ne sait en quelles mains il se perd. On essaie d'abord d'approcher Danton, qui – Robespierre l'a flairé – est, de l'avis de tous, susceptible de se laisser acheter; chose curieuse, on arrive jusqu'à Hébert, et quoique les preuves manquent, comme dans presque tous les cas de corruption, il est surprenant que ce braillard, qui, depuis des mois, se démène comme un épileptique pour que « la grue » fasse enfin « le saut de la carpe », demande subitement qu'on ramène Marie-Antoinette au Temple. Qui pourrait dire jusqu'à quel point ces négociations clandestines ont abouti ? Toujours est-il que, malgré cet or, on s'y est pris trop tard. Car tandis que ses amis habiles cherchent à la sauver, un autre, par trop maladroit, a déjà poussé Marie-Antoinette dans l'abîme : comme au cours de toute sa vie, ses amis, encore une fois, lui sont plus néfastes que ses ennemis.

CHAPITRE XXXIX

LA DERNIÈRE TENTATIVE

De toutes les prisons de la Révolution, la Conciergerie, cette « antichambre de la mort », est celle qui est soumise aux règlements les plus sévères. Cette vieille construction de pierre aux murs impénétrables, aux portes épaisses, bardées de fer, aux couloirs barricadés, aux fenêtres grillées, entourée de sentinelles, pourrait porter sur son fronton la parole de Dante : *Lasciate ogni speranza...*

Un système de surveillance, ayant fait ses preuves pendant de longues années et terriblement renforcé depuis les incarcérations en masse de la Terreur, y rend impossible toute relation avec le monde extérieur. Aucune lettre ne peut être transmise au-dehors, aucune visite n'est possible, car le personnel n'est pas composé ici de gardiens amateurs comme au Temple, mais de geôliers de métier prévenus contre toutes les ruses ; en outre, pour plus de précaution, des « moutons », ou mouchards professionnels, qui dénonceraient à l'avance aux autorités toute tentative d'évasion, sont mêlés aux prisonniers. On pourrait donc croire qu'avec un pareil système toute résistance individuelle est d'avance vouée à l'échec.

Mais, secrète consolation, en face de toute puissance collective, si l'individu est ferme et résolu, il finit presque toujours par être plus fort que n'importe quel système. Dans la mesure où sa volonté reste inébranlable, l'être humain l'emporte presque toujours sur les règlements ; il en est ainsi pour Marie-Antoinette. Au bout de quelques jours déjà, grâce à cette étrange magie qui émane en partie de son nom, en partie de la noblesse de son attitude, tous ceux qui sont attachés à sa surveillance deviennent ses amis, ses serviteurs, ses complices. La femme du concierge n'est chargée que de balayer sa chambre et de lui préparer une nourriture ordinaire ; malgré cela elle lui confectionne avec un soin touchant des plats de choix, se met à sa disposition pour la coiffer et fait venir chaque jour de l'autre bout de la ville une eau que Marie-Antoinette préfère. La servante de la concierge, de son côté, profite de chaque occasion pour se glisser auprès de la prisonnière et lui offrir ses services. Et les gendarmes aux moustaches sévèrement retroussées, aux larges sabres cliquetants, aux fusils constamment chargés, qui devraient interdire tout cela, que font-ils ? Tous les jours – le procès-verbal de l'interrogatoire en donne la preuve – ils achètent au marché, de leurs propres deniers, des fleurs qu'ils apportent à Marie-Antoinette pour orner sa triste demeure. C'est justement dans le peuple, qui connaît mieux le malheur que la bourgeoisie, que vibre la plus grande compassion pour cette femme si détestée en ses jours heureux. Quand les femmes du marché apprennent par Mme Richard qu'un poulet ou des légumes sont destinés à la « reine », elles choisissent soigneusement ce qu'il y a de mieux, et Fouquier-Tinville, au procès, est forcé de constater, avec un étonnement irrité, que Marie-Antoinette a joui de beaucoup plus d'avantages à la Conciergerie qu'au Temple. C'est précisément là où la mort règne le plus cruellement, que, comme une défense inconsciente, se développent le plus en l'homme les sentiments d'humanité.

Étant données ses précédentes tentatives de fuite, il paraît étonnant, à première vue, que, même pour une prisonnière d'État aussi importante que Marie-Antoinette, la surveillance soit exercée avec si peu de sévérité. Mais on comprend bien des choses, dès qu'on se rappelle que l'inspecteur principal de cette prison n'est autre que l'ancien limonadier Michonis, le complice du Temple : l'éclat fascinant des millions du baron de Batz brille même à travers les épaisses murailles de la Conciergerie ;

Michonis continue à jouer audacieusement son double rôle. Chaque jour, ponctuel et fidèle à son devoir, il se rend dans la cellule de Marie-Antoinette, secoue les barreaux de fer, examine les portes et rend compte de ses visites à la Commune avec une scrupuleuse exactitude. Mais, en réalité, Michonis n'attend que le départ du gendarme pour causer presque amicalement avec Marie-Antoinette et lui apporter des nouvelles tant désirées de ses enfants ; de temps à autre, soit par cupidité, soit par bonté, il introduit même en fraude un curieux quand il fait l'inspection de la Conciergerie, tantôt c'est un Anglais, tantôt une Anglaise, peut-être cette excentrique Mrs Atkins, tantôt ce prêtre non assermenté, qui doit avoir reçu la dernière confession de la prisonnière, tantôt ce peintre à qui nous devons le portrait du musée Carnavalet. Et, malheureusement aussi, pour finir, le fou audacieux, qui, par son excès de zèle, anéantit d'un seul coup toutes ces libertés et ces privilèges.

Cette fameuse « affaire de l'œillet », qui plus tard a fourni à Alexandre Dumas la trame d'un grand roman, est une histoire obscure qu'on ne réussira sans doute jamais à éclaircir complètement ; car ce qu'en disent les pièces du procès est insuffisant et ce qu'en raconte le héros de l'histoire sent la hâblerie. Si l'on en croyait le Conseil municipal et l'inspecteur des prisons Michonis, toute l'histoire n'aurait été qu'un épisode sans importance. Celui-ci prétend qu'ayant parlé de Marie-Antoinette à un souper chez des amis, un monsieur dont il ignorait le nom lui avait demandé avec insistance de l'accompagner un jour à la prison. Très bien disposé, Michonis n'avait pas jugé utile de s'informer plus amplement et avait emmené cet homme dans une de ses inspections, bien entendu avec la promesse qu'il n'adresserait pas la parole à Marie-Antoinette.

Mais Michonis, le confident du baron de Batz, est-il réellement aussi naïf qu'il veut bien le paraître ? N'a-t-il vraiment pas cherché à savoir qui était cet inconnu qu'il devait introduire en fraude à la Conciergerie ? S'il l'avait voulu, il aurait appris sans trop de difficultés que cet homme était un ami de Marie-Antoinette, le chevalier de Rougeville, un de ces nobles qui, le 20 juin, l'avaient défendue au prix de leur vie. Mais, selon toute apparence, l'ex-complice du baron de Batz devait avoir de bonnes raisons, et surtout des raisons sonnantes, de ne pas trop questionner cet inconnu sur ses intentions ; et sans doute le complot était-il déjà beaucoup plus avancé qu'il ne ressort aujourd'hui des faits connus.

Quoi qu'il en soit, le 28 août un trousseau de clefs cliquette à la porte de la prisonnière. Marie-Antoinette et le gendarme se lèvent. Elle s'effraie toutes les fois que l'huis du cachot s'ouvre subitement, car à chaque visite imprévue des autorités elle s'attend à de mauvaises nouvelles. Mais non, ce n'est que Michonis, l'ami secret, accompagné aujourd'hui de quelque inconnu auquel elle ne fait même pas attention. Marie-Antoinette se sent soulagée, elle parle avec l'inspecteur et demande des nouvelles de ses enfants : c'est à eux que se rapporte toujours sa première question. Michonis répond aimablement, la prisonnière est presque sereine ; ces quelques minutes où le morne silence est rompu, où elle peut, devant quelqu'un, prononcer le nom de ses enfants, sont toujours pour elle une sorte de bonheur.

Mais Marie-Antoinette soudain devient livide, pâleur qui ne dure qu'une seconde. Puis le sang, subitement, lui monte au visage. Elle se met à trembler et se tient debout avec peine. La surprise est trop grande : elle a reconnu Rougeville, l'homme qui, si souvent, s'est trouvé à ses côtés au château et qu'elle sait capable de n'importe quelle audace. Que signifie – l'instant est trop bref pour imaginer quoi que ce soit – la présence soudaine dans sa cellule de cet ami sûr et dévoué ? Veut-on la sauver ? lui dire, lui remettre quelque chose ? Elle n'ose pas parler à Rougeville, elle n'ose même pas trop le regarder, par peur du gendarme et de la femme de service, et pourtant elle s'aperçoit qu'il lui fait sans cesse des signes qu'elle ne saisit pas. Elle est à la fois heureuse et angoissée de sentir après de longs mois un messager auprès d'elle et de ne pas comprendre son message ; la pauvre femme est de plus en plus inquiète, et de plus en plus elle craint de se trahir. Peut-être Michonis s'aperçoit-il de son trouble ; toujours est-il qu'il se rappelle qu'il a encore d'autres cellules à voir, et il quitte brusquement la pièce avec l'inconnu en déclarant formellement toutefois qu'il va revenir.

Restée seule, Marie-Antoinette, les jambes flageolantes, s'assied et s'efforce de recueillir ses idées. Elle décide, s'ils reviennent, d'être plus forte, plus attentive et de bien observer chaque signe et chaque geste. Et en effet ils reviennent, de nouveau les clefs cliquettent, de nouveau Michonis entre avec Rougeville. Marie-Antoinette à présent est tout à fait maîtresse de ses nerfs. Tout en parlant avec l'inspecteur, elle observe Rougeville avec plus de calme, plus d'attention, plus d'acuité, et s'aperçoit soudain à un signe rapide que celui-ci a jeté quelque chose derrière le poêle. Son cœur bat, elle est impatiente de lire le message ; à peine les deux visiteurs ont-ils quitté la pièce qu'avec la plus grande présence d'esprit elle envoie le gendarme les rejoindre sous un prétexte quelconque. Elle profite de cette unique minute sans surveillance pour saisir d'un geste l'objet jeté. Quoi ? Rien qu'un œillet ? Mais non, un billet plié se trouve dans l'œillet. Elle le déplie et lit :

> Ma protectrice, je ne vous oublierai jamais, je chercherai toujours le moyen de pouvoir vous marquer mon zèle ; si vous avez besoin de trois à quatre cents louis pour ceux qui vous entourent, je vous les porterai vendredi prochain.

On imagine dans quel état se trouve la malheureuse femme devant cet espoir miraculeux. La sombre voûte, une fois encore, s'entr'ouvre comme sous le glaive d'un ange. En dépit de toutes les interdictions, de toutes les mesures de la Commune, un des siens, un chevalier de Saint Louis, un ami royaliste sûr a pénétré dans l'horrible et inaccessible maison des morts, malgré ses sept ou huit portes verrouillées ; la délivrance maintenant doit être proche. Ce sont sans doute les mains aimées de Fersen qui ont tissé ce complot auquel de nouveaux et puissants complices inconnus prêtent leur concours et qui doit lui sauver la vie à un pas de l'abîme. De nouveau le courage et la volonté de vivre animent soudain cette femme déjà toute résignée.

Elle a du courage, trop de courage, malheureusement. Elle a confiance, trop confiance, hélas ! Les trois ou quatre cents louis, elle le comprend tout de suite, doivent lui servir à soudoyer le gendarme de sa cellule ; c'est la seule tâche qui lui incombe, ses amis s'occuperont du reste. Dans son trop subit optimisme, elle se met tout de suite à l'œuvre. Elle déchire le billet compromettant en tout petits morceaux et prépare sa réponse. Elle n'a plus ni plume, ni crayon, ni encre, elle ne dispose plus que d'un petit bout de papier. Elle le prend – la détresse rend ingénieux – et pique, de son aiguille, les lettres de la réponse dans le papier, conservé aujourd'hui comme souvenir, bien que rendu illisible ensuite par d'autres piqûres. Elle donne ce billet avec la promesse d'une importante récompense au gendarme Gilbert pour qu'il le remette à l'inconnu quand il reviendra.

C'est là que l'affaire devient obscure. Il semble que le gendarme Gilbert au fond de lui-même ait hésité. L'éclat de trois ou quatre cents louis d'or peut séduire un pauvre diable ; mais le couperet de la guillotine brille aussi, et d'une façon inquiétante. Le gendarme a pitié de la pauvre femme, mais il a peur aussi pour sa situation. Que faire ? Exécuter la commission, c'est trahir la république, dénoncer cette malheureuse, c'est abuser de sa confiance. Le brave homme recourt donc, pour commencer, à un moyen terme : il se confie à la femme du concierge, la toute-puissante Mme Richard. Et voilà que celle-ci partage son embarras. Elle non plus n'ose ni se taire ni parler ouvertement, et encore moins s'engager dans un complot aussi périlleux ; sans doute le secret carillon du million a-t-il déjà tinté à ses oreilles.

Finalement, Mme Richard fait comme le gendarme : elle ne dénonce pas Marie-Antoinette, mais elle ne se tait pas non plus tout à fait. Tout comme lui elle se décharge de sa responsabilité sur un autre ; confidentiellement elle fait part de l'histoire du mystérieux billet à Michonis, qui pâlit à cette nouvelle. De nouveau l'affaire s'obscurcit. S'était-il déjà rendu compte que Rougeville voulait faire évader la prisonnière ou ne l'a-t-il appris qu'à ce moment-là ? Était-il au courant du complot, ou Rougeville l'a-t-il trompé ? Quoi qu'il en soit, il lui est désagréable d'avoir tout à coup deux témoins. D'un air sévère il prend le billet suspect que lui tend Mme Richard, le met dans sa poche et lui ordonne de n'en pas parler. Il espère par là avoir réparé l'étourderie de Marie-Antoinette et heureusement arrêté cette pénible affaire. Bien entendu il ne fait aucun rapport ; tout comme dans le complot avec Batz il se retire doucement dès que cela sent le roussi.

L'affaire semble réglée. Mais malheureusement elle trouble et préoccupe le gendarme. Une poignée de louis le réduirait peut-être au silence, mais Marie-Antoinette n'a pas d'argent, et peu à peu il commence à craindre pour sa tête. Après avoir gardé pendant cinq jours (chose suspecte et incompréhensible) un silence complet à l'égard de ses camarades et des autorités, il finit quand même, le 3 septembre, par faire un rapport à ses chefs ; deux heures plus tard, les commissaires de la Commune, agités, accourent à la Conciergerie et interrogent tous ceux qui sont au courant.

Marie-Antoinette commence par nier et déclare n'avoir reconnu personne ; lorsqu'on lui demande si elle a écrit un billet, il y a quelques jours, elle répond froidement qu'elle n'a pas de quoi écrire. Michonis aussi fait l'innocent et compte sur le silence de Mme Richard, sans doute également soudoyée. Mais comme celle-ci soutient lui avoir remis le billet, il faut maintenant qu'il le produise (il a eu l'intelligence de rendre auparavant le texte illisible par de nouvelles piqûres). Le jour suivant, au second interrogatoire, Marie-Antoinette renonce à la résistance. Elle avoue qu'elle a connu cet homme aux Tuileries et qu'elle a reçu de lui dans un œillet un billet auquel elle a répondu. Mais avec un dévouement total elle protège celui qui a voulu se sacrifier pour elle, ne prononce pas le nom de Rougeville et prétend ne pas se rappeler comment s'appelait cet officier de la garde ; elle couvre généreusement Michonis et, par là, lui sauve la vie. Mais vingt-quatre heures plus tard la Commune et le Comité de Salut public connaissent déjà le nom de Rougeville, et c'est pourtant en vain que la police poursuit dans tout Paris l'homme qui a voulu sauver la reine et qui, en réalité, n'a fait qu'activer sa fin.

Car ce complot, maladroitement ourdi, précipite de façon effrayante la destinée de Marie-Antoinette. Le traitement qu'on lui avait accordé jusqu'alors, et qui comportait tacitement des égards, cesse brusquement. On lui confisque tout ce qui lui reste, ses dernières bagues, même la petite montre en or apportée d'Autriche et qui est un souvenir de sa mère, ainsi que le médaillon dans lequel elle conservait tendrement les cheveux de ses enfants. On lui enlève, bien entendu, les aiguilles avec lesquelles elle a eu l'idée d'écrire sa réponse à Rougeville, on lui interdit toute lumière le soir. On révoque l'indulgent Michonis, ainsi que Mme Richard, qui est remplacée par Mme Bault. En même temps la Commune ordonne, par un décret du 11 septembre, de transférer la récidiviste dans une cellule encore plus sûre que celle qu'elle occupait jusqu'à présent ; et comme dans toute la Conciergerie on n'en trouve pas qui offre des garanties suffisantes aux yeux de la Commune alarmée, on aménage la pièce qui servait de pharmacie et on la munit de doubles portes de fer. La fenêtre qui donne sur la cour des femmes est murée jusqu'à mi-hauteur des barreaux ; les deux sentinelles qui montent la garde sous ses fenêtres et les gendarmes qui se relaient, jour et nuit, répondent sur leur vie de la prisonnière.

Voici Marie-Antoinette dans la plus extrême des solitudes. Ses nouveaux geôliers, quoique bienveillants à son égard, n'osent, pas plus que les gendarmes, adresser la parole à cette femme dangereuse. La petite montre n'est plus là, qui de son grêle tic tac mesurait le temps infini ; elle n'a plus de travail d'aiguille, on ne lui a laissé que son petit chien. Maintenant, dans cet isolement complet, Marie-Antoinette se souvient enfin, après plus de vingt-cinq ans, d'une des constantes recommandations de sa mère ; pour la première fois de sa vie elle demande de la lecture et ses yeux fatigués et enflammés dévorent livre après livre ; on n'arrive pas à lui en fournir assez. Ce ne sont pas des romans qu'elle veut, ni des pièces de théâtre, rien de gai, rien de sentimental, rien qui parle d'amour, cela lui rappellerait trop le passé, mais des aventures excitantes, les voyages du capitaine Cook, des histoires de naufragés et d'expéditions hardies, des ouvrages qui empoignent et qui vous emportent, qui excitent et tiennent en haleine, des livres qui vous font oublier le temps et le monde. Des personnages inventés, imaginaires, sont les seuls compagnons de sa solitude. Personne ne vient plus la voir, pendant des journées elle n'entend que les cloches de la Sainte-Chapelle toute voisine et le grincement des clefs dans la serrure, et le reste du temps c'est le silence, l'éternel silence dans la pièce humide, basse, étroite et sombre comme un cercueil. Le manque de mouvement et d'air la débilite, de fortes hémorragies la fatiguent. Et lorsque, enfin, elle est appelée devant le tribunal, c'est une vieille femme aux cheveux blancs qui sort de cette longue nuit et s'avance dans la lumière du jour dont elle n'a plus l'habitude.

CHAPITRE XL

LA GRANDE INFAMIE

La dernière marche est atteinte, le calvaire touche à sa fin. Le contraste le plus grand, le plus frappant que pouvait imaginer le sort, s'est accompli. La femme qui a vu le jour dans un château impérial et qui, dans son palais royal, disposait de nombreux appartements, loge à présent dans un réduit étroit, grillé, humide et mi-souterrain. La femme qui aimait le luxe et autour d'elle les multiples et précieux accessoires de la richesse, n'a même plus, maintenant, ni armoire, ni glace, ni fauteuil et ne dispose que de l'indispensable : une table, une chaise, un lit de sangle. Celle qui avait à son service une surintendante, une dame d'honneur, une dame d'atours, deux femmes de chambre le jour et deux la nuit, un lecteur, un médecin, un chirurgien, un secrétaire, des pages, des laquais, des cuisiniers, des coiffeurs, n'a plus personne pour peigner ses cheveux blancs. Celle qui avait besoin de trois cents robes par an est obligée, malgré la faiblesse de ses yeux, de raccommoder elle-même l'ourlet de sa pauvre robe. La femme énergique d'autrefois est lasse, celle qui fut si belle et si désirée est devenue une pâle matrone. La femme qui aimait la société, de midi à minuit, et bien au delà, médite seule, maintenant, et attend sans sommeil, toute la nuit, le lever du jour derrière des barreaux. Plus l'été décline, plus la sombre cellule ressemble à un tombeau, car depuis que la surveillance a été renforcée Marie-Antoinette n'a plus le droit d'avoir de lumière ; seule, venant du couloir, la grêle et pauvre lueur d'un quinquet tombe par une lucarne dans l'obscurité de son misérable réduit. On sent venir l'automne, le froid monte des dalles nues, le brouillard humide de la Seine traverse les murs de la cellule, tout ce qui est bois est mouillé et spongieux au toucher ; il s'y dégage une odeur de moisi, de pourriture, et, de plus en plus, une violente odeur de mort. Le linge de la prisonnière se délabre, ses habits s'éliment, le froid humide la pénètre jusqu'aux os et lui cause des douleurs rhumatismales aiguës. La lassitude envahit lentement cette créature grelottante, qui, un jour – il lui semble qu'il y a mille ans de cela – fut reine de France et la femme la plus heureuse de vivre de ce pays ; le silence devient toujours plus glacial et le temps toujours plus vide autour d'elle. L'appel de la mort ne peut plus l'effrayer, car dans cette cellule elle est déjà enterrée vivante.

Dans cette tombe habitée, au centre de Paris, aucune rumeur ne pénètre de la formidable tempête qui, en cet automne, passe sur le monde. Jamais la Révolution française n'a été aussi menacée qu'à ce moment-là. Deux de ses plus puissantes forteresses, Mayence et Valenciennes, sont tombées aux mains des ennemis, les Anglais se sont emparés du port de guerre le plus important, la deuxième grande ville de France, Lyon, s'est insurgée, les colonies sont perdues, la discorde est grande à la Convention, la faim et l'abattement règnent à Paris : la république est à deux doigts de la chute. Une seule chose maintenant peut la sauver : un acte d'audace désespéré, provocateur ; la république ne peut surmonter la peur que si elle-même l'inspire. « Mettons la terreur à l'ordre du jour ! » Ce mot effroyable retentit lugubrement dans la salle de la Convention, et, sans tenir compte de quoi que ce soit, l'action vient confirmer cette menace. Les Girondins sont mis hors la loi, le duc d'Orléans et beaucoup d'autres sont cités devant le tribunal révolutionnaire. Le couperet est déjà prêt, lorsque Billaud-Varenne se lève et déclare :

> La Convention nationale vient de donner un grand exemple de sévérité aux traîtres qui méditent la ruine de

> leur pays ; mais il lui reste encore un décret important à rendre. Une femme, la honte de l'humanité et de son sexe, la veuve Capet, doit enfin expier ses forfaits sur l'échafaud. Déjà on publie partout qu'elle a été transférée au Temple, qu'elle a été jugée secrètement et que le tribunal révolutionnaire l'a blanchie ; comme si une femme qui a fait couler le sang de plusieurs milliers de Français pouvait être absoute par un jury français ! Je demande que le tribunal révolutionnaire prononce cette semaine sur son sort.

Quoique cette motion ne réclame pas seulement le jugement de Marie-Antoinette, mais nettement aussi son exécution, elle est acceptée à l'unanimité. Pourtant, chose étrange, Fouquier-Tinville, l'accusateur public, qui habituellement travaille sans relâche, froidement et rapidement comme une machine, hésite encore. Il ne requiert contre Marie-Antoinette ni cette semaine-là, ni la suivante, ni celle d'après ; quelque chose de secret le retient-il, ou bien cet homme au cœur racorni, qui d'ordinaire change le papier en sang et le sang en papier avec une célérité de prestidigitateur, n'a-t-il vraiment pas encore en mains de documents probants ? Quoi qu'il en soit, il hésite et remet toujours l'accusation. Il écrit au Comité de Salut public de lui envoyer les pièces du procès ; fait étonnant, le Comité montre, lui aussi, une surprenante lenteur. Il finit toutefois par rassembler quelques papiers sans importance, l'interrogatoire sur l'affaire de l'œillet, une liste de témoins, les pièces du procès du roi. Mais Fouquier-Tinville persiste à ne pas agir. Il semble attendre encore quelque chose, soit l'ordre secret d'engager enfin le procès, soit un document particulièrement convaincant, un fait manifeste, qui donnerait à son acte d'accusation l'éclat et le feu d'une indignation vraiment républicaine, quelque faute inadmissible et révoltante, soit de la femme, soit de la reine. L'accusation exigée avec tant d'emphase semble encore patauger. C'est alors qu'Hébert, le plus acharné et le plus obstiné des ennemis de Marie-Antoinette, remet à Fouquier-Tinville un document qui est le plus effroyable et le plus infâme de toute la Révolution française. Et cette impulsion est décisive : le procès, du coup, est engagé.

Qu'est-il donc arrivé ? Le 30 septembre Hébert reçoit inopinément une lettre du cordonnier Simon, précepteur du dauphin. La première partie, écrite par une main inconnue et correctement orthographiée, dit :

> Salut ! Viens vite, mon ami, j'ai des choses à te dire et j'aurai beaucoup de plaisir à te voir. Tâche de venir aujourd'hui, tu me trouveras toujours brave et franc républicain.

Mais le reste de la lettre est de la main de Simon et montre, par son orthographe absolument grotesque, le degré d'instruction du précepteur :

> Je te coitte bien le bon jou moi e mon est pousse Jean Brasse tas cher est pousse et mas petiste bon amis la petiste fils cent ou blier ta cher sœur que jan Brasse. Je tan prie de nes pas manquer à mas demande pout te voir ce las presse pour mois. Simon, ton amis pour la vis.

Hébert, zélé et énergique, se précipite sans hésitation chez Simon. Ce qu'il y apprend lui paraît si effarant, à lui Hébert qui est pourtant un endurci, qu'il renonce à intervenir personnellement et préfère convoquer, sous la présidence du maire, une commission de la Commune, qui se rend au Temple pour y relever, au cours de trois interrogatoires écrits et conservés jusqu'à nos jours, des charges décisives contre Marie-Antoinette.

Nous approchons maintenant de ce qui, si longtemps, parut, du point de vue psychologique, invraisemblable et incompréhensible, de cet épisode de la vie de Marie-Antoinette qui ne s'explique – à demi – que par l'effroyable surexcitation de l'époque, par l'empoisonnement systématique de l'opinion publique pratiqué pendant des années. Le petit dauphin, enfant exubérant et précoce, s'était, quelque temps auparavant, quand il se trouvait encore sous la garde de sa mère, blessé à un testicule en jouant avec un bâton et un chirurgien appelé aussitôt lui avait fabriqué une sorte de bandage herniaire. Cet incident semblait clos et oublié. Mais voici qu'un jour Simon, ou sa femme, découvre que l'enfant s'adonne aux plaisirs solitaires. Pris sur le fait, le garçonnet ne peut nier. Pressé de questions par Simon, il déclare, ou plutôt on lui fait dire, que ce sont sa mère et sa tante qui l'ont incité à ces vilaines habitudes. Simon, qui croit tout possible de la part de cette « tigresse », même les choses les plus diaboliques, poursuit son interrogatoire si loin que l'enfant en arrive à prétendre qu'au Temple, souvent, les deux femmes l'avaient pris dans leur lit et que sa mère s'était livrée sur lui à des actes incestueux.

Une déposition aussi effroyable, de la part d'un enfant qui n'avait pas encore neuf ans, eût certainement rendu méfiant un homme raisonnable, une époque normale ; mais du fait des innombrables brochures calomnieuses publiées pendant la Révolution, la certitude de l'insatiable érotisme de Marie-Antoinette est si profondément ancrée dans le sang des gens que même cette accusation insensée n'éveille chez Hébert et chez Simon aucune espèce de doute. Au contraire, la chose paraît parfaitement claire et logique à ces sans-culottes aveuglés. Marie-Antoinette, cette prostituée babylonienne, cette infâme tribade, n'avait-elle point l'habitude, à Trianon, d'épuiser tous les jours plusieurs hommes et plusieurs femmes. Il est tout naturel, en déduisent-ils donc, qu'une pareille louve, privée de partenaires, se soit jetée, pour satisfaire sa diabolique lubricité, sur son propre fils, un enfant innocent et sans défense.

Pas un seul instant Hébert et ses tristes amis, obnubilés par la haine, ne mettent en doute l'accusation mensongère de l'enfant contre sa mère. Il ne s'agit plus à présent que d'établir un procès-verbal, de fixer noir sur blanc l'ignominie de Marie-Antoinette afin que toute la France sache jusqu'où va la dépravation de cette Autrichienne pour qui la guillotine ne serait qu'une faible punition. C'est ainsi qu'ont lieu trois interrogatoires : celui d'un petit garçon de moins de neuf ans, d'une fillette de quinze ans et de Madame Élisabeth, scènes tellement affreuses et ignobles qu'on ne pourrait y croire, n'étaient les procès-verbaux, jaunis il est vrai, mais quand même toujours très lisibles, portant la signature maladroite de ces jeunes enfants, et que l'on trouve encore aujourd'hui aux Archives nationales de Paris.

Au premier interrogatoire, le 6 octobre, sont présents le maire Pache, le syndic Chaumette, Hébert et d'autres conseillers de la Commune ; au second interrogatoire, le 7 octobre, figure aussi, parmi les signataires, un peintre célèbre, qui est en même temps un des hommes les plus dépourvus de caractère de la Révolution : David. On appelle d'abord l'enfant de huit ans et demi comme témoin principal : on commence par le questionner au sujet d'autres événements du Temple, et le garçonnet bavard trahit, sans saisir la portée de ses dépositions, les complices secrets de sa mère, Toulan en tête. Puis vient l'affaire scabreuse ; le procès-verbal dit :

> Ayant été surpris plusieurs fois dans son lit par Simon et sa femme chargés de veiller sur lui par la Commune, à commetre sur lui des indécences nuisibles à sa santé, il leur assura qu'il avait été instruit dans ses habitudes pernicieuses par sa mère et sa tante et que différentes fois elles s'étaient amusées à lui voir répéter ses pratiques devant elles et que bien souvent cela avait lieu lorsqu'elles le faisaient coucher entre elles ; que de la manière que l'enfant s'est expliqué, il nous a fait entendre qu'une fois sa mère le fit approcher d'elle, qu'il en résulta une copulation et qu'il résulta un gonflement à un des testicules pour lequel il porte un bandage et que sa mère lui a recommandé de n'en jamais parler, que cet acte a été répété plusieurs fois depuis ; il a ajouté que cinq autres particuliers conversaient avec plus de familiarité que les autres commissaires du Conseil avec sa mère et sa tante.

Cette monstruosité a donc été consignée, noir sur blanc, avec sept ou huit signatures : l'authenticité de l'acte, le fait que l'enfant aveuglé a réellement fait cette horrible déposition, ne sauraient être niés ; tout au plus pourrait-on objecter que justement le passage qui contient l'accusation d'inceste ne se trouve pas dans le texte même et a été ajouté après coup, en marge. Mais il y a une chose qu'on ne saurait réfuter : la signature « Louis-Charles Capet » est apposée en grandes lettres anguleuses et enfantines, péniblement dessinées. Le fils a effectivement porté devant ces étrangers la plus infâme des accusations contre sa mère.

Cette aberration ne suffit pas, les enquêteurs veulent pousser à fond leur interrogatoire. Après l'enfant de moins de neuf ans on fait venir sa sœur, une fillette de quinze ans. Chaumette lui demande

> ... si lorsqu'elle jouait avec son frère il ne la touchait pas où il ne fallait pas qu'elle fût touchée ; et si ses mère et tante ne le faisaient pas coucher entre elles.

Elle répond négativement. Alors, comble de l'horreur, les deux enfants sont confrontés pour discuter devant les inquisiteurs de l'honneur de leur mère. Le petit dauphin persiste dans ses affirmations, l'adolescente, intimidée par la présence de ces hommes sévères et troublée par ces questions inconvenantes, ne cesse de dire qu'elle ne sait rien, qu'elle n'a rien vu de tout cela. On appelle maintenant le troisième témoin, Madame Élisabeth ; l'interrogatoire de cette énergique jeune fille de vingt-neuf ans n'est pas aussi facile que celui des deux enfants candides et terrifiés. Car à peine lui a-t-on présenté le procès-verbal de la déposition du dauphin que le sang lui monte au visage et qu'elle repousse dédaigneusement le papier en déclarant que pareille ignominie est trop au-dessous d'elle pour qu'elle daigne y répondre. Puis – nouvelle scène infernale – on la confronte avec le garçonnet. Il soutient énergiquement et insolemment qu'elle et sa mère l'ont incité à ces pratiques. Madame Élisabeth ne peut plus se retenir : « Ah ! le monstre ! », s'écrie-t-elle indignée. Mais les commissaires ont entendu ce qu'ils voulaient entendre. Ce procès-verbal est, lui aussi, signé avec soin, et c'est triomphalement qu'Hébert apporte les trois pièces au juge d'instruction, car il espère avoir ainsi démasqué à jamais Marie-Antoinette aux yeux des contemporains et de la postérité, et l'avoir clouée au pilori. Gonflé d'orgueil, affichant le plus grand patriotisme, il va se mettre à la disposition du tribunal pour témoigner des pratiques incestueuses de Marie-Antoinette.

Ce témoignage d'un enfant contre sa propre mère, parce qu'unique sans doute dans les annales de l'Histoire, a toujours été une grande énigme pour les biographes de Marie-Antoinette ; pour éviter ce pénible écueil, les défenseurs passionnés de la reine ont eu recours aux explications les plus tortueuses, aux déformations les plus étranges. Hébert et Simon, qu'ils ne cessent de nous dépeindre comme des diables incarnés, auraient, de concert, exercé une pression violente sur le malheureux enfant pour lui arracher cette odieuse déposition. Ils l'auraient amené à dire ce qu'ils voulaient – première version royaliste – tantôt en le comblant de friandises, tantôt en le fouettant, ou – seconde version tout aussi dépourvue de psychologie – en lui faisant boire de l'alcool. Son témoignage aurait eu lieu alors qu'il était ivre et, de ce fait, serait sans valeur. Ces deux affirmations, dénuées de preuves, sont en contradiction avec le rapport clair et tout à fait impartial d'un témoin oculaire, le secrétaire Daujon, qui a rédigé le procès-verbal du dernier interrogatoire :

> Le jeune prince, écrit-il, était assis sur un fauteuil, il balançait ses petites jambes dont les pieds ne posaient pas à terre. Interrogé sur les propos en question on lui demanda s'ils étaient vrais, il répondit par l'affirmation.

Toute l'attitude du dauphin exprime plutôt une audacieuse effronterie. Il ressort nettement aussi des deux autres procès-verbaux que l'enfant n'a aucunement agi sous une pression extérieure, mais qu'il a, au contraire, sous l'effet d'une obstination enfantine – où l'on sent même une certaine méchanceté et une espèce de ressentiment – répété de son plein gré l'effroyable accusation portée contre sa tante.

Comment expliquer cela ? La chose n'est pas particulièrement difficile pour notre génération, beaucoup plus renseignée que les précédentes sur l'habitude du mensonge chez l'enfant en matière sexuelle, et qui aborde ces aberrations avec plus de compréhension. D'emblée, il faut écarter la version sentimentale d'après laquelle le dauphin aurait éprouvé une grande humiliation à passer aux mains du cordonnier Simon et beaucoup souffert de la séparation d'avec sa mère ; les enfants s'accoutument avec une rapidité surprenante à tout nouvel entourage, et, si affreux que cela puisse paraître à première vue, il est probable que ce garçon de huit ans et demi se plaisait mieux avec le rude et jovial Simon que dans la tour du Temple, auprès de ces deux femmes en deuil et toujours en pleurs qui l'instruisaient toute la journée, l'obligeaient à apprendre et cherchaient continuellement à inculquer au futur roi de France de la tenue et de la dignité. Auprès du cordonnier Simon, en revanche, le petit dauphin est complètement libre et Dieu sait si on ne l'ennuie pas avec des leçons ; il peut jouer tant qu'il veut sans s'inquiéter de rien ; il est probable qu'il trouve plus amusant de chanter la *Carmagnole* avec les soldats que de dire des chapelets avec la pieuse et ennuyeuse Madame Élisabeth. Car tout enfant a un penchant inné à s'abaisser et se défend contre la culture et les bonnes manières qu'on lui impose ; il se sent plus à l'aise au milieu de gens frustes que dans la contrainte de l'éducation ; ce qu'il y a de réellement anarchique en lui s'épanouit davantage là où règnent la liberté, le naturel et où n'est exigée aucune retenue. Le désir d'ascension sociale n'apparaît qu'avec l'éveil de l'intelligence – mais jusqu'à la dixième et souvent même jusqu'à la quinzième année tout enfant de bonne famille envie véritablement ses petits camarades du peuple, à qui est permis tout ce qu'une éducation soignée lui défend. Le dauphin, dont les sentiments, comme chez tous les enfants, changent et s'adaptent vite – et cette constatation toute naturelle, les biographes sentimentaux n'ont voulu l'admettre à aucun prix – semble s'être détaché très rapidement de l'ambiance maternelle si mélancolique, et s'être habitué à celle plus libre et plus divertissante du cordonnier Simon ; sa propre sœur avoue qu'il chantait à tue-tête des chansons révolutionnaires ; un autre témoin digne de foi cite un propos si grossier du dauphin sur sa mère et sur sa tante qu'on n'ose même pas le répéter. Et puis il y a un témoignage irréfutable concernant la prédisposition particulière du petit garçon à mentir par imagination, celui de sa mère elle-même qui écrivait en parlant de l'enfant de quatre ans et demi dans ses instructions à la gouvernante :

> Il est très indiscret ; il répète aisément ce qu'il a entendu dire ; et souvent, sans vouloir mentir, il y ajoute ce que son imagination lui fait voir. C'est son plus grand défaut et sur lequel il faut bien le corriger.

Dans ce portrait, Marie-Antoinette nous donne une indication précise qui nous aidera à voir plus clair, et une déclaration de Madame Élisabeth la complète logiquement. On sait que, presque toujours, les enfants pris en train de commettre un acte défendu cherchent à rejeter la faute sur autrui ; une mesure de protection instinctive (parce qu'ils sentent qu'on ne rend pas volontiers un enfant responsable) les pousse à dire qu'ils ont été incités par d'autres. Or, dans sa déposition Madame Élisabeth déclare – et ce fait a presque toujours stupidement été passé sous silence – que son neveu s'adonnait en effet depuis longtemps à ce vice et qu'elle se rappelait très bien qu'elle-même, tout comme sa mère, l'avait souvent grondé à ce sujet. L'enfant avait donc déjà été pris sur le fait par sa mère et par sa tante, et sans doute avait-il été plus ou moins sévèrement puni. Lorsque Simon lui demande de qui il tient cette mauvaise habitude, l'enchaînement de ses souvenirs lui rappelle, tout naturellement, en même temps que l'acte, la première fois où il a été pris sur le fait et, avec une réelle obsession, il pense tout d'abord à ceux qui l'ont puni pour cela. Il se venge inconsciemment de sa punition, et, sans se douter des conséquences d'une telle déposition, il indique, comme ayant été ses instigateurs, ceux qui l'ont puni, ou répond affirmativement à une question qui le suggestionne dans ce sens, et cela sans hésiter, donc, avec la plus grande apparence de vérité. Et tout, maintenant, s'enchaîne. Une fois pris dans le mensonge, l'enfant ne peut plus reculer ; mieux, dès qu'il discerne, comme dans le cas présent, qu'on croit volontiers, voire avec plaisir, à ses affirmations, il se sent complètement à l'aise dans son mensonge et continue à avouer avec entrain tout ce que les commissaires lui demandent. Il tient à sa version par instinct d'autoprotection, depuis qu'il sait qu'elle lui évite la punition. C'est pourquoi des psychologues plus avisés que ces cordonniers, ex-acteurs, peintres et greffiers, auraient eux-mêmes eu de la peine, devant une déposition si nette et si peu équivoque, à ne pas se tromper au premier abord. En outre, les enquêteurs se trouvaient encore sous l'effet d'une suggestion collective ; pour eux, lecteurs quotidiens du *Père Duchêne*, cette terrible accusation de l'enfant concordait parfaitement avec le caractère infernal de la mère, que des brochures pornographiques circulant dans toute la France avaient représentée comme le parangon des débauchées. Aucun crime, même le plus absurde, de la part d'une Marie-Antoinette, ne pouvait surprendre ces hommes suggestionnés. Aussi ne s'étonnèrent-ils pas longuement, n'approfondirent-ils pas les choses, et apposèrent-ils leur signature, avec autant d'insouciance que l'enfant de huit ans et demi, sous une des plus grandes infamies qui aient jamais été machinées contre une mère.

L'impénétrable solitude de la Conciergerie a heureusement empêché Marie-Antoinette d'apprendre aussitôt l'affreuse déposition de son enfant. Ce n'est que l'avant-veille de sa mort que l'acte d'accusation lui apporte cette suprême humiliation. Elle a subi, des années durant, toutes les attaques possibles contre son honneur, les calomnies les plus infâmes, sans jamais ouvrir la bouche. Mais ce tourment inimaginable de se voir si épouvantablement calomniée par son propre enfant a dû l'ébranler jusqu'au plus profond de son âme. Cette pensée torturante l'accompagne jusqu'au seuil de la mort ; trois heures avant de monter à la guillotine cette femme d'ordinaire si résignée écrit à Madame Élisabeth, accusée avec elle :

> Je sais combien cet enfant doit vous avoir fait de la peine. Pardonnez-lui, ma chère sœur, pensez à l'âge qu'il a, et combien il est facile de faire dire à un enfant ce qu'on veut, et même ce qu'il ne comprend pas. Un jour

viendra, j'espère, où il ne sentira que mieux tout le prix de vos bontés et de votre tendresse pour tous deux.

En lançant sa bruyante accusation Hébert n'a pas réussi, comme il le voulait, à déshonorer Marie-Antoinette aux yeux du monde ; au contraire, l'arme qu'il brandit lui échappe des mains pendant que se déroule le procès, et vient le frapper lui-même à la nuque. Mais il est parvenu à une chose : à blesser cruellement l'âme d'une femme déjà livrée à la mort, à empoisonner ses derniers instants.

CHAPITRE XLI

L'OUVERTURE DU PROCÈS

L'accusateur public peut, à présent, se mettre à l'œuvre, il a suffisamment d'armes à sa disposition. Le 12 octobre, Marie-Antoinette est appelée dans la grande salle des délibérations pour y subir un premier interrogatoire. En face d'elle sont assis Fouquier-Tinville, Herman, son adjoint, et quelques secrétaires ; à ses côtés personne. Aucun défenseur, aucun assistant, rien que le gendarme qui la garde. Mais durant ces longues semaines de solitude Marie-Antoinette a rassemblé ses forces. Le danger lui a appris à concentrer ses pensées, à bien parler et mieux encore à se taire : toutes ses réponses sont d'une étonnante précision et en même temps prudentes et judicieuses. Pas un instant elle ne se départ de son calme ; les questions même les plus absurdes et les plus perfides ne peuvent lui faire perdre son sang-froid. Maintenant, à la dernière minute, Marie-Antoinette a compris le rôle qui lui incombe, elle sait que dans cette salle presque sombre où on l'interroge elle doit être reine plus encore qu'elle ne l'a été dans les salons d'apparat de Versailles. Ce n'est pas à un petit avocat, poussé dans la Révolution par la faim, et qui croit faire ici œuvre d'accusateur, ni à ces sous-officiers et à ces scribes déguisés en juges, qu'elle répond, mais au seul vrai juge : l'Histoire. « Quand deviendrez-vous enfin vous-même ? », lui écrivait vingt ans plus tôt Marie-Thérèse désespérée. A présent, à deux doigts de la mort, Marie-Antoinette commence à acquérir en elle-même cette grandeur qu'elle ne possédait qu'extérieurement. Quand on lui demande son nom, elle répond d'une voix haute et claire : « Marie-Antoinette d'Autriche-Lorraine, trente-huit ans, veuve du roi de France. » Soucieux de maintenir dans tous les détails le formalisme d'une procédure ordinaire, Fouquier-Tinville lui demande, comme s'il ne le savait pas, où elle résidait au moment de son arrestation. Sans ironie, Marie-Antoinette répond à son accusateur qu'elle n'a jamais été arrêtée, mais qu'on est venu la prendre à l'Assemblée nationale pour la conduire au Temple. Vient alors, dans le style emphatique de l'époque, l'interrogatoire proprement dit ; elle est accusée d'avoir entretenu des relations politiques avec le « roi de Bohême et de Hongrie » avant la Révolution, d'avoir « dilapidé d'une manière effroyable les finances de la France, fruit des sueurs du peuple, pour ses plaisirs et ses intrigues, de concert avec d'infâmes ministres », et d'avoir fait parvenir des « millions à l'empereur pour servir contre le peuple qui la nourrissait ». Elle est accusée d'avoir conspiré contre la France depuis la Révolution, négocié avec des agents étrangers, poussé le roi, son mari, au veto. Toutes ces accusations Marie-Antoinette les réfute objectivement et énergiquement. Le dialogue ne s'anime que lorsque Herman lui dit maladroitement :

> — C'est vous qui avez appris à Louis Capet cet art de profonde dissimulation avec laquelle il a trompé trop longtemps le bon peuple français, qui ne se doutait pas qu'on pût porter à un tel degré la scélératesse et la perfidie.

Marie-Antoinette répond tranquillement à cette creuse ti rade :

> — Oui, le peuple a été trompé ; il l'a été cruellement, mais ce n'est ni par mon mari ni par moi.
> — Par qui donc le peuple a-t-il été trompé ?
> — Par ceux qui y avaient intérêt, et ce n'était pas le nôtre de le tromper.

Herman saute immédiatement sur cette réponse ambiguë. Il espère amener Marie-Antoinette à faire une déclaration qui pourrait être interprétée comme hostile à la république.

— Qui sont ceux qui, dans votre opinion, avaient intérêt à tromper le peuple ?

Marie-Antoinette élude habilement la question. Elle dit qu'elle ne le sait pas, que son propre intérêt était d'éclairer le peuple, non de le tromper.

Herman sent l'ironie de cette réponse et reprend sévèrement :

— Vous n'avez pas répondu directement à ma question.

Mais l'interpellée reste sur la défensive :

— Je répondrais directement si je connaissais le nom des personnes.

Après cette première escarmouche, on en revient aux faits. On la questionne sur les circonstances de la fuite à Varennes ; elle répond avec prudence, couvrant tous ceux de ses amis secrets que l'accusateur voudrait englober dans le procès. Ce n'est qu'au reproche absurde que lui fait ensuite Herman qu'elle se cabre de nouveau.

— Vous n'avez jamais cessé un moment de vouloir détruire la liberté ; vous vouliez régner à quelque prix que ce fût, et remonter au trône sur le cadavre des patriotes.

Marie-Antoinette répond, fièrement et vertement, à cet emphatique galimatias (pourquoi, mon Dieu ! a-t-on chargé un pareil imbécile de son interrogatoire ?) qu'elle et son mari « n'avaient pas besoin de remonter sur le trône ; qu'ils y étaient ; qu'ils n'ont jamais désiré que le bonheur de la France, qu'elle fût heureuse ; mais qu'elle le soit, ils seront contents ».

Herman, alors, devient plus agressif; plus il sent que Marie-Antoinette ne veut pas se départir de sa prudente attitude, qu'elle ne veut fournir aucune prise pouvant servir au procès, plus il accumule, avec rage, ses accusations : elle aurait grisé les régiments de Flandre, correspondu avec des cours étrangères, provoqué la guerre et exercé une influence dans la convention de Pillnitz. Marie-Antoinette rectifie, conformément aux faits, que c'est la Convention nationale et non son époux qui a décidé la guerre, que lors du banquet elle n'a fait que traverser deux fois la salle.

Mais Herman a réservé pour la fin les questions les plus épineuses, celles auxquelles la reine ne peut répondre sans renier ses sentiments ou sans se prononcer contre la république. C'est à tout un questionnaire de haute politique qu'elle doit faire face :

> — Quel intérêt mettez-vous aux armes de la République ?
>
> — Le bonheur de la France est celui que je désire pardessus tout.
>
> — Pensez-vous que les rois soient nécessaires au bonheur du peuple ?
>
> — Un individu ne peut pas décider de cette chose.
>
> — Vous regrettez sans doute que votre fils ait perdu un trône sur lequel il eût pu monter, si le peuple, enfin éclairé sur ses droits, n'eût pas brisé ce trône ?
>
> — Je ne regretterai jamais rien pour mon fils quand son pays sera heureux.

On le voit, le juge d'instruction n'a pas de chance. Marie-Antoinette ne pouvait s'exprimer avec plus de subtilité et d'adresse, lorsqu'elle dit qu'elle ne regrettera jamais rien pour son fils tant que « son » pays sera heureux ; par le seul emploi de ce possessif, la reine, sans déclarer nettement qu'elle ne reconnaissait pas la république, a dit à la face du juge de cette même république qu'elle considérait toujours la France comme « sienne », comme pays et propriété légitime de son enfant ; même dans le danger elle n'a pas cessé de défendre ce qui lui est le plus sacré, le droit de son fils à la couronne. Après cette dernière escarmouche, l'interrogatoire se termine rapidement. On demande à Marie-Antoinette si elle veut choisir un avocat pour le jour du procès. Elle répond qu'elle n'en connaît pas et accepte celui ou ceux qu'on lui donnera d'office. Elle sait, au fond, que tout cela n'a aucune importance, car il n'y a plus actuellement, dans tout le pays, un homme assez courageux pour défendre sérieusement l'ex-reine de France. Celui qui oserait dire avec franchise un mot en sa faveur passerait aussitôt de la place du défenseur au banc des accusés.

Maintenant qu'on a donné à l'instruction des apparences légales, le formaliste éprouvé qu'est Fouquier-Tinville peut rédiger l'acte d'accusation. Sa plume court lestement et rapidement : à fabriquer des accusations en série, on se fait la main. Toutefois ce petit avocat de province se croit tenu cette fois-ci à une certaine éloquence poétique : quand on accuse une reine il faut trouver un accent plus solennel, recourir à plus d'emphase que quand il s'agit de quelque couturière ayant crié « Vive le roi ! ». Le début de son réquisitoire est donc particulièrement boursouflé :

> Examen fait de toutes les pièces transmises par l'accusateur public, il en résulte qu'à l'instar des Messaline, Brunehaut, Frédégonde, Médicis, que l'on qualifiait autrefois reines de France, et dont les noms à jamais odieux ne s'effaceront pas des fastes de l'histoire, Marie-Antoinette, veuve de Louis Capet, a été depuis son séjour en France le fléau et la sangsue des Français.

Après cette petite bévue historique – puisque au temps de Frédégonde et de Brunehaut il n'y avait pas encore de royaume de France – suivent les incriminations connues : Marie-Antoinette a entretenu des relations politiques avec un homme appelé « roi de Bohême et de Hongrie », remis des millions à l'empereur, participé à l'orgie de la garde du corps, déchaîné la guerre civile, causé le massacre des patriotes, transmis les plans de guerre à l'étranger. Sous une forme légèrement voilée, on reprend les accusations d'Hébert selon lesquelles Marie-Antoinette est

> ... si perverse et si familière avec tous les crimes, qu'oubliant la qualité de mère et la démarcation prescrite par les lois de la nature, elle n'a pas craint de se livrer avec Louis-Charles Capet, son fils, et de l'aveu de ce dernier, à des indécences dont l'idée et le nom seul font frémir d'horreur.

La seule chose nouvelle, et qui surprend, est l'inculpation d'avoir

> ... poussé la perfidie et la dissimulation au point d'avoir fait imprimer et distribuer... des ouvrages dans lesquels elle était dépeinte sous des couleurs peu avantageuses... pour donner le change et persuader aux puissances étrangères qu'elle était maltraitée des Français.

Selon Fouquier-Tinville, Marie-Antoinette aurait donc répandu elle-même les pamphlets licencieux de Mme de La Motte et consorts.

Ce document, qui n'est pas précisément un chef-d'œuvre au point de vue juridique, est remis, encore humide, le 13 octobre, au défenseur Chauveau-Lagarde, qui se rend incontinent chez Marie-Antoinette à la Conciergerie. L'accusée et son défenseur lisent ensemble l'acte d'accusation, dont le ton haineux n'étonne et n'ébranle que l'avocat. Marie-Antoinette, qui après son interrogatoire ne s'attendait pas à mieux, reste parfaitement calme. Cependant le désespoir s'empare du consciencieux homme de loi au fur et à mesure qu'il lit. Non, il ne lui est pas possible d'examiner un pareil fatras en une seule nuit, et pour assurer la défense avec efficacité il lui faut voir clair dans cet amas confus de paperasses. Il insiste donc auprès de l'accusée pour qu'elle demande un délai de trois jours afin qu'il ait le temps de bien étudier le dossier et de préparer à fond sa défense.

> — A qui faut-il m'adresser pour cela ? demande Marie-Antoinette.

— A la Convention.

— Non, non, jamais.

— Vous ne devriez pas, lui dit Chauveau-Lagarde, par un inutile sentiment de fierté, renoncer à vos avantages. Vous avez le devoir de conserver votre vie, non seulement pour vous, mais pour vos enfants.

Puisqu'il s'agit de ses enfants Marie-Antoinette cède. Elle écrit au président de l'Assemblée :

> Citoyen président, les citoyens Tronson et Chauveau, que le tribunal m'a donnés pour défenseurs, m'observent qu'ils n'ont été instruits qu'aujourd'hui de leur mission ; je dois être jugée demain, et il leur est impossible de s'instruire dans un si court délai des pièces du procès et même d'en prendre lecture. Je dois à mes enfants de n'omettre aucun moyen nécessaire pour l'entière justification de leur mère. Mes défenseurs demandent trois jours de délai ; j'espère que la Convention les leur accordera.

De nouveau on est surpris, en lisant cet écrit, du changement profond qui s'est produit dans l'esprit de Marie-Antoinette. Celle qui toute sa vie fut mauvaise épistolière, mauvaise diplomate, se met à écrire royalement et à penser en personne responsable. Même lorsque la mort la menace, elle ne fait pas l'honneur d'une prière à la Convention, instance suprême à laquelle elle est forcée de s'adresser. Elle ne demande rien en son nom – elle aimerait mieux mourir ! – mais elle transmet la requête d'un tiers. « Mes défenseurs demandent trois jours de délai ; j'espère que la Convention les leur accordera. »

La Convention ne répond pas. La mort de Marie-Antoinette est décidée depuis longtemps, à quoi bon encore prolonger les formalités judiciaires ? Le procès s'ouvre le lendemain matin à huit heures, et tout le monde, d'avance, en connaît l'issue.

CHAPITRE XLII

LES DÉBATS

Les soixante-dix jours passés à la Conciergerie ont fait de Marie-Antoinette une vieille femme maladive. Les pleurs ont rougi et enflammé ses yeux qui ont complètement perdu l'habitude du jour ; ses lèvres sont d'une pâleur extrême à la suite des constantes hémorragies dont elle a souffert au cours des dernières semaines. Souvent, très souvent elle est à présent obligée de lutter contre la fatigue, plusieurs fois le médecin a dû lui prescrire des cordiaux. Mais elle sait qu'aujourd'hui se lève un jour historique, qu'il ne lui est pas permis d'être fatiguée, que personne dans la salle d'audience ne doit pouvoir railler la faiblesse d'une reine, d'une fille d'empereur. Il lui faut, une fois encore, tendre toute l'énergie de son corps lassé et épuisé, ensuite il pourra se reposer longuement, se reposer pour toujours. Marie-Antoinette n'a plus que deux choses à faire sur terre : se défendre courageusement et mourir fermement.

Ame énergique, elle veut affronter le tribunal dans une attitude digne. Il faut que le peuple sente que la femme qui comparaît aujourd'hui à la barre est une Habsbourg, et qu'elle est reine malgré tous les décrets qui la détrônent. Elle lisse avec un soin particulier ses cheveux blanchis ; elle se coiffe d'un petit bonnet de linon blanc, plissé et amidonné, d'où tombe à droite et à gauche son voile de deuil ; c'est comme veuve de Louis XVI, dernier roi de France, que Marie-Antoinette veut comparaître devant le tribunal révolutionnaire.

A huit heures les juges et les jurés se réunissent dans la salle d'audience; Herman, le compatriote de Robespierre, préside les débats, Fouquier-Tinville fait fonction d'accusateur public. Le jury se compose de représentants de toutes les classes : un ci-devant marquis, un chirurgien, un limonadier, un musicien, un imprimeur, un perruquier, un prêtre défroqué, un menuisier, etc.; quelques membres du Comité de Salut public ont pris place à côté de l'accusateur pour surveiller la marche des débats. La salle est bondée. On n'a pas tous les jours l'occasion de voir une reine sur la sellette.

Marie-Antoinette entre, très calme, et prend place; on ne lui a pas réservé de fauteuil spécial comme à son mari, on n'a mis à sa disposition qu'un simple siège en bois; les juges ne sont plus, comme lors du procès solennel de Louis XVI, les membres de l'Assemblée nationale, mais un jury ordinaire, qui accomplit sa sombre mission comme un métier. En vain les spectateurs cherchent-ils dans le visage épuisé, mais non bouleversé de Marie-Antoinette, un signe visible de peur ou d'émotion. Elle attend avec fermeté et énergie le commencement des débats. Son regard se pose avec calme tantôt sur les juges, tantôt sur la salle.

Fouquier-Tinville se lève le premier et lit l'acte d'accusation. La reine écoute à peine. Elle connaît tous ces reproches : elle les a tous examinés la veille avec son avocat. Elle ne lève pas une seule fois la tête, même devant les accusations les plus terribles; indifférente, elle fait courir ses doigts sur le bras de son siège « comme sur un clavier ».

Alors commence le défilé des quarante et un témoins, qui jurent « de parler sans haine et sans crainte et de dire la vérité, toute la vérité, rien que la vérité ». Le procès ayant été préparé en hâte – il est vraiment très occupé ces jours-là, le pauvre Fouquier-Tinville, car déjà c'est le tour des Girondins, de Mme Roland et de cent autres – les témoignages les plus divers sont énoncés pêle-mêle, sans aucune suite logique ou chronologique. Les témoins parlent tantôt des événements du 6 octobre à Versailles, tantôt du 10 août à Paris, de faits qui se sont passés avant ou pendant la Révolution. La plupart de ces dépositions sont sans importance, certaines même tout à fait ridicules, celle par exemple de la servante Milot, qui soutient avoir entendu, en 1788, le duc de Coigny dire à quelqu'un que la reine avait fait envoyer à son frère deux cent millions, ou celle, plus stupide encore, que Marie-Antoinette portait sur elle deux pistolets pour assassiner le duc d'Orléans. Deux témoins, il est vrai, jurent avoir vu les mandats de la reine à son frère ; mais les originaux de ces documents importants ne peuvent être produits ; il en est de même pour une lettre qu'elle aurait envoyée au commandant de la garde suisse et dans laquelle il était dit : « Peut-on compter sûrement sur vos Suisses, tiendront-ils vaillamment si on le leur commande ? » Impossible d'apporter un mot écrit de la main de Marie-Antoinette, et le paquet cacheté qui renferme tout ce qu'on lui a confisqué au Temple ne contient aucune charge contre elle. Les mèches de cheveux qu'on y trouve sont celles de son mari et de ses enfants, les miniatures celles de Mme de Lamballe et de son amie d'enfance, la landgrave de Hesse-Darmstadt, les noms notés dans son carnet ceux de son médecin et de sa blanchisseuse. L'accusateur cherche donc toujours à revenir sur les incriminations générales ; Marie-Antoinette, qui cette fois est préparée, répond avec plus d'assurance et de fermeté encore que lors de l'interrogatoire préliminaire. Les débats se déroulent semblables à celui-ci :

> — Où avez-vous donc pris l'argent avec lequel vous avez fait construire et meubler le petit Trianon, dans lequel vous donniez des fêtes dont vous étiez toujours la déesse ?
>
> — C'était un fonds que l'on avait destiné à cet effet.
>
> — Il fallait que ce fonds fût considérable, car le Petit Trianon doit avoir coûté des sommes énormes.
>
> — Il est possible que le Petit Trianon ait coûté des sommes immenses, peut-être plus que je n'aurais désiré ; on avait été entraîné dans les dépenses peu à peu ; du

reste, je désire plus que personne que l'on soit instruit de ce qui s'y est passé.

— N'est-ce pas au Petit Trianon que vous avez connu pour la première fois la femme Lamotte ?

— Je ne l'ai jamais vue.

— N'a-t-elle pas été votre victime dans l'affaire du fameux collier ?

— Elle n'a pu l'être, puisque je ne la connaissais pas.

— Vous persistez donc à nier de l'avoir connue ?

— Mon plan n'est pas la dénégation ; c'est la vérité que j'ai dite et que je persisterai à dire.

S'il y avait encore le moindre espoir, Marie-Antoinette serait en droit de s'y abandonner, du fait de la complète carence de la plupart des témoins. Pas un seul de ceux qu'elle craignait ne l'a sérieusement chargée. Elle se défend de plus en plus vigoureusement. Lorsque l'accusateur public prétend que par son influence elle a fait faire à Louis XVI tout ce qu'elle voulait, elle répond :

— Il y a loin de conseiller de faire une chose à la faire exécuter.

Quand plus tard le président lui fait remarquer que ses déclarations sont en contradiction avec celles de son fils, elle dit dédaigneusement :

— Il est bien aisé de faire dire à un enfant de huit ans tout ce qu'on veut.

Aux questions vraiment dangereuses, elle répond prudemment :

— Je ne me rappelle pas.

A aucun moment Herman ne réussit à la prendre en flagrant délit de mensonge ou seulement à la mettre en contradiction avec elle-même ; jamais, au cours de ces longues heures, elle ne provoque dans l'auditoire attentif une exclamation de colère, un mouvement de haine ou une réaction patriotique. Les débats se poursuivent, longs et vides ; on patauge souvent. Il serait temps qu'un témoignage décisif, écrasant, vînt animer l'accusation. Ce témoignage sensationnel Hébert croit l'apporter.

Il s'avance. Énergique et convaincu, il répète d'une voix haute et claire la monstrueuse accusation d'inceste. Mais il ne tarde pas à s'apercevoir que cette accusation incroyable n'est pas prise au sérieux, que personne, dans toute la salle, ne manifeste par des cris indignés son horreur de cette mère infâme et dénaturée ; tout le monde est là pâle et interdit. Le pauvre sire se croit alors obligé de servir une interprétation psychologico-politique particulièrement subtile.

> Il y a lieu de croire, déclare-t-il, que cette criminelle jouissance n'était point dictée par le plaisir, mais bien par l'espoir politique d'énerver le physique de cet enfant, que l'on se plaisait encore à croire destiné à occuper un trône, et sur lequel on voulait, par cette manœuvre, s'assurer le droit de régner alors sur son moral.

Mais, chose curieuse, l'auditoire garde encore le plus impressionnant silence devant cette stupidité historique. Marie-Antoinette ne répond pas et détourne avec dédain son regard d'Hébert. Comme si ce pauvre hère, plein de fiel, avait parlé chinois, elle ne bouge pas et semble indifférente. Le président Herman, aussi, fait comme s'il n'avait pas entendu la déposition d'Hébert. Il oublie exprès de demander à la mère calomniée si elle n'a rien à répondre, car déjà il s'est aperçu de la pénible impression qu'a faite cette accusation d'inceste sur tout l'auditoire, sur les femmes surtout. Mais voici que, malencontreusement, un des jurés se permet de dire au président :

> Citoyen président, je vous invite à vouloir bien faire observer à l'accusée qu'elle n'a pas répondu sur le fait dont a parlé Hébert à l'égard de ce qui s'est passé entre elle et son fils.

Le président est obligé, malgré lui, de questionner Marie-Antoinette. Elle lève la tête fièrement, brusquement – « ici l'accusée paraît vivement émue », relate même le *Moniteur,* d'ordinaire si sec – et répond à haute voix, avec un indicible dédain :

> Si je n'ai pas répondu, c'est que la nature se refuse à répondre à une pareille inculpation faite à une mère. J'en appelle à toutes celles qui peuvent se trouver ici.

Et, en effet, une effervescence profonde, une violente agitation remue la salle. Les femmes du peuple, les ouvrières, les poissardes, les tricoteuses retiennent leur souffle ; elles sentent, mystérieusement, qu'on vient de blesser leur sexe entier en lançant cette accusation contre Marie-Antoinette. Le président se tait, le juré indiscret baisse le regard : tous ont été touchés par l'accent douloureux et enflammé de la femme calomniée. Hébert quitte la barre sans ajouter un mot, peu fier de son exploit. Ils sentent tous, et lui aussi peut-être, qu'à l'heure précisément la plus grave ce témoignage vaut à Marie-Antoinette un grand triomphe moral. Ce qui devait l'abaisser l'a élevée.

Robespierre, qui apprend cet incident le soir même, ne peut maîtriser sa colère contre Hébert. Il saisit immédiatement, lui, le seul esprit politique parmi tous ces agitateurs bruyants, l'énorme absurdité que l'on a commise en faisant entendre devant le tribunal cette accusation insensée, dictée par la peur et le sentiment de sa culpabilité, d'un enfant de huit ans contre sa mère. « Cet imbécile d'Hébert », dit-il furieux, « il faut qu'il lui fournisse à son dernier moment ce triomphe d'intérêt public. » Il y a longtemps que Robespierre est las de ce vain personnage, qui, par sa vulgaire démagogie, sa conduite anarchique, profane la cause sacrée de la Révolution ; il décide en lui-même, ce jour-là, de supprimer cette horreur. La pierre qu'Hébert a lancée sur Marie-Antoinette retombe sur lui, et le blesse mortellement. Dans quelques mois il fera le même trajet que sa victime, dans la même charrette, mais pas aussi vaillamment qu'elle ; il sera même si peu courageux que son camarade Ronsin lui criera : « Lorsqu'il fallait agir, vous avez verbiagé ; maintenant sachez mourir. »

Marie-Antoinette a deviné son triomphe. Mais elle a entendu aussi, dans l'assistance, une voix s'étonner : « Vois-tu comme elle est fière ! » Elle demande donc à son défenseur : « N'ai-je pas mis trop de dignité dans ma réponse ? » Mais il la tranquillise : « Madame, soyez vous-même, et vous serez toujours bien. » Marie-Antoinette devra lutter tout un deuxième jour encore ; le procès traîne péniblement, fatiguant les auditeurs et les acteurs ; mais quoiqu'elle soit épuisée par les hémorragies et qu'elle ne prenne qu'une tasse de bouillon pendant les suspensions de séance, son attitude reste ferme et droite, comme son esprit.

> Qu'on se représente, s'il est possible, écrira son défenseur dans ses Mémoires, toute la force d'âme qu'il fallut à la Reine pour supporter les fatigues d'une aussi longue et aussi horrible séance ; en spectacle à tout un peuple, ayant à lutter contre des monstres avides de sang, à se défendre de tous les pièges qu'ils lui tendaient, à détruire toutes leurs objections, à garder toutes les convenances et toutes les mesures, et à ne point rester au-dessous d'elle-même.

Elle a lutté pendant quinze heures le premier jour, plus de douze heures le second jour, lorsque le président déclare enfin l'interrogatoire terminé et demande à l'accusée si elle a encore quelque chose à dire pour sa défense ; Marie-Antoinette répond fièrement :

> Hier je ne connaissais pas les témoins, j'ignorais ce qu'ils allaient déposer contre moi ; eh bien ! personne n'a articulé contre moi aucun fait positif. Je finis en observant que je n'étais que la femme de Louis XVI, et qu'il fallait bien que je me conformasse à ses volontés.

Fouquier-Tinville se lève alors et récapitule les chefs d'accusation. Les deux défenseurs répondent par un plaidoyer assez tiède : ils se rappellent sans doute que l'avocat de Louis XVI a été châtié pour avoir pris trop énergiquement le parti du roi ; ils préfèrent donc en appeler à la clémence du peuple, plutôt que de plaider l'innocence de

Marie-Antoinette. Avant que le président Herman ne soumette les questions au jury, on emmène l'accusée ; le président et les jurés restent entre eux. Abandonnant maintenant toute phraséologie le président devient clair et positif : il laisse de côté les multiples et vagues accusations de détail et résume toutes les questions en une brève formule. C'est le peuple français, dit-il, qui accuse Marie-Antoinette, car tous les événements politiques qui se sont déroulés depuis cinq ans témoignent contre elle. Il pose donc aux jurés quatre questions :

> *Premièrement* : Est-il constant qu'il ait existé des manœuvres et intelligences avec les puissances étrangères et autres ennemis extérieurs de la république, lesdites manœuvres et intelligences tendant à leur fournir des secours en argent, à leur donner l'entrée du territoire français et à favoriser le progrès de leurs armes ?
>
> *Deuxièmement* : Marie-Antoinette d'Autriche, veuve de Louis Capet, est-elle convaincue d'avoir coopéré à ces manœuvres et d'avoir entretenu ces intelligences ?
>
> *Troisièmement* : Est-il constant qu'il a existé un complot et une conspiration tendant à allumer la guerre civile dans l'intérieur de la république ?
>
> *Quatrièmement* : Marie-Antoinette d'Autriche, veuve de Louis Capet, est-elle convaincue d'avoir participé à ce complot et à cette conspiration ?

Les jurés se lèvent en silence et se retirent dans une pièce contiguë. Il est plus de minuit. Dans la salle surchauffée où viennent de se dérouler les débats, la flamme des chandelles vacille en même temps que frémit de curiosité et d'anxiété le cœur des hommes.

Question incidente : comment les jurés, en toute justice, devraient-ils se prononcer ? Dans ses conclusions le président a écarté le côté politique du procès et a tout ramené, en somme, à une seule accusation. On ne demande pas aux jurés s'ils considèrent Marie-Antoinette comme une femme gaspilleuse, dénaturée, adultère, incestueuse, mais uniquement si l'ex-reine est coupable d'avoir été en relations avec l'étranger, d'avoir souhaité et favorisé la victoire des armées ennemies et l'insurrection à l'intérieur du pays.

Marie-Antoinette est-elle, au sens légal, coupable de trahison et convaincue de ce crime ? Question à deux tranchants, qui exige une double réponse. Sans aucun doute – et c'est là la force du procès – elle était du point de vue de la république réellement coupable. Elle a été indéniablement en relations constantes avec l'ennemi, nous le savons. Elle s'est rendue effectivement coupable de haute trahison en livrant à l'ambassadeur d'Autriche les plans d'attaque militaire de la France et elle a employé et favorisé n'importe quel moyen légal ou illégal susceptible de rendre le trône et la liberté à son époux.

L'accusation est donc fondée. Mais – point faible du procès – elle n'est pas prouvée le moins du monde. Aujourd'hui les documents qui convainquent, sans équivoque possible, Marie-Antoinette du crime de haute trahison contre la république, sont connus et imprimés ; on les trouve aux archives nationales de Vienne, dans les papiers laissés par Fersen. Mais le procès eut lieu à Paris le 16 octobre 1793, et à ce moment-là l'accusateur public ne pouvait disposer d'aucun de ces documents. Aucune preuve matérielle de la trahison commise ne pouvait être mise sous les yeux des jurés.

Un jury honnête, impartial, serait sans doute très embarrassé. Si ces douze républicains suivent leur instinct ils doivent certes condamner Marie-Antoinette, car chacun d'eux est convaincu que cette femme est l'ennemie mortelle de la république, qu'elle a fait tout ce qu'elle a pu, tantôt pour rendre le pouvoir royal à son mari, tantôt pour le conserver intact à son fils. Cependant le droit, pris à la lettre, est du côté de l'accusée : la preuve effective, évidente, fait défaut. En tant que républicains, ils sont en droit d'estimer que Marie-Antoinette est coupable, mais comme jurés assermentés ils doivent s'en tenir à la loi, qui ne connaît d'autre faute que celle qui est prouvée. Ce conflit intérieur leur est heureusement évité. Car ils savent que la Convention n'exige pas du tout d'eux une sentence juste. Elle les a délégués non pour juger, mais pour condamner une femme qui a mis la sécurité de l'État en danger. Ils doivent ou livrer la tête de Marie-Antoinette, ou tendre la leur. Les douze jurés ne délibèrent donc que pour la forme, et s'ils paraissent réfléchir plus d'une minute, ce n'est que pour faire croire à une délibération là où en réalité la sentence est arrêtée depuis longtemps.

A quatre heures du matin les jurés reviennent dans la salle, un silence mortel attend leur verdict. A l'unanimité ils déclarent Marie-Antoinette coupable des crimes qui lui sont imputés. Le président Herman invite les auditeurs – ils ne sont plus nombreux, la fatigue les a chassés pour la plupart – à s'abstenir de toute manifestation. C'est alors qu'on ramène Marie-Antoinette. Seule, bien que luttant sans interruption depuis huit heures du matin, elle n'a pas le droit d'être fatiguée. On lui lit le verdict. Fouquier-Tinville requiert la peine de mort, qu'il obtient à l'unanimité. Le président demande alors à l'accusée si elle a des objections à faire.

Marie-Antoinette a écouté sans broncher, avec un calme parfait, la décision des jurés et la sentence. Elle ne manifeste pas le moindre signe de peur, de colère ou de faiblesse. Elle ne répond pas un mot à la question du président et se contente de secouer négativement la tête. Sans se retourner, sans regarder personne, elle sort de la salle au milieu du silence général et descend l'escalier ; elle est lasse de cette vie, de ces gens, satisfaite au fond de voir se terminer toutes ces mesquines persécutions. Il ne s'agit plus, maintenant, que de rester ferme jusqu'à la dernière heure.

Soudain, dans le sombre couloir – ses yeux fatigués et affaiblis n'y voient plus – son pied ne trouve plus la marche, elle hésite et chancelle. Vite, avant qu'elle ne tombe, le lieutenant de gendarmerie de Busne, le seul qui pendant les débats ait osé lui passer un verre d'eau, lui offre le bras pour la soutenir. Ce fait et celui d'avoir tenu son chapeau à la main en accompagnant la condamnée font qu'un autre gendarme immédiatement le dénonce, ce à quoi il répond pour se défendre :

> C'est pour éviter une chute que j'ai pris cette mesure ; les hommes de bon sens ne pourront y voir d'autre intérêt car si elle fut tombée dans l'escalier, on eût crié à la conspiration, à la trahison.

Les deux défenseurs de Marie-Antoinette sont également arrêtés à la fin des débats ; on les fouille de peur qu'elle ne les ait chargés d'un message secret ; pauvres juges ! qui craignent encore l'indomptable énergie de cette femme alors qu'elle n'est plus qu'à un pas de la tombe.

Mais celle qui cause cette peur et cette inquiétude, pauvre femme exsangue et épuisée, ignore tout de ces misérables tracasseries ; calme et résignée, elle a regagné sa prison. Dans quelques heures ce sera la fin.

Deux chandelles brûlent sur la table de sa cellule. Ultime faveur accordée à la condamnée : on lui a permis de ne pas passer dans l'obscurité ces quelques heures qui précèdent la nuit éternelle. Il y a une autre prière à laquelle le geôlier, jusque-là par trop prudent, n'ose pas résister. Marie-Antoinette demande du papier et de l'encre pour écrire une lettre ; du fond de sa tragique solitude elle voudrait adresser un dernier mot à ceux qui s'intéressent à son sort. Le geôlier lui apporte ce qu'elle désire, et alors que les premières lueurs de l'aurore pénètrent déjà par les fenêtres grillées de son réduit, Marie-Antoinette, ramassant ses dernières forces, se met à écrire sa dernière lettre.

Goethe dit quelque part, au sujet des dernières paroles exprimées avant la mort, ce mot magnifique :

> A la fin de la vie des pensées jusqu'alors informes surgissent clairement dans l'esprit, elles sont comme d'heureux et brillants génies qui se posent sur les cimes du passé.

Une flamme mystérieuse éclaire aussi cette dernière lettre de la condamnée ; jamais Marie-Antoinette n'a résumé ses pensées avec autant de force, avec autant de clarté, que dans cet adieu à Madame Élisabeth, à présent gardienne de ses enfants. Les traits presque virils de ce message écrit sur une misérable petite table de prison sont plus fermes, plus sûrs que ceux de toutes les lettres qui s'envolaient du bureau doré de Trianon; la langue est plus pure, le sentiment plus direct : c'est comme si la tempête intérieure, déchaînée par la mort, déchirait tous les nuages inquiétants qui, pendant si longtemps et d'une façon si fatale, avaient caché à cette femme tragique la vue de sa propre profondeur. Marie-Antoinette écrit :

> C'est à vous, ma sœur, que j'écris pour la dernière fois. Je viens d'être condamnée, non pas à une mort honteuse, elle ne l'est que pour les criminels, mais à aller rejoindre votre frère. Comme lui innocente, j'espère montrer la même fermeté que lui dans ses derniers moments. Je suis calme comme on l'est quand la conscience ne reproche rien. J'ai un profond regret d'abandonner mes pauvres enfants; vous savez que je n'existais que pour eux et vous, ma bonne et tendre sœur. Vous qui aviez par votre amitié tout sacrifié pour être avec nous, dans quelle position je vous laisse ! J'ai appris, par le plaidoyer même du procès, que ma fille était séparée de vous. Hélas ! la pauvre enfant, je n'ose pas lui écrire, elle ne recevrait pas ma lettre; je ne sais pas même si celle-ci vous parviendra. Recevez pour eux deux ici ma bénédiction; j'espère qu'un jour, lorsqu'ils seront plus grands, ils pourront se réunir avec vous et jouir en entier de vos tendres soins. Qu'ils pensent tous deux à ce que je n'ai cessé de leur inspirer : que les principes et l'exécution exacte de ses devoirs sont la première base de la vie, que leur amitié et leur confiance mutuelle en fera le bonheur. Que ma fille sente qu'à l'âge qu'elle a, elle doit toujours aider son frère par les conseils que l'expérience qu'elle aura de plus que lui et son amitié pourront lui inspirer; que mon fils, à son tour, rende à sa sœur tous les soins, les services que l'amitié peut inspirer; qu'ils sentent enfin tous deux que, dans quelque position où ils pourront se trouver, ils ne seront vraiment heureux que par leur union; qu'ils prennent exemple en nous. Combien, dans nos malheurs, notre amitié nous a donné de consolations ! Et, dans le bonheur, on jouit doublement quand on peut le partager

avec un ami ; et où en trouver de plus tendre, de plus uni que dans sa propre famille ? Que mon fils n'oublie jamais les derniers mots de son père, que je lui répète expressément : qu'il ne cherche jamais à venger notre mort !

J'ai à vous parler d'une chose bien pénible à mon cœur. Je sais combien cet enfant doit vous avoir fait de la peine. Pardonnez-lui, ma chère sœur ; pensez à l'âge qu'il a, et combien il est facile de faire dire à un enfant ce qu'on veut, et même ce qu'il ne comprend pas. Un jour viendra, j'espère, où il ne sentira que mieux tout le prix de vos bontés et de votre tendresse pour tous deux.

Il me reste à vous confier encore mes dernières pensées. J'aurais voulu les écrire dès le commencement du procès ; mais outre qu'on ne me laissait pas écrire, la marche a été si rapide que je n'en aurais réellement pas eu le temps.

Je meurs dans la religion catholique, apostolique et romaine, dans celle de mes pères, dans celle où j'ai été élevée, et que j'ai toujours professée. N'ayant aucune consolation spirituelle à attendre, ne sachant pas si il existe encore ici des prêtres de cette religion, et même le lieu où je suis les exposerait trop s'ils y entraient une fois, je demande sincèrement pardon à Dieu de toutes les fautes que j'ai pu commettre depuis que j'existe ; j'espère que, dans sa bonté, Il voudra bien recevoir mes derniers vœux, ainsi que ceux que je fais depuis longtemps pour qu'il veuille bien recevoir mon âme dans sa miséricorde et sa bonté.

Je demande pardon à tous ceux que je connais, et à vous, ma sœur, en particulier, de toutes les peines que, sans le vouloir, j'aurais pu leur causer. Je pardonne à tous mes ennemis le mal qu'ils m'ont fait. Je dis ici adieu à mes tantes et à tous mes frères et sœurs. J'avais des amis ; l'idée d'en être séparée pour jamais et leurs peines sont un des plus grands regrets que j'emporte en mourant ; qu'ils sachent du moins que jusqu'à mon dernier moment j'ai pensé à eux.

Adieu, ma bonne et tendre sœur ; puisse cette lettre vous arriver ! Pensez toujours à moi ; je vous embrasse de tout mon cœur, ainsi que ces pauvres et chers enfants.

> Mon Dieu, qu'il est déchirant de les quitter pour toujours ! Adieu, adieu : je ne vais plus m'occuper que de mes devoirs spirituels. Comme je ne suis pas libre dans mes actions, on m'amènera peut-être un prêtre ; mais je proteste ici que je ne lui dirai pas un mot, et que je le traiterai comme un être absolument étranger.

La lettre s'arrête là, brusquement, sans formule finale, sans signature. Sans doute Marie-Antoinette a-t-elle été vaincue par la fatigue. Sur la table, les chandelles continuent à brûler, peut-être leur flamme vacillante survivra-t-elle à la prisonnière.

La plupart des personnes à qui était destinée cette lettre venue des ténèbres n'en ont pas eu connaissance. Peu avant l'arrivée du bourreau, Marie-Antoinette la remet au geôlier Bault, pour qu'il la fasse parvenir à sa belle-sœur ; Bault a eu tout juste assez d'humanité pour lui donner du papier et une plume, mais il n'a pas assez de courage pour transmettre ce testament sans autorisation (plus on voit tomber de têtes autour de soi, plus on craint pour la sienne). Il remet donc, selon les règlements, la lettre de Marie-Antoinette à Fouquier-Tinville, qui la revêt de son paraphe, mais qui, lui non plus, ne la transmet pas. Et lorsque deux ans plus tard, Fouquier-Tinville monte lui-même dans la charrette qu'il a envoyée à la Conciergerie pour tant d'autres, la lettre a disparu ; personne au monde, sauf un homme tout à fait insignifiant, du nom de Courtois, ne sait ni ne soupçonne son existence. Ce député sans talent et sans notoriété avait reçu l'ordre de la Convention, après l'arrestation de Robespierre, de trier les papiers laissés par celui-ci et de les publier ; cet ancien sabotier, à cette occasion, se rend compte de la puissance que détient celui qui s'empare de papiers d'État secrets. Tous les députés compromis tournent à présent humblement autour du petit Courtois, qu'ils saluaient à peine auparavant, et lui font les plus folles promesses, s'il peut leur rendre les lettres qu'ils ont adressées à Robespierre. Ce serait donc une bonne affaire, se dit Courtois, que de s'approprier le plus de papiers possible de tous ces gaillards-là ; et il profite du désordre général pour piller les dossiers du tribunal révolutionnaire et en faire le commerce ; toutefois il garde la lettre de Marie-Antoinette qui lui tombe dans les mains à cette occasion : qui sait le parti que l'on pourrait tirer, si jamais le vent tournait, d'un document aussi précieux ? Il cache ainsi son vol pendant vingt ans, et, en effet, le vent tourne. La royauté est rétablie. Louis XVIII monte sur le trône de France, et les anciens « régicides » se sentent au cou de vives démangeaisons. Pour gagner la faveur du nouveau roi Courtois lui offre dans une lettre hypocrite le message de Marie-Antoinette qu'il a « sauvé ». Sa misérable ruse ne prend pas et il est exilé tout comme les autres. Mais on a la lettre. C'est ainsi que ce merveilleux message voit le jour vingt et un ans après son envoi.

Mais il est trop tard ! Presque tous ceux à qui Marie-Antoinette adressait ses adieux à l'heure de la mort ont disparu : Madame Élisabeth l'a suivie sur l'échafaud, son fils est mort au Temple, à moins qu'il n'erre quelque part dans le monde, inconnu et s'ignorant lui-même. Et la pensée d'amour qui allait à Fersen ne l'atteindra pas non plus. Aucun mot dans cette lettre ne le désignait, et pourtant à quel autre qu'à lui s'adressaient ces lignes émues : « J'avais des amis ; l'idée d'en être séparée pour jamais et leurs peines sont un des plus grands regrets que j'emporte en mourant. » Le devoir interdisait à Marie-Antoinette de nommer devant le monde celui qui lui était le plus cher sur terre. Mais elle espérait qu'il verrait un jour ces lignes et que l'amant reconnaîtrait à travers elles que jusqu'au dernier souffle elle l'avait aimé d'un amour inaltérable. Et – mystérieuse télépathie du sentiment ! – comme si Fersen se rendait compte de ce besoin qu'elle éprouve d'être avec lui à la dernière heure de sa vie, comme s'il répondait à un appel magique, son *Journal* mentionne au reçu de la nouvelle tragique :

> ... que c'était sa plus grande douleur, au milieu de toutes ses peines, de penser que dans les derniers instants elle était seule, sans la consolation d'avoir quelqu'un auprès d'elle, avec qui elle aurait pu parler.

Séparées par des centaines de lieues, invisibles et inaccessibles l'une à l'autre, leurs âmes au même moment communient dans un même désir ; dans l'espace insaisissable, au-delà du temps, leurs pensées se rencontrent comme les lèvres dans le baiser.

Marie-Antoinette a posé sa plume. Le plus dur est fait, elle a pris congé de tous et de tout. Elle s'étend maintenant quelques minutes pour rassembler ses dernières forces. Il ne lui reste plus grand-chose à faire ici-bas. Elle n'a plus qu'à mourir, à bien mourir.

CHAPITRE XLIII

LE DERNIER VOYAGE

A cinq heures du matin, alors que Marie-Antoinette est encore en train d'écrire, on bat déjà le rappel dans les quarante-huit sections de Paris. A sept heures, toute la force armée est sur pied ; des canons, prêts à partir, barrent les ponts et les voies principales, des détachements de la garde traversent la ville baïonnette au canon, la cavalerie fait la haie – et cette immense levée de soldats, uniquement pour faire face à une femme seule qui ne veut plus rien que mourir ! La force a souvent plus peur de la victime que la victime de la force.

A sept heures, la servante du geôlier se glisse doucement dans le cachot. Les deux chandelles brûlent encore sur la table et l'officier de gendarmerie, ombre vigilante, est assis dans un coin. Tout d'abord la servante ne voit pas Marie-Antoinette, puis, effrayée, elle s'aperçoit qu'elle est étendue sur son lit toute habillée, dans sa robe noire de veuve. Pourtant, elle ne dort pas.

La touchante petite campagnarde est toute tremblante ; elle a pitié de la condamnée à mort, pitié de sa reine. « Madame », lui dit-elle avec émotion en s'approchant, « vous n'avez rien pris hier au soir, et presque rien dans la journée. Que désirezvous prendre ce matin ? ». « Ma fille », répond Marie-Antoinette sans se lever, « je n'ai plus besoin de rien, tout est fini pour moi ». Mais comme la servante veut à tout prix lui apporter un bouillon qu'elle a fait exprès pour elle, Marie-Antoinette finit par accepter. Elle en avale quelques cuillerées, puis la jeune fille l'aide à changer de vêtements. On a recommandé à la condamnée de ne pas aller à l'échafaud dans sa robe de deuil, parce que cela pourrait irriter le peuple. Marie-Antoinette n'oppose aucune résistance – quelle importance a pour elle une robe, à présent ! – et se décide à revêtir une légère robe blanche du matin.

Mais on lui réserve une dernière humiliation. Au cours des jours qui viennent de s'écouler elle a eu des pertes de sang ininterrompues. Par un désir tout naturel de paraître décemment devant la mort, elle demande à changer de chemise et prie le gendarme de se retirer un instant. Mais l'homme, qui a l'ordre sévère de ne pas la perdre de vue une seconde, déclare qu'il ne peut pas quitter son poste. La prisonnière s'accroupit donc dans la ruelle et pendant qu'elle enlève sa chemise la petite servante compatissante se place devant elle pour cacher sa nudité. Mais que faire de la chemise ensanglantée ? Femme, elle a honte de laisser le linge maculé sous les yeux de cet étranger et exposé aux regards indiscrets de ceux qui, quelques heures plus tard, viendront partager ses hardes. Elle en fait vivement un petit paquet qu'elle cache dans un renfoncement du mur, derrière le poêle.

Marie-Antoinette s'habille alors avec un soin particulier. Depuis plus d'un an elle n'a pas mis le pied dans la rue, ni vu l'étendue du ciel au-dessus d'elle : elle tient, pour ce dernier voyage, à être vêtue convenablement et proprement ; ce n'est plus la vanité féminine qui la pousse, mais le sentiment de la solennité de cette heure historique. Elle ajuste sa robe avec soin, pose sur sa nuque un fichu de mousseline légère, choisit ses meilleurs souliers ; un bonnet à deux volants cache ses cheveux blancs.

A huit heures, on frappe à sa porte. Non, ce n'est pas encore le bourreau. C'est celui qui le précède, le prêtre, mais un de ceux qui ont prêté serment à la république. Marie-Antoinette refuse poliment de se confesser à lui, elle ne reconnaît, dit-elle, comme serviteurs de Dieu, que les prêtres non assermentés. Lorsqu'il lui demande s'il doit l'accompagner jusqu'au supplice, elle répond, indifférente : « Comme vous voudrez. »

Cette apparente impassibilité est comme le rempart à l'abri duquel Marie-Antoinette rassemble son énergie pour le dernier bout de chemin qui lui reste à faire. Quand, à dix heures, le bourreau Samson, un jeune homme de taille gigantesque, entre pour lui couper les cheveux, elle se laisse tranquillement lier les mains derrière le dos sans opposer la moindre résistance. Elle sait que sa vie est irrémédiablement perdue et qu'elle ne peut plus sauver que l'honneur. A présent, pas de faiblesse devant personne ! se dit-elle. Il s'agit de rester ferme et de montrer à ceux qui désirent le voir comment meurt une fille de Marie-Thérèse.

Vers onze heures, on ouvre les portes de la Conciergerie. Une espèce de voiture à ridelles, la charrette, à laquelle est attelé un puissant et lourd cheval, attend dans la rue. Louis XVI, lui, avait encore été conduit à la mort avec solennité et respect, dans son carrosse fermé dont les parois de verre le protégeaient contre la curiosité et la haine. Mais depuis lors la république, dans sa course impétueuse, a fait du chemin ; elle exige aussi l'égalité devant la guillotine : une Marie-Antoinette ne doit pas mourir plus commodément que n'importe quel autre citoyen, une voiture à ridelles suffit pour la veuve Capet. Une simple planche, posée entre les montants, sans coussin ni couverture, lui sert de siège : Mme Roland aussi, Danton, Robespierre, Fouquier, Hébert, tous ceux qui envoient Marie-Antoinette à la mort feront leur dernier voyage sur la même planche dure ; la condamnée n'a sur ses juges qu'une courte avance.

Du sombre couloir de la Conciergerie sortent tout d'abord des officiers et derrière eux toute une compagnie de la garde, le fusil sur l'épaule ; Marie-Antoinette suit d'un pas calme et assuré. Le bourreau Samson la tient par le bout de la longue corde avec laquelle on lui a lié les mains derrière le dos, comme s'il redoutait que sa victime, entourée de centaines de gardes et de soldats, ne lui échappât. La foule, malgré elle, est surprise de cette humiliation inutile et inattendue. On n'entend pas les railleries habituelles. Marie-Antoinette s'avance au milieu du plus grand silence vers la charrette. Là, Samson lui tend la main pour l'aider à monter. Le prêtre Girard, en costume civil, s'assied à côté d'elle, tandis que le bourreau reste debout, le visage impassible, la corde à la main : cet autre Caron ne conduit-il pas tous les jours son chargement d'âmes sur l'autre rive du fleuve ? Mais cette fois ses aides et lui-même tiennent durant tout le trajet leur tricorne sous le bras, comme s'ils voulaient s'excuser de leur triste métier auprès de la pauvre femme sans défense qu'ils mènent à l'échafaud.

La voiture misérable avance lentement sur le pavé. On prend son temps, afin que chacun puisse contempler à son aise ce spectacle unique. Sur son siège dur la condamnée ressent jusqu'au plus profond d'elle-même tous les cahots de la voiture, mais, le visage pâle et calme, aux yeux bordés de rouge, Marie-Antoinette ne trahit pas la moindre peur ou la moindre souffrance devant les curieux étroitement alignés sur son passage. Elle rassemble toute sa force d'âme pour tenir jusqu'au bout, et c'est en vain que ses ennemis les plus acharnés l'épient pour la surprendre dans un moment de faiblesse ou de désespoir ; rien ne la trouble, ni les femmes massées près de Saint-Roch qui l'accueillent avec leurs habituels sarcasmes, ni l'acteur Grammont, qui, pour animer la scène macabre, passe à cheval, en uniforme de garde national, devant la charrette et, brandissant son sabre, s'écrie : « La voilà, l'infâme Antoinette ! elle est f... mes amis. » Son visage est d'airain, elle semble ne rien entendre, ne rien voir. Ses mains liées derrière le dos font qu'elle relève la nuque un peu plus ; elle regarde droit devant elle, et toutes les images vives et colorées de la rue ne pénètrent plus dans ses yeux, que la mort baigne déjà intérieurement. Aucun tremblement n'agite ses lèvres, aucun frisson ne secoue son corps ; elle est là, dans la charrette, fière et dédaigneuse, parfaitement maîtresse d'elle-même, et Hébert lui-même devra avouer le lendemain, dans le *Père Duchêne* : « La grue, au surplus, a été audacieuse et insolente jusqu'au bout. »

Au coin de la rue Saint-Honoré, là où se trouve aujourd'hui le café de la Régence, un homme attend, brandissant son crayon, une feuille de papier à la main. C'est Louis David, une des âmes les plus viles en même temps que l'un des plus grands artistes de l'époque. Braillard parmi les braillards de la Révolution, il sert les puissants aussi longtemps qu'ils sont au pouvoir et les abandonne à l'heure du danger. Il peint Marat sur son lit de mort ; le huit Thermidor il jure emphatiquement de vider avec Robespierre « la coupe jusqu'à la lie », mais le lendemain, lorsque se déroule la séance tragique, cette soif héroïque est passée et le triste héros préfère se cacher chez lui, lâcheté qui lui permet d'échapper à la guillotine. Ennemi acharné des « tyrans » pendant la Révolution, il sera le premier à se rallier au nouveau dictateur, et, après avoir peint le couronnement de Napoléon, il troquera son ancienne haine des aristocrates contre le titre de baron. Type de l'éternel transfuge qu'attire la puissance, courtisant ceux qui triomphent, sans pitié pour les vaincus, il peint les vainqueurs à leur couronnement et les victimes sur le chemin de l'échafaud. Du haut de la même charrette, qui conduit aujourd'hui Marie-Antoinette à la guillotine, Danton aussi l'apercevra, et, connaissant la bassesse de l'homme, lui lancera cette injure cinglante : « Valet ! »

Mais en dépit de son âme de valet et de son cœur lâche et vil, cet homme a un coup d'œil souverain et une main infaillible. D'un coup de crayon il fixe, de manière impérissable, le visage de Marie-Antoinette allant à l'échafaud, esquisse d'un grandiose effroyable, d'une puissance sinistre, prise toute chaude sur le vif : une femme vieillie, sans beauté, fière encore seulement, la bouche orgueilleusement fermée, comme pour proférer un cri intérieur, les yeux indifférents et étrangers, elle est là dans la charrette avec les mains liées dans le dos, aussi droite et aussi fière que sur un trône. Dans chaque trait du visage pétrifié se lit un mépris indicible, une énergie inébranlable s'affirme dans le buste cambré ; une résignation qui s'est muée en fierté, une souffrance qui est devenue une force intérieure, donnent à cette figure tourmentée une nouvelle et terrible majesté. La haine même ne saurait nier sur cette feuille la noblesse avec laquelle Marie-Antoinette, par son attitude sublime, triomphe de l'opprobre de la charrette.

L'immense place de la Révolution – aujourd'hui place de la Concorde – est noire de monde. Des milliers de gens sont debout depuis le matin de bonne heure pour ne pas manquer ce spectacle unique, pour voir comment une reine, selon le mot brutal d'Hébert, est « passée au rasoir national ». La foule curieuse attend depuis des heures. Pour ne pas s'ennuyer on cause avec une jolie voisine, on rit, on bavarde, on achète des journaux ou des caricatures, on feuillette la dernière brochure : *les Adieux de la reine à ses mignons et à ses mignonnes*, ou les *Grandes fureurs de la ci-devant reine*. On cherche à deviner, tout bas, quelles seront les têtes qui tomberont dans le panier les jours suivants et, entre-temps, on achète de la limonade, des petits pains ou des noix : ce grand spectacle mérite bien que l'on patiente un peu.

Au-dessus de ce grouillement noir de curieux deux silhouettes s'élèvent rigides, seules choses inertes dans cet espace animé. D'abord la ligne svelte de la guillotine avec son pont de bois qui mène de la vie terrestre dans l'au-delà, et sous le joug de laquelle brille, dans le trouble soleil d'octobre, l'indicateur luisant, le couperet fraîchement aiguisé. Légère et dégagée, la machine se détache sur le ciel gris, jouet oublié par un Dieu cruel, et les oiseaux, ignorant la signification de ce sinistre instrument, le survolent avec insouciance. Puis, à côté de cette porte de la mort, et la dominant fièrement, se dresse, grave et sévère, la gigantesque statue de la liberté, sur le socle qui portait autrefois la statue de Louis XV. L'inaccessible déesse, la tête couronnée du bonnet phrygien, l'épée à la main, médite silencieusement. Ses yeux fixent, au-delà de la foule éternellement mouvante, bien au-delà de la machine meurtrière, quelque point lointain et invisible. Elle ne voit pas les choses humaines autour d'elle, elle ne voit ni la vie ni la mort, cette mystérieuse déesse de pierre aux yeux rêveurs et éternellement adorée. Elle n'entend pas les cris de tous ceux qui l'appellent, elle ne s'aperçoit pas des couronnes qu'on dépose à ses genoux ni du sang qui fume la terre à ses pieds. Symbole d'une éternelle pensée, étrangère parmi les hommes, elle est là muette et fixe dans le lointain son but invisible. Elle ne sait pas et ne cherche pas à savoir ce qui se passe en son nom.

Soudain la foule remue et s'agite, puis redevient subitement silencieuse. Au milieu de ce calme on entend maintenant des cris sauvages venant de la rue Saint-Honoré, on voit la cavalerie s'avancer, puis la charrette tragique amenant la femme qui fut souveraine de France tourne le coin ; derrière la victime se dresse le bourreau Samson, tenant fièrement sa corde dans une main, et humblement son tricorne dans l'autre. Un silence complet envahit l'immense place. Les crieurs de journaux se taisent, on n'entend plus une parole, le calme est tel qu'on perçoit le lourd sabot du cheval et le grincement des roues. Les milliers et les milliers de spectateurs, qui, tout à l'heure encore, riaient et bavardaient gaîment, portent soudain, avec un sentiment d'effroi, leurs regards interdits sur la femme pâle et ligotée qui, elle, ne regarde personne. Elle sait que c'est la dernière épreuve ! Dans cinq minutes ce sera la fin et ensuite l'immortalité.

La charrette s'arrête devant l'échafaud. « Avec un air plus calme et plus tranquille encore qu'en sortant de prison », refusant toute assistance, Marie-Antoinette en monte les marches ; elle les monte aussi aisément, du même pas ailé, avec ses souliers de satin noir à hauts talons, que jadis les escaliers de marbre de Versailles. Un dernier regard encore devant elle, par-delà ce grouillement odieux, et perdu dans le ciel. Reconnaît-elle là-bas dans le brouillard automnal les Tuileries où elle a vécu et supporté d'indicibles souffrances ? Se souvient-elle durant ces toutes dernières minutes du jour où ces mêmes masses ont accueilli avec enthousiasme dans ce même jardin l'héritière du trône ? On l'ignore. Personne ne connaît les dernières pensées d'un mourant. Mais voici que tout va finir. Les bourreaux la saisissent par derrière, la jettent rapidement sur la planche et poussent sa nuque sous le couperet ; on tire la corde, la lame jette un éclair en tombant, on entend un choc sourd, et déjà Samson empoigne par les cheveux une tête sanglante qu'il brandit au-dessus de la place. Brusquement la foule hurle un sauvage : « Vive la république ! » qui semble sortir de gorges étrangement serrées, et qui la délivre de son angoisse et de son effroi. Les gens alors se dispersent presque avec hâte. Il est déjà midi et quart et ma foi ! grand temps de dîner ; il faut vite rentrer chez soi. A quoi bon rester là plus longtemps ? Durant les semaines et les mois qui viennent on pourra se rassasier de ce même spectacle, sur la même place, presque journellement.

La foule s'est dispersée. On emporte sur une brouette le corps de la suppliciée, la tête entre les jambes. Quelques gendarmes gardent l'échafaud. Mais personne ne s'occupe du sang qui lentement pénètre dans la terre ; l'endroit est redevenu désert.

Seule la déesse de la liberté, figée dans sa pierre blanche, est restée à sa place, immobile, et continue à fixer son but invisible. Elle n'a rien vu, rien entendu. Sévère, elle regarde dans le lointain, par-delà les sauvages et absurdes agissements des hommes. Elle ignore et veut ignorer ce qui se passe en son nom.

CHAPITRE XLIV

LA PLAINTE FUNÈBRE

Il se passe trop de choses à Paris durant ces mois-là pour qu'on puisse se souvenir d'une mort isolée. Plus le temps court, plus la mémoire des hommes devient courte. Au bout de quelques semaines on a déjà complètement oublié qu'une reine du nom de Marie-Antoinette a été décapitée et enterrée. Le lendemain de l'exécution, Hébert clame bien encore dans le *Père Duchêne* :

> J'ai vu tomber dans le sac la tête du veto femelle ! Je voudrais, foutre, pouvoir vous exprimer la satisfaction des sans-culottes quand l'archi-tigresse a traversé Paris dans la voiture à trente-six portières... Sa tête maudite était enfin séparée de son col de grue et l'air retentissait de cris de : « Vive la République ! »

Mais on l'écoute à peine, l'année de la Terreur chacun craint pour sa propre tête. Cependant la bière reste au cimetière, sans sépulture : on ne creuse pas de tombe pour une seule personne, cela reviendrait trop cher. On attend une nouvelle fournée de l'active guillotine, et ce n'est que lorsqu'il y a tout un tas de victimes à enterrer que le cercueil de Marie-Antoinette, arrosé de chaux vive, est jeté dans la fosse commune avec les autres. Tout est fini. A la prison le petit chien de Marie-Antoinette pleure pendant quelques jours, va et vient fiévreusement, flaire dans toutes les cellules et saute sur tous les matelas à la recherche de sa maîtresse ; puis il devient lui aussi indifférent et le geôlier apitoyé le recueille. Ensuite le fossoyeur présente sa note à l'Hôtel de Ville : « La veuve Capet, pour la bière six livres, pour la fosse et les fossoyeurs quinze livres et trente-cinq sous. » Un huissier réunit les hardes de Marie-Antoinette, en dresse l'inventaire et les envoie dans un hôpital ; de pauvres vieilles porteront ces vêtements sans savoir et sans se demander qui les a portés avant elles. Marie-Antoinette, et tout ce qui la concernait, appartient désormais au passé : lorsque, quelques années plus tard, un Allemand vient à Paris et veut savoir où se trouve sa tombe, il ne rencontre plus personne dans toute la capitale qui puisse lui indiquer l'endroit où repose l'ex-reine de France.

Au-delà de la frontière l'exécution de Marie-Antoinette – à laquelle on s'attendait – ne cause pas grand émoi. Le duc de Cobourg, trop lâche pour la sauver à temps, annonce avec emphase dans un ordre du jour qu'elle sera vengée. Le comte de Provence, que cette mort ne peut qu'aider à devenir plus tôt Louis XVIII – il n'y a plus que l'enfant du Temple à cacher ou à faire disparaître – jouant l'émotion, fait dire des messes. A la cour de Vienne l'empereur François, après avoir été trop indolent pour écrire même une lettre qui aurait pu sauver la reine, ordonne un deuil sévère. Les dames s'habillent de noir, Sa Majesté impériale ne se montre pas au théâtre pendant quelques semaines, les journaux publient contre les jacobins des articles indignés qui semblent avoir été écrits sur commande. On daigne accepter les diamants que Marie-Antoinette avait confiés à Mercy, et plus tard accueillir sa fille en échange de commissaires prisonniers ; mais lorsqu'il s'agit ensuite de rembourser les sommes avancées pour les tentatives d'évasion et de régler certaines dettes de la reine, la cour de Vienne devient soudain dure d'oreille. On n'aime pas beaucoup, d'ailleurs, entendre rappeler l'exécution de la reine, la conscience impériale est même quelque peu tourmentée au souvenir de l'abandon misérable de Marie-Antoinette. Et bien des années plus tard Napoléon dira :

> C'était une maxime établie dans la maison d'Autriche que de garder un silence profond sur la reine de France.

> Au nom de Marie-Antoinette, ils baissent les yeux et changent de conversation comme pour échapper à un sujet désagréable et embarrassant. C'est une règle adoptée par toute la famille et recommandée à ses agents du dehors.

Il n'y a qu'un seul être que la nouvelle touche au cœur : Fersen. Chaque jour il appréhendait la catastrophe :

> Depuis longtemps je tâche de m'y préparer et il me semble que j'en recevrai la nouvelle sans une grande émotion.

Mais lorsque les journaux arrivent à Bruxelles, il en est foudroyé :

> Celle pour laquelle je vivais, écrit-il à sa sœur, car je n'ai jamais cessé de l'aimer, non je ne le pouvais pas un instant et je le sens bien en ce moment, celle que j'aimais tant, pour qui j'aurais donné mille vies n'est plus. Oh ! mon Dieu ! pourquoi m'accabler ainsi et par quoi ai-je mérité ta colère ? Elle ne vit plus, ma douleur est à son comble et je ne sais comment je vis encore, je ne sais comment je supporte ma douleur, elle est extrême, et rien ne pourra l'effacer jamais, toujours je l'aurai présente à ma mémoire et ce sera pour la pleurer toujours... Ma chère amie, ah ! que ne suis-je mort à ses côtés et pour elle et pour eux le 20 juin. Je serais plus heureux que de traîner ma triste existence dans d'éternels regrets, dans des regrets qui ne finiront qu'avec ma vie, car jamais son image adorée ne s'effacera de ma mémoire.

Il sent, à présent, qu'il ne peut plus vouer sa vie qu'à sa douleur :

> Le seul objet de mon intérêt n'existe plus, lui seul réunissait tout pour moi et c'est à présent que je sens combien je lui étais véritablement attaché. Il ne cesse de m'occuper, son image me suit et me suivra sans cesse et partout, je n'aime qu'à en parler, à me rappeler les beaux

moments de ma vie. Hélas ! il ne m'en reste que le souvenir, mais je le conserverai et celui-là ne me quittera qu'avec la vie. J'ai donné commission d'acheter à Paris tout ce qu'on pourrait trouver d'elle, tout ce que j'en ai est sacré pour moi, ce sont des reliques qui seront sans cesse l'objet de mon admiration constante.

Rien ne peut remplacer la perte qu'il a éprouvée. Des mois plus tard il écrira encore dans son *Journal* :

Ah ! je sens bien tous les jours combien j'ai perdu en elle et combien elle était parfaite en tout. Jamais il n'y a eu et il n'y aura de femme comme elle.

Les années n'amoindrissent pas sa souffrance ; tout lui est occasion de se souvenir de la disparue. Lorsqu'en 1796 il rencontre pour la première fois la fille de Marie-Antoinette à la cour de Vienne, l'impression est si vive que les larmes lui viennent aux yeux. Et il écrit à ce sujet :

Mes genoux fléchissaient sous moi en descendant les escaliers. J'avais eu beaucoup de peine et beaucoup de plaisir et j'étais bien affecté.

Chaque fois qu'il rencontre la fille, ses yeux se mouillent en pensant à la mère et il se sent attiré par ce sang du sang de la disparue. Mais jamais on ne permet à la jeune fille de lui adresser la parole. Est-ce un ordre secret de la cour de faire oublier la sacrifiée qui est la cause de cela, ou la sévérité du confesseur au courant, peut-être, des relations « coupables » de la mère ? La cour d'Autriche ne voit pas d'un bon œil la présence de Fersen et c'est avec plaisir qu'elle apprend son départ. Quant à le remercier de sa fidélité, jamais la maison de Habsbourg n'a jugé à propos de le faire.

Après la mort de Marie-Antoinette, Fersen devient brusque et sombre. Le monde lui paraît injuste et froid, la vie dénuée de sens, ses ambitions politiques ou diplomatiques sont brisées. Pendant les années de guerre il erre par l'Europe comme ambassadeur, il est tantôt à Vienne, tantôt à Carlsruhe, à Rastatt, en Italie ou en Suède ; il noue des relations avec d'autres femmes, mais tout cela n'arrive pas à occuper ou à calmer son âme ; la preuve surgit sans cesse dans son *Journal* que l'amant, au fond, vit uniquement pour le souvenir de l'aimée. De nombreuses années plus tard, il écrit encore à l'occasion de l'anniversaire de la mort de Marie-Antoinette :

> Ce jour est un jour de dévotion pour moi et je ne puis jamais oublier tout ce que j'ai perdu ; mes regrets dureront autant que moi.

Il y a une autre date fatale que Fersen signale aussi constamment : le 20 juin. Jamais il ne s'est pardonné d'avoir cédé à l'ordre de Louis XVI lors de la fuite à Varennes et d'avoir laissé Marie-Antoinette seule au milieu du danger ; son attitude ce jour-là lui apparaît de plus en plus comme une faute personnelle qu'il n'a pas encore rachetée. Il eût été préférable et plus héroïque, ne cesse-t-il de se dire, de se faire déchirer alors par le peuple que de survivre à l'aimée, le cœur vide de joie et l'âme chargée de reproches. C'est ainsi que plus d'une fois on lit dans son *Journal* : « Ah ! que ne suis-je mort pour elle le 20 juin ! »

Mais le destin aime les analogies et le jeu mystérieux des chiffres ; au bout de nombreuses années, il exauce le vœu romantique de Fersen. C'est un 20 juin que celui-ci trouve la mort dont il rêvait, et elle est telle qu'il la désirait. Sans rechercher les honneurs, Fersen, grâce à son nom, est devenu peu à peu un homme puissant dans son pays : il a le titre de grand maréchal et il est le conseiller le plus influent du roi ; mais c'est aussi un homme dur et sévère, un aristocrate, dans le sens où l'entendait le siècle dernier. Depuis la journée de Varennes, il hait le peuple, parce qu'il lui a ravi sa reine, et il ne voit en lui que vile populace, que basse canaille ; en retour le peuple le déteste cordialement. Ses ennemis répandent secrètement le bruit que l'insolent gentilhomme veut, pour se venger de la France, devenir roi de Suède et pousser la nation à la guerre. Ce qui fait qu'en juin 1810, lorsque l'héritier du trône de Suède meurt subitement, une rumeur sauvage et menaçante, dont on ignore la provenance, s'élève dans tout Stockholm : le maréchal Fersen a empoisonné le prince pour s'emparer de la couronne. A partir de ce moment la vie de Fersen est aussi en danger que l'était celle de Marie-Antoinette pendant la Révolution. C'est pourquoi des amis, informés de certains plans, conseillent à cet homme altier de ne pas assister aux funérailles du prince et de rester prudemment chez lui. Mais c'est le 20 juin, jour fatidique pour Fersen ; une obscure volonté le pousse au-devant du destin qu'il a pressenti. Et il se passe ce 20 juin à Stockholm exactement ce qui serait arrivé dix-neuf ans plus tôt à Paris, si la foule avait trouvé Fersen dans la voiture de la reine ; à peine son carrosse a-t-il quitté le château, qu'une populace en furie rompt le cordon des troupes, arrache le vieillard de sa voiture et l'assomme à coups de cannes et de pierres. La destinée de Fersen s'est accomplie ; écrasé et piétiné par le même élément sauvage et indomptable qui avait porté Marie-Antoinette à l'échafaud, le cadavre sanglant du « beau Fersen », dernier paladin de la dernière reine, gît devant l'hôtel de ville de Stockholm.

Avec Fersen disparaît le dernier de ceux qui gardaient dans leur cœur le souvenir de Marie-Antoinette. Et comme tout humain ne continue réellement à vivre après sa mort qu'aussi longtemps qu'il se trouve sur terre quelqu'un pour l'aimer, Fersen disparu, c'est le silence complet. Bientôt Trianon se délabre, ses gracieux jardins dépérissent, les tableaux, les meubles, dont l'harmonieux ensemble reflétait la grâce de Marie-Antoinette, sont vendus aux enchères et dispersés, la dernière trace visible de sa présence est à jamais effacée. Le temps coule, la Révolution s'éteint dans le Consulat, Bonaparte apparaît, il ne tardera pas à s'appeler Napoléon et il ira chercher une autre archiduchesse de la maison de Habsbourg, en vue d'un autre hyménée fatal. Mais quoique du même sang, Marie-Louise pas plus que les autres – chose inconcevable – ne demandera une seule fois où repose la femme qui avant elle a vécu et souffert dans les mêmes appartements de ces mêmes Tuileries : jamais une figure encore si proche, une figure de reine, n'a été oubliée avec une si cruelle froideur par ses parents et ses descendants. Un changement survient cependant, dû à une espèce de remords. Le comte de Provence a finalement réussi à accéder, par-dessus trois millions de cadavres, au trône de France sous le nom de Louis XVIII ; l'homme aux agissements obscurs est enfin parvenu à son but. Puisqu'ils ont heureusement disparu, ceux qui lui ont si longtemps barré le chemin : Louis XVI, Marie-Antoinette et leur malheureux enfant Louis XVII, et comme les morts ne peuvent pas se lever et accuser, pourquoi ne leur érigerait-on pas maintenant un somptueux mausolée ? On donne l'ordre de rechercher leur sépulture (jamais le comte de Provence n'avait essayé de connaître l'endroit où son frère était enterré). Mais après vingt-deux ans d'une si pitoyable indifférence, la chose n'est pas facile, car dans ce triste jardin de couvent, près de la Madeleine, où plus de mille cadavres ont été enfouis sous la Terreur, l'ensevelissement, trop rapide, ne laissait pas aux fossoyeurs le temps de marquer chaque tombe ; c'est en toute hâte qu'ils transportaient et enterraient les uns à côté des autres ce que leur fournissait chaque jour l'infatigable couperet. Nulle croix, nulle couronne ne désigne les lieux oubliés ; on ne sait qu'une chose, c'est que la Convention avait ordonné d'arroser de chaux vive les cadavres royaux. On se met donc à creuser. Enfin la bêche rencontre une couche plus dure. Et on reconnaît à une jarretière à moitié pourrie que la poignée de pâle poussière qu'on sort, en frémissant, de la terre humide est la dernière trace de celle qui en son temps fut la déesse de la grâce et du goût, puis la reine éprouvée et élue de toutes les souffrances.

NOTE DE L'AUTEUR

Il est d'usage, à la fin d'un livre d'histoire, d'énumérer les sources auxquelles on a puisé; dans le cas de Marie-Antoinette, il me semble presque plus important d'indiquer celles auxquelles on n'a pas recouru et pourquoi il en a été ainsi. Car les documents habituellement les plus sûrs, les lettres autographes, s'avèrent ici douteux. Marie-Antoinette, la remarque en a été faite à différentes reprises dans ce livre, n'était guère épistolière; elle ne s'asseyait pour ainsi dire jamais sans y être réellement contrainte à ce merveilleux et délicat bureau qu'on voit encore aujourd'hui à Trianon. Il n'était donc nullement étonnant que dix et même vingt ans après sa mort on ne connût en somme aucune lettre de sa main, hors ces innombrables billets, avec l'inévitable: Payez, Marie-Antoinette. *Les deux correspondances vraiment suivies qu'elle avait entretenues, l'une avec sa mère et la cour de Vienne, l'autre, intime, avec le comte de Fersen, dormaient, à ce moment-là, et même encore un demi-siècle plus tard, dans les archives, cependant que les rares lettres adressées à la comtesse de Polignac étaient inaccessibles dans l'original. La surprise fut d'autant plus grande, lorsque, entre 1840 et 1860, surgirent dans presque toutes les ventes d'autographes à Paris de nombreuses lettres soi-disant de la reine et qui, chose étrange, portaient toutes sa signature, alors qu'en réalité elle ne signait que fort rarement. Puis des publications importantes apparurent coup sur coup, tout d'abord celle du comte Hunolstein, puis un recueil des lettres de Marie-Antoinette réunies par le baron Feuillet de Conches, et ensuite les lettres de la reine à Fersen publiées par Klinkowstroem. La joie des historiens scrupuleux devant tout ce matériel documentaire ne fut certes pas sans mélange; quelques mois déjà après leur publication l'authenticité d'un très grand nombre des lettres publiées par Hunolstein et Feuillet de Conches était contestée; une longue polémique s'ensuivait et bientôt il n'était plus de doute possible pour les chercheurs sincères: un faussaire très adroit, voire génial, avait mêlé de la façon la plus audacieuse le vrai avec le faux et, pour donner plus de vraisemblance à sa tricherie, avait mis les faux autographes dans le commerce.*

Les savants, par suite d'égards étonnants, ne donnèrent pas le nom de ce fameux faussaire, un des plus habiles que le monde ait connus – quoique Flammermont et Rocheterie laissassent, il est vrai, nettement deviner entre les lignes celui qu'ils soupçonnaient. Aujourd'hui, il n'y a plus aucune raison de taire ce nom et de passer sous silence un cas psychologique extrêmement intéressant. Le trop zélé fabricant de lettres de Marie-Antoinette n'était autre que le baron Feuillet de Conches lui-même; haut diplomate, homme d'une culture extraordinaire, excellent et spirituel écrivain, parfaitement au courant de tout ce qui s'était passé sous Louis XVI, il avait recherché pendant dix ou vingt ans les lettres de Marie-Antoinette, dans toutes les archives et les collections particulières et, avec un zèle digne d'éloge et une connaissance approfondie du sujet, il avait mis debout un ouvrage aujourd'hui encore digne de respect.

Mais cet homme actif et honorable avait une passion et les passions sont toujours dangereuses: il collectionnait les autographes avec un véritable fanatisme et avait acquis en ce domaine l'autorité d'un pape; nous lui devons, dans ses Causeries d'un curieux, *un essai parfait sur l'art du collectionneur. Sa collection, ou comme il disait fièrement, son « cabinet », était la plus importante de toute la France. Mais quel est le collectionneur content de son trésor ? Déjà – sans doute parce que ses moyens ne lui permettaient pas d'augmenter ses cartons comme il l'eût voulu – il avait fabriqué une série d'autographes de La Fontaine, de Boileau et de Racine (aujourd'hui encore, ils surgissent parfois dans le commerce) qu'il vendait par l'intermédiaire de marchands parisiens ou anglais. Mais les fausses lettres de Marie-Antoinette sont incontestablement ses chefs-d'œuvre.*

Là, comme nul autre vivant, il connaissait la matière, l'écriture et les circonstances. Il ne lui était donc pas particulièrement difficile d'inventer, d'après sept lettres vraiment authentiques de la reine à la comtesse de Polignac, dont il avait été le premier à reconnaître les originaux, autant de lettres qu'il le voulait et de petits billets adressés par Marie-Antoinette à ceux de ses parents avec qui il la savait en relations intimes. C'est ainsi qu'il en arriva à fabriquer une foule de faux dont la perfection est effectivement troublante, tant le style est imité avec tact et les détails imaginés avec le sens de l'Histoire. Avec la meilleure volonté du monde – avouons-le franchement – on ne peut donc pas distinguer si certaines lettres sont vraies ou fausses, si elles ont été pensées et écrites par Marie-Antoinette ou imaginées par le baron Feuillet de Conches. Pour ne citer qu'un exemple, il nous serait impossible de dire si la lettre adressée au baron Flachslanden, qui se trouve à la bibliothèque d'Etat prussienne, est authentique ou non. Le texte pourrait passer pour authentique, l'écriture un peu trop posée et trop ronde trahirait le faux, ainsi que ce fait que le dernier propriétaire tenait la lettre de Feuillet de Conches. C'est pourquoi, au nom de la vérité historique, tout document ne portant pas d'autre indication d'origine que celle du « cabinet » du baron de Conches a été écarté sans pitié de cet ouvrage; nous avons préféré utiliser un petit nombre de lettres dont nous étions absolument sûr, plutôt que de recourir à un grand nombre dont l'authenticité était douteuse.

Pour les témoignages oraux sur Marie-Antoinette il en est de même que pour les lettres; on ne peut guère, en général, s'y fier davantage. Si pour d'autres époques nous déplorons parfois l'absence de Mémoires et de rapports de témoins oculaires, en ce qui concerne la Révolution française on se plaindrait plutôt de l'abondance des documents. En ces années de bouleversement où une génération est ballottée par une succession ininterrompue de vagues politiques, il ne reste guère de temps pour penser et voir. Ce n'est qu'après Waterloo, quand la tempête s'est enfin apaisée, que les hommes sortent de leur peur et se frottent les yeux. Ils s'étonnent tout d'abord d'être encore en vie, puis de tout ce qu'ils ont vécu en ce court espace de temps. Chacun voudrait maintenant lire les récits des témoins oculaires, pour bien reconstruire dans son propre esprit les événements historiques qu'il a vécus; il se produit donc après 1815 une conjoncture tout aussi favorable à l'éclosion de Mémoires que celle de 1918 pour les livres de guerre. Les écrivains professionnels et les éditeurs ne tardent pas à s'en apercevoir et se hâtent de fabriquer, avant que l'intérêt ne faiblisse, des Mémoires en série de la grande époque, destinés à satisfaire le brusque besoin des gens. Tous ceux à qui il est arrivé de frôler la manche de personnages devenus entre-temps historiques sont sollicités par le public de raconter leurs souvenirs. Mais comme la plupart ont généralement passé à travers ces grands événements sans rien voir ni entendre et ne se rappellent que des détails, que bien souvent ils sont incapables de les présenter de façon intéressante, des journalistes inventifs s'emparent de ces éléments qu'ils agrémentent de toutes sortes d'imaginations sentimentales jusqu'à ce qu'ils en aient assez pour faire un livre. Tous ceux qui ont vécu une heure d'Histoire, soit aux Tuileries, soit dans les prisons, soit au tribunal révolutionnaire, deviennent auteurs: la couturière de Marie-Antoinette, sa dame d'atours, sa première, sa deuxième, sa troisième femme de chambre, son coiffeur, son geôlier, la première, la deuxième gouvernante de ses enfants, ses amis. Pour finir, même le bourreau, M. Samson, écrira lui aussi ses Mémoires, ou, tout au moins, prêtera son nom contre finance pour un livre qu'un autre confectionnera.

Il va sans dire que ces rapports inventés se contredisent les uns les autres dans tous les détails, et justement sur les événements décisifs des 5 et 6 octobre 1789; sur l'attitude de la reine pendant l'assaut des Tuileries, ou sur ses dernières heures, on possède vingt versions différentes de soi-disant témoins oculaires. Elles ne concordent qu'au point de vue politique, dans la fidélité touchante, inébranlable et absolue qu'elles témoignent à la cause royale, et cela se comprend si on se souvient qu'elles ont toutes reçues l'imprimatur des Bourbons. Ces mêmes serviteurs et geôliers, qui, pendant la Révolution, furent les plus farouches révolutionnaires, ne se lassent point, sous Louis XVIII, de parler du respect et de l'amour secrets qu'ils portaient à la bonne, la noble, la pure, la vertueuse reine: pourtant si quelques-uns seulement de ces tardifs fidèles s'étaient réellement montrés en 1792 aussi dévoués qu'ils le prétendent en 1820, jamais Marie-Antoinette ne serait entrée à la Conciergerie, jamais elle ne serait montée sur l'échafaud. Neuf dixièmes des « Souvenirs » de cette époque sont donc nés du désir grossier de faire sensation ou d'un besoin intempestif de flagornerie. Aussi celui qui recherche la vérité historique fait bien (contrairement à ce qui s'est passé jusqu'ici) d'écarter d'emblée de la barre comme témoins peu dignes de foi, à cause de leur mémoire trop complaisante, toutes ces femmes de chambre, tous ces coiffeurs, pages et gendarmes mis en avant. Ce que nous avons fait d'une façon systématique.

Et c'est ce qui explique pourquoi n'ont pas trouvé place dans notre biographie de Marie-Antoinette quantité de documents, de lettres, de conversations utilisés sans hésitation dans les livres antérieurs. On y remarquera donc l'absence de mainte anecdote qui pouvait charmer et amuser le lecteur de ces biographies, à commencer par celle où le petit Mozart fit à Schoenbrunn une demande en mariage à Marie-Antoinette et ainsi de suite, jusqu'à la dernière, où la reine, ayant marché par mégarde sur le pied du bourreau en montant à l'échafaud, lui aurait dit: « Pardon, monsieur. » On constatera sans doute aussi l'absence de nombreuses lettres, souvent citées, et avant tout, celles, touchantes, adressées au « cher cœur » (la princesse de Lamballe), pour la bonne raison qu'elles ont été inventées par le baron Feuillet de Conches et non écrites par Marie-Antoinette; de même on n'y trouvera pas toute une série de mots spirituels et sentimentaux, transmis oralement, et cela tout simplement parce que ne correspondant pas au caractère de Marie-Antoinette.

Ce que le sentimentalisme perd dans cet ouvrage – mais non la vérité historique – est compensé par une docu-

mentation nouvelle et importante. Il ressort avant tout d'un examen attentif des documents qui se trouvent aux archives nationales de Vienne que des passages importants, voire les plus importants de la correspondance échangée entre Marie-Thérèse et Marie-Antoinette et soi-disant publiée intégralement, ont été supprimés en raison de leur caractère intime. Ici nous avons utilisé ces lettres sans réserve, parce que les relations conjugales de Louis XVI et de Marie-Antoinette sont psychologiquement incompréhensibles sans la connaissance du secret physiologique si longtemps gardé. De plus, les recherches auxquelles procéda l'excellente archiviste Alma Soederhjelm dans les papiers des descendants de Fersen ont été, elles aussi, extrêmement importantes et ont permis heureusement de mettre au jour de nombreux passages raturés pour des raisons « morales »; grâce à ces documents rendus plus convaincants encore par leur mutilation, c'en est fini de la « pia fraus », de la pieuse légende de l'amour chevaleresque de Fersen pour l'inaccessible Marie-Antoinette; d'autres détails obscurs ou obscurcis ont également été éclaircis. D'autre part, nos idées relatives aux droits humains et moraux de la femme, le hasard l'eût-il faite reine, étant beaucoup plus larges aujourd'hui qu'hier, nous sommes plus sincères et la vérité psychologique nous fait moins peur; nous ne croyons plus, comme la génération précédente, que pour qu'on s'intéresse à un personnage historique il soit nécessaire de l'idéaliser à tout prix, d'en faire un héros sentimental ou autre, d'estomper des traits essentiels de son caractère et d'en exalter d'autres jusqu'au tragique. La loi suprême de toute psychologie créatrice n'est pas de diviniser, mais de rendre humainement compréhensible; la tâche qui lui incombe n'est pas d'excuser avec des arguties, mais d'expliquer. Cette tâche a été tentée ici sur un être moyen qui ne doit son rayonnement en dehors du temps qu'à une destinée incomparable, sa grandeur intérieure qu'à l'excès de son malheur, et qui, je l'espère du moins, sans qu'il soit besoin de l'exalter, peut mériter, en raison même de son caractère terrestre, l'intérêt et la compréhension du présent.

TABLE

Dans la collection Les Cahiers Rouges

(Dernières parutions)

Alexis (Paul), **Céard** (Henry), **Hennique** (Léon), **Huysmans** (JK), **Maupassant** (Guy de), **Zola** (Emile)	*Les Soirées de Médan*
Andreas-Salomé (Lou)	*Friedrich Nietzsche à travers ses œuvres*
Audiberti (Jacques)	*Les Enfants naturels ■ L'Opéra du monde*
Audoux (Marguerite)	*Marie-Claire suivi de l'Atelier de Marie-Claire*
Augiéras (François)	*L'Apprenti sorcier ■ Domme ou l'essai d'occupation ■ Un voyage au mont Athos ■ Le Voyage des morts*
Aymé (Marcel)	*Vogue la galère*
Barbey d'Aurevilly (Jules)	*Les Quarante médaillons de l'Académie*
Baudelaire (Charles)	*Lettres inédites aux siens*
Bayon	*Haut fonctionnaire*
Beck (Béatrix)	*La Décharge ■ Josée dite Nancy*
Becker (Jurek)	*Jakob le menteur*
Begley (Louis)	*Une éducation polonaise*
Benda (Julien)	*Tradition de l'existentialisme ■ La Trahison des clercs*
Berger (Yves)	*Le Sud*
Berl (Emmanuel)	*La France irréelle ■ Méditation sur un amour défunt ■ Rachel et autres grâces*
Berl (Emmanuel), **Ormesson** (Jean d')	*Tant que vous penserez à moi*
Bernard (Tristan)	*Mots croisés*
Bibesco (Princesse)	*Catherine-Paris ■ Le Confesseur et les poètes*
Bodard (Lucien)	*La Vallée des roses*
Bosquet (Alain)	*Une mère russe*
Brenner (Jacques)	*Les Petites filles de Courbelles*
Brincourt (André)	*La Parole dérobée*
Bukowski (Charles)	*Au sud de nulle part ■ Factotum ■ L'amour est un chien de l'enfer (t1) ■ L'amour est un chien de l'enfer (t2) ■ Souvenirs d'un pas grand-chose ■ Women*
Burgess (Anthony)	*Pianistes*
Butor (Michel)	*Le Génie du lieu*
Calet (Henri)	*Contre l'oubli ■ Le Croquant indiscret*
Capote (Truman)	*Prières exaucées*
Carossa (Hans)	*Journal de guerre*
Cendrars (Blaise)	*Hollywood, la mecque du cinéma ■ Rhum, l'aventure de Jean Galmot*
Cézanne (Paul)	*Correspondance*
Chamson (André)	*Le Crime des justes*

Chardonne (Jacques) *Ce que je voulais vous dire aujourd'hui ■ Propos comme ça ■ Les Varais*

Charles-Roux (Edmonde) *Stèle pour un bâtard*

Chatwin (Bruce) *Les Jumeaux de Black Hill ■ Utz ■ Le Vice-roi de Ouidah*

Chessex (Jacques) *L'Ogre*

Clermont (Emile) *Amour promis*

Cocteau (Jean) *La Corrida du 1er mai ■ Les Enfants terribles ■ Essai de critique indirecte ■ Lettre aux Américains ■ La Machine infernale ■ Reines de la France*

Combescot (Pierre) *Les Filles du Calvaire*

Consolo (Vincenzo) *Le Sourire du marin inconnu*

Cowper Powys (John) *Camp retranché*

Curtis (Jean-Louis) *La Chine m'inquiète*

Dali (Salvador) *Les Cocus du vieil art moderne*

Daudet (Léon) *Souvenirs littéraires*

Degas (Edgar) *Lettres*

Delteil (Joseph) *La Deltheillerie ■ Jeanne d'Arc ■ Jésus II ■ Lafayette*

Desbordes (Jean) *J'adore*

Dhôtel (André) *L'Île aux oiseaux de fer*

Dickens (Charles) *De grandes espérances*

Donnay (Maurice) *Autour du chat noir*

Dumas (Alexandre) *Catherine Blum ■ Jacquot sans Oreilles*

Eco (Umberto) *La Guerre du faux*

Ellison (Ralph) *Homme invisible, pour qui chantes-tu ?*

Fallaci (Oriana) *Un homme*

Fernandez (Dominique) *Porporino ou les mystères de Naples*

Fernandez (Ramon) *Messages ■ Molière ou l'essence du génie comique ■ Proust*

Ferreira de Castro (A.) *Forêt vierge ■ La Mission ■ Terre froide*

Fitzgerald (Francis Scott) *Gatsby le Magnifique*

Fouchet (Max-Pol) *La Rencontre de Santa Cruz*

Fourest (Georges) *La Négresse blonde suivie de Le Géranium Ovipare*

Freustié (Jean) *Le Droit d'aînesse ■ Proche est la mer*

Frisch (Max) *Stiller*

Gadda (Carlo Emilio) *Le Château d'Udine*

Galey (Matthieu) *Les Vitamines du vinaigre*

Gallois (Claire) *Une fille cousue de fil blanc*

García Márquez (Gabriel) *L'Automne du patriarche ■ Chronique d'une mort annoncée ■ Des feuilles dans la bourrasque ■ Des yeux de chien bleu ■ Les Funérailles de la Grande Mémé ■ L'Incroyable et triste histoire de la candide Erendira et de sa grand-mère diabolique ■ La Mala Hora ■ Pas de lettre pour le colonel ■ Récit d'un naufragé*

Garnett (David) *La Femme changée en renard*

Gauguin (Paul) *Lettres à sa femme et à ses amis*

Genevoix (Maurice) *Raboliot*

Ginzburg (Natalia) *Les Mots de la tribu*

Giono (Jean) *Colline ■ Jean le Bleu ■ Que ma joie demeure ■ Regain ■ Le Serpent d'étoiles ■ Un de Baumugnes ■ Les Vraies richesses*
Giraudoux (Jean) *Adorable Clio ■ Eglantine ■ Lectures pour une ombre ■ La Menteuse ■ Siegfried et le Limousin ■ Supplément au voyage de Cook*
Gordimer (Nadine) *Le Conservateur*
Goyen (William) *Savannah*
Guéhenno (Jean) *Changer la vie*
Guilbert (Yvette) *La Chanson de ma vie*
Guilloux (Louis) *Angélina ■ Hyménée*
Gurgand (Jean-Noël) *Israéliennes*
Haedens (Kléber) *L'Été finit sous les tilleuls ■ Magnolia-Jules/L'école des parents ■ Une histoire de la littérature française*
Halévy (Daniel) *Pays parisiens*
Hamsun (Knut) *Au pays des contes*
Herbart (Pierre) *Histoires confidentielles*
Hesse (Hermann) *Siddhartha*
James (Henry) *Les Journaux*
Jardin (Pascal) *Guerre après guerre suivi de La guerre à neuf ans*
Jarry (Alfred) *Les Minutes de Sable mémorial*
Jouhandeau (Marcel) *Les Argonautes ■ Elise architecte*
Jullian (Philippe), **Minoret** (Bernard) *Les Morot-Chandonneur*
Jünger (Ernst) *Rivarol et autres essais*
Kafka (Franz) *Journal*
Kipling (Rudyard) *Souvenirs de France*
Klee (Paul) *Journal*
La Varende (Jean de) *Le Centaure de Dieu*
La Ville de Mirmont (Jean de) *L'Horizon chimérique*
Lanoux (Armand) *Maupassant, le Bel-Ami*
Laurent (Jacques) *Croire à Noël*
Léautaud (Paul) *Bestiaire*
Lenotre (G.) *Napoléon – Croquis de l'épopée ■ La Révolution par ceux qui l'ont vue ■ Sous le bonnet rouge ■ Versailles au temps des rois*
Levi (Primo) *La Trêve*
Lilar (Suzanne) *Le Couple*
Lowry (Malcolm) *Sous le volcan*
Maeterlinck (Maurice) *Le Trésor des humbles*
Maïakowski (Vladimir) *Théâtre*
Mailer (Norman) *Les Armées de la nuit ■ Pourquoi sommes-nous au Vietnam ?*
Maillet (Antonine) *Les Cordes-de-Bois ■ Pélagie-la-Charrette*
Malaparte (Curzio) *Technique du coup d'État*
Malerba (Luigi) *Saut de la mort ■ Le Serpent cannibale*
Mallea (Eduardo) *La Barque de glace*
Malraux (Clara) *...Et pourtant j'étais libre ■ Nos vingt ans*

Mann (Heinrich) *Le Sujet!*
Mann (Klaus) *La Danse pieuse ■ Mephisto ■ Symphonie pathétique ■ Le Volcan*
Mann (Thomas) *Les Maîtres ■ Mario et le magicien*
Mauriac (Claude) *André Breton*
Mauriac (François) *Les Chemins de la mer ■ Le Mystère Frontenac ■ La Robe prétexte ■ Thérèse Desqueyroux*
Mauriac (Jean) *Mort du général de Gaulle*
Maurois (André) *Ariel ou la vie de Shelley ■ Le Cercle de famille ■ Choses nues ■ Don Juan ou la vie de Byron ■ René ou la vie de Chateaubriand ■ Les Silences du colonel Bramble ■ Tourguéniev ■ Voltaire*
Mistral (Frédéric) *Mireille/Mirèio*
Monnier (Thyde) *La Rue courte*
Moore (George) *Mémoires de ma vie morte*
Morand (Paul) *Air indien ■ Bouddha vivant ■ Champions du monde ■ Rien que la terre ■ Rococo*
Mutis (Alvaro) *La Dernière escale du tramp steamer ■ Ilona vient avec la pluie ■ La Neige de l'Amiral*
Nadolny (Sten) *La Découverte de la lenteur*
Némirovsky (Irène) *L'Affaire Courilof ■ Les Mouches d'automne précédé de La Niania et Suivi de Naissance d'une révolution*
Nerval (Gérard de) *Poèmes d'Outre-Rhin*
Nicolson (Harold) *Journal 1936-1942*
Obaldia (René de) *Innocentines*
Peisson (Edouard) *Hans le marin ■ Le Pilote ■ Le Sel de la mer*
Penna (Sandro) *Poésies ■ Un peu de fièvre*
Peyré (Joseph) *Matterhorn ■ Sang et Lumières*
Pieyre de Mandiargues (André) *Le Belvédère ■ Deuxième Belvédère*
Ponchon (Raoul) *La Muse au cabaret*
Poulaille (Henry) *Pain de soldat*
Privat (Bernard) *Au pied du mur*
Proulx (Annie) *Cartes postales ■ Nœuds et dénouement*
Radiguet (Raymond) *Le Diable au corps suivi de Le bal du comte d'Orgel*
Ramuz (Charles-Ferdinand) *Le Garçon savoyard ■ La Grande peur dans la montagne ■ Jean-Luc persécuté ■ Joie dans le ciel*
Richaud (André de) *L'Amour fraternel ■ La Douleur ■ La Fontaine des lunatiques*
Rivoyre (Christine de) *Boy ■ Le Petit matin*
Robert (Marthe) *L'Ancien et le Nouveau*
Rochefort (Christiane) *Archaos ■ Printemps au parking ■ Le Repos du guerrier*
Rodin (Auguste) *L'Art*
Rondeau (Daniel) *L'Enthousiasme*
Roth (Henry) *L'Or de la terre promise*
Rouart (Jean-Marie) *Ils ont choisi la nuit*
Rutherford (Mark) *L'Autobiographie de Mark Rutherford*
Sackville-West (Vita) *Au temps du roi Edouard*
Sainte-Beuve *Mes chers amis...*

Sainte-Soline (Claire) *Le Dimanche des Rameaux*
Schneider (Peter) *Le Sauteur de mur*
Sciascia (Leonardo) *L'Affaire Moro* ■ *Du côté des infidèles* ■ *Pirandello et la Sicile*
Semprun (Jorge) *Quel beau dimanche*
Serge (Victor) *Les Derniers temps*
Sieburg (Friedrich) *Dieu est-il Français ?*
Silone (Ignazio) *Fontarama* ■ *Le Secret de Luc*
Soljenitsyne (Alexandre) *L'Erreur de l'Occident*
Soriano (Osvaldo) *Jamais plus de peine ni d'oubli* ■ *Je ne vous dis pas adieu...* ■ *Quartiers d'hiver*
Stéphane (Roger) *Chaque homme est lié au monde* ■ *Portrait de l'aventurier*
Suarès (André) *Vues sur l'Europe*
Teilhard de Chardin (Pierre) *Ecrits du temps de la guerre (1916-1919)* ■ *Genèse d'une pensée* ■ *Lettres de voyage*
Theroux (Paul) *La Chine à petite vapeur* ■ *Patagonie Express* ■ *Railway Bazaar* ■ *Voyage excentrique et ferroviaire autour du Royaume-Uni*
Vailland (Roger) *Bon pied bon œil* ■ *Les Mauvais coups* ■ *Le Regard froid* ■ *Un jeune homme seul*
Van Gogh (Vincent) *Lettres à son frère Théo* ■ *Lettres à Van Rappard*
Vasari (Giorgio) *Vies des artistes*
Vercors *Sylva*
Verlaine (Paul) *Choix de poésies*
Vitoux (Frédéric) *Bébert, le chat de Louis-Ferdinand Céline*
Vollard (Ambroise) *En écoutant Cézanne, Degas, Renoir*
Vonnegut (Kurt) *Galápagos*
Wassermann (Jakob) *Gaspard Hauser*
White (Kenneth) *Terre de diamant*
Whitman (Walt) *Feuilles d'herbe*
Wolfromm (Jean-Didier) *Diane Lanster* ■ *La Leçon inaugurale*
Zola (Émile) *Germinal*
Zweig (Stefan) *Erasme* ■ *Fouché* ■ *Marie Stuart* ■ *Marie-Antoinette* ■ *Souvenirs et rencontres* ■ *Un caprice de Bonaparte*

Cet ouvrage a été imprimé par
CPI Firmin Didot
Mesnil-sur-l'Estrée
pour le compte des Editions Grasset
en mai 2011

Imprimé en France

Première édition, dépôt légal : avril 2002
Nouveau tirage, dépôt légal : mai 2011
N° d'édition : 16747 – N° d'impression : 105730